L'épreuve sur dossier au CAPES d'histoire-géographie

L'Université pratique

Collection dirigée par Fabrice d'Almeida

François Audigier
François Guilloteau
Guillaume Lion
Michelle Masson-Vincent
Roger Rivet

L'épreuve sur dossier au CAPES d'histoire-géographie

Seli Arslan

Éditions Seli Arslan
14 rue du Repos
75020 Paris

ISBN : 2-84276-061-1

Sommaire

Les auteurs 8

Présentation du manuel 9

Introduction *(François Audigier)* 11

HISTOIRE

THÉORIE

HISTORIOGRAPHIE *(François Audigier)* 24
L'histoire au XIXe siècle 25
*Un nouvel engouement pour l'histoire 26 L'institutionnalisation de
l'histoire 28 L'histoire traditionaliste des romantiques 29 L'histoire
nationale des libéraux et républicains 29 L'histoire hégélienne puis
marxiste des socialistes 32 L'histoire « scientifique » des positivistes 36*
L'histoire au XXe siècle 42
*Le renouveau des Annales 42 Les Annales de Fernand Braudel 47
Influences marxistes et structuralistes 53 La Nouvelle Histoire 58
Le doute de l'histoire et les nouvelles tendances 64*
ENSEIGNER L'HISTOIRE *(François Audigier)* 67
Les enjeux de l'enseignement de l'histoire : une pratique sociale
répondant à une demande sociale 68
*L'histoire : une place privilégiée dans le système éducatif et le
champ culturel français 69 Une mission ambiguë : transmettre une
mémoire identitaire 70*
L'enseignement de l'histoire en France à l'époque contemporaine 75
*L'enseignement de l'histoire au XIXe siècle 75
L'enseignement de l'histoire au XXe siècle 78*
Enseigner quelle histoire ? 81
*Le programme et ses accompagnements : un cadre normatif 81
Entre savoir savant et savoir enseigné, la recomposition didactique 84
Une histoire totalisante 85 Une histoire conceptualisante 87
Une histoire problématisée 89 Les nouveaux horizons de l'histoire 93
Convergences disciplinaires 96*
Comment enseigner l'histoire ? 98
*Le choix des méthodes pédagogiques 98
L'utilisation du document 100*

SUJETS CORRIGÉS

Pourquoi enseigner l'histoire aujourd'hui ? *(François Audigier)* ...   105

Enseigner l'histoire politique en classe de troisième
(Guillaume Lion)   115

Le principe de causalité en histoire *(François Audigier)*   124

La biographie historique entre enjeux épistémologiques et
pratique scolaire *(Guillaume Lion)*   132

La place du récit en histoire *(François Audigier)*   140

Enseigner l'événement : l'exemple de la chute du Mur de Berlin en
classe de terminale (séries L, ES, S) *(Guillaume Lion)*   147

L'histoire entre sources et problématiques. Une restitution ou
une reconstruction du passé ? *(François Audigier)*   154

Enseigner l'histoire culturelle *(Guillaume Lion)*   163

L'histoire du temps présent. Comment l'écrire ?
Pourquoi l'enseigner ? *(François Audigier)*   172

Histoire et mémoire : enseigner l'histoire de l'extermination
des Juifs *(Guillaume Lion)*   188

Enseigner le totalitarisme. Les limites de la conceptualisation
en histoire *(François Audigier)*   198

Les relations internationales, dans l'histoire et dans l'enseignement
(terminale voie générale L, ES, S) *(Guillaume Lion)*   210

GÉOGRAPHIE

THÉORIE

HISTOIRE DE LA GÉOGRAPHIE *(Michelle Masson-Vincent)*   220
   Qu'est ce que l'histoire de la géographie ?   220
   La géographie dès son origine a eu une pluralité de filiations   221
     Les cartographes du Roy 221 *Les « espions du Roy »* 223
     La géographie « fille de l'histoire » 224
     La géographie, héritière de « naturalistes » transfuges 225
   Les grandes phases de l'histoire de la géographie   226
     La naissance de la géographie moderne : fin XVIIIe siècle-1820 226
     La deuxième phase d'expansion rapide : 1870-1900 228
     *Depuis 1950-1955, émergence et mise en place de la
     Nouvelle Géographie* 230

ÉPISTÉMOLOGIE DE LA GÉOGRAPHIE 236
  La géographie vidalienne ou géographie classique 236
    Une démarche double : généralisation et induction 236
    Les outils de la géographie classique 238
  La Nouvelle Géographie 240
    Une démarche hypothético-déductive 240 Les outils associés 242
LA GÉOGRAPHIE ENSEIGNÉE : 130 ANS DE PROGRAMMES DANS
L'ENSEIGNEMENT SECONDAIRE *(Michelle Masson-Vincent)* 243
  Qu'est-ce qu'un programme, et comment s'élabore-t-il ? 243
  Les programmes anciens 245
    Avant 1870 245 Le projet de 1872 et sa version définitive de 1874 246
    La réforme de 1890 246 Les réformes de 1902 (modifiée en 1905)
    et de 1925 250 La réforme de J. Zay ou de 1937-1938 253
    La réforme Haby au collège (1977-1978) 255 La réforme Chevènement
    (1985) et la relecture de 1990 pour des lendemains prometteurs 258
  Les programmes de 1995, ou les lendemains qui déchantent 264
    Les finalités de l'enseignement de la géographie aujourd'hui 265
    Cohérence des programmes, méthodes et approches 267
    Les programmes 269

SUJETS CORRIGÉS

Enseigner le paysage en classe de sixième *(François Guilloteau)* .. 282
La notion de développement en classe de cinquième
  (François Guilloteau) 291
Représenter la carte au collège : quelles cartes et pour quoi faire ?
  (François Guilloteau) 297
La géographie générale enseignée en classe de seconde
  (François Guilloteau) 306
Événement spatial : enseigner un concept géographique nouveau
  au lycée *(François Guilloteau)* 315
Géographie et représentations : l'exemple des TOM
  (François Guilloteau) 324
En quoi la géographie contribue-t-elle à la formation de citoyens
  responsables ? *(Roger Rivet)* 332
La notion de frontière dans les programmes
  du lycée *(Roger Rivet)* 338
Enseigner une puissance en classe de terminale *(Roger Rivet)* 346

Les auteurs

François Audigier. Ancien élève de l'ENS Fontenay Saint-Cloud et agrégé d'histoire, il est PRAG à l'IUFM du Pacifique (antenne de Nouvelle-Calédonie), où il prépare notamment les candidats du CAPES à l'épreuve d'ESD histoire. Il est également chargé de cours à l'Université du Pacifique.

François Guilloteau. Agrégé d'histoire, il a été formateur MAFPEN en 1989-1993, PRAG à l'IUFM du Pacifique (antenne de Nouvelle-Calédonie) en 1993-1995, puis à l'IUFM de Poitiers en 1995-2000, où, entre autres, il préparait les candidats à la partie géographie de l'ESD du CAPES. Il était également chargé de cours à l'université de La Rochelle. Il intervient depuis 2000 à l'université de Polynésie française comme chargé de cours.

Guillaume Lion. Agrégé d'histoire, il est PRAG à l'IUFM du Pacifique (antenne de Polynésie française), où il prépare notamment les candidats du CAPES à l'épreuve d'ESD histoire.

Michelle Masson-Vincent. Agrégée de géographie, professeur des universités à l'IUFM de Grenoble, elle a participé au jury du CAPES externe pour l'ESD de 1994 à 1997. Elle prépare depuis dix ans les étudiants à cette épreuve. Spécialiste de didactique de la géographie, elle est aussi l'auteur de *Vous avez dit géographies ? Didactique d'une géographie plurielle* (Armand Colin, 1994) et de *Comment enseigner l'Europe de l'école au lycée ?* (Armand Colin, 1996) ainsi que de *L'Enfant et la montagne. Savoirs géographiques et représentations spatiales sur la montagne* (Anthropos-Économica, 1995).

Roger Rivet. Agrégé de géographie, il a été formateur MAFPEN. Professeur au lycée Gauguin, il est chargé de cours en géographie à l'IUFM du Pacifique (antenne de Polynésie française).

Présentation du manuel

Proposer un manuel d'annales pour l'épreuve sur dossier au CAPES d'histoire et géographie est à la fois une nécessité et un challenge. Une nécessité, car formateurs en IUFM et parfois depuis plusieurs années, nous avons pris la mesure du désarroi (qui peut se traduire par un véritable abandon) de nombreux étudiants devant une épreuve qui représente pourtant 25 % du total des points du concours. Comment aborder cette épreuve dans toutes ses dimensions : épistémologie, histoire des disciplines, histoire de son enseignement, programmes récents et actuels, outils et finalités scientifiques, méthodologiques et civiques ? Un challenge, car peu d'enseignants ont proposé à la fois une réflexion théorique et des sujets rédigés pour cette épreuve. Et pourtant, au cours de leur formation, les étudiants apprécient de voir des sujets composés et rédigés.

Pour répondre à ces préoccupations, des choix ont dû être faits, tant dans les parties théoriques que pratiques. En histoire comme en géographie, la part réservée à l'épistémologie — largement développée dans de nombreux ouvrages par ailleurs — est délibérément limitée pour mieux préciser et renouveler l'histoire de la discipline d'une part, et suivre l'évolution de son enseignement jusqu'aux programmes actuels d'autre part. Quant aux sujets d'annales proposés, ils ne se présentent surtout pas comme des modèles ; ni dans leurs libellés, ni dans leur rédaction. Au contraire, ils ne sont que des types de réponses — rédigées toutefois — à des types de questions possibles.

Ainsi, en histoire et en géographie, il nous est apparu qu'il existait six ou sept types de sujets avec des déclinaisons multiples : le candidat peut être amené à réfléchir sur des concepts/notions, des finalités épistémologiques ou d'enseignement, les différents outils, des évolutions de la discipline ou de son enseignement, les programmes récents ou actuels, des moyens comme les manuels, la documentation, les médias, sans négliger les arts, la littérature ou l'actualité et la dimension citoyenne de cet enseignement. Chaque thème peut donner lieu à une multitude d'approches (par exemple en croisant les notions et les niveaux d'enseignement, ou les finalités de l'enseignement à diverses époques) et chaque sujet à des problématiques différentes. De même, des notions peuvent être abordées parce qu'elles ont tenu une grande place, même si elles sont aujourd'hui négligées, ou bien parce qu'elles tiennent une place majeure dans les programmes, les manuels et les pratiques actuellement, ou encore parce qu'elles émergent dans la réflexion scientifique et didactique.

Notre ambition a donc été de développer une réflexion théorique renouvelée, scientifique et personnelle, avec des références à des ouvrages majeurs qu'il faut impérativement consulter, et de proposer pour les sujets d'annales quelques approches tour à tour approfondies (pour envisager sereinement la reprise après l'exposé) ou plus réalistes (pour prendre conscience des conditions réelles de l'épreuve), afin de mettre entre les mains des étudiants un outil abordable mais complet, efficace pour la préparation d'une épreuve difficile qui demande une culture et un recul, voire une expérience, qui ne sauraient s'acquérir en quelques semaines.

Les auteurs

Introduction

Une épreuve redoutée

Les candidats au CAPES d'histoire-géographie redoutent l'épreuve sur dossier (ESD) qui représente un des trois oraux d'admissibilité du concours (avec la leçon et le commentaire de document). Si l'ESD, réputée à juste titre très sélective, inquiète, elle est pourtant négligée. En effet, ceux qui préparent le concours concentrent souvent leurs efforts sur les seules questions disciplinaires, tant à l'écrit qu'à l'oral. Alors même que cette épreuve difficile et chargée réclamerait un travail de longue haleine, elle est traitée à la va-vite dans les semaines précédant l'admissibilité : une erreur fatale quand on sait que l'ESD bénéficie d'un fort coefficient (3) qui rend cet oral discriminant. En clair, il est rare de réussir le CAPES quand on a échoué l'ESD. Or, beaucoup de candidats passent totalement à côté de cette épreuve à en croire les statistiques officielles émanant des rapports des jurys. Depuis 1993, la moyenne générale à l'ESD tourne autour de 6,5... Les notes dépassant la moyenne sont rares, à l'inverse des leçons et commentaires d'histoire ou de géographie. Chaque année, les jurys se plaignent de prestations globalement médiocres, même si certaines améliorations sont constatées (comme une meilleure connaissance des programmes).

Comment expliquer que cette épreuve importante pour la réussite au concours et légitime sur le plan scientifique et institutionnel (il s'agit quand même de vérifier si de futurs professeurs ont réfléchi aux contenus, aux conditions et aux enjeux de leur enseignement) soit à ce point négligée ? Deux raisons peuvent être avancées.

Les candidats perçoivent mal tout d'abord le contenu exact d'une épreuve aux contours larges. Réussir l'ESD suppose en effet de connaître les programmes et leurs évolutions, d'apprécier le contenu des manuels et leurs modifications successives, de prendre en compte les grands débats de la recherche, de réfléchir aux finalités assignées à l'enseignement de l'histoire et de la géographie, d'analyser l'articulation de ces deux matières avec l'éducation civique. L'épreuve nécessite aussi une bonne connaissance des grandes mutations de ces disciplines, une capacité d'analyser le passage du champ scientifique à celui de la transmission scolaire, une mise en perspective par rapport aux mutations de la société et du système éducatif. Vaste programme, qui décourage bien des candidats...

Par ailleurs, si les champs sont vastes et le niveau d'exigence élevé, l'ESD reste difficile à préparer. L'ESD relevant des IUFM, les universités n'offrent pas de cours sur cette question (les étudiants abordent parfois l'historiographie et l'histoire de la géographie en DEUG ou licence) et se concentrent sur les aspects disciplinaires du concours. Dans les IUFM, la préparation ESD est souvent excellente, mais beaucoup de candidats souhaiteraient pouvoir travailler chez eux en conditions réelles à partir de corrigés types.

Les rédacteurs de ce manuel espèrent ainsi aider les candidats dans leur préparation d'une épreuve qui est décisive pour leur réussite au concours et... intellectuellement stimulante !

Historique de l'épreuve

L'épreuve sur dossier est assez récente, puisqu'elle remonte à la session 1994 du CAPES et qu'elle a été définie par les arrêtés du 3 août 1993 et 4 septembre 1997. Elle a remplacé une épreuve apparue en 1992 (dans le prolongement des IUFM) et appelée « épreuve professionnelle ». Celle-ci devait vérifier les capacités de réflexion des candidats sur « la mise en œuvre pratique dans le cadre de la classe des connaissances ou de l'expérience acquise ». Dotée déjà à cette époque d'un fort coefficient, cette épreuve suscita de vives polémiques entre ceux qui lui trouvaient l'avantage d'obliger les futurs enseignants à réfléchir à leur métier et ceux qui lui reprochaient de privilégier le savoir-faire didactique aux compétences disciplinaires. Elle fut finalement aménagée et devint l'actuelle ESD.

Nature et contenu de l'épreuve

Cet historique permet de comprendre ce que n'est pas cette épreuve.

Il ne s'agit en aucun cas d'une épreuve de didactique de l'histoire et de la géographie, telle qu'elle existe pour le CAPES interne d'histoire-géographie (réservé à des professeurs en activité) et qui porte sur des séquences d'enseignement. Interrogé sur « Enseigner Vichy en terminale », le candidat ne doit pas ainsi proposer une leçon au jury, avec ses objectifs, prérequis, supports pédagogiques, exercice d'évaluation et trace écrite, mais réfléchir à la place de cette question dans les programmes, aux problèmes spécifiques posés par l'enseignement de ce thème, à ses finalités civiques, à la dimension historiographique de la question, au devoir de mémoire, etc.

Il ne s'agit pas non plus d'un commentaire de documents, lesquels sont toujours un support à une réflexion plus générale et ne doivent pas faire l'objet d'une explication spécifique. Interrogé sur « La place du récit en histoire » à partir d'un texte de P. Veyne, le candidat doit intégrer le document dans une argumentation d'ensemble et non en faire une analyse linéaire.

Il ne s'agit pas, enfin, d'un exposé factuel à propos du thème contenu dans l'intitulé. Interrogé sur « Enseigner la Guerre froide en classe de terminale », le candidat ne doit pas retracer l'historique de l'affrontement idéologique des deux grandes puissances après-guerre, mais réfléchir à la place de ce thème dans les programmes et à ses enjeux.

Si l'on sait désormais ce que l'ESD n'est pas, reste à préciser en quoi elle consiste. Les textes officiels d'octobre 1993 présentant l'ESD sont suffisamment clairs pour qu'on s'y rapporte :

> Le jury évalue des connaissances précises sur l'organisation et les finalités de l'enseignement de l'histoire et de la géographie et de l'éducation civique : horaire et programmes, orientations d'ensemble des instructions officielles, relations aux autres disciplines. Il évalue la qualité d'une réflexion sur l'histoire et l'épistémologie des deux disciplines : champs scientifiques, méthodes spécifiques, grands débats. Il évalue la réflexion sur les grandes orientations de la pédagogie des disciplines au collège et au lycée : usage de la carte en géographie, du document en histoire. Le jury évalue également les qualités d'exposition : la rigueur de l'analyse et de la synthèse, la force de conviction. Le jury ne se réclame d'aucune « école » et apprécie tout particulièrement l'exposition d'idées personnelles, pourvu qu'elles soient argumentées solidement.

En clair, l'ESD ne consiste pas à savoir « comment enseigner », mais à s'interroger dans le cadre de son futur métier sur les contenus, les méthodes, les objectifs et le public de cet enseignement.

La lecture de ces textes officiels et des rapports des jurys (le dernier, portant sur la session 2000, peut être consulté dans le numéro d'octobre 2000 d'*Historiens & Géographes ;* nous reprenons ici beaucoup de ses remarques) permet de distinguer les axes de l'épreuve. L'ESD couvre cinq champs thématiques :

– l'épistémologie (comment se construisent l'histoire et la géographie ; quels sont le statut et les usages des sources d'information et des outils utilisés par l'historien et le géographe ?...) ;

– l'historiographie et l'histoire de la pensée géographique ;

– les finalités et les objectifs de l'enseignement de l'histoire, de la géographie et de l'éducation civique ;

– les programmes et accompagnements (appelés autrefois instructions officielles) des trois disciplines en question (évolution, contenu, répartition horaire, transdisciplinarité...) ;

– l'usage du document dans les disciplines et leur enseignement.

Il est bien stipulé que l'éducation civique ne peut faire l'objet de sujets spécifiques, mais qu'elle constitue une dimension qui sera obligatoirement prise en compte. Par le candidat tout d'abord, qui devra intégrer au traitement de sa question une dimension civique ; par le jury ensuite, qui interrogera le candidat sur les prolongements civiques offerts par l'intitulé. Ce questionnement est d'autant plus légitime qu'un arrêté du 4 septembre 1997 rappelle que le candidat devra démontrer qu'il a réfléchi « à la dimension civique de tout enseignement et plus particulièrement de celui de la discipline dans laquelle il souhaite enseigner ».

Modalités pratiques de l'épreuve

L'épreuve, qui dure en tout 2 heures 45, se décompose en trois temps :
– Le candidat tire au sort un sujet portant sur la géographie ou l'histoire. Ce sujet comporte un intitulé et un dossier de quelques pages permettant au candidat d'étayer sa réflexion. L'intitulé est le plus souvent libellé sous une forme affirmative. On aura ainsi en histoire : « Enseigner l'histoire sociale, l'exemple de l'immigration en France », et en géographie : « Carte et réalité en géographie ». Il importe alors au candidat de reformuler le sujet sous la forme d'un questionnement pour en dégager les enjeux.

Le dossier comprend en général entre 1 et 5 documents. Ceux-ci sont assez variés ; il peut s'agir d'extraits d'ouvrages historiques ou géographiques (œuvres célèbres, études épistémologiques…), d'extraits de revues universitaires, d'extraits de manuels anciens ou actuels, de cartes, d'images, de graphiques, d'articles de presse grand public, de reproductions de sujets d'examens du secondaire, de reproductions de copies d'élèves, etc. Prenons l'exemple du sujet « Sources et documents : le problème de base de l'historien ? » donné lors de la session 2000. Ce sujet était accompagné des documents suivants : un extrait de *L'Archéologie du savoir* de M. Foucault, un extrait de *Comment on écrit l'histoire* de P. Veyne, un extrait de *L'Introduction aux études historiques* de C. Seignobos, un extrait de l'article « L'atelier des sources » d'A. Prost publié dans la revue *Sciences Humaines* et un extrait de l'article « Où en est l'enseignement de l'histoire ? » de D. Borne publié dans la revue *Le Débat*.

Muni de son sujet, le candidat se dirige dans la salle de préparation. Il y restera deux heures et n'aura à sa disposition que les programmes et accompagnements en histoire, géographie et éducation civique pour les collèges et lycées. Il vaut mieux ne pas rédiger entièrement l'exposé (exceptées l'introduction et la conclusion), et se contenter d'indiquer sur sa feuille le plan, ses sous-parties, les idées majeures de chaque paragraphe ainsi que les exemples devant illustrer l'argumentation. Cela obligera le candidat à parler librement, ce qu'il ferait dans une salle de cours de toute façon — encore une fois, l'épreuve étant destinée à recruter de futurs enseignants, autant se mettre en condition dès le début. Sur une feuille à part qu'il gardera pour la reprise, le candidat indique des références bibliographiques, des exemples supplémentaires, des idées de prolongements thématiques, des hypothèses de convergence disciplinaire, des souvenirs de terrain, etc. Il est inutile en effet qu'il gaspille toutes ses munitions pour l'exposé. Celui-ci ne durant que 15 minutes, toute volonté d'exhaustivité entraînerait une prestation confuse, répétitive et trop longue. Se contenter de l'essentiel permet surtout d'être mieux armé pour la reprise, durant laquelle la plupart des candidats s'effondrent, faute d'avoir préparé cette partie de l'épreuve, aussi importante sinon plus que l'exposé lui-même.

Le candidat se rend ensuite dans la salle du jury. Il est impératif pour lui d'aller voir une fois ou deux son jury les jours précédant son tirage. Cela lui permettra de se rappeler les contenus et les exigences de l'épreuve, mais aussi de se familiariser avec la salle et ses examinateurs, de voir le type de questions posées et les thèmes abordés (sans prendre de notes toutefois car cette pratique est interdite). Rien n'est plus formateur que d'assister aux oraux, bons ou mauvais, des candidats en conditions réelles (les entraînements en IUFM ne reproduisent jamais totalement l'ambiance du concours). L'idéal serait même d'assister aux oraux d'ESD un an avant son inscription au CAPES pour mieux adapter sa préparation... Face au jury, le candidat présente alors un exposé de 15 minutes exactement. Il est suivi d'un entretien de 30 minutes avec les trois membres du jury. Le candidat commence toujours par être interrogé sur la discipline concernée par son sujet (pendant 15 minutes), puis les deux autres membres du jury prennent la parole (pendant 15 minutes) pour questionner le candidat sur les deux autres matières (géographie et éducation civique si le sujet portait par exemple sur l'histoire), dans le prolongement thématique ou méthodologique du sujet. Ayant tiré un sujet sur l'utilisation de la carte dans le cours de géographie, le candidat serait par exemple interrogé par le spécialiste histoire du jury sur la nécessité de spatialiser un cours d'histoire, puis serait questionné par le spécialiste d'éducation civique du jury sur les liens entre l'enseignement de la géographie et la formation du citoyen.

Type de sujets

L'étude des sujets posés à l'ESD depuis plusieurs années montre que les intitulés relèvent toujours de l'une des sept catégories suivantes :
1. Un sujet de type épistémologique portant sur un concept ou une notion :
– En histoire : « La notion de causalité historique ».
– En géographie : « La notion de paysage dans l'enseignement de la géographie ».
2. Un sujet concernant les objectifs et finalités de l'enseignement de l'histoire ou de la géographie :
– En histoire : « Pourquoi enseigner l'histoire aujourd'hui ? »
– En géographie : « Quel est le rôle de la géographie dans la formation du citoyen ? »
3. Un sujet portant sur les outils de l'histoire et de la géographie :
– En histoire : « L'utilisation de l'image dans le cours d'histoire ».
– En géographie : « Statut de la carte dans l'enseignement de la géographie ».
4. Un sujet portant sur l'évolution de l'enseignement de l'histoire ou de la géographie à partir des manuels et des instructions officielles :
– En histoire : « L'histoire dans les manuels : l'enseignement de la Révolution ».
– En géographie : « Évolution de la géographie enseignée en seconde ».
5. Un sujet portant sur un thème d'enseignement par rapport à un niveau donné (classe ou cycle) :

– En histoire : « Enseigner la Renaissance en classe de seconde ».

– En géographie : « Enseigner l'Europe au collège ».

6. Un sujet portant sur l'historiographie et l'histoire de la pensée géographique :

– En histoire : « Conception et exploitation de la source chez les historiens de l'époque contemporaine ».

– En géographie : « Nouvelle Géographie, nouvelles problématiques, quelles conséquences sur l'enseignement ? »

7. Un sujet ayant une dimension civique :

– En histoire : « Historiens et professeurs d'histoire face au devoir de mémoire ».

– En géographie : « Géographie et protection de l'environnement ».

Les attentes du jury

Une démarche personnelle. Le jury le répète chaque année dans ses rapports, il ne souhaite pas entendre la répétition plus ou moins habile d'une fiche de cours. L'ESD, c'est avant tout une réponse originale, structurée et argumentée, à un sujet spécifique qu'on aura problématisé. Cela suppose de mobiliser une culture générale scientifique, épistémologique et historiographique, acquise grâce aux cours délivrés à l'IUFM, mais aussi grâce aux observations faites sur le terrain lors du stage en établissement scolaire (organisé par les IUFM pour leurs élèves de première année) et aux lectures personnelles du candidat durant toute l'année. Les jurys sont lassés de voir les candidats, par peur, manque de préparation ou lacune culturelle, contourner le sujet pour plaquer un développement tout fait, qui reprend souvent le rituel consistant à évoquer dans une première partie l'aspect scientifique du sujet avant de traiter dans une deuxième partie sa dimension péda-gogique. Au lieu de réagir à un seul mot de l'intitulé et reproduire aussitôt un corrigé appris par cœur qui semble proche du thème en question, il vaut mieux prendre le temps de réfléchir aux enjeux et aux limites de la question, parcourir le dossier proposé et rassembler des exemples pris dans ses souvenirs sur le terrain et ses lectures personnelles (ouvrages et articles parcourus récemment).

Pour obtenir la bienveillance du public, il est utile d'évoquer en exemple le stage en établissement effectué durant l'année de concours. Le jury apprécie profondément cette mise en perspective pédagogique tirée d'une expérience de terrain.

Des connaissances de base. Encore une fois, l'ESD n'est pas une épreuve de didactique. Il s'agira donc moins de réfléchir au « comment ? » de l'enseignement de l'histoire et de la géographie, qu'au « quoi ? », « pourquoi ? » et « à qui ? ». Pour être menée à bien, cette réflexion suppose une culture historique et géogra-phique de base. Le jury exige du candidat au CAPES un niveau de connaissance correspondant au moins au contenu des manuels du secondaire. En clair, il est demandé au futur professeur de maîtriser ce qu'il va enseigner à la rentrée. Les candidats gagneront peut-être à rafraîchir leurs connaissances disciplinaires en relisant ces manuels (surtout pour les questions de type 5 dans la typologie présentée ci-dessus). Les grands repères spatiaux et temporels, les notions et concepts majeurs, le vocabulaire spécifique et les documents dits patrimoniaux doivent être connus. Ces exigences sont aussi méthodologiques : le candidat doit savoir lire une carte, réaliser un croquis, établir une légende, analyser une image par plans, représenter le temps par une frise, dresser une courbe, commenter un texte de manière critique, etc. Le jury se plaint régulièrement des lacunes des candidats en matière de culture religieuse, artistique et littéraire. Des classiques de l'ESD comme « L'œuvre d'art en histoire, classe de seconde » ou « Étudier les religions au collège » donnent rarement lieu à de bonnes prestations. Ces lacunes sont observées également dans le domaine des sciences et techniques. Interrogés sur « L'exploitation de l'image satellitale en cours de géographie », peu de candidats savent expliquer en quoi consiste ce type de document, comment il est obtenu et traité. Avec le recours croissant par l'institution scolaire à l'informatique, les candidats doivent aussi se préparer à des questions, voire à des sujets, portant sur cet outil et son exploitation pédagogique (il faut alors bien penser aux ressources offertes par Internet, pris en compte désormais par certains manuels scolaires qui renvoient à des sites).

Le candidat doit encore être au courant des grands débats qui agitent historiens et géographes, pour pouvoir interpréter les manuels et programmes en les replaçant dans des contextes intellectuels. Il faut enfin se tenir au fait de l'actualité, car le jury aime à interroger le candidat sur l'exploitation pédagogique qu'un professeur est supposé faire d'événements médiatiques récents. Ayant tiré « Enseigner l'histoire politique en classe de terminale », le candidat sera peut-être interrogé sur la crise des élections présidentielles américaines et ses possibles prolongements pédagogiques en classe (pour expliquer notamment le système fédéral aux États-Unis, les jeux entre législatif et exécutif, le poids des médias, etc.). Ayant tiré « Le concept de "grande puissance" en cours de géographie », le candidat sera par exemple interrogé sur les grandes puissances actuelles et les critères de leur sélection. Certaines questions posées par le spécialiste de l'éducation civique surprennent parfois par leur caractère concret (les conséquences « citoyennes » de la victoire des Bleus au Mondial de foot, l'information ou la désinformation du citoyen en matière de sécurité alimentaire, les polémiques suscitées par les résonances actuelles de certains couplets de « La Marseillaise », etc.).

Précision et sens de la nuance. Passer un oral d'ESD suppose des compétences particulières dans les différents domaines de questionnement, qui doivent être appréhendés avec précision et nuance.

En épistémologie, une réflexion théorique doit être immédiatement suivie d'exemples concrets et précis tirés de la lecture personnelle d'œuvres et d'articles, puis accompagnée d'un prolongement pédagogique en situation de cours par rapport à un thème au programme et à un niveau de classe. Inutile ainsi de disserter longuement sur « Les temps de l'histoire » si l'on est incapable d'évoquer avec précision l'introduction de *La Méditerranée* où F. Braudel évoque ces trois temps étagés ; si l'on ignore les synthèses faites sur la question par A. Prost dans *Douze leçons d'histoire* et par Jean Leduc, Jacqueline Le Pellec et Violette Marcos-Alvarez dans *Construire l'histoire ;* enfin, si l'on n'est pas en mesure de voir les applications pédagogiques de cette réflexion (dans l'élaboration du programme d'histoire de seconde, très marqué par le temps long, ou dans la représentation du temps par le professeur, notamment par le biais de frises étagées). En histoire par exemple, la lecture de l'excellent ouvrage collectif *L'Histoire aujourd'hui*[1], qui fait le point sur l'historiographie, les chantiers actuels de l'histoire, les débats épistémologiques contemporains à partir d'articles et d'interviews, serait salutaire pour bien des candidats.

Concernant l'histoire des disciplines, le jury est frappé par les représentations caricaturales qu'ont encore beaucoup de candidats. Il n'y a plus qu'à l'oral d'ESD du CAPES qu'on condamne aussi sévèrement C.-V. Langlois et C. Seignobos[2] ! Si les *Annales* de la première génération sont bien connues, la postérité de ce courant après 1945 est mal appréhendée. Quant aux débats actuels agitant la profession, ils sont souvent ignorés, sans parler des écoles historiques étrangères. Les lacunes sont encore plus graves en géographie, où rien ne semble avoir été pensé et écrit entre P. Vidal de la Blache et R. Brunet... Pour certains, l'unique mérite d'E. de Martonne est d'être le gendre de P. Vidal de la Blache, tandis que d'autres voient seulement dans Reclus le sigle de l'École de Montpellier.

Les finalités et objectifs de l'enseignement des deux disciplines doivent être connus, mais aussi replacés dans une perspective historique qui leur donne sens (notamment dans la perspective des études comparatives de plusieurs générations de manuels, programmes et instructions officielles). Une connaissance minimale des structures éducatives est nécessaire. Il faut aussi être au courant des nouvelles responsabilités des professeurs, qui participent désormais à un projet global d'éducation[3]. Cela signifie sortir de son cadre disciplinaire pour s'engager dans la vie de son établissement (orientation des élèves, activités extrascolaires, projets avec l'équipe pédagogique et administrative, lutte contre l'échec et la violence scolaire, rencontre avec les parents et éducateurs, transdisciplinarité, etc.). Les candidats doivent s'être familiarisés avec les dimensions civiques et patrimoniales de l'enseignement, de plus en plus mises en avant de nos jours. Il s'agit d'abord de pouvoir définir les termes « citoyenneté » et « patrimoine », de montrer, à partir d'exemples concrets et précis, en quoi un cours d'histoire ou de géographie est porteur d'un message civique, et enfin de relier ces questions avec les débats sociaux contemporains.

---

1. *L'Histoire aujourd'hui*, Auxerre, Sciences Humaines, 2000.
2. *Cf.* à ce sujet Christian Delacroix, François Dosse et Patrick Garcia, *Les Courants historiques en France, XIXe-XXe siècle*, Paris, Armand Colin, 2000.
3. *Cf.* impérativement à ce sujet l'extrait du *Bulletin Officiel* du 29 mai 1997 intitulé : « Mission du professeur exerçant en lycée d'enseignement général et technique ou en lycée professionnel ».

Tous les étudiants doivent connaître très précisément les programmes du secondaire[1]. L'idéal est de consulter également les accompagnements, qui permettent de comprendre dans quel esprit, avec quelle méthode, et à partir de quels documents ces programmes seront traités. Si les thèmes et leur volume horaire doivent être connus, le jury attend surtout des candidats qu'ils aient compris la logique d'ensemble des programmes, leurs grandes articulations et notions structurantes.

La part de l'éducation civique ne doit pas être sous-estimée dans l'ESD. Si aucun sujet ne peut porter précisément sur cette matière, certains intitulés prennent en compte cette dimension (catégorie 7 dans la typologie donnée p. 15-16). Le jury attend de toute façon du candidat qu'il évoque l'éducation civique dans son exposé, et une bonne partie des questions de la reprise y sont consacrées. Or, cette discipline est souvent mal connue des candidats. Enseigner l'éducation civique, comme le rappellent les rapports du jury, c'est essentiellement apprendre à l'élève ses droits et devoirs de citoyen dans tous les domaines de la vie sociale et politique. Ces contenus s'appuient sur des valeurs qui sont celles de la République, de la démocratie et des droits de l'homme. Le professeur d'histoire échappe au cours de morale d'autrefois en expliquant aux élèves les enjeux de ces questions (notamment au travers de débats argumentés) et, surtout, en leur montrant que si ces valeurs ont été construites historiquement, elles font aujourd'hui l'objet d'un consensus et forment le socle de l'État de droit.

Une attitude professorale. Répétons-le une dernière fois : l'oral du CAPES sert à recruter des enseignants qui vont prendre en charge une classe à la rentrée prochaine. Il est donc inacceptable pour un jury de voir des candidats ne pas tenir convenablement leur rôle de futur professeur. Certaines fautes sont ainsi à éviter absolument : lire son texte, ne pas tenir son temps, ne pas construire son argumentation autour d'un plan (qui, toutefois, ne doit pas être écrit au tableau, faute de temps), ne pas exploiter les documents fournis, parler de manière confuse, familière et inaudible, rester assis, ne pas savoir utiliser un rétroprojecteur ou un appareil diapo, etc. Il ne faut pas oublier non plus les règles élémentaires d'une présentation convenable : apparence vestimentaire correcte et politesse dans la présentation au jury ; cela suppose concrètement de dire bonjour, d'attendre pour commencer son exposé qu'on vous ait donné la parole, de demander la permission d'enlever votre veste, de vous excuser avant de demander à un examinateur de reformuler une question ; de remercier et de dire au revoir en partant, etc.

La reprise. La reprise est capitale à l'ESD. Si le jury a pu apprécier durant l'exposé la capacité de l'étudiant d'organiser des connaissances par rapport à une problématique et de s'exprimer avec une certaine aisance, il attend la reprise pour

---

1. Il est possible de se les procurer à l'IUFM et dans les CRDP, ou sur Internet : www.education.gouv.fr.

se faire une vraie opinion de sa prestation. Le jury, en effet, n'est pas dupe : il sait pertinemment que les candidats ont appris par cœur des plans types, des schémas d'argumentation, des exemples à replacer... Tout va donc se jouer dans la reprise qui est très longue (30 minutes) et durant laquelle les candidats sont interrogés sur des points de l'exposé mais aussi sur des sujets annexes et parfois totalement différents du thème. Curieusement, beaucoup de candidats qui avaient réalisé un exposé correct s'effondrent lors de la reprise, perdant leurs moyens, ne répondant pas ou mal aux questions. Il faut éviter ce relâchement et rester concentré : non seulement l'épreuve continue, mais on pourrait même dire qu'elle commence véritablement ! Surmonter la reprise est pourtant facile, à condition de rester éveillé, de parler clairement, d'avoir gardé des munitions et de jouer la carte de l'originalité — tout en ayant préparé un peu cet exercice.

Le jury, qui ne cherche pas à désarçonner le candidat mais à préciser ses connaissances et à apprécier la part personnelle de l'exposé, va poser des questions *a priori* faciles ; elles peuvent gêner un candidat fatigué par l'exposé, stressé par l'enjeu du concours et, surtout, mal préparé. Ces questions sont globalement toujours les mêmes :

– Des questions portant sur l'exposé. Le jury qui a relevé des erreurs, des oublis, des incohérences ou légèretés donne ainsi au candidat une seconde chance. Il ne s'agit pas forcément de revenir sur ses propos, mais peut-être de les nuancer ou de les étayer à partir d'exemples. Le jury peut souhaiter aussi approfondir une réflexion, revenir sur un nom, un fait ou une date citée. Le candidat peut de la sorte montrer sa culture générale et faire preuve d'originalité.

– Des questions de définition. Le jury interroge le candidat sur des notions et concepts importants, qui ont été prononcés durant l'exposé ou qui sont au cœur de la question. En géographie : territoire, espace, paysage, milieu, environnement, région, pôle, flux... En histoire : source, document, objectivité, vérité historique, périodisation, événement, mémoire... En éducation civique : citoyenneté, État, nation, démocratie, civisme, constitution, justice, droits de l'homme, sécurité, solidarité, nationalité, laïcité...

– Des questions directes sur la nature des disciplines et les finalités et objectifs de leur enseignement : « Qu'est ce que l'histoire ? » ; « Comment fait-on de la géographie ? » ; « À quoi sert l'éducation civique ? » ; « Y a-t-il un avantage à ce que le même professeur enseigne l'histoire et la géographie ? » ; « Faut-il apprendre par cœur ? » ; « Quel est le statut du document en histoire ? » ; « Comment sont constitués les programmes ? » ; « Que signifie l'expression finalités patrimoniales ? » ; « Peut-on tirer des leçons de l'histoire ? » ; « N'y a-t-il pas contradiction entre la tradition républicaine de l'école et la mondialisation ? » ; « Comment concilier laïcité et tolérance culturelle ? », etc.

– Des questions qui font appel à la culture personnelle et à la capacité de réaction. Le candidat sera interrogé par exemple sur le dernier article ou ouvrage d'histoire et de géographie qu'il a lu (hors concours bien sûr). Dans ce cas, originalité ne signifie pas forcément spontanéité, il vaut mieux avoir préparé cette question et rédigé une petite fiche de compte rendu de lecture. Il faut être sincère, et ne pas prendre le risque de bluffer le jury avec un livre ou un article non lu. Il faut choisir un ouvrage relativement récent et penser à une exploitation pédagogique. Si le candidat cite par exemple le *Saint Louis* de J. Le Goff, il doit montrer comment cette œuvre renouvelle le genre biographique en histoire et comment il pourrait être utilisé par un professeur en classe de seconde. Concernant la géographie, le volume introductif de la *Géographie universelle* sous la direction de R. Brunet et O. Dollfus peut être cité[1]. Le jury posera aussi peut-être des questions touchant aux connaissances culturelles (art, littérature, cinéma), aux pratiques socio-culturelles (musées, expositions, sites, monuments) ou à l'actualité. Il s'agit ici de montrer la capacité de communiquer, d'argumenter loin d'une pensée unique, de ne pas se laisser déstabiliser (on teste ainsi l'aptitude à maîtriser une classe qui peut être turbulente) ; bref, à réemployer en temps réel une culture et une capacité de réfléchir.

Ce manuel ne prétend pas apporter des vues totalement neuves sur les matières constituant l'ESD du CAPES d'histoire-géographie. Il se veut surtout un outil de travail pour les candidats qui préparent le concours et n'ont pas toujours accès à des ouvrages spécialisés d'historiographie, d'épistémologie et de pédagogie. Il est évident que la lecture de ces livres, dont les auteurs se sont inspirés pour rédiger ce manuel et qui sont cités en référence, est vivement conseillée dans l'optique d'une préparation approfondie du CAPES.

---

1. *La Géographie universelle*, 1 : *Mondes nouveaux*, Paris, Belin, 1990.

Histoire

Théorie

Historiographie

Histoire de l'histoire, l'historiographie analyse la manière selon laquelle l'histoire a été écrite, comprise et utilisée suivant les âges. Au travers de la présentation chronologique des grands historiens et de leurs œuvres les plus marquantes, cette étude permet de mettre en évidence des continuités et des ruptures dans l'évolution de la discipline, de discerner des courants et des écoles, d'apprécier les progrès accomplis dans les méthodes critiques, d'appréhender le métier d'historien dans sa spécificité, d'observer les interrogations et doutes qui ont toujours traversé la conscience des historiens (la « crise » de l'histoire ne date pas d'aujourd'hui). Plusieurs thèmes semblent récurrents : l'écriture de l'histoire, la subjectivité de l'historien, la nature et l'exploitation des sources, le poids de la demande sociale, etc. Toute étude historiographique révèle aussi l'instrumentalisation politique et idéologique dont l'histoire fut la victime consciente ou non, volontaire ou non, de ses origines à aujourd'hui. Inscrite au cœur de la cité dont elle exprime les aspirations et les craintes, souvent proche du pouvoir dont elle relaie les ambitions, l'histoire n'est jamais neutre ; elle a selon les époques exalté la grandeur des rois, légitimé les guerres, justifié les révolutions ou renforcé la Nation. Discipline scolaire, elle dit de nos jours, au travers de ses programmes et manuels, la manière dont une société se perçoit en organisant sa mémoire.

L'historiographie représente une part importante de l'ESD au CAPES d'histoire-géographie. S'il paraît impossible qu'un jury pose une question spécifiquement historiographique, portant par exemple sur le courant méthodique, l'école des *Annales* ou la Nouvelle Histoire (ce qui inciterait trop l'impétrant à reproduire passivement une fiche apprise par cœur), il est évident que toute question d'histoire appelle une réflexion historiographique ou, au moins, une mise en perspective historiographique. Interrogé sur la façon dont l'histoire dit et construit le temps, le candidat ne peut manquer de faire allusion à la représentation cyclique du temps chez les historiens de l'Antiquité, à la conception téléologique du temps chrétien, au sens de l'histoire des philosophes du XIXe siècle, à la tritemporalité braudélienne, etc. Invité à discuter de la nature et de l'utilisation des sources par l'historien, le candidat qui ferait l'impasse sur la critique externe et interne de la source écrite chez les Méthodiques, qui ignorerait le travail de construction de la source mise en place par ces tenants de l'histoire-problème que furent les Annalistes, qui oublierait enfin les approches quantitatives et sérielles proposées par la Nouvelle Histoire, prendrait des risques... Si les questions d'ESD en histoire sont donc toujours à dominante épistémologique et pédagogique, il importe de ne pas négliger la dimension historiographique du sujet.

L'expérience des oraux d'ESD comme la lecture des rapports permettent de préciser les exigences du jury. Il est d'abord attendu du candidat une connaissance assez précise des grands historiens et des courants qu'ils ont animés. Évoquer les *Annales* en citant les seuls noms de Marc Bloch et de Lucien Febvre, et en jetant en pâture aux examinateurs un ou deux titres d'ouvrage n'est pas suffisant. Il faut être capable de présenter une œuvre d'un de ces deux historiens. La chose est d'autant plus aisée si l'ouvrage en question a réellement été lu (à cet égard, un candidat au CAPES d'histoire se doit d'avoir parcouru *Apologie pour l'histoire ou métier d'historien*). Il faut également avoir compris la révolution épistémologique qu'a représenté cette école : dans le renouvellement des thèmes, de la chronologie, des méthodes, du traitement des sources, etc. Il faut aussi pouvoir montrer l'influence et la postérité intellectuelle de ce mouvement de l'après-guerre à aujourd'hui. Connaissances précises donc, mais aussi nuancées. Les examinateurs se plaignent trop souvent de voir le courant méthodique présenté de manière caricaturale. Si Lucien Febvre a su se moquer avec malice des naïvetés positivistes d'un Charles Seignobos, tous les candidats ne sont pas obligés de le suivre sur cette voie de la polémique de mauvaise foi... Il paraît enfin inimaginable qu'un candidat admissible soit incapable de citer et de présenter le dernier ouvrage ou article d'histoire qu'il a lu (question fréquente et pourtant désarmante). On peut préparer un concours et rester informé des dernières publications !

Ce chapitre se limite volontairement à la seule historiographie contemporaine, pour des raisons de volume imparti, mais aussi parce que la plupart des intitulés et des questions du jury restent cantonnés au cadre chronologique de cette seule période. Cela ne signifie pas que les époques précédentes doivent être négligées, mais le jury semble moins exigeant à leur sujet. On attend néanmoins d'un candidat à ce niveau qu'il sache parler efficacement de la méthode de Thucydide, de la conception du temps chez saint Augustin, de l'art du récit chez Froissart ou du traitement des archives chez Dom Mabillon. Si ces noms n'évoquent que de trop vagues souvenirs, il est urgent de consulter quelques manuels d'historiographie. Trois ouvrages seront ainsi lus avec profit :

– Guy Bourdé et Hervé Martin, *Les Écoles historiques*, Paris, Le Seuil, 1983.

– Jean-Maurice Bizière et Pierre Vayssière, *Histoire et historiens*, Paris, Hachette, 1995.

– Marie-Paule Caire-Jabinet, *Introduction à l'historiographie*, Paris, Nathan-Université, 1994.

L'histoire au XIXe siècle

Dans le premier numéro de la *Revue Historique* en 1876, l'historien méthodique français Gabriel Monod affirmait : « Notre siècle est le siècle de l'histoire. » Sans doute faisait-il allusion à la passion retrouvée du public pour l'histoire tumultueuse d'un siècle qui s'était ouvert avec le souffle de la Révolution française et de l'Empire, qui avait vu la lente disparition des structures d'Ancien Régime et l'émergence des États-Nations, et qui allait se clore bientôt avec la première guerre mondiale. Peut-être évoquait-il aussi la multiplication au XIXe siècle de courants et d'écoles historiques qui s'étaient succédé, côtoyés et exclus, une évolution sanctionnée par l'émergence finale d'une histoire à prétention scientifique, tournant le dos à ses anciens travers littéraires et moralistes au profit d'un esprit d'érudition et d'une rigueur d'analyse. Il n'est pas impossible enfin que G. Monod ait mentionné par sa formule l'institutionnalisation d'une discipline qui avait acquis désormais rang de matière d'enseignement et qui se voyait officiellement soutenue par les États, au travers de la fondation d'archives nationales, du financement de programmes de recherche, et de l'ouverture de bibliothèques et de centres d'études — au risque peut-être d'être encore plus instrumentalisée qu'avant dans des débats qui n'étaient pas les siens.

Un nouvel engouement pour l'histoire

Si la Révolution avait en partie remis en question les acquis culturels précédents, par la disparition de nombreux documents originaux, par le saccage d'édifices religieux, par la dispersion ou fermeture d'ordres monastiques, d'académies, de bibliothèques, d'universités et de collèges, par la fuite à l'étranger d'un grand nombre de savants (l'Allemagne devient la patrie de l'histoire érudite au XIXe siècle), cette même tourmente révolutionnaire, prolongée par les guerres de l'Empire, allait pourtant redonner le goût de l'histoire à un public avide de comprendre les origines de ces bouleversements politiques dont il était le témoin comme l'acteur. Les soubresauts ultérieurs des restaurations et des révolutions (1815, 1830 et 1848), la montée en puissance du sentiment national, l'opposition souvent violente entre les idéaux monarchistes, bonapartistes, républicains et bientôt socialistes, la vogue d'un courant romantique nostalgique d'un passé idéalisé achevèrent de faire d'une histoire de plus en plus sollicitée la discipline reine de cette première moitié de siècle. Conscient de vivre une histoire en marche et désireux de lire plus clairement ce monde contemporain en ébullition, un public mieux formé intellectuellement grâce à l'amélioration des structures scolaires et plus aisé à la suite de l'essor économique portait désormais son dévolu sur l'histoire.

Cette passion concernait également des époques plus anciennes. Antiquité, Moyen Âge et Temps Modernes hantaient les imaginaires, comme en témoigne la place envahissante de ces périodes dans la création littéraire et artistique d'alors. Pour plaire, une œuvre devait s'inscrire dans un contexte historique au demeurant largement fantasmatique, où il s'agissait plus de faire couleur locale que de restituer avec précision l'époque en question. *Les Trois Mousquetaires* d'Alexandre Dumas, *Salammbô* de Gustave Flaubert, *Lorenzaccio* d'Alfred de Musset, *Cinq*

Mars d'Alfred de Vigny, *Ivanhoé* de Walter Scott témoignaient de cette vogue, comme les romans (*Notre-Dame de Paris* et *Quatre-Vingt-Treize*), les recueils de poésie (*La Légende des siècles*) et les pièces de théâtre (*Hernani, Ruy Blas*) de Victor Hugo. Ce même public fréquentait les nouvelles galeries historiques des grands musées. Dotés de riches collections antiques composées de vestiges archéologiques rapportés d'expéditions lointaines (comme la galerie Égypte au Louvre, constituée grâce aux découvertes de Jean-François Champollion, 1790-1832), ces lieux de savoir entretenaient ou suscitaient de véritables engouements historiques (l'égyptophilie française apparaît alors). Si Eugène Viollet-le-Duc (1814-1879) bénéficia de l'argent public pour la rénovation parfois discutable des arènes de Lutèce, de l'abbaye de Vézelay, du château de Pierrefonds ou des murailles de Carcassonne, il put aussi compter sur le soutien de l'opinion qui s'exprima par la réussite de souscriptions ouvertes pour financer les travaux.

Cet intérêt pour la chose historique se notait également dans la multiplication d'associations d'érudits, appelées « sociétés savantes », « sociétés historiques et archéologiques », « sociétés d'antiquaires », etc. Réunissant avant tout des universitaires, professeurs et archivistes, elles s'intéressaient soit à une province particulière (la Société de l'histoire de la Normandie, fondée en 1869), soit à une période précise (la Société d'histoire de la Révolution française, fondée en 1888), soit à un thème (la Société d'histoire ecclésiastique de la France, fondée en 1914). D'autres rassemblaient quelques notables amateurs d'histoire — bourgeois, nobles et ecclésiastiques (le « Homais » de G. Flaubert en constitue une illustration caricaturale). Ces assemblées savantes produisirent une foule de monographies d'un intérêt très inégal sur les origines de l'église du village ou du château des alentours. On doit cependant à ces érudits du dimanche les premières recensions de textes anciens, planches de monnaies et vestiges archéologiques, documents intéressants que l'école méthodique allait bientôt exploiter.

Cet esprit d'érudition devait favoriser l'essor des sciences auxiliaires qui se perfectionnèrent durant tout le XIXe siècle. La numismatique médiévale et moderne scientifique ne se développa ainsi qu'à la fin de la période. Des sociétés apparurent à Berlin, Paris et Vienne, où elles éditèrent des ouvrages, des revues et catalogues de collections privées et publiques, publièrent des rapports et articles, organisèrent des colloques et congrès. Dans le domaine de l'épigraphie, l'Allemand Böckh entreprit en 1820 de réunir dans une série de publications toutes les inscriptions grecques connues, publication élargie de 1850 à 1870 par l'Académie de Berlin. Le XIXe siècle fut également une époque de grandes découvertes archéologiques. En France, les fouilles d'Autun, de Gergovie et d'Alésia permirent la découverte d'importants vestiges gallo-romains. En Italie, les premières fouilles systématiques du Forum débutèrent en 1803 sous domination française, tandis que les premières tombes étrusques (Tarquinia) étaient mises au jour en 1827-1828. En Grèce, Lord Elgin expédia vers l'Angleterre entre 1803 et 1812 les sculptures du Parthénon. Les fouilles les plus importantes devaient être l'œuvre des Français pour Délos et Delphes, et des Allemands pour Olympie et

Pergame. En 1876, l'Allemand Heinrich Schliemann mit au jour les tombes royales de Mycènes en cherchant le site légendaire de Troie. En Égypte, enfin, après que J.-F. Champollion eut déchiffré les hiéroglyphes en 1822, Auguste Mariette au milieu du siècle puis Flinders Petrie vers 1880 définirent les bases scientifiques d'une archéologie égyptienne moderne.

L'institutionnalisation de l'histoire

L'histoire bénéficia tout au long du XIXe siècle d'une reconnaissance officielle qui, pour n'être pas désintéressée, favorisa les travaux des érudits comme les efforts des professeurs. L'évolution de l'enseignement de cette matière à l'époque contemporaine étant rapportée dans un autre chapitre[1], nous n'évoquerons pas ici cet aspect important de l'institutionnalisation de l'histoire, qui fit d'une discipline enseignée le support actif d'une mémoire nationale reconstruite.

Désormais soutenue par l'État, l'histoire vit se multiplier en quelques années les établissements d'enseignement, les centres de recherche et les dépôts d'archives. En 1821, la fondation de l'École des Chartes dota la France d'un corps de spécialistes rompus à la recension et publication des sources comme au classement des dépôts d'archives nouvellement créés (à l'échelle nationale et départementale). En 1834, François Guizot mit sur pied le Comité des monuments historiques, chargé de publier les sources de l'histoire de France (Prosper Mérimée en supervisa longtemps les travaux). L'année suivante, furent fondés la Société de l'histoire de France puis le Comité des travaux historiques, qui devaient encadrer des recherches archéologiques et favoriser la publication de documents originaux. La Bibliothèque nationale s'engagea dans la même voie avec son *Catalogue de l'histoire de France*, dont la parution s'étala de 1855 à 1870. Ce travail de dépouillement des archives et d'édition des textes anciens s'intensifia à la fin du siècle, à l'imitation des Allemands et sous l'influence d'une école méthodique grande consommatrice de sources écrites. En 1888, Gabriel Monod entama une *Bibliographie de l'histoire de France* avant que, en 1891, Charles-Victor Langlois ne supervise la publication des *Archives de France*.

Quant aux centres de recherche, le Second Empire montra la voie en créant, à l'initiative du ministre de l'Instruction publique, Victor Duruy, l'École pratique des hautes études (EPHE), qui permit à des générations d'historiens de se former efficacement. Après la défaite de 1870, la nécessité de former des cadres à même de gérer une France nouvelle incita Émile Boutmy à fonder en 1872 l'École libre des sciences politiques, qui devait devenir après la deuxième guerre mondiale le célèbre Institut d'études politiques de Paris. Cette institution joua un rôle important dans le développement d'une école historique française spécialisée dans les domaines politique et diplomatique. L'histoire de l'art enfin, qui ne possédait pas d'institut d'enseignement et de recherche, bénéficia de la création dans la capitale en 1881 de l'École du Louvre. Soucieux de favoriser le rayonnement culturel de

---

1. *Cf. infra*, « Enseigner l'histoire », p. 67.

la France à l'étranger et d'offrir à une archéologie en plein renouveau d'intéressants chantiers de fouille, les différents gouvernements fondèrent de nombreux centres de recherches, comme l'École française d'Athènes en 1846, de Rome en 1874, du Caire en 1890, d'Extrême-Orient en 1901. À l'évidence, l'État prenait de plus en plus en charge la direction de la recherche historique, participant désormais à son élaboration comme à sa diffusion.

Dernier phénomène à prendre en compte et qui résultait de tous les précédents : la naissance, surtout à la fin du siècle et dans le cadre de l'école méthodique, d'une corporation d'historiens professionnels. Passés par le même moule formateur de la thèse, travail énorme en termes de recherche comme d'érudition et qui fondait une spécialisation thématique et chronologique, fréquentant les mêmes lieux d'apprentissage, de recherche et d'enseignement (l'École normale supérieure, la Sorbonne, l'École pratique des hautes études, l'École libre des sciences politiques, l'École des Chartes, etc.), participant aux mêmes séminaires et colloques dont les Allemands avaient lancé la mode, écrivant dans les mêmes revues savantes, ces historiens allaient faire passer leur discipline dans l'ère de la modernité.

L'histoire traditionaliste des romantiques

Du début du siècle jusqu'aux années 1830, domina une histoire romantique qui, persistant dans des traditions littéraires héritées, privilégiait une approche descriptive et psychologique des faits, où le sens du pittoresque et la qualité de la langue suppléaient généralement les carences de l'érudition. Cette histoire, écrite dans un contexte de réaction politique et religieuse, s'intéressait prioritairement aux périodes pré-révolutionnaires, exaltant un lien idéalisé entre la Nation, l'Église et les Rois — avec une nette préférence pour un Moyen Âge caricatural. Multipliant les tableaux dramatiques où les tournois succédaient aux banquets et les sièges aux croisades, ces ouvrages se rapprochaient plus des romans de Walter Scott ou du premier Victor Hugo légitimiste que de la véritable histoire médiévale. Prosper de Barante (1782-1866) et son *Histoire des Ducs de Bourgogne* ou Joseph-François Michaud (1767-1839) et son *Histoire des Croisades* s'inscrivaient dans cette histoire romantique pleine d'un Moyen Âge de légende. Mais le maître de cette école reste Augustin Thierry (1759-1856) qui, dans ses *Récits des Temps mérovingiens* (où réapparaissait le débat sur les origines gauloises ou franques de la nation), avait su restituer toute une époque par ses facilités de plume et son art du tableau.

L'histoire nationale des libéraux et républicains

Avec l'arrivée au pouvoir des orléanistes, c'est l'histoire des Temps Modernes et de la Révolution qui, progressivement, supplanta l'histoire médiévale. C'était un choix logique pour ces historiens bourgeois, partisans de la monarchie parlementaire et qui voyaient dans 1789 l'aboutissement d'un long combat en faveur du libéralisme représentatif. Ils furent les premiers à opposer la Révolution des droits de l'homme, celle de 1789, et la Révolution de la Terreur jacobine, celle de 1793. Fascinés par le modèle politique anglais, ces historiens allaient combattre la Restauration des ultras au nom de la démocratie libérale, puis adhérer à une Monarchie de Juillet qui en fit ses ministres et académiciens. Tout en montrant plus de rigueur que les précédents dans leurs recherches (avec un souci de respecter la vérité des faits qui leur faisait parfois reproduire leurs sources en annexe), ces libéraux restaient attachés à des exigences formelles et produisaient une histoire encore très marquée par la dimension littéraire.

Le premier représentant de ce nouveau courant est François Guizot (1787-1874). Hostile à la révolution jacobine mais adversaire de la Restauration pour avoir perdu son poste au Conseil d'État et avoir vu ses cours interdits à la Sorbonne après le retour au pouvoir des ultras, ce monarchiste constitutionnel, qui voulait concilier les libertés de la Révolution avec le respect de l'autorité, évolua vers le conservatisme sous Louis-Philippe, dont il fut l'influent ministre de l'Intérieur, de l'Instruction, puis des Affaires étrangères. Ses ouvrages sont fidèles à ses engagements politiques. Réservant la participation politique à la seule bourgeoisie riche et éclairée, F. Guizot en montra l'ascension progressive dans son *Histoire des origines du gouvernement représentatif*. Dans son *Histoire du règne de Charles Ier*, il fit l'éloge de la monarchie parlementaire et dénonça ses adversaires comme Cromwell.

Adolphe Thiers (1797-1877) représente l'autre grand historien libéral. Cet ancien journaliste partisan de la monarchie parlementaire fut une figure de l'opposition libérale à la Restauration avant de jouer un rôle important dans l'arrivée au pouvoir de Louis-Philippe. Sous la Monarchie de Juillet, il occupa les plus hautes fonctions gouvernementales, tout en dirigeant durant ses périodes de disgrâce le centre gauche opposé à F. Guizot. Élu député après la révolution de 1848, il évolua vers la droite et soutint dans le cadre du parti de l'ordre la candidature de Louis-Napoléon Bonaparte à la présidence de la République, avant de prendre finalement ses distances avec le prince-président. C'est le premier ouvrage d'A. Thiers, *Histoire de la Révolution française*, qui rendit célèbre celui qui avait osé défier la Restauration en présentant la Révolution sous un jour globalement favorable. Tout en participant comme F. Guizot à la célébration bourgeoise de 1789 et en dénonçant les excès de 1793, A. Thiers s'attachait en effet à replacer ces dérapages dans leur contexte tourmenté. Son *Histoire du Consulat et de l'Empire*, rédigée à partir de 1834 mais publiée à partir de 1855, pouvait être lue en filigrane comme une critique du régime autoritaire de Napoléon III. Chacun comprenait en effet que les critiques portées contre le despotisme de l'oncle valaient aussi pour le neveu. Sur le plan historique, l'œuvre était remarquable par la qualité de sa documentation et sa grande précision, mais ce souci du détail dérivait souvent en goût pour l'anecdote au détriment des vues d'ensemble. D'évidents partis pris idéologiques, contrastant avec les exigences méthodologiques que s'imposait l'historien, limitent enfin la portée de ses ouvrages.

Si la Révolution inspira dans les deux premiers tiers du XIXe siècle les historiens monarchistes libéraux, elle intéressa également les historiens républicains du courant démocratique. Très marqués par le printemps des peuples et l'émergence des États-Nations longtemps brimés par le congrès de Vienne, ces derniers voyaient dans l'étude de 1789 ou de 1848 l'occasion d'afficher leurs convictions républicaines et patriotes face à des régimes jugés autoritaires (Monarchie de Juillet puis Second Empire). Ce fut le cas d'Alphonse de Lamartine (1790-1869), avec son *Histoire des Girondins* puis son *Histoire de la Révolution de 1848*, ou d'Edgar Quinet (1803-1875), avec ses *Révolutions d'Italie* et *La Révolution*. Ces deux historiens glorifiaient l'action libérale des démocrates girondins pour mieux dénoncer les débordements populaires encouragés par les Montagnards.

Jules Michelet (1798-1874) appartenait à ce dernier courant, même si cet historien reste au fond inclassable, mêlant une écriture romantique à des engagements républicains. Après avoir passé l'agrégation d'histoire et enseigné en lycée, J. Michelet fit la rencontre de F. Guizot qui lui permit de devenir professeur à l'École normale supérieure. Nommé précepteur de la fille du roi, l'historien devait connaître une carrière fulgurante, dirigeant la section historique des Archives nationales en 1830, obtenant une chaire à la Sorbonne en 1834, avant d'intégrer le Collège de France en 1838. Si J. Michelet bénéficia des plus grands honneurs sous la Monarchie de Juillet, l'homme restait attaché aux valeurs républicaines. Il accueillit favorablement 1848, puis s'opposa au coup d'État du président Louis-Napoléon Bonaparte en 1851. L'empereur lui fit payer cette résistance en lui enlevant ses fonctions officielles, et Michelet dut se retirer à Nantes où il vécut modestement jusqu'à la fin de sa vie. L'essentiel de son œuvre est composée d'une monumentale *Histoire de France*, rédigée de 1833 à 1870 et organisée en trois volumes d'inégale valeur (*La Révolution* représente le chef-d'œuvre de Michelet). S'il s'agit d'une histoire nationale, la France constituant le thème central et exclusif de Michelet, la formule d'épopée nationale serait sans doute plus indiquée, dans la mesure où l'écrivain retrace l'aventure d'un pays se constituant progressivement en nation. Dans une conception téléologique de l'histoire, Michelet montre comment tous les acteurs (peuple, seigneurs, ecclésiastiques, rois, etc.) ont, suivant les époques, participé à cette grande aventure collective de la formation géographique, politique, culturelle de la nation France. Influencé par la notion alors en vogue de l'esprit des peuples, l'historien attribue même un caractère propre à la nation en dotant la France de qualités (son peuple est généreux, enthousiaste, héroïque et porté vers la grandeur) comme de défauts (ses habitants se montrent souvent coléreux, indisciplinés et portés à la division).

Michelet fut également le premier historien du peuple français. Alors que ses prédécesseurs s'intéressaient surtout à l'action des gouvernements et des rois dans le cadre d'études politiques et militaires classiques, il prit en compte le sort des classes populaires. Issu d'un milieu humble, l'historien ne renia jamais ses origines modestes et resta fidèle à un idéal égalitaire. Pour lui, le peuple constituait le seul véritable acteur historique, une « matrice » selon son expression. Les crises économiques, les révolutions ainsi que les guerres trouvaient leurs origines dans l'agitation des classes inférieures : « En histoire, c'est tout comme la géologie, la chaleur est en bas. Descendez, vous trouverez qu'elle augmente, aux couches inférieures, elle brûle ». Toutefois, pour Michelet, le peuple n'était pas l'acteur conscient et lucide de sa propre histoire : très souvent, les petites gens se laissaient manipuler ou guider par leurs « mauvais instincts ». En s'intéressant à la vie du plus grand nombre, cet écrivain se lançait forcément dans une histoire totale qui envisageait tous les aspects du quotidien. Il se pencha sur les conditions de vie et de travail du peuple, sur les aspects les plus concrets de son existence (logement, alimentation, habillement, etc.). Mais l'auteur ne s'arrêtait pas aux seules questions sociales et économiques ; il s'intéressa également en pionnier à la culture populaire, explorant les croyances et les savoirs les plus marginaux.

Michelet est surtout connu pour son style. Estimant que l'historien ne devait pas s'arrêter à la seule connaissance des temps anciens mais aussi restituer ce passé de manière réaliste, il s'efforçait de redonner vie à ses sujets par le souffle d'un style romantique, exalté et puissant. Afin de permettre à son public d'entendre et de voir les scènes décrites, l'auteur multipliait les petits détails pratiques et recourait aux charmes évocateurs d'une langue fougueuse et imagée. Les défauts de l'œuvre restent toutefois nombreux. La forme l'emporte trop souvent sur le fond et, avec elle, la littérature sur l'histoire. Si le style de Michelet est superbe, il dérive fréquemment vers l'épopée grandiloquente, ce qui faisait dire à Auguste Taine que Michelet écrivait comme Delacroix peignait… Cette histoire très narrative ignore l'analyse, la description prime sur le commentaire contextuel ou l'étude explicative. Les sources ne sont par ailleurs jamais précisées, même si Michelet, par ses fonctions aux Archives et ses contacts à la cour, était à l'évidence bien informé. Des présupposés politiques à peine voilés (comme un antibonapartisme virulent) affaiblissent enfin une œuvre trop partiale.

L'histoire hégélienne puis marxiste des socialistes

Si toutes les écoles historiques du XIXe siècle affirment le principe d'un sens de l'histoire (l'histoire romantique de la Restauration croyait en la permanence des sociétés humaines par le maintien ou le retour des structures traditionnelles ; l'histoire libérale ou républicaine croyait en l'avènement des États-Nations fondés sur des principes de liberté politique ; l'école positiviste croyait dans le triomphe du progrès par la science), c'est l'historiographie socialiste (elle se constitue intellectuellement dans la deuxième moitié du XIXe siècle) qui est la plus téléologique en prédisant la fin de l'aliénation engendrée par les rapports de production et le règne définitif d'une société sans classe et sans État.

Le matérialisme historique de Karl Marx trouve ses origines intellectuelles dans l'œuvre de Friedrich Hegel (1770-1831). Dans sa *Philosophie de l'histoire*, le théoricien allemand expose le long processus ayant conduit l'homme de la société primitive à l'État moderne. Derrière le chaos d'une histoire apparemment désordonnée, la raison pouvait appréhender les étapes logiques d'une progression. L'histoire prenait la forme d'une évolution par laquelle l'Esprit agissait *via* les passions humaines. Les hommes, à commencer par les grands dirigeants, apparaissaient comme les instruments de la providence divine, participant à la construction du développement historique sans le réaliser (c'est la fameuse « ruse de la raison », principe que Kant avait déjà exposé). Ce dernier se déroulait selon une forme dialectique qui voyait tout concept produire son contraire avant qu'une forme supérieure ne permette de dépasser la contradiction (thèse-antithèse-synthèse). Une révolution engendrait ainsi nécessairement une réaction contre-révolutionnaire, qui aboutissait finalement à un régime conciliant ordre et liberté. Suivant ce modèle théorique, l'histoire, au travers de la succession apparemment contradictoire de différentes réalités socio-économiques et politiques, avait vu l'homme parvenir à l'État moderne incarnant l'Esprit absolu au terme de l'évolution.

Karl Marx (1818-1883) s'inspira de l'analyse hégélienne de l'évolution dialectique pour définir sa propre philosophie de l'histoire. Présente dans la préface de *L'Idéologie allemande* (1846), cette conception est surtout théorisée dans *Le Capital* (1867). Précisons que le marxisme est à la fois :

– Une philosophie de l'histoire : cette conception (le « matérialisme historique ») expose les principes actifs et la finalité de l'histoire ; elle affirme que l'histoire est le résultat non de la volonté divine mais de l'action des hommes par le biais de la lutte des classes, que cette histoire possède une fin qui est l'avènement du communisme.

– Une méthode d'analyse historique : elle repose sur les conceptions précédemment exposées et comprend des concepts, une terminologie ; bref, une grille d'explication des faits.

– Un ferment d'action historique. Même si Marx s'est plus intéressé aux dysfonctionnements de la société de classe qu'à la révolution proprement dite, c'est en effet Lénine qui a surtout théorisé le coup d'État dans ses deux ouvrages *Que faire ?* (1902) et *L'État et la révolution* (1917).

Pour Marx, la force motrice de l'histoire est constituée par la lutte des classes, conflit déterminé lui-même par le décalage (« contradiction » pour reprendre la sémantique marxiste) entre « rapports de production » et « forces productives ». Les forces productives rassemblent tout ce qui sert à produire (les sources d'énergie, les matières premières, les machines, les connaissances techniques, mais aussi et surtout les producteurs). Les rapports de production représentent les relations sociales et économiques que les hommes nouent entre eux pour produire puis se répartir les productions. Ces rapports favorisent toujours une classe dominante. Ces forces productives et rapports de production forment « l'infrastructure » d'une société. Ces structures sociales et économiques sont déterminantes, même si leur visibilité est faible. Sur ces infrastructures se greffent des « superstructures ». Ce sont les structures juridiques, politiques, culturelles, religieuses et morales, qui ont pour objectif d'organiser comme de contrôler la production et les rapports de production au profit de la classe dominante. L'État fait partie de ces superstructures. Plus apparentes, souvent valorisées, ces structures ne représentent pourtant que les extensions supérieures des structures socio-économiques dont elles dépendent.

C'est à ce moment de l'analyse qu'intervient un autre concept marxiste, « l'idéologie ». On a vu que les classes qui dominaient les rapports de production contrôlaient également les superstructures étatiques (police, armée, justice, administration…), leur permettant d'imposer et de prolonger par la force leur supériorité économique. Mais cette hiérarchie est encore garantie de manière plus subtile, puisque ces mêmes classes contrôlent aussi l'idéologie dominante d'une société (la morale et son système de valeurs, la religion et ses représentations de l'univers et de l'au-delà, la culture et ses normes de savoir, l'enseignement et son mode de reproduction sociale, etc.). Cette idéologie exprime, renforce et légitime la domination de la classe supérieure. Le phénomène est double. Cette idéologie permet d'abord de maintenir les classes populaires dans leur situation d'exploitation en leur faisant oublier ou accepter leur sort. C'est la célèbre analyse marxiste de la religion comme « opium du peuple ». Par ailleurs, les classes populaires ne peuvent se révolter puisqu'elles sont incapables de penser et d'exprimer leur révolte. En contrôlant l'idéologie, les classes supérieures se sont appropriées la morale, la religion, le langage, la culture. Marx montre ainsi comment la justice ou l'enseignement constituent des « appareils idéologiques d'État ». Le pouvoir économique et social se double du même coup d'un contrôle idéologique.

Il découle de ce modèle théorique un étagement par paliers que l'on peut représenter ainsi : des forces productives permettent des activités économiques qui déterminent des rapports sociaux s'incarnant dans des institutions légitimées et renforcées par une idéologie politique, morale, religieuse… Cet enchaînement logique, parfois dénommé « la fusée à trois étages » (l'économique structure le social qui s'exprime dans le politique), souligne à quel point, dans l'analyse marxiste, les facteurs s'imbriquent. Chaque étage est lié à l'autre par des liens logiques et chronologiques. Rien à voir avec l'histoire traditionnelle qui séparait artificiellement les domaines d'études, distinguant les aspects politiques, sociaux, économiques, culturels, sans montrer les rapports logiques entre ces terrains ; sauf dans l'affirmation de la supériorité du politique, supposé contrôler le social et déterminer l'économique.

Suivant les époques, l'humanité passe par différents modes de production (qui peuvent coexister parfois). Marx distingue ainsi les modes asiatiques et antiques (l'Égypte, la Grèce et Rome), marqués par l'esclavage ; le mode féodal (l'Occident médiéval), marqué par le servage ; et, enfin, le mode capitaliste des Temps Modernes (l'Europe et ses colonies, l'Amérique, etc.), marqué par le salariat. Comment passer d'un mode de production à un autre ? Marx montre qu'il y a forcément, à un stade de l'évolution d'un mode, contradiction entre les forces productives et les rapports de production. En clair, les forces productives évoluent plus rapidement que les rapports de production, traditionnellement plus conservateurs ; les étages ne sont plus cohérents. Il en découle une tension qui s'exprime sous la forme d'une révolution, d'une guerre, d'une crise... De ce désordre surgissent de nouvelles infrastructures socio-économiques qui se reflètent dans de nouvelles superstructures. Un nouvel équilibre apparaît qui bientôt donnera lieu à une autre contradiction.

Cette contradiction, qui représente donc le moteur de l'histoire, permet de passer d'un mode de production à un autre et, par là même, de progresser dans une histoire téléologique. Cette tension s'exprime dans la lutte des classes, selon la formule célèbre du *Manifeste du parti communiste :* « L'histoire de toute société jusqu'à nos jours, c'est l'histoire de la lutte des classes. » Selon les époques et modes de production, Marx distingue différents types de lutte de classes : entre libres et esclaves dans l'Antiquité, entre serfs et seigneurs au Moyen Âge. À l'époque contemporaine, la lutte des classes oppose prolétaires et capitalistes. Le patronat aliène la force productive des ouvriers par le machinisme et le travail émietté. L'ouvrier n'a plus que sa force de travail à louer et non plus une compétence comme avant ; son travail se trouve réduit à une tâche répétitive et déshumanisante, il n'est plus maître de son travail. En outre, les travailleurs salariés sont spoliés, puisque le salaire qu'ils reçoivent ne correspond pas à la totalité du travail fourni, la part manquante favorisant une accumulation de capital qui profite au seul patron (thèse marxiste de la « plus-value »).

Mais ces contradictions et luttes de classes ne sont pas éternelles, l'histoire n'est pas condamnée à se répéter. Dans le *Manifeste*, Marx montre comment, à l'époque capitaliste contemporaine, le prolétariat prendra conscience de son aliénation, grâce à l'action des partis et syndicats, avant de s'organiser politiquement pour accéder au pouvoir.

Si la conception marxiste de l'histoire peut être perçue comme un messianisme laïque où l'avènement du socialisme remplace le Jugement Dernier, il n'y a pas de place ici pour le fatalisme. Pour Marx, les hommes restent maîtres de leur histoire. Des contradictions internes fragilisent certes le capitalisme, mais il appartient aux prolétaires de s'unir politiquement. On hâtera ainsi la fin d'un système aliénant et on empêchera surtout que la disparition de ce mode de production ne débouche sur une autre lutte de classes.

Si cette grille de lecture inspira beaucoup d'historiens au XXᵉ siècle, elle resta peu utilisée au XIXᵉ. En France, où les écrits du théoricien allemand furent traduits tardivement et mal diffusés, où la gauche connut longtemps l'influence des socialistes utopiques et des anarchistes, le marxisme marqua néanmoins de son empreinte quelques œuvres, comme celle de Jean Jaurès (1859-1914). Commencée en 1901, son *Histoire socialiste de la Révolution française* propose une interprétation marxiste de 1789, notamment dans la fidélité générale au matérialisme historique et au principe plus particulier de la lutte des classes. Mais le fondateur de la SFIO, ancien normalien et professeur de philosophie, auteur d'une thèse sur les origines du socialisme dans l'œuvre de Kant, Fichte et Hegel, s'éloigne du maître à penser allemand par le refus de la dictature du prolétariat et de la réalisation du collectivisme par un étatisme bureaucratique. Désireux de concilier socialisme et démocratie, attaché à la Déclaration des droits de l'homme, il pense assurer l'avènement de la société sans classe dans la paix et le respect des droits de chacun.

L'histoire « scientifique » des positivistes

À partir des années 1860, une nouvelle école historique apparut qui s'inscrivait dans le cadre des progrès scientifiques de l'époque ; citons rapidement les travaux sur la physique de l'Allemand Hertz, sur la chimie du Russe Mendeleiev, du Belge Solvay, de l'Allemand Bosch et du Français Berthelot, sur la biologie du Russe Mendel, sur la médecine des Français Pasteur et Bernard. Devant le développement de certaines disciplines comme la chimie, la physique, la médecine ou la biologie, l'idée s'imposa que l'histoire devait se constituer en science et, à l'image de la botanique ou des mathématiques, se doter de règles d'études et d'une rigueur d'analyse lui permettant d'aboutir à des résultats incontestés. L'histoire littéraire traditionnelle à la Michelet, romancée et subjective, était dépassée. Cette conviction se doublait d'un discours positiviste où l'on affichait sa foi dans les progrès illimités d'une science pouvant tout expliquer, où l'on affirmait que tous les phénomènes, humains comme naturels, pouvaient être appréhendés par la raison. La compréhension des lois régissant le monde assurerait à l'humanité progrès et bonheur. L'histoire participerait à cette grande aventure scientifique et positiviste à un double titre : en devenant elle-même une discipline scientifique, en justifiant ensuite la téléologie positiviste (en montrant comment l'évolution tendait vers le triomphe inéluctable de la raison et du progrès). Cette idéologie, très puissante jusqu'à la fin du siècle, inspira d'abord des historiens comme A. Taine, E. Renan et D. Fustel de Coulanges, même si les œuvres de ces derniers, encore très littéraires, respectaient peu les exigences de ce discours scientiste. Finalement, celui-ci aboutit à la fin du siècle (1880-1914) à l'élaboration d'une méthode rigoureuse de lecture critique des sources manuscrites. Cette école dite « méthodique », très influencée par les érudits allemands, devait constituer le courant historiographique dominant en France jusqu'aux *Annales*.

Le théoricien-fondateur du courant positiviste est le philosophe et économiste Auguste Comte (1798-1857). Désireux de mettre fin à la crise socio-économique, politique et morale qui, selon cet érudit autodidacte, secouait la France depuis la Révolution, A. Comte suggérait d'étudier la conduite des sociétés de manière scientifique. De ces travaux rigoureux, il serait possible d'établir des règles de fonctionnement permettant de gérer les pays correctement, à l'image du médecin auscultant le corps humain avant de le soigner. Ces conceptions furent théorisées dans deux ouvrages, *Cours de philosophie positive* en 1826 et *Système de politique positive* en 1851. D'une œuvre complexe et déroutante, les contemporains retinrent l'idée que la méthode scientifique devait primer dans tous les domaines d'études. Ce que Louis Pasteur faisait en médecine et Marcelin Berthelot en chimie, l'historien devait le reproduire dans sa propre discipline. En clair, le passé des sociétés humaines pouvait être étudié avec la même rigueur scientifique et les mêmes exigences méthodologiques que le virus de la rage ou la thermochimie. Il s'agissait là d'une véritable révolution épistémologique. Auparavant, l'histoire restait largement littéraire, avec une approche narrative qui faisait la part belle aux rappels factuels et aux descriptions psychologisantes. L'historien limitait son travail d'enquête à une compilation érudite sans regard critique sur ses sources, et n'hésitait pas à s'engager politiquement et moralement dans ses œuvres, au mépris de toute objectivité. Désormais, l'histoire se concevait comme un véritable travail de laboratoire respectant les trois temps de la démarche scientifique : avancer des hypothèses, les vérifier par des expériences, en tirer des règles.

Ce discours positiviste inspira quelques historiens de renom. Ernest Renan (1823-1892) fut le premier d'entre eux. Très lié au chimiste Berthelot dont la méthode expérimentale l'avait beaucoup marqué, il profita de l'autorité intellectuelle que lui conférait sa chaire au Collège de France pour diffuser l'idée d'une histoire scientifique. Comme cet ancien séminariste devenu agnostique restait intéressé par les questions religieuses, il entreprit (après un voyage en Galilée) de rédiger la biographie de Jésus. L'ouvrage ne posait pas la question de la nature éventuellement divine du personnage ou du caractère éventuellement sacré de son message ; il s'agissait, à partir de sources épigraphiques et archéologiques et avec l'aide de la philologie, de rédiger une biographie historique portant sur la trajectoire d'un homme dans un contexte politique et religieux particulier. D'une facture finalement assez classique (le résultat correspondait peu au véritable discours de la méthode professé par Renan en 1848 dans son *Avenir de la science*), l'œuvre (*Vie de Jésus*), parue en 1864, fit scandale.

L'influence d'Auguste Taine (1828-1893) sur le courant historique positiviste fut plus profonde. En 1866, année où le professeur Claude Bernard publiait *Introduction à l'étude de la médecine expérimentale*, A. Taine rédigea son *Introduction à l'étude de l'histoire expérimentale*. Comme l'indiquait son titre programmatique, le manifeste affirmait que l'histoire devait s'inspirer des principes méthodologiques des sciences de la nature. L'historien devait isoler des faits et phénomènes, puis observer, définir, classer et modéliser ceux-ci avant de tirer des règles et principes de son expérimentation. Persuadé que les sociétés humaines respectaient des lois de fonctionnement, déterminées notamment par « la race, le milieu et le moment », Taine estimait pouvoir refonder scientifiquement sa discipline. Mais une fois encore, le résultat reste éloigné des exigences méthodologiques initiales. Si l'auteur affirme en 1875 dans la préface de ses *Origines de la France contemporaine* : « J'étais devant mon sujet comme devant la métamorphose d'un insecte », l'œuvre en question est pourtant traditionnelle, se présentant comme une fresque historique très littéraire. Les sources (Archives nationales, presse, correspondance et journaux intimes) ne sont pas critiquées, tandis que le traitement, très narratif, laisse libre cours à des jugements politiques et moraux à l'emporte-pièce.

Denis Fustel de Coulanges (1830-1889) est le dernier représentant du courant positiviste. Cet ancien normalien, qui enseigna à la Sorbonne avant de retrouver la rue d'Ulm comme directeur de l'établissement, précisa le premier les règles de la future école méthodique :
- L'objectivité du scientifique :

> L'histoire n'est pas un art, elle est une science pure, une science comme la physique ou la géologie [...] Elle n'imagine pas, elle voit seulement [...] Elle vise uniquement à trouver des faits et à découvrir des vérités [...] Elle est aussi impartiale, aussi désintéressée, aussi impersonnelle que toutes les autres sciences.

Grâce à une méthode rigoureuse, l'historien devait garder une distance critique par rapport à son objet d'étude sans projeter sur ce dernier sa propre subjectivité.
- La critique croisée des documents écrits, source unique de l'historien :

> Lois, chartes, formules, chroniques et histoires, il faut avoir lu toutes ces séries de documents sans en avoir omis une seule. Car aucune d'elles, prise isolément, ne donne une idée exacte de la société. Elles se complètent ou se rectifient l'une l'autre [...] Le meilleur historien est celui qui se tient le plus près des textes, qui les interprète avec le plus de justesse, qui n'écrit et même qui ne pense que d'après eux.

Mais, pas plus que A. Taine et E. Renan, D. Fustel de Coulanges ne respecta pas dans son œuvre ces principes positivistes. Partagé entre une profession de foi scientiste et une pratique d'historien romantique, ce conservateur nationaliste, blessé par la défaite de 1870, souhaita dans un combat d'arrière-garde valoriser l'érudition française à la Mabillon face à la nouvelle science allemande des Mommsen et Ranke. Il en résulta un ouvrage majeur mais aujourd'hui bien oublié, *La Cité antique* (1864), qui valait plus pour ses intuitions étonnantes et la qualité d'une écriture évocatrice que pour sa documentation limitée et sa méthode historique encore très traditionnelle.

En dépit de leur originalité et de leur audience, aucun de ces historiens ne créa d'école (qui suppose l'existence de maîtres à penser et de disciples, la publication de manifestes fondateurs, de textes théoriques et de revues). Après les années 1870 pourtant, plusieurs historiens, tels G. Monod, C. Seignobos, L. Halphen, C.-V. Langlois et C. Jullian se présentèrent comme les héritiers directs des E. Renan, A. Taine et D. Fustel de Coulanges. Mais ils surent, à l'inverse de leurs devanciers, ne pas se contenter du seul discours positiviste et élaborer une véritable méthode historique à prétention scientifique.

En 1876, Gabriel Monod (1844-1912) lança la *Revue Historique*, dont le premier numéro s'ouvrait sur un manifeste précisant les objectifs et les principes du nouveau courant. Le directeur de la revue reconnaissait d'abord sa dette envers les historiens allemands Theodor Mommsen (1817-1903, auteur d'une *Histoire romaine* d'une monumentale érudition) et Leopold von Ranke (1795-1886, auteur d'une *Histoire des papes* remarquablement bien documentée), avant d'appeler ses collègues à fournir le même effort en matière de publications historiques et de critique des sources. Il s'agissait en fait de l'épilogue d'une longue controverse ayant agité les historiens français, partagés entre une vieille génération qui, comme Fustel de Coulanges et Taine, vantait les mérites de l'exégèse nationale des XVIIe et XVIIIe siècles, et une avant-garde qui ne jurait que par l'esprit d'érudition et la rigueur d'analyse de l'école d'outre-Rhin. Le débat (d'autant plus agité qu'il avait débuté aux lendemains de la défaite de 1870 et consistait donc pour certains à reconnaître la supériorité intellectuelle des vainqueurs) venait de s'achever sur la victoire des nouvelles générations.

Qui en étaient les chefs de file ? Le père fondateur, Gabriel Monod, déjà évoqué, enseigna à l'École des Chartes puis à l'EPHE et acheva sa carrière professorale au Collège de France (avec une chaire « d'histoire générale et de méthode historique ») ; il se spécialisa dans des ouvrages bibliographiques et des critiques de sources. Les autres Méthodiques couvraient toutes les périodes de l'histoire. Parmi les antiquisants figurait Camille Jullian (1859-1933), connu pour sa volumineuse *Histoire de la Gaule*. Chez les médiévistes, Charles-Victor Langlois (1863-1929) avait rédigé des biographies des rois de France, tandis que Louis Halphen (1880-1950) s'était spécialisé dans les époques carolingienne et capétienne. Les Temps Modernes étaient représentés par Philippe Sagnac (1868-1954), qui co-dirigea la collection « Peuples et civilisations ». La période contemporaine, enfin, était dominée par Charles Seignobos (1854-1942), qui supervisa avec Ernest Lavisse une *Histoire de la France contemporaine*. Si l'école méthodique imposa rapidement ses vues au reste de la profession, c'est moins grâce aux qualités intellectuelles de ses représentants — historiens honnêtes mais aux œuvres vite oubliées — qu'aux positions de pouvoir que ces derniers occupaient dans des domaines sensibles : l'enseignement (les Méthodiques monopolisaient les postes à l'ENS, à l'EPHE, à la Sorbonne et au Collège de France), l'édition (ils multipliaient les manuels et dirigeaient des collections) et le ministère de l'Instruction (ils définissaient les programmes et orientaient les subventions).

Proches de leurs étudiants dans la grande tradition allemande, C.-V. Langlois et C. Seignobos publièrent en 1898 le premier manuel universitaire, *Introduction aux études historiques*. L'ouvrage présentait les positions et principes de l'école méthodique. Ceux-ci peuvent être résumés en trois points :

– L'historien ne doit pas exprimer dans son œuvre de théories philosophiques, morales, religieuses ou politiques, ni défendre une cause au nom du principe d'objectivité. Il ne doit pas non plus juger le passé à la lumière de valeurs actuelles mais se contenter de présenter exactement les faits.

– L'historien doit, à l'image des scientifiques, adopter une méthode rigoureuse qui, seule, peut valider sa recherche. Il s'agit en l'occurrence d'exposer précisément les événements, de repérer les relations de cause et de conséquence entre ces mêmes faits, et d'en tirer ensuite quelques règles. Cette démarche consiste à démêler les causes, à définir les caractéristiques et à considérer les résultats.

– L'historien ne doit pas se contenter d'une compilation élégante d'écrits antérieurs mais collecter puis dépouiller ces sources écrites. Seule l'exploitation critique de ces dernières selon une méthode critique rigoureuse peut fonder son travail.

Dans cette dernière perspective, C.-V. Langlois et C. Seignobos présentent la bonne méthode d'analyse de la source écrite. Les deux historiens commencent par distinguer deux types de documents.

– Les documents « directs », qui constituent les traces « matérielles » du passé (documents iconographiques, vestiges archéologiques, comme des monnaies ou des inscriptions, etc.), à quoi ils ajoutent un certain nombre d'écrits considérés comme « objectifs » parce qu'officiels (lois, chartes, traités).

– Les documents « indirects », qui représentent les traces « psychologiques » du passé. En clair, il s'agit des autres écrits (récits, pamphlets, mémoires, etc.), sources subjectives car pleines d'intentions.

C.-V. Langlois et C. Seignobos proposent ensuite une méthode d'analyse critique en deux temps :

– Une analyse « externe », appelée aussi « heuristique », qui consiste à remplir une fiche signalétique du document (nature, date, auteur et sujet), puis à s'interroger sur l'authenticité et le caractère lacunaire ou non de la pièce en question.

– Une analyse « interne » ou « herméneutique », qui se concentre sur le sens du document et les intentions de son auteur (celui-ci est-il sincère ; qu'a-t-il voulu dire ; pourquoi le dit-il de cette manière ?), suivie d'une synthèse replaçant le document dans le contexte général de son époque.

Un autre historien est traditionnellement associé à cette école, à ses principes méthodologiques comme à ses dérives politiques : Ernest Lavisse (1842-1922). L'œuvre et le parcours de « l'instituteur national » s'inscrivent dans le contexte de cette fin de siècle. Après la guerre contre la Prusse et l'amputation d'une partie de son territoire, la France souffrait d'une frustration nationale. Beaucoup expliquaient cette défaite par un patriotisme insuffisant. À l'inverse de leurs collègues allemands, les professeurs d'histoire n'avaient pas su inculquer aux futurs soldats l'amour de leur patrie. Il en résultait pour les historiens et enseignants une nouvelle mission : réveiller la conscience nationale et raffermir le sens du devoir des jeunes en leur révélant la grandeur d'une France désireuse de venger l'affront de 1870. Lavisse incarna cette instrumentalisation politique de l'histoire. Ce normalien obtint une bourse pour se rendre en Allemagne, pèlerinage obligé pour tout apprenti historien de l'époque. Très influencé par l'érudition et la rigueur méthodologique des universitaires germaniques ainsi que par leur patriotisme et leur volonté de participer à la construction d'une identité collective, il décida à son retour en France en 1875 d'œuvrer dans la même direction. Sa carrière (professeur à l'ENS puis à la Sorbonne en 1888, membre de l'Académie française dès 1892, directeur de l'ENS à partir de 1904) et ses fonctions officielles (directeur des études pour l'histoire au ministère de l'Instruction publique et président du Conseil supérieur de l'instruction publique) lui en donnèrent la possibilité.

Entouré de quelques collaborateurs, Lavisse supervisa la rédaction sur huit ans d'une œuvre considérable, une *Histoire de France depuis les origines jusqu'à la*

Révolution composée de dix-huit volumes et achevée en 1911. La somme fut suivie après-guerre d'une *Histoire de la France de la Révolution à la paix de 1919.* De cette œuvre de vulgarisation très classique (écrite dans un style clair et vivant, marquée par le choix d'une trame événementielle et la priorité accordée au politique), l'historien tira deux manuels scolaires destinés au premier degré. L'un, appelé familièrement le « Petit Lavisse », était conçu pour le niveau élémentaire (publié pour la première fois en 1884, il fut constamment réédité), tandis que l'autre, le « Grand Lavisse », visait le cours moyen (écrit en 1912, il fut réimprimé jusqu'en 1950). Ce petit livre, qui allait devenir *le* manuel d'histoire de plusieurs générations de Français, se présentait comme un modèle de pédagogie. Lavisse s'était efforcé de rédiger un texte simple et accessible à tous, avec des chapitres courts et résumés en bas de page. Le livre bénéficiait par ailleurs de vignettes naïves présentant scènes et personnages. Cette idée géniale de l'éditeur Armand Colin assurait une lecture plaisante et une mémorisation plus aisée du contenu (on retrouve ce procédé dans l'autre grand manuel patriotique de l'époque, le *Tour de France par deux enfants* [1877] de G. Bruno). La ligne était résolument événementielle, avec le choix d'une histoire politique (le social et le religieux étaient prudemment négligés...). L'esprit se voulait républicain et laïque. Mais si les mauvais rois étaient critiqués (ceux qui aiment la guerre et ruinent la France) pour mieux glorifier l'œuvre de la Révolution (aboutissement d'une histoire téléologique), le texte restait assez consensuel. Dans le prolongement de J. Michelet, E. Lavisse insistait sur la lente constitution de la nation France, aventure collective au travers des époques. Destiné à renforcer le moral patriotique des petits Français, le manuel fut accompagné dès 1888 de fascicules d'instruction civique intitulés « Tu seras soldat ! » (écrits sous le pseudonyme de Pierre Laloi). Cet accompagnement prolongeait et précisait la morale sous-jacente du manuel scolaire, en inculquant aux enfants le respect de l'ordre social et des institutions républicaines, garantes d'une France éternelle.

Quel bilan tirer de l'école méthodique, héritière directe du positivisme ? L'accent a longtemps été mis sur les défauts et les dérives de ce courant historiographique. La production méthodique avait trop privilégié l'histoire politique, militaire, diplomatique et accessoirement religieuse, avec un goût prononcé pour la monographie locale, au détriment d'autres terrains tenus à distance (le social, l'économique, le culturel...). Étrangers à toute modélisation, les ouvrages méthodiques restaient trop événementiels et descriptifs, avec un souci d'érudition qui nuisait à l'esprit de synthèse. La grille méthodique semblait parfois lourde et figée, avec l'application trop systématique de la double analyse externe et interne, un schéma qui se prêtait mal aux phénomènes très complexes du culturel. Cette ambition de reconstituer le passé dans sa réalité agaçait ceux qui avaient compris que l'histoire était une reconstruction hypothétique. Les dérives nationalistes d'une histoire qui, avec Lavisse, se mit rapidement au service d'un discours revanchard (d'autant plus insupportable qu'il contredisait des exigences d'objectivité) achevèrent de discréditer l'école méthodique.

Depuis peu, toutefois, les mérites de G. Monod et de ses collègues sont revus à la hausse. Si ces historiens n'ont pas produit d'œuvres de valeur, leur école a suscité par sa fièvre d'érudition et son culte de la source écrite une vague de publications de documents originaux qui offre de précieux instruments de travail aux chercheurs. Si l'analyse critique des sources manque parfois de souplesse, elle n'en constitue pas moins, avec ses exigences de rigueur et son souci d'objectivité, les fondements d'une méthode historique moderne. Enfin, la critique par les Annalistes (surtout Lucien Febvre) des errements positivistes des Méthodiques relève souvent de la mauvaise foi polémique. Une relecture attentive de *L'Introduction aux études historiques* (1898) démontre vite que C.-V. Langlois et C. Seignobos n'avaient jamais manifesté l'intention naïve d'établir une science des lois historiques. Ceux-ci avaient compris que l'analyse historique ne constituait « qu'un procédé abstrait, qu'une opération purement intellectuelle ». Conscients de la subjectivité de l'historien, ils savaient bien que leur discipline ne pourrait jamais prétendre à la rigueur des sciences de la nature. Langlois et Seignobos ne semblaient pas non plus si éloignés de « l'histoire-problème » chère à Febvre lorsqu'ils affirmaient qu'il fallait regrouper les faits « selon des grilles et des questionnaires ». Quelques Méthodiques, enfin, comme Seignobos et sa *Méthode historique appliquée aux sciences sociales* (1901), comprirent avant d'autres la nécessité pour l'historien de solliciter des sciences sociales alors embryonnaires (telles l'économie ou la démographie), de quantifier la méthode historique (grâce notamment à la statistique) et de mieux prendre en compte la vie matérielle et les croyances.

L'histoire au XXᵉ siècle

Le renouveau des Annales

Dès le début du XXᵉ siècle, certains intellectuels remirent en question les principes et la pratique d'un courant méthodique alors dominant. Ces contempteurs se rassemblaient autour de la *Revue de Synthèse Historique*, fondée en 1900 par le philosophe Henri Berr. On y trouvait des historiens comme le moderniste Lucien Febvre, des géographes comme Paul Vidal de la Blache, mais aussi beaucoup de représentants de ces nouvelles sciences sociales émergentes, à l'image du sociologue Émile Durkheim, du psychologue Henri Wallon ou de l'économiste François Simiand. Tous critiquaient les prétentions positivistes des amis de G. Monod et appelaient l'histoire à se redéfinir en collaboration avec les autres sciences sociales. Certains articles étaient assez polémiques, comme celui de Simiand en 1903 où l'économiste dénonçait les « trois idoles de la tribu des historiens » : l'idole politique (la domination de ce champ d'études), l'idole individuelle (le primat biographique) et l'idole chronologique (l'importance accordée à l'événement). Il fallait renverser les priorités en ouvrant l'histoire au social et à l'économique, oublier les individus pour s'intéresser aux peuples et aux classes, abandonner enfin la ligne factuelle pour une approche thématique et problématique.

Cette critique antiméthodique allait se développer dans les années d'après-guerre autour d'un foyer commun, l'université de Strasbourg. Soucieuse de faire oublier la Kaiser Wilhelms Universität qui avait symbolisé pendant presque un demi-siècle la domination allemande en Alsace, la France envoya dans sa province retrouvée ses meilleurs professeurs. Dans le cadre d'une politique d'image qui marquait le rétablissement de la souveraineté française, cet établissement devait affirmer la supériorité de la nouvelle intelligence française face à la vieille érudition germanique. Les spécialistes de chaque discipline se retrouvèrent donc à Strasbourg, comme Maurice Halbwachs et Gabriel Le Bras en sociologie, Henri Baulig en géographie, Charles-Édouard Perrin et Georges Lefebvre en histoire. L'université alsacienne comportant également des facultés de droit et de théologie, ce rassemblement de talents divers garantissait une féconde pluridisciplinarité.

C'est dans ce cadre porteur que se rencontrèrent les deux fondateurs de la future école des *Annales*, le moderniste Lucien Febvre et le médiéviste Marc Bloch. Partageant les mêmes vues sur l'histoire, les deux professeurs s'apprécièrent et décidèrent de travailler en commun au lancement d'une nouvelle revue historique. Cette dernière, éditée chez Armand Colin, parut en janvier 1929 sous le titre *Annales d'Histoire Économique et Sociale*. En plus des directeurs nommés ci-dessus, le comité de rédaction rassemblait d'autres historiens comme l'antiquisant André Piganiol, les médiévistes Henri Pirenne et Georges Espinas, le moderniste Henri Hauser, mais aussi des représentants d'autres disciplines comme le sociologue Maurice Halbwachs, l'économiste Charles Rist, le politologue André Siegfried et le géographe Albert Demangeon. Cet esprit d'ouverture renvoyait au premier objectif des Annalistes : leur volonté affichée de briser l'esprit de spécialité pour favoriser l'union des sciences humaines. Il fallait concrètement profiter des apports de disciplines émergentes où la France avait pris de l'avance :
– La sociologie, incarnée par E. Durkheim et sa revue *L'Année Sociologique*, fondée en 1897. Cette science humaine, déjà très présente à l'EPHE, bénéficia à partir de 1924 de la création de l'Institut français de sociologie.
– La géographie, portée par Paul Vidal de la Blache et ses successeurs, Emmanuel de Martonne et Albert Demangeon. La géographie française, qui disposait des *Annales de Géographie* depuis 1901 et d'un Institut depuis 1923, avait bâti sa réputation sur l'étude monographique des paysages et des régions.
– L'économie, dont les travaux fondateurs de François Simiand sur le mouvement général des prix du XVIe au XIXe siècle avaient révélé l'intérêt pour toute étude historique. Elle avait acquis une reconnaissance officielle depuis la création à la Sorbonne en 1927 d'une chaire d'histoire économique pour Henri Hauser.

Après la nomination de L. Febvre au Collège de France en 1933 puis de M. Bloch à la Sorbonne en 1936, les deux professeurs quittèrent l'Alsace pour Paris, où ils installèrent leur revue. Celle-ci gagna en influence face à un courant méthodique qui conservait encore ses positions mais paraissait de plus en plus dépassé dans cette querelle historiographique doublée d'un évident conflit générationnel. La guerre frappa durement le mouvement des *Annales*, qui peina à maintenir sa publication (sous un nouveau titre *Les Mélanges d'Histoire Sociale*) et perdit surtout un de ses collaborateurs, M. Bloch.

Le courant des *Annales* étant étroitement associé à ses deux fondateurs, présentons-les avant d'exposer les principes et objectifs de leur école historiographique.

Formé à l'ENS et à la Sorbonne, Lucien Febvre (1878-1956) manifesta son originalité intellectuelle dans le choix de son sujet de thèse en 1911. Si le titre de celle-ci, *Philippe II et la Franche-Comté*, semblait indiquer par ses thématiques politique, diplomatique et militaire une approche méthodique traditionnelle, le sous-titre, *Étude d'histoire politique, religieuse et sociale*, paraissait moins conventionnel et indiquait déjà le souci du jeune universitaire d'élargir ses recherches à l'échelle d'une société et dans le cadre d'une région. Nommé professeur à l'université de Strasbourg en 1919, il intégra le Collège de France en 1933. Ce spécialiste du XVIe siècle revisita en 1928 le genre biographique en étudiant au travers du personnage de Martin Luther les mentalités et les structures religieuses d'une époque. Un ouvrage ultérieur, paru en 1942, *Le Problème de l'incroyance au XVIe siècle. La religion de Rabelais*, est symptomatique des interrogations et des méthodes de travail des Annalistes. Souhaitant récuser les affirmations de l'historien Abel Lefranc sur l'incroyance de Rabelais, L. Febvre s'interrogeait sur les possibilités d'un athéisme au XVIe siècle. Étudiant les écrits du père de Pantagruel comme les témoignages de ses proches, l'historien aboutissait à la conclusion que Rabelais n'avait pas été un libre penseur mais un chrétien humaniste et tolérant, à la façon d'un Érasme. Réalisant une petite révolution épistémologique, L. Febvre ne s'était pas intéressé à l'athéisme de Rabelais, en s'appuyant sur la critique érudite de quelques sources écrites émanant du seul écrivain, comme l'aurait fait un Méthodique. Il s'était plutôt posé la question de savoir si un tel comportement était possible dans cette société pénétrée de religion qu'était la France du XVIe siècle. En croisant diverses sources portant plus sur le monde de Rabelais que sur l'auteur lui-même, il avait conclu que, dans l'Europe de la Renaissance, l'athéisme scientifique tel que le connaîtra le XIXe siècle n'était pas encore possible intellectuellement. L. Febvre fut également un polémiste redoutable, défendant les positions des Annalistes et critiquant celles des Méthodiques dans de nombreux articles ou conférences, comme dans des ouvrages théoriques, à l'image de *Combats pour une histoire*, rédigé en 1953.

Fils d'un universitaire de la Sorbonne spécialiste de l'Antiquité, Marc Bloch (1886-1944) se forma également à l'ENS, avant de passer son agrégation d'histoire et de partir en Allemagne grâce à la fondation Thiers. Après avoir été professeur de lycée, il fut mobilisé en 1914 et finit capitaine une guerre qui le marqua profondément. Nommé à Strasbourg en 1919, il rédigea en 1924 son premier ouvrage important, *Les Rois thaumaturges*. Cette étude de la croyance populaire dans le miracle des écrouelles (pouvoir magique de guérison de certaines maladies reconnu aux rois de France et d'Angleterre après leur sacre) annonçait la méthode (histoire comparatiste) ainsi que les thèmes (histoire des mentalités, anthropologie historique) des Annalistes. En 1931, M. Bloch confirma ces orientations dans *Les Caractères originaux de l'histoire rurale française, du XIe au XVIIIe siècle*. Le médiéviste y observait sur l'ensemble du territoire national et sur une période pluriséculaire les formes d'occupation du sol, les techniques de production, les modes de peuplement, le cadre seigneurial et les pratiques communautaires. La parution en 1939 de *La Société féodale*, synthèse des connaissances de l'époque sur l'organisation sociale du Moyen Âge, consacra la réputation d'un M. Bloch déjà très connu dans le monde entier pour ses articles et conférences. Mobilisé de nouveau en 1939, il assista à l'effondrement de l'armée française, événement traumatisant qui lui inspira durant l'été 1940 un essai d'histoire immédiate, *L'Étrange défaite*. Dans cette analyse lucide des causes profondes de ce désastre militaire, M. Bloch souligne les responsabilités collectives d'un état-major encore ancré dans des modèles stratégiques dépassés, d'un gouvernement et d'une classe politique rendus impuissants par leurs divisions et hésitations, d'une société pacifiste au point d'en devenir défaitiste. Victime des mesures antisémites de Vichy en dépit de son statut d'ancien combattant, l'historien parvient dans un premier temps à continuer son enseignement dans les universités de Clermont-Ferrand puis de Montpellier, avant de devoir passer dans la clandestinité en novembre 1942. Ayant rejoint la Résistance près de Lyon, il y est arrêté et torturé par la Gestapo avant d'être fusillé en juin 1944.

Quels étaient les principes et pratiques des Annalistes ? Ces thèmes se trouvent exposés dans un ouvrage posthume de M. Bloch. Lors d'un court séjour dans la Creuse en 1941, le médiéviste avait en effet pris le temps de réfléchir aux pratiques et à l'esprit du métier d'historien dans le prolongement de sa propre expérience. Resté à l'état d'ébauche, le livre fut publié par L. Febvre à la Libération sous le double titre *Apologie pour l'histoire ou Métier d'historien* (1949). Cet ouvrage-testament résume les apports des Annalistes en quelques points forts :

Concernant la *pratique du métier d'historien :*
– L'historien ne doit pas s'enfermer dans une solitude orgueilleuse mais s'ouvrir aux influences bénéfiques des autres sciences humaines (sociologie, économie, psychologie, ethnologie, géographie...). De nouvelles thématiques, de nouveaux outils explicatifs et de nouvelles grilles de lecture peuvent ainsi être intégrés. Cette interdisciplinarité revendiquée dès le début par les *Annales*, M. Bloch l'a pratiquée personnellement. Dans les *Caractères originaux de l'histoire rurale française* par exemple, l'historien utilise la géographie régionale pour décrypter, au moyen d'une méthode régressive, les structures agraires médiévales à partir des formes présentes du paysage rural. L. Febvre se fait également le partisan de cette géo-histoire dans son ouvrage *La Terre et l'évolution humaine*. S'observent aussi dans *Les Rois thaumaturges* de M. Bloch l'influence de la psychosociologie des M. Halbwachs et G. Le Bras, comme de l'ethnologie, à laquelle le médiéviste avait été initié. De fréquents colloques et séminaires

transdisciplinaires ainsi qu'un intérêt marqué pour les recherches étrangères par le biais d'études comparatistes (en 1928, M. Bloch propose à Oslo un programme d'histoire comparée des sociétés européennes) garantiraient cette nécessaire ouverture intellectuelle.

– L'historien ne doit pas céder aux charmes d'une érudition stérile, focalisée sur la critique figée du seul document écrit. Il faut élargir le concept de source, puisque, comme le constate L. Febvre, « tout est source ». D'autres matériaux existent pour l'historien, tels ceux offerts par l'archéologie, la numismatique, l'iconographie, le témoignage oral, etc. M. Bloch lui-même, dans ses études sur le Moyen Âge, ne s'est pas contenté des cartulaires, actes de chancellerie et autres hagiographies :

> Autant que du dépouillement des chroniques ou des chartes, notre connaissance des invasions germaniques dépend de l'archéologie funéraire et de l'étude des noms de lieux. Sur les croyances et les sensibilités mortes, les images peintes ou sculptées, la disposition et le mobilier des tombes ont au moins autant à nous dire que beaucoup d'écrits. (Marc Bloch, *Apologie pour l'histoire*)

Ces conseils sont mis en pratique dès 1938 par Jérôme Carcopino, qui, dans sa *Vie quotidienne à Rome*, a utilisé les résultats des dernières fouilles à Ostie et Pompéi.

– Mais le recours à des sources élargies suppose de la part de l'historien une solide formation. Celui-ci doit par exemple maîtriser parfaitement les sciences auxiliaires de l'histoire (épigraphie, paléographie, diplomatique, héraldique, archéologie, statistique, histoire de l'art...) et s'être initié aux sciences voisines de l'histoire (géographie, ethnologie, démographie, économie, sociologie, linguistique...). Cela suppose également que l'historien soit un homme de son temps, capable de déchiffrer une pièce de chancellerie comme d'interpréter un bilan de banque, de comprendre le fonctionnement d'une machine ou de décrypter une image de film, etc.

Concernant le *contenu de cette histoire* :

– Les Annalistes accusaient les Méthodiques de privilégier l'histoire politique, diplomatique et militaire et d'adopter une approche factuelle et descriptive, où l'on se contentait de présenter de manière exacte les faits et leur enchaînement. Cette histoire « historisante » aboutissait à une histoire-bataille (récit monotone de la succession des régimes et des guerres), organisée au mieux en compartiments indépendants : politique, société, économie, culture, sans que les relations entre ces domaines soient appréhendées. Favorable à une histoire totale, L. Febvre expose ses vues en 1934 à l'occasion d'un compte rendu resté célèbre de *L'Histoire de la Russie* de C. Seignobos :

> Une fois de plus, Charles Seignobos entonne le péan en l'honneur de l'histoire-tableau qui est l'histoire-manuel. En voilà un homme que les années n'ont pas entamé ! « Présenter séparément et successivement les groupes de faits de nature différentes, politique, sociale, économique, intellectuelle ». C'est ce que j'ai coutume d'appeler

« le système de la commode », la bonne vieille commode en acajou, gloire des petits ménages bourgeois. Si bien rangée, et en si bel ordre ! Tiroir du haut : la politique : « l'intérieur » à droite, « l'extérieur » à gauche, pas de confusion. Deuxième tiroir : le coin à droite, le « mouvement de la population », le coin à gauche, « l'organisation de la société ». Par qui ? J'imagine par le pouvoir politique, qui du haut du tiroir n° 1 domine, régit et gouverne tout, comme il sied. C'est une conception, et c'en est une aussi que de mettre « l'économie » après la « société », mais elle n'est pas neuve. (*La Revue de Synthèse*, n° 7, 1934)

– Cette citation permet de mieux comprendre le modèle historique que les Annalistes préconisent en réaction à leurs prédécesseurs méthodiques. Au risque de schématiser ce modèle, résumons-le en quelques points :

• Une histoire collective, celle des peuples et des classes sociales, à l'inverse de l'histoire biographique des Méthodiques.

• Une histoire centrée sur l'économique et le social, à l'inverse de l'histoire politique des Méthodiques (sur la période 1929-1945, le domaine économique représente 58 % des articles des *Annales*, le social 25 %, le culturel 10 % et le politique seulement 3 %).

• Une histoire qui s'intéresse aux structures et à leur évolution sur la longue durée, à l'inverse de l'histoire factuelle sur le temps court des Méthodiques.

• Une histoire quantitative qui croise des données diverses et utilise les statistiques, les tableaux et les graphiques pour exposer et valider ses résultats, à l'inverse de l'histoire qualitative des Méthodiques, qui se contentaient de l'analyse critique de quelques sources écrites et s'intéressaient à quelques faits isolés.

• Enfin — et c'est sans doute le point le plus important —, une histoire-problème qui ne se contente pas de décrire les faits mais les réorganise par rapport à une interrogation initiale ; bref, une histoire reconstructive et non pas reconstitutive.

Dans *Apologie pour l'histoire*, M. Bloch n'hésite pas à poser dès la première page la question fondamentale : « À quoi sert l'histoire ? » ; « à comprendre » répond-il. Mais ce savoir constitué par l'étude critique des sources et la réflexion problématique ne doit pas se limiter à une érudition stérile tournée vers le passé. Homme de son temps, l'historien doit, par un va-et-vient permanent entre passé et présent, comprendre les sociétés anciennes pour s'engager plus lucidement dans son époque (« comprendre le passé à partir du présent [...] comprendre le présent à la lumière du passé »).

Les Annales de Fernand Braudel

À la libération, la revue reprit sa parution sous la présidence unique de L. Febvre. Celui-ci réalisa quelques changements indiquant les nouvelles orientations des *Annales*. L. Febvre s'entoura d'abord d'une nouvelle équipe, comprenant Fernand Braudel et Charles Morazé. Le titre fut modifié pour devenir *Annales, Économies-Sociétés-Civilisations,* ce qui montrait un infléchissement vers l'histoire des mentalités, sous l'influence de F. Braudel, tandis que le pluriel permettait de reconnaître la diversité des sociétés, la relativité des cultures et, par là même, la nécessité d'élargir encore les champs d'études. L. Febvre obtint enfin à la même époque l'ouverture d'une sixième section de l'EPHE consacrée aux « sciences économiques et sociales » ; celle-ci devint l'extension organisationnelle des *Annales* et permit à la revue d'influencer plus encore le monde de la recherche et de l'enseignement. À la mort de L. Febvre en 1956, F. Braudel prit la direction des *Annales*, assisté de Robert Mandrou, Charles Morazé et Marc Ferro. Il conserva la direction des « Annales » (la revue et le courant historique qu'elle animait) jusqu'en 1969 et continua par la suite d'influencer fortement l'esprit de cette publication. À la fin des années 1960, une direction collégiale se mit en place, rassemblant Jacques Le Goff, Emmanuel Le Roy Ladurie et Marc Ferro, secondés par un secrétariat où figuraient Robert Mandrou, Jacques Revel et André Burguière. En 1975, la sixième section de l'EPHE devint l'EHESS (École des hautes études en sciences sociales), qui, avec son statut d'université, permit à l'équipe des *Annales* qui contrôlait la maison (par le biais de ses directeurs, Jacques Le Goff et François Furet) de prolonger plus efficacement encore ce dialogue constructif entre les sciences humaines.

Durant les années 1960 et 1970, F. Braudel développe les *Annales*, qui deviennent la revue de référence dans le monde des sciences humaines, en France comme à l'étranger. À raison de six numéros par an, cette parution a évolué vers une histoire expérimentale, qui mélange les influences marxistes et structuralistes, recourt à l'approche quantitative et s'ouvre de plus en plus à des sujets nouveaux, tels l'alimentation, le climat, les loisirs, le sexe, etc. En s'entourant d'interlocuteurs de talents venus d'horizons différents (comme les sociologues Georges Gurvitch et Pierre Bourdieu, le démographe Alfred Sauvy ou l'ethnologue Claude Lévi-Strauss), en publiant les travaux de jeunes chercheurs (comme Pierre Goubert, Pierre Chaunu, Jacques Le Goff, etc.), en s'ouvrant sur l'étranger (la parole est donnée à l'Anglais Edward P. Thompson, spécialiste de la classe ouvrière britannique, à l'Italien Carlo Ginzburg, spécialiste des cultures marginales médiévales, ou au Polonais Bronislaw Geremek, spécialiste de la pauvreté urbaine à la fin du Moyen Âge, etc.), la revue a su se moderniser tout en restant fidèle aux principes de ses fondateurs.

F. Braudel, remarquable administrateur jouissant d'un prestige intellectuel considérable en France comme à l'étranger, ayant marqué de son empreinte l'évolution de la revue, il n'est pas inutile de s'arrêter un instant pour présenter ce grand historien.

Après avoir réussi l'agrégation d'histoire, Fernand Braudel (1902-1985) occupa un poste de professeur en Algérie pendant dix ans, de 1923 à 1932. Là, ce Lorrain se prit de passion pour le monde méditerranéen, au point de choisir comme sujet de thèse *La Politique méditerranéenne de Philippe II*. Une rencontre avec L. Febvre le persuada d'abandonner cette approche traditionnelle d'une histoire politique pour travailler sur *La Méditerranée à l'époque de Philippe II*. Ce renversement de perspective annonçait déjà les principes et thèmes chers à

F. Braudel : une réflexion de type géo-histoire sur l'évolution d'un espace à travers la longue durée. Le thésard dépouilla pendant plusieurs années des archives à Madrid, Gênes, Rome, Venise et Dubrovnik, avant de partir en 1935 au Brésil pour trois ans à l'invitation de l'Université de Sao Paulo. Si ce séjour sud-américain retarda l'avancement de sa thèse méditerranéenne, elle marqua durablement F. Braudel en lui permettant de prolonger sa réflexion sur l'espace-temps et de rencontrer l'ethnologue Claude Lévi-Strauss. Nommé en 1938 à l'EPHE, l'historien fut mobilisé en 1939. Fait prisonnier, il passa les six années du conflit dans un camp près de Lübeck, où, grâce à sa fabuleuse mémoire, il réussit à rédiger sa thèse sans notes. L'ouvrage fut publié en 1949 avant d'être réédité en 1966. L'historien entama alors une carrière brillante, puisque, à côté de ses fonctions aux *Annales*, F. Braudel intégra le Collège de France en 1949, présida le jury d'agrégation d'histoire de 1950 à 1955 et, surtout, dirigea cette sixième section de l'EPHE créée à la Libération et qui s'était spécialisée dans les « sciences économiques et sociales ». Cet établissement, devenu l'EHESS en 1975, permit de relier efficacement enseignement et recherche par le biais de séminaires, d'enquêtes collectives et de directions de thèses. L'EPHE et les *Annales* travaillaient dans une étroite collaboration, comme l'indiquait la présence dans les deux institutions d'historiens tels que Jacques Le Goff, Emmanuel Le Roy Ladurie, François Furet ou Marc Ferro. En 1968, F. Braudel obtint la fondation d'une maison des Sciences de l'Homme qui rassembla vite des centres et laboratoires relevant de différentes sciences humaines, comme la démographie, l'économie, la psychologie, la sociologie, l'ethnologie, toutes organisées autour de l'histoire, discipline coordinatrice. Son élection à l'Académie française en 1984 consacra la carrière de celui qui, au prix peut-être d'un certain autoritarisme, était parvenu à faire fructifier l'héritage intellectuel et institutionnel des *Annales*.

L'ouvrage de référence de F. Braudel reste *La Méditerranée à l'époque de Philippe II*. C'est dans sa thèse en effet que, réfléchissant à la dialectique entre le temps et l'espace, l'historien a défini la théorie d'un temps pluriel étagé en un temps géographique, un temps social et un temps individuel. Cette fameuse tri-temporalité braudélienne est résumée dans un ouvrage postérieur, *Écrits sur l'histoire* (1969, p. 112-119), où le nouveau directeur des *Annales* présente ces trois paliers chronologiques :

> En surface, une histoire événementielle qui s'inscrit dans le temps court, à mi-pente, une histoire conjoncturelle qui suit un rythme plus lent, en profondeur, une histoire structurelle de longue durée qui met en cause des siècles.

Observons ces trois niveaux dans *La Méditerranée* :
– Le premier palier est celui de la longue durée ; c'est histoire de l'homme dans ses rapports avec le milieu qui l'entoure, « une histoire lente à couler et à se transformer, faite bien souvent de retours insistants, de cycles sans cesse recommencés ». F. Braudel se livre ici à une description de type géo-histoire du monde méditerranéen. Il en décrit sur presque deux millénaires les mers, montagnes,

plaines littorales et îles ; il en présente les habitants, les coutumes et les activités économiques ; il en repère les caractéristiques climatiques. Ce temps géographique paraît immobile, et F. Braudel montre que, au fond, rien n'a vraiment changé entre Auguste et Philippe II, concernant la répartition du peuplement, l'exploitation de la terre, la localisation des circuits commerciaux, etc. Mais cette permanence est illusoire, car le climat a pu varier, la végétation se modifier, le tracé des routes évoluer. On est ici dans le temps géographique, la géographie percevant mieux les lentes oscillations que l'histoire.

– Le deuxième palier est l'histoire pluriséculaire et lentement rythmée des groupes et des groupements. F. Braudel se situe désormais dans la Méditerranée des débuts de l'époque moderne, et en analyse structurellement les cycles démographiques, sociaux et économiques. Il localise les axes de communications terrestres et maritimes, puis en mesure les distances. Il s'intéresse aux zones commerciales structurées autour de grands ports. Il repère les zones vides et pleines avant d'en estimer la population. Il dessine la carte des circuits monétaires et montre combien les mouvements des prix dépendent de l'abondance ou de la rareté des métaux précieux. Ces mêmes fluctuations des cours déterminent les revenus et niveaux de vie des différentes classes sociales.

– Le troisième palier correspond à une histoire plus traditionnelle. Il s'agit de l'histoire politique, diplomatique et militaire des empires et des royaumes, qui ne prend plus en compte les hommes, mais quelques individus. F. Braudel ne dissimule pas son manque d'intérêt pour cette « agitation de surface », mais se penche néanmoins sur cette histoire du temps court. Il présente ainsi l'opposition sur un demi-siècle des empires rivaux espagnols et turcs. Une fois les forces en présence décrites (systèmes politiques, puissances militaires, dimension des territoires), il décrit leur affrontement, marqué par des temps forts dont la bataille de Lépante en 1571 constitue l'apogée. Si cette histoire-bataille est une concession aux tenants de la tradition, Braudel prend néanmoins ses distances avec le genre, étudiant moins les péripéties des guerres ou les arguties des traités que leurs effets durables.

Le deuxième ouvrage de F. Braudel, *Civilisation matérielle, économie et capitalisme XVᵉ-XVIIIᵉ siècle*, se présente comme une compilation des cours donnés par l'historien au Collège de France. Une version complète en trois volumes paraît en 1980. L'objectif initial, assez ambitieux, prévoyait d'analyser sur quatre siècles la lente expansion du capitalisme. Fidèle à cette progression par paliers qui lui est chère, Braudel commence par observer les « structures du quotidien, la vie de tous les jours telle qu'elle s'impose aux hommes » (les cultures, l'alimentation, l'outillage, les transports, etc.), avant de traiter des « jeux de l'échange, des mécanismes de l'économie et du commerce structurés par le capitalisme ». L'étude s'achève par « le temps du monde », autrement dit « le système de domination internationale » du capitalisme. L'existence d'une économie-monde polarisée autour de centres dominants est soulignée. Le dernier ouvrage de Braudel, *Identité de la France*, publié en 1986, se présente comme un essai de géo-histoire, mais à l'échelle nationale. Au travers d'études portant sur l'évolution du peuplement, l'enracinement du caractère rural, les déséquilibres et retards de l'urbanisation, la complexité linguistique, les choix politiques, les deux tomes, *Espace et histoire* et *Les hommes et les choses*, montrent comment géographie et histoire se sont toujours mutuellement influencées en France.

La chronologie braudélienne a suscité de nombreuses polémiques, tant les enjeux épistémologiques de cette tritemporalité paraissent évidents. Cette prééminence accordée à la longue durée supposait d'étudier prioritairement des structures quasi immobiles. Cela était-il possible ? L'hypothèse choquait ceux qui, à commencer par les marxistes, restaient attachés à une histoire en mouvement, faite certes de structures et de modes mais aussi de changements, d'évolutions et de ruptures socio-économiques, politiques et culturelles. Elle perturbait également ceux qui persistaient à croire en une téléologie historique. Comment comprendre par ailleurs les accélérations de l'histoire (la Renaissance ou la Révolution française) ? Confirmaient-elles les conceptions braudéliennes en constituant des adaptations brusques aux structures de temps long, ou les infirmaient-elles en représentant l'irruption d'un événement bouleversant les structures ? Sans compter que ce temps arrêté semblait désespérant, il supposait que les hommes n'étaient pas les acteurs de leur histoire mais les jouets de structures. On quittait l'histoire volontariste pour un temps subi. Les hommes étaient-ils condamnés à ne pouvoir modifier ces structures déterminantes ? La réponse résidait peut-être dans une lecture moins systématique de l'œuvre de F. Braudel, qui ne considérerait pas ces trois niveaux temporels comme des chronologies séparées mais emboîtées, qui réhabiliterait le niveau individuel en tant que temps pleinement historique, simplement relié aux étages géographique et social et en partie déterminé par eux.

Comment a évolué dans les années 1950-1970 ce courant historiographique issu des *Annales* de l'entre-deux-guerres et relancé dans les années 1950 par Braudel ?

La première génération des Annalistes de l'après-guerre, celle des années 1950-1960, marquées par la domination intellectuelle du modèle marxiste, fut influencée par l'histoire socio-économique quantitative à la E. Labrousse ainsi que par la géo-histoire de F. Braudel. Les œuvres produites appartenaient en général aux champs de la démographie, du social et de l'économique. Voici quelques exemples, rapidement présentés dans l'ordre chronologique :

– Pierre Chaunu, dans sa thèse *Séville et l'Atlantique, 1504-1650,* publiée en 1956, avait entrepris d'étudier les relations maritimes dans l'Atlantique et le Pacifique ibérique durant les deux premiers siècles de la colonisation espagnole. Très influencée par l'espace-temps braudélien, cette œuvre immense (3 400 pages) s'était fait remarquée par sa méthode quantitative lourde.

– Pierre Goubert, dans sa thèse *Beauvais et le Beauvaisis aux XVIIe et XVIIIe siècles,* parue en 1960, avait exploité les mercuriales (listes des cours des marchés) et les registres paroissiaux. Il en tira une étude démographique quasi exhaustive d'une province sur près de deux siècles, démontrant par le recours à la statistique les relations de cause à effet entre les cours des prix des produits agricoles et les courbes de nuptialité, natalité et mortalité d'une population.

– Adeline Daumard, dans *La Bourgeoisie parisienne de 1815 à 1848,* publiée en 1963, étudiait cette catégorie sociale en dépouillant de manière systématique les listes électorales (intéressantes pour étudier la bourgeoisie dans le cadre d'un suffrage censitaire), les rôles fiscaux, les inventaires après décès et les contrats de mariages.

La deuxième génération des historiens annalistes, celle des années 1970, glissa, sous l'influence du structuralisme, vers d'autres domaines d'études (cultures, mentalités, vie privée, etc.). La méthode aussi évolua, les anciennes recherches quantitatives lourdes faisant place à des études anthropologiques plus fines. Les deux exemples suivants sont rapidement présentés dans l'ordre chronologique :

– Jean-Noël Biraben, dans *Les Hommes et la peste en France et dans les pays méditerranéens*, paru en 1975, s'intéressa moins à la Peste noire de 1348-1352 qu'à la réaction des hommes devant la maladie. Là où un Annaliste de la génération précédente aurait étudié quantitativement la mortalité en exploitant des séries d'archives médicales et juridiques, J.-N. Biraben privilégia les mentalités. Ce médecin montra en quoi la peste révélait le fonctionnement social et mental de la société médiévale en en perturbant justement les valeurs morales et les codes culturels. L'épidémie devenait un prisme éclairant.

– Philippe Ariès, dans *L'Homme devant la mort*, paru en 1977, explorait les mêmes voies croisées du biologique et du mental. Cet « historien du dimanche », comme il aimait à s'appeler (pour se moquer d'une profession qui l'avait longtemps ignoré en raison d'un cursus insuffisant et d'options politiques non conformistes), s'était déjà fait connaître en 1960 comme spécialiste des mentalités avec son étude sur *L'Enfant et la vie familiale dans l'Ancien Régime*, où il montrait la construction historique du concept d'enfance. Puisant abondamment dans les sources littéraires et iconographiques, *L'Homme devant la mort* se voulait une enquête sur la mort, avec une étude des rituels funéraires et des représentations mentales de l'au-delà sur la longue durée (de l'Antiquité à nos jours). P. Ariès y montrait comment les perceptions de la mort évoluaient dans l'histoire, reflétant à chaque fois les caractéristiques démographiques, sociales et culturelles d'une époque. La mort était ainsi :

• Apprivoisée durant l'Antiquité et le Moyen Âge. Elle était omniprésente dans des sociétés marquées par les guerres, famines et épidémies. Sans rivale en raison d'insuffisantes connaissances médicales, la mort était acceptée puisqu'elle appartenait au quotidien et que les religions offraient une vision claire de l'au-delà comme des conseils pratiques pour y accéder.

• Ostentatoire à la fin du Moyen Âge et durant l'époque baroque. L'Église fit alors du discours sur la mort un moyen de contrôle puis de reconquête des esprits. C'est l'époque des tableaux et sculptures doloristes, des confréries de flagellants, de la crainte du Jugement Dernier, tandis qu'un mouvement d'individualisation donne à la mort une dimension personnelle.

• Dramatique au XIXe siècle. Les premiers progrès médicaux d'un siècle hygiéniste firent de la mort une issue de moins en moins acceptée, les premiers signes de déchristianisation commençant à laïciser cet événement.

• Niée comme un scandale dans les sociétés contemporaines. Une plus grande sécurité ainsi que les progrès de la science médicale ont fait augmenter l'espérance de vie. La mort, devenue un tabou dans une société marquée par les valeurs de la jeunesse éternelle et de la santé, est repoussée du domicile vers l'hôpital.

Influences marxistes et structuralistes

Les *Annales* de l'après-guerre furent influencées successivement par deux grilles de lecture historique, celles du marxisme et du structuralisme.

L'historiographie marxiste connut son apogée entre le début des années 1930 et la fin des années 1960 (période correspondant en France à la domination de la gauche et du monde intellectuel par le Parti communiste). Inspirée des analyses historiques de K. Marx et F. Engels, elle se voulait une explication téléologique de l'histoire en même temps qu'une histoire en marche. Ce courant marxiste privilégiait logiquement une histoire économique et sociale, avec une attention particulière portée aux épisodes conflictuels des luttes de classe, surtout lorsqu'elles faisaient intervenir les « masses » (jacqueries des paysans et grèves des ouvriers). Voici deux exemples de cette production historiographique marxiste :

– Ernest Labrousse (1895-1988) se situait au croisement des *Annales* (dont il avait adopté les thèmes économiques et sociaux, la méthode quantitative et la temporalité des cycles longs) et de l'école marxiste (en faisant de la conjoncture économique une force d'accélération des crises). Ses deux premiers ouvrages, *Esquisse du mouvement des prix et des revenus en France au XVIIIe siècle* (1933) et *La Crise de l'économie française à la fin de l'Ancien Régime et au début de la Révolution* (1944), firent de cet intellectuel engagé une référence incontestée en histoire économique. Professeur à la Sorbonne et à l'EPHE, il devait imposer dans ces deux institutions le modèle d'une histoire quantitative, qui, à partir de l'étude massive de données, révélait le jeu des structures économiques et sociales.

– En 1947, Daniel Guérin (1904-1988) consacra deux volumes à *La Lutte des classes sous la Première République* pour situer la Révolution de 1792-1797 dans le schéma classique du marxisme. Une classe non prolétarienne, la bourgeoisie, s'était emparée du pouvoir, profitant de ce que ce moment coïncidait avec une étape nécessaire du « développement objectif » de l'économie. Au cours du même mouvement d'émancipation, une poussée populaire s'était esquissée autour des leaders Hébert et Chaumette. Elle permit d'aider la classe évoluée à chasser la classe arriérée qui se cramponnait au pouvoir ; mais ce mouvement populaire échoua car le développement technique ne lui permettait pas d'aller plus loin. D. Guérin analysait de la même façon la révolte des Ciompi à Florence en 1378 et l'insurrection de la Commune en 1871. À chaque fois, la révolte populaire avait avorté pour avoir devancé le développement de l'économie.

Notons toutefois que le marxisme, après la disparition de ses fondateurs théoriques, s'était appauvri intellectuellement en se rigidifiant. Cette grille d'analyse, à l'origine complexe et nuancée, se réduisit vite à des schémas et à une sémantique simplifiés, plaqués de manière dogmatique sur le passé. Plus qu'au marxisme, les historiens recouraient d'ailleurs au marxisme-léninisme, qui insistait sur la lutte révolutionnaire et la prise du pouvoir. Le stalinisme devait aggraver cette évolution en faisant d'un marxisme-léninisme, revu et corrigé (tiré de l'œuvre de J. Staline, *Matérialisme dialectique et matérialisme historique*) un système idéologique destiné à justifier le pouvoir d'un parti et d'une nomenklatura. Dans les universités soviétiques, le marxisme-léninisme, érigé en matière principale, devint une science positiviste au même titre que la biologie ou les mathématiques. On en tirait des lois qui permettaient de comprendre le passé et de prévoir les évolutions futures. Seuls quelques historiens et philosophes marxistes étrangers tentèrent de résister à ce moule, s'efforçant de revenir aux principes originels en les actualisant parfois. Symbole de ce renouvellement théorique, Antonio Gramsci (1891-1937) rédigea des *Lettres de prison* (1947) où il critiquait le déterminisme marxiste. Le leader du PCI préférait parler de « tendances historiques » et croyait en une relative autonomie du politique par rapport à l'infrastructure. En France, il fallut attendre les années 1960 pour que les intellectuels redécouvrent un autre Marx, notamment *via* l'ouvrage du philosophe Louis Althusser, *Pour Marx* (1965).

Ces restrictions faites, quelle fut l'influence du marxisme sur l'historiographie française contemporaine ? Surtout à partir de 1945 (durant l'entre-deux-guerres, la marginalité agressive du PCF discréditait l'idéologie dont il se réclamait), elle fut considérable. Après un conflit marqué par le rôle majeur de l'URSS dans la guerre et du PCF dans la Résistance, le communisme attira beaucoup d'intellectuels. La plupart des historiens des années 1950 et du début des années 1960 se revendiquaient comme communistes encartés au parti ou compagnons de route (par ordre alphabétique, Maurice Agulhon, Jean Bouvier, Pierre Chaunu, Georges Duby, François Furet, Jacques Le Goff, Emmanuel Le Roy Ladurie, Pierre Lévêque, Robert Mandrou, Jacques Marseille, Claude Mossé, Michelle Perrot, Denis Richet, Jean-Pierre Vernant, Pierre Vilar, Michel Vovelle...). Si tous ne militaient pas, la plupart adhéraient au modèle marxiste d'explication historique. Cette prégnance s'observait dans le choix d'une histoire économique et sociale quantitative, dans la part belle faite aux luttes du prolétariat, aux soulèvements populaires et aux émeutes, comme dans l'analyse de type « superstructure » des phénomènes politiques et culturels. Cette influence marxiste était d'autant plus forte que ce courant dominait des lieux de pouvoir intellectuel, ainsi que des centres de recherche et d'enseignement (les ENS, l'EHESS, le CNRS, certaines universités comme Vincennes) et des maisons d'édition (Les Éditions Sociales, Maspero, Le Seuil, etc.). Les historiens marxistes se situaient enfin en pointe dans certains combats politiques comme la lutte anti-coloniale (Jean Chesnaux et la guerre d'Indochine, Pierre Vidal-Naquet et la guerre d'Algérie). À partir des années 1960 toutefois, cette domination intellectuelle s'effrita progressivement. Y contribuèrent la perte de prestige de l'URSS auprès des intellectuels français, après la découverte tardive des crimes du stalinisme, les déceptions engendrées par les coups de force de Budapest en 1956 puis de Prague en 1968, enfin la lecture des dissidents. S'y ajouta la concurrence intellectuelle d'une autre grille d'analyse historique, celle du structuralisme, *a priori* mieux adaptée que le marxisme aux nouveaux thèmes de recherche des mentalités et de l'imaginaire.

Le structuralisme, qui s'était constitué intellectuellement dans les années 1950, se développa dans les années 1960, avant d'influencer en profondeur la production historique dans les années 1970 (notamment la Nouvelle Histoire). Cette pensée complexe, que les historiens résument souvent à quelques concepts opératoires, n'est pas liée à un théoricien fondateur (même si l'ethnologue Claude Lévi-Strauss apparaît souvent comme le pape du structuralisme) ; ses origines sont multiples et puisent dans diverses sciences humaines, telles la sociologie, l'ethnologie, la psychologie, la psychanalyse, la philosophie et l'histoire.

Le structuralisme suppose l'existence de structures dans lesquelles toute société humaine s'insère, s'organise et évolue. Bien qu'invisibles, ces structures sont omniprésentes et actives. L'homme se présente ainsi comme un être passif, support inconscient et involontaire de structures qui agissent et s'expriment à travers lui. Il est le rouage d'un réseau qui le dépasse. Les structures les plus connues sont celles qui régissent l'organisation familiale et sociale. Les rapports familiaux ont toujours été définis par des interdits, dont le plus universel est celui de l'inceste. Dans sa thèse *Les Structures élémentaires de la parenté*, C. Lévi-Strauss montrait ainsi en 1949 que toutes les sociétés connaissent et respectent ce tabou. Certaines raisons expliquent sa nécessité. Le non-respect de l'interdit de l'inceste créerait rapidement des problèmes de consanguinité qui empêcheraient le groupe de se reproduire. Il gênerait également les alliances entre familles et nuirait par là même à l'organisation sociale. Mais ces fondements rationnels ne sont pas conscientisés par ceux qui respectent le tabou de l'inceste. Lévi-Strauss montre que les hommes ont toujours donné du sens à cet interdit en l'intégrant à un code moral et religieux, en le reliant par exemple à un mythe fondateur (le mythe d'Œdipe chez les Grecs).

Ces structures plur
séculaires ou millénaires se présentent partout sous des aspects plus ou moins semblables, seul « le discours sur » change. Mais elles ne sont pas immobiles pour autant : toutes évoluent et se redéfinissent lentement. Ces structures sont agissantes, déterminant la vie depuis ses aspects les plus pratiques et anodins (la façon de se tenir à table, de s'habiller, de marcher) jusqu'aux plus intellectuels (ce qu'on dit et pense). Pour donner une représentation imagée de ces structures sous-jacentes, actives mais invisibles, Lévi-Strauss recourt dans *Tristes tropiques* (1955) à l'image de la géomorphologie. Le paysage apparent n'est que la transposition visible, la manifestation apparente de structures géo-

morphologiques souterraines. La hauteur se révélera une butte-témoin si l'on observe la carte géomorphologique de la cuesta.

Par rapport à cette théorie structuraliste, quel est le travail de l'historien ? Celui-ci doit mettre au jour, révéler cette trame cachée mais agissante. Il doit ensuite montrer comment ces structures déterminent le domaine social, économique, culturel, politique, etc. L'entreprise s'avère difficile car, par définition, la structure est invisible. Son contexte de création n'est pas connu et seules ses manifestations extérieures sont repérables. Ces principes supposent donc une démarche particulière. À l'inverse de l'historien « classique » qui étudie des comportements conscients et volontaires, qui analyse un discours ordonné et directement signifiant, l'historien structuraliste part d'un acte banal ou d'une parole apparemment neutre et essaie de comprendre ce qui s'exprime à travers ce support. C'est à propos de cette méthode que Lévi-Strauss et Braudel engagèrent une polémique célèbre. Dans *Anthropologie structurale*, paru en 1958, C. Lévi-Strauss soulignait les liens mais surtout les différences fondamentales entre ethnologie et histoire, montrant que les historiens restent trop dans le sens apparent, dans le volontaire et le conscient, au contraire des ethnologues, qui travaillent sur le sens caché des actes et discours (« L'histoire organise ses données par rapport aux expressions conscientes, l'ethnologie par rapport aux conditions inconscientes de la vie sociale »). Il soulignait à cet égard l'intérêt de la linguistique, où l'on s'intéresse moins à ce qu'on dit (ce que ferait l'historien) qu'à ce qui est dit au travers de la parole (ce que fait l'ethnologue). Le discours devient signifiant non dans son contenu immédiat et son message au premier degré, mais dans la manière dont les choses sont dites. C'est alors un travail sur la syntaxe, les champs lexicaux, les redondances et récurrences, les onomatopées, les non-dits, les réseaux obsessionnels ; bref, tout ce par quoi s'expriment des structures sous-jacentes. Les historiens classiques, en se focalisant sur les faits et gestes extérieurs ne prendraient en compte que l'apparence, les principes vraiment déterminants leur échapperaient. Braudel répliqua à cette critique par un article publié la même année dans les *Annales* et intitulé « Histoire et sciences sociales, la longue durée ». Il y affirmait que les historiens pouvaient aussi étudier les structures et que cette recherche était réalisable à condition de travailler sur le temps long, seule temporalité où s'expriment les structures et où elles sont donc repérables.

> Par structure, les observateurs du social entendent une organisation, une cohérence, des rapports assez fixes entre réalités et masses sociales. Pour nous historiens, une structure est sans doute assemblage, architecture, mais plus encore, une réalité que le temps use mal et véhicule très longuement [...] Songez à la difficulté de briser certains cadres géographiques, certaines réalités biologiques, certaines limites de productivité, voire telles ou telles contraintes spirituelles, les cadres mentaux aussi sont des prisons de longue durée.

Et F. Braudel de citer l'écosystème méditerranéen, avec la place immuable de la transhumance dans la vie montagnarde, la durable implantation des villes, le poids des religions dans la culture.

L'histoire structuraliste fut incarnée en France dans les années 1970 par Michel Foucault (1926-1984). Ce normalien agrégé de philosophie, très controversé dans le monde de Clio car n'étant pas un historien de formation, s'intéressa très tôt à la psychanalyse. En 1975, il rédigea un ouvrage qui fit grand bruit : *Surveiller et punir. Naissance de la prison.* Le sous-titre indiquait bien l'ambition de l'auteur : étudier quand, comment et pourquoi était apparue l'institution pénale et ce que révélaient sa création comme son développement en termes de mentalités. Dans son introduction, Foucault opposait deux époques et deux mentalités au travers de deux textes distants de soixante-quinze ans : le premier présentait le supplice de Damien en 1759 (qui avait tenté d'assassiner Louis XV), le second exposant le règlement d'une maison d'arrêt sous la Monarchie de Juillet (1830-1848). Le premier document surprend par l'horreur du châtiment réservé au tyrannicide. La procédure n'a pas changé depuis Ravaillac ; elle est cruelle car elle doit punir le plus grave des crimes et de manière exemplaire. D'où une mort abominable : le supplicié voit ses articulations broyées sur la roue avant d'être écartelé et brûlé à la chaux vive. Le second document, qui présente l'emploi du temps des jeunes délinquants internés sous Louis-Philippe, montre une nette évolution dans le fonctionnement de l'appareil judiciaire comme dans les mentalités. On est passé de l'horreur d'une justice grand spectacle héritée du Moyen Âge à la froideur rationnelle du XIXe siècle. Le but semble désormais de rééduquer ces « sauvageons » (même les plus petits délits font l'objet d'une peine d'emprisonnement) et de les exploiter économiquement. Leur journée de travail est minutée comme celle d'un ouvrier et leur production est commercialisée par la direction de l'établissement.

Foucault montre que la justice a évolué dans son application parce que l'idéologie qui la sous-tend a également évolué — changement qui trouve lui-même ses origines dans l'évolution du contexte économique et social. On est passé de la « sombre fête punitive » de Damien à l'enfermement généralisé et économiquement profitable. C'est sinon l'apparition de la prison (qui existait auparavant mais était moins utilisée), du moins l'extension de ce système de contrôle. La prison connaît un fort développement durant tout le XIXe siècle : plus de gens y sont enfermés et ils y restent plus longtemps. Selon le philosophe-historien, cette évolution correspondrait à l'apparition d'un nouveau type de société, la société capitaliste, et d'un nouveau type de pouvoir, le pouvoir totalitaire, qui veut enfermer les individus pour les contrôler et les exploiter. Et Foucault de montrer la généralisation à cette époque d'un « grand enfermement ». C'est le développement des écoles, collèges et lycées avec les lois scolaires du XIXe siècle ; des casernes avec l'apparition d'une armée permanente et bientôt des conscrits du service militaire ; des manufactures puis des usines modernes où des contremaîtres aux ordres du patronat encadrent les ouvriers ; des hôpitaux et des asiles de fous avec l'essor de la médecine. La prison ne constituerait donc que l'élément final de ce meccano coercitif. C'est l'émergence d'une société disciplinaire grâce à ce que Foucault appelle des « techniques de dressage » (discipline, horaire fixe, travail forcé...) d'une société autoritaire qui traque les formes de déviance au profit de ces nouveaux maîtres que sont l'État et les patrons.

Cette approche structuraliste de la prison, où l'institution carcérale devient le prisme éclairant de l'évolution sur le long terme de structures économico-sociales et mentales, fut très critiquée par les historiens. Ceux-ci adressèrent quatre reproches à Foucault. Ce dernier se serait d'abord rendu coupable d'anachronisme. Influencé sans doute par le discours libertaire post-Mai 68, il aurait présenté un monde infernal ressemblant plus au totalitarisme de certains États du XXe siècle qu'à la véritable société capitaliste du XIXe siècle. Foucault aurait également surestimé les capacités de contrôle d'un État encore trop démuni pour être efficace dans ses éventuelles visées coercitives. Sur le plan méthodologique par ailleurs, si l'auteur présente ses résultats, il n'indique pas ses sources ni même le cheminement de ses recherches, au risque de se voir accuser d'avoir sélectionné les seuls documents validant ses hypothèses. Sur le fond enfin, cette machine sans machiniste irrite ceux qui ne comprennent pas le fonctionnement de ces institutions de surveillance déshumanisées.

Dans les années 1960 et 1970, le structuralisme a fortement influencé la recherche historique, mais de manière inégale. Si l'histoire antique et l'histoire moderne ont intégré très vite cette méthode d'analyse, l'histoire médiévale et, surtout, l'histoire contemporaine s'en sont moins inspirées. Citons rapidement quelques exemples. Marcel Détienne avec *Les Jardins d'Adonis* (1979), Pierre Vidal-Naquet avec *Le Chasseur noir* (1983) et Jean-Pierre Vernant avec *Les Origines de la pensée grecque* (1962) ont eu recours à la grille structuraliste pour éclairer les mythes grecs, montrant comment ceux-ci constituaient un langage permettant à une société d'expliquer le fonctionnement du monde depuis ses origines, mais aussi de renforcer et maintenir sa cohésion en révélant des liens fondateurs. Pour l'époque moderne, les travaux d'Arlette Farge sur l'opinion publique au XVIIIe siècle, où l'historienne utilise des archives judiciaires en privilégiant des bribes de discours et des discontinuités individuelles, relèvent de la même méthode structuraliste.

La Nouvelle Histoire

Un courant historiographique appelé Nouvelle Histoire allait confirmer la tendance initiée par la dernière génération des *Annales* (celles des mentalités avec P. Ariès), tout en donnant un nouveau visage au mouvement annaliste. Deux ouvrages ont marqué ce tournant. *Faire de l'histoire*, publié en 1974 par Jacques Le Goff et Pierre Nora, annonce déjà une « nouvelle histoire », plus tournée vers l'anthropologie. Quatre ans plus tard, le *Dictionnaire de la Nouvelle Histoire*, écrit par Roger Chartier et Jacques Revel, officialise l'expression tout en précisant son contenu. En quoi consiste le nouveau programme ? Si la Nouvelle Histoire se situe dans le prolongement institutionnel des *Annales* (ses représentants, François Furet, Jacques Le Goff, Emmanuel Le Roy Ladurie ou Philippe Ariès, avaient travaillé avec Fernand Braudel et fréquentaient l'EHESS), elle s'en éloigne par ses centres d'intérêt et ses méthodes.

Pendant une vingtaine d'années en effet, les chercheurs des *Annales*, influencés par le marxisme, avaient rassemblé des sources quantitatives (prix, chiffres de production, données démographiques...) qu'ils avaient ensuite traduites en courbes, graphiques et tableaux. Désormais, la Nouvelle Histoire, plutôt influencée par le structuralisme, entendait s'intéresser « à l'affectif, au mental, au psychisme collectif et aux systèmes de civilisation ». En clair, deux thèmes d'études étaient privilégiés :

– Une histoire de la « civilisation matérielle », concept fourre-tout qui englobait des sujets aussi variés que le climat, l'alimentation, le logement, l'habillement, les techniques, les loisirs, la santé, etc.

– Une histoire des mentalités, tournée vers des thèmes comme la mort, la sexualité, la perception du temps, les âges de la vie, les sentiments et les émotions, la religion, etc. Ce nouveau territoire, très élastique lui aussi puisqu'il englobait les principes, les valeurs et les croyances, faisait appel aux savoirs et grilles de lectures des ethnologues, psychologues, philosophes et psychanalystes.

Donnons quelques exemples d'ouvrages rédigés dans ces deux perspectives : Michel Vovelle, *Mourir autrefois* (1974) et *Piété baroque et déchristianisation en Provence au XVIIIᵉ siècle* (1978) ; Jean-Louis Flandrin, *Les Amours paysannes du XVIᵉ au XIXᵉ siècle* (1975) ; Jacques Solé, *L'Amour en Occident à l'époque moderne* (1976) ; Mona Ozouf, *La Fête révolutionnaire, de 1789 à 1799* (1976) ; Marie-France Morel, *Entrer dans la vie : naissances et enfances dans la France traditionnelle* (1978) ; Pierre Chaunu, *La Mort à Paris du XVIᵉ au XVIIIᵉ* (1978) ; Jean Delumeau, *Le Péché et la peur. La culpabilisation en Occident* (1983).

Le choix de cette histoire anthropologique qui visait « l'homme du quotidien » dans la globalité de ses actes et de ses représentations supposait de définir une nouvelle méthode de travail. Ce fut le recours au « tout quantitatif », pour reprendre l'expression de Le Goff. La méthode quantitative des *Annales* était de nouveau employée, mais en la modernisant grâce aux nouvelles techniques comme l'ordinateur. Cela consistait à décomposer les faits historiques en éléments « standards », répétitifs et comparables, ensuite incorporés dans des séries homogènes. Ces séries étaient enfin exploitées selon des procédures particulières de traitement de données chiffrées. Par exemple, il était possible d'entrer sur ordinateur plusieurs milliers de contrats de mariages et de testaments sur une même période et dans une même ville, et d'étudier ensuite pour chaque catégorie sociale sa pratique de l'endogamie comme son niveau d'alphabétisation, le montant de sa fortune comme son attitude face à la mort.

Même si la Nouvelle Histoire ne constitua pas une école historique, faute d'un programme cohérent et d'un groupe homogène, elle représente bien un courant historiographique dont certaines figures se détachent plus que d'autres : le médiéviste Jacques Le Goff, le moderniste Emmanuel Le Roy Ladurie et le contemporanéiste Maurice Agulhon. Présentons-les rapidement.

Après l'ENS, l'agrégation d'histoire, des séjours d'études en Angleterre, Italie et Pologne, puis quelques années d'enseignement universitaire, le médiéviste Jacques Le Goff entra en 1958 à l'EPHE, où il réalisa l'ensemble de sa carrière. Cette forte personnalité, marquée à gauche et très présente dans les médias, est souvent apparue comme le chef de file de la Nouvelle Histoire, dont il a co-signé le manifeste fondateur en 1978. Après avoir rédigé deux premiers livres, consacrés pour le premier au milieu des marchands et banquiers et pour le second aux intellectuels et aux universités, Le Goff prolongea son étude des rapports entre culture, religion et économie au Moyen Âge en publiant en 1981 un essai resté célèbre sur *La Naissance du purgatoire*. L'auteur y décrivait les conditions sociales et mentales de la constitution de ce troisième lieu, sorte de zone de transit faite de souffrance et d'expiation entre l'enfer et le paradis, entre la mort et le jugement dernier. Jusqu'au XIIᵉ siècle, l'Église proposait une géographie binaire de l'au-delà, tirée des écrits de saint Augustin ; les très bons allaient au paradis et les très mauvais en enfer. Mais que faire des autres, ceux qui n'étaient ni très bons ni très mauvais ? Le problème resta en suspens jusqu'au concile de Lyon de 1274, qui officialisa le concept de purgatoire. Le Goff replaça cette invention dans le cadre des changements des structures médiévales des XIIᵉ-XIIIᵉ siècles. Sur le plan économique et social tout d'abord, cette époque fut celle d'un essor continu. Le système féodal remplaça l'esclavage, la population doubla, de nouvelles terres furent défrichées et l'agriculture bénéficia de nouvelles techniques. Cette croissance rurale favorisa une renaissance urbaine et commerciale qui permit l'émergence d'une classe moyenne d'artisans et de marchands d'où sortit une bourgeoisie avec un nouveau système de valeurs, fondé sur le travail, l'argent, la paix et la revendication d'une certaine égalité. Dans le même temps, une révolution mentale eut lieu. Alors que le haut Moyen Âge avait vécu dans le mépris du monde et la menace de la fin prochaine, le XIIᵉ siècle connut un basculement des valeurs qui empêcha l'Église de continuer à user de l'arme de la peur. L'essor économique suscitait en effet de nouvelles aspirations à la justice, à la paix, à la richesse, qui déterminaient une vision plus sereine de l'au-delà. Le purgatoire s'inscrivait dans cette double évolution. L'émergence d'une nouvelle catégorie sociale et, conjointement, de nouvelles valeurs avait engendré une nouvelle carte de l'au-delà. Le Goff montrait enfin que, si l'Église avait rechigné au début à se séparer d'un enfer qui lui servait à contrôler les esprits par la peur, elle se convertit ensuite aux mérites d'un purgatoire dont elle contrôlait la durée et les moyens d'en sortir. Il s'agissait des messes et bientôt des indulgences, qui correspondaient là aussi à la montée en puissance d'une société calculatrice, celle des marchands, qui achetaient leur salut comme ils géraient leurs biens. En 1996, Le Goff surprit ses amis des *Annales* en rédigeant une biographie de saint Louis. Comment expliquer le choix du médiéviste pour un genre considéré comme suspect par la Nouvelle Histoire ? L'auteur donne la réponse :

Une vraie biographie historique ne peut être que la tentative de décrire un personnage individuel, sans le détacher de sa société, de sa culture et de son contexte, car il n'y a pas d'opposition entre individu et société, mais une constante interaction entre eux.

Le Goff montre comment Louis IX, programmé à la sainteté par son entourage, adhéra à ce modèle en instaurant les rites des écrouelles et des reliques, en partant mourir à Tunis en 1270 lors de la dernière croisade, ce qui lui valut d'être canonisé en 1297. L'historien nous présente son personnage comme un roi à la fois archaïque (dans son entêtement à poursuivre l'aventure anachronique des croisades) et moderne (dans sa volonté d'unifier le royaume contre les barons, de faire la paix avec les rois d'Angleterre et d'Aragon, et de battre la première monnaie royale).

Emmanuel Le Roy Ladurie enseigna à l'université de Montpellier entre 1955 et 1963, puis intégra l'EPHE avant d'être élu au Collège de France en 1973. Ce moderniste, qui n'hésita pas en adepte de la longue durée à s'aventurer sur les terres du Moyen Âge, finit sa carrière comme administrateur de la Bibliothèque nationale. Ayant commencé une thèse dans le cadre de la première génération des *Annales* d'après-guerre, Le Roy Ladurie opta logiquement pour une histoire économique et sociale selon une méthode quantitative lourde. Parue en 1966 et portant sur *Les Paysans du Languedoc du XVᵉ au XVIIIᵉ siècle*, sa thèse étudiait la formation progressive de la propriété bourgeoise de la terre. À partir d'une exploitation des cadastres languedociens, le chercheur avait d'abord établi les données climatiques (reprises et élargies l'année suivante dans une *Histoire du climat depuis l'An Mil*), technologiques et biologiques de cette province sur quatre siècles, avant de démontrer les rapports malthusiens entre les niveaux des subsistances et les écarts démographiques. Mais cette thèse ne se limitait pas à l'étude économique presque traditionnelle d'une société rurale d'Ancien Régime. L'ouvrage comportait également des réflexions plus originales sur la culture et les mentalités de ces paysans languedociens. Le Roy Ladurie devait par la suite confirmer cet intérêt pour l'anthropologie en rédigeant en 1975 son livre le plus connu, *Montaillou, village occitan de 1294 à 1324*. À partir des questionnaires stéréotypés issus du registre de l'inquisiteur Jacques Fournier (venu vérifier si l'hérésie cathare était bien extirpée de ce village ariégeois), il restitua le vécu de cette communauté villageoise du Piémont pyrénéen au début du XIVᵉ siècle. On y découvrait les modes d'organisation sociale autour de la famille et du clan, les travaux des champs et les pratiques de l'élevage, les formes de l'habitat, les croyances religieuses et les rites magiques, les jeux de l'amour et les interdits sexuels, la sociabilité des fêtes, le contrôle des autorités… À travers le rappel de la norme suggéré par les questions de l'évêque de Pamiers, se laissait voir le fonctionnement original et parfois déviant de cette communauté rurale isolée. Paru en 1979, *Le Carnaval de Romans* s'inscrivait dans cette même lignée d'une histoire des mentalités inspirée par la grille structuraliste. Utilisant le rapport du juge Guérin qui décrivait le carnaval de Romans en 1580 et montrait comment cette fête rituelle avait vu les notables de la cité dauphinoise éliminer les chefs du parti populaire, Le Roy Ladurie montrait comment cette sociabilité festive révélait brutalement des contradictions refoulées. *Via* une inversion symbolique généralisée (des sexes, des générations, des statuts et des classes sociales) et un cannibalisme fantasmatique s'exprimant dans le cadre des « reynages » (ces groupements portant des noms d'animaux et constitués à l'occasion de l'élection du roi du carnaval et de sa cour), les dominés de cette cité en crise exorcisaient selon des codes précis et sur une courte durée leurs aigreurs, tandis que les dominants tournaient en ridicule (selon le même mode parodique) les revendications populaires.

Après avoir enseigné dans les universités d'Aix-en-Provence et de Paris I, Maurice Agulhon a été élu en 1986 au Collège de France. Ce spécialiste du XIXe siècle aux nombreux sujets d'intérêt (sociabilité, mentalités, éducation, politique, etc.) a intitulé malicieusement son œuvre *Histoire vagabonde*. La somme est parue en trois tomes de 1988 à 1996 (tome 1 : *Ethnologie et politique* ; tome 2 : *Idéologie et politique* ; tome 3 : *La Politique en France, d'hier à aujourd'hui*). Il y retrace le lent processus par lequel la République s'est consolidée dans les institutions et imposée dans les esprits. Agulhon montre notamment comment les grands principes de 1789 se sont progressivement implantés dans les petits villages de cette France restée majoritairement rurale (c'était déjà le thème de sa thèse publiée en 1970 : *La République au village*). Ces idées républicaines se diffusèrent par la presse, mais surtout par les conversations, échanges et influences. Des bourgeois progressistes instruits répandaient leurs opinions auprès de leurs clients et métayers. Le mouvement s'effectua des centres vers les périphéries, des villes et des bourgs vers les campagnes, des instruits vers les illettrés, par le biais de réseaux de communication. Si les républicains réclamaient la liberté de presse, de réunion et d'association, c'est d'ailleurs parce que ces faveurs représentaient les conditions mêmes de leur progression. En l'absence de libertés, les gens restent *a priori* conservateurs, obéissant aux autorités (propriétaires, patrons et curés). Parce que la liberté permettait la mise en circulation des idées, le combat des républicains fut donc avant tout celui des libertés. Mais l'enracinement républicain ne s'opéra pas partout au même rythme, et l'historien montre comment les particularités culturelles, les spécificités en matière de structures sociales et d'habitat ont joué pour accélérer ou freiner cette évolution. Ainsi, dans les régions facilement « républicanisées » du Sud-Est, la structure de l'habitat en gros villages réalisait des conditions de sociabilité proches de celles des villes, pour la circulation des idées et des influences, et facilitait la progression des idées nouvelles. M. Agulhon s'est donc fait l'historien de cette sociabilité populaire. Il a montré ainsi le passage dans ces campagnes entre le début et la fin du XIXe siècle d'une sociabilité conservatrice et religieuse organisée autour du curé et du châtelain, à une sociabilité progressiste et laïque structurée autour de l'instituteur et du notable républicain. Il a également souligné l'importance dans cet enracinement républicain des symboles (le buste de Marianne dont il retrace l'histoire, le drapeau tricolore dont il rappelle les combats) et des rites (la fête du 14 Juillet, l'hymne de « La Marseillaise », etc.), notant que l'éducation de ce peuple largement analphabète à la modernité libérale s'est moins réalisée par les paroles et l'écrit que par un folklore et une propagande visuelle où les fêtes populaires et leurs objets emblématiques tiennent une place importante.

Si cette Nouvelle Histoire imposa si facilement son discours comme sa pratique, c'est, outre l'attrait de ses idées, que ses représentants occupaient des fonctions de pouvoir dans le petit monde intellectuel français. Bien représentés dans les universités, ils contrôlaient l'EHESS et se voyaient représentés au Collège de France par Georges Duby, Emmanuel Le Roy Ladurie, Jean Delumeau, Jean-Pierre Vernant et Maurice Agulhon. La Nouvelle Histoire disposait également de relais puissants dans les domaines de l'édition et des médias. Elle pouvait ainsi compter sur quelques directeurs de collection, comme Pierre Nora chez Gallimard (collections « Bibliothèque des histoires » et « Archives »), Georges Duby et Jacques Le Goff chez Flammarion (collection « Ethnologie historique »), Michel Winock, Jacques Julliard, Philippe Ariès et Georges Duby au Seuil (collections « L'Univers historique » puis « Points »), Pierre Goubert et Pierre Lévêque chez Armand Colin, etc. Certains de ces historiens tenaient des rubriques et rédigeaient des comptes rendus dans la presse, comme Emmanuel Le Roy Ladurie, Emmanuel Todd et Roger Chartier au *Monde*, Pierre Chaunu au *Figaro*, Jacques Julliard, François Furet et Mona Ozouf dans le *Nouvel Observateur*, Alain-Gérard Slama au *Point*. À la radio, Jacques Le Goff et Denis Richet animaient l'émission « Les lundis de l'histoire » sur France Culture, tandis que, à la télévision, Georges Duby produisit l'émission « Le temps des cathédrales » en 1973.

Pour reprendre l'expression de Michel Vovelle, l'école des *Annales* était donc remontée en trente ans « de la cave au grenier ». Autrement dit, elle était passée d'une histoire démographique, sociale et économique lourde dans les années 1950-1960 à une histoire culturelle des mentalités dans les années 1970-1980. Inspirée par certains précurseurs comme P. Ariès, les tenants de la Nouvelle Histoire exploraient désormais des structures mentales situées entre l'organisation sociale et le discours idéologique. Traitant des pensées des élites comme des croyances populaires, se situant entre le conscient et l'inconscient, ils élaboraient une psychologie historique et une anthropologie sociale qui, pour être fructueuses, n'en suscitaient pas moins quelques critiques. Leur étaient ainsi reprochés leur méthode incertaine et le flou de leurs concepts, souvent empruntés à l'ethnologie structuraliste. Dans un essai épistémologique de 1971, *Comment on écrit l'histoire*, Paul Veyne dénonçait également de manière prémonitoire les ambitions scientifiques de cette Nouvelle Histoire, qui n'existait pas encore, et rappelait que l'historien, parce qu'il se contentait de « découper des itinéraires dans la trame infinie de l'événementiel », se contentait d'écrire un « roman vrai ». La Nouvelle Histoire avait délaissé de nombreux terrains (l'histoire démographique, sociale et économique, dominante dans les années 1950-1960, était tombée en déshérence) et ignoré certaines périodes. L'Antiquité souffrit ainsi longtemps d'un évident ostracisme de la part des héritiers des *Annales*. Si l'histoire grecque fut renouvelée par les travaux pionniers de Jean-Pierre Vernant et de son Centre de recherche comparée des sociétés anciennes (auquel participèrent Claude Mossé, Pierre Vidal-Naquet, Marcel Détienne et Nicole Loraux), l'histoire romaine ignora longtemps les apports thématiques et méthodologiques de la Nouvelle Histoire — il existait certes les recherches prosopographiques (étude sérielle de biographies croisées) de Claude Nicolet sur l'ordre équestre. La Nouvelle Histoire, parce qu'elle privilégiait le temps long et exigeait un recul critique, avait aussi négligé l'histoire politique contemporaine et l'histoire du temps présent. Au total, ignorant des territoires entiers du domaine historique, souffrant d'un manque de cohérence en raison même de la diversification de ses curiosités, le courant historiographique lancé par Jacques Le Goff à la fin des années 1970 s'essouffla rapidement. Dès la fin des années 1980, l'histoire était de nouveau en crise.

Le doute de l'histoire et les nouvelles tendances

Durant les années 1980, marquées par la crise des idéologies (effondrement du modèle communiste), le malaise des sciences sociales et le déclin du structuralisme, l'histoire sembla traverser une période difficile. Les grilles d'analyse totalisantes comme les systèmes de modélisation un peu figés étaient passés de mode. Les grandes études quantitatives perdirent de plus en plus de terrain, tandis que l'élargissement des champs de la recherche et le nouvel éclectisme des méthodes firent craindre un temps une dispersion de la discipline. En 1987, François Dosse exprima ainsi l'inquiétude d'une partie de la profession en titrant son ouvrage *L'Histoire en miette*. Il y décrivait l'éclatement du projet historiographique de l'école des *Annales* (surtout dans sa dernière version qu'était la Nouvelle Histoire). Alors que ses fondateurs avaient dessiné le projet d'une histoire totale qui saisirait le réel dans sa globalité (en couplant la civilisation matérielle avec les mentalités et en prônant le tout quantitatif), ils étaient parvenus en réalité à une histoire fragmentée et cloisonnée en sous-disciplines qui manquait singulièrement de cohérence méthodologique ainsi que d'unité conceptuelle. L'historien appelait donc ses confrères à renoncer aux charmes trompeurs des « horizons immobiles » (le temps long des structures braudéliennes) pour travailler sur le « changement », à persister dans leur vocation globalisante comme à explorer les nouveaux terrains du politique et du temps présent. Faute de quoi, Clio, devenue incapable de se penser elle-même, passerait d'une « simple maladie de langueur » à « une crise fatale ». Pour avoir suscité des réactions diverses, cette mise en garde n'en fut pas moins suivie d'autres prises de conscience. La même année, la revue *Vingtième Siècle* s'interrogeait en un constat désabusé : « L'histoire a-t-elle encore un avenir ? » En mars-avril 1988, les *Annales* publièrent un numéro consacré aux rapports entre histoire et sciences sociales. La revue évoquait « le temps des incertitudes », annonçait « un tournant critique », avant d'appeler à un certain renouvellement de la discipline prenant en compte « les nouvelles méthodes de la recherche historique ». Dans le numéro de novembre-décembre 1989 intitulé « Histoire et sciences sociales : tentons l'expérience », les mêmes éditorialistes suggéraient quelques pistes, comme un nouvel intérêt porté aux acteurs individuels, le choix d'échelles d'analyse et une réflexion sur l'écriture de l'histoire dont le caractère narratif n'était plus nié.

Cette crise identitaire se nourrissait également de certaines réflexions épistémologiques venues de l'étranger. Depuis les années 1970 en effet, l'historiographie française issue des *Annales* avait perdu sa position hégémonique. La recherche historique s'était internationalisée et des courants étrangers (comme la « micro-histoire » italienne avec Carlo Ginzburg et Giovanni Levi, la *« social history »* anglaise avec Edward P. Thompson et Eric Hobsbawn, la *« Alltagsgeschichte »* allemande ou histoire du quotidien autour du Max Planck Institut de Göttingen et, surtout, le *« new historicism »* américain avec Hayden White, Joan Scott, Lynn Hunt) participaient de cette remise en cause de la validité du discours historique, de la prétention scientifique ou de la volonté d'objectivation des historiens. Cette réflexion obligeait l'histoire à se repositionner par rapport à ces sciences sociales qu'elle avait longtemps souhaité contrôler ou, en tout cas, fédérer. Si le discours historique ne constituait que le miroir déformé du sujet-historien (reflétant, comme le pensaient les Américains du *« linguistic turn »*, son appartenance culturelle et ses *a priori* idéologiques), pouvait-il établir une connaissance scientifique du passé ? Ne se résumait-il pas plutôt à une forme de *« fiction-making operation »* et à des jeux de langage ?

Des ouvrages de réflexion historiographique et épistémologique parus récemment montrent que ce malaise ne s'est pas encore dissipé. Dans *Au bord de la falaise. L'histoire entre certitudes et inquiétudes* publié en 1998, Roger Chartier revient sur cette remise en cause par des historiens et philosophes du discours historique, survenant après les certitudes exprimées par les *Annales* dans les années 1960-1970. Face à ce nouveau doute sur la scientificité de la discipline, l'auteur s'interroge sur la validité d'une réalité reconstituée par la médiation du récit. Dans *Sur la crise de l'histoire*, publié en 1996, Gérard Noiriel évoque également ces interrogations épistémologiques fondées sur le désenchantement collectif pour les grands paradigmes rassembleurs du marxisme et du structuralisme, interrogations critiques génératrices d'un émiettement de la connaissance et d'un relativisme du savoir ; mais il insiste aussi sur la dimension institutionnelle de la crise. L'explosion des effectifs universitaires dans les années 1970-1980 a contraint les historiens à privilégier les tâches pédagogiques et administratives au détriment souvent de la recherche. Celle-ci ne s'exerce plus que dans le cadre de rapports de plus en hiérarchiques marqués par le souci d'une notoriété médiatique et les stratégies de promotion personnelle.

Cette crise identitaire prend différentes formes. Elle s'exprime depuis une dizaine d'années notamment par la vogue d'ouvrages collectifs. Chaque maison d'édition a ainsi lancé son *Histoire de France* (comme Hachette, Le Seuil ou Larousse), dont un historien reconnu supervise la rédaction. Peuvent être associés à ce genre les ouvrages plus thématiques portant sur une période ou sur un thème (*Histoires de la France rurale, de la France urbaine, de la France religieuse, Histoire de la vie privée, Histoire des femmes*, etc.). Cette vogue depuis une vingtaine d'années d'ouvrages collectifs faits d'une juxtaposition d'études particulières n'est pas neutre. Elle renvoie sans doute au malaise d'historiens qui ont du mal à penser de manière synthétique et originale, loin des anciens cadres d'analyse préréglés, des vieilles certitudes idéologiques ou méthodologiques et des sujets imposés d'autrefois. L'histoire est donc entrée dans une phase de transition.

Notons au passage que ce malaise identitaire — dont G. Duby avait repéré les signes avant-coureurs en parlant en 1985 d'une « impression d'essoufflement » — ne concerne que l'histoire professionnelle des universitaires et chercheurs. En effet, cette crise ne s'est pas traduite par une baisse d'intérêt pour la matière. Bien au contraire, l'histoire continue de faire recette auprès du grand public. En témoignent la part importante des titres d'histoire dans la production éditoriale générale, le succès répété des romans et films historiques, la multiplication émissions de radio et de télévision consacrées à l'histoire, le nombre de revues de vulgarisation historique, la forte présence de l'histoire dans les nouveaux médias, le goût croissant pour la généalogie avec ses recherches familiales, la réussite de l'histoire-spectacle et la vogue d'une histoire patrimoniale. Mais, comme le note G. Noiriel (*Sur la crise de l'histoire*, 1996), en histoire, la sanction du marché ne représente pas le bon thermomètre pour apprécier l'état de santé de la discipline, puisque l'histoire qui se vend n'est pas toujours celle qui a le plus de valeur scientifique.

L'histoire rigoureuse connaît donc une crise. Mais ce malaise a été bénéfique en obligeant l'histoire à se recomposer et à se repenser. Le même F. Dosse qui avait autrefois alerté ses collègues sur la crise de l'histoire constate aujourd'hui (*L'Histoire au risque des historiens*, 1995) que les historiens sont en paix avec eux-mêmes et avec les autres, parce qu'ils ont su dialoguer avec la philosophie comme avec les autres sciences sociales, et prendre le temps d'une véritable réflexion historiographique et épistémologique. Autre signe d'encouragement, certaines évolutions historiographiques peuvent être repérées, même si l'apparition de nouveaux champs thématiques et le recours à de nouvelles méthodes ne permettent pas de parler d'« écoles » (notion d'ailleurs discréditée) ou même de « courants ». Citons ainsi le retour à une histoire de l'individu, l'expansion d'une histoire culturelle passée des « mentalités » aux « représentations », la revalorisation d'une histoire politique autrefois délaissée, le succès d'une histoire immédiate enfin légitimée. Ces nouveaux champs thématiques seront présentés dans la partie « Sujets corrigés » de ce manuel[1].

---

1. *Cf. infra*, p. 105.

Enseigner l'histoire

Passer un concours comme le CAPES d'histoire-géographie suppose d'avoir préalablement songé aux contenus, modalités et enjeux de l'enseignement en général comme à ceux de l'enseignement de sa matière en particulier. En clair, il importe d'avoir réfléchi à son futur métier. Même si le jury n'attend pas des candidats, supposés n'avoir encore jamais exercé le métier de professeur, une compétence pédagogique, l'épreuve d'ESD exige des impétrants d'être au point sur des sujets aussi variés que :
– les programmes d'histoire-géographie pour les deux cycles du secondaire ;
– les modalités des épreuves d'histoire-géographie aux examens du secondaire ;
– l'histoire de l'enseignement de l'histoire-géographie à l'époque contemporaine ;
– quelques notions de didactique de l'histoire (organisation d'une séquence avec définition d'objectifs, vérification des prérequis, élaboration d'une problématique, utilisation de supports pédagogique, rédaction d'une trace écrite) ;
– les prolongements épistémologiques de l'enseignement de l'histoire-géographie (comment en classe dire le temps, établir un lien de causalité, construire un raisonnement, respecter l'exigence d'objectivité, etc.) ;
– les finalités de l'enseignement de l'histoire-géographie (intellectuelles, culturelles, patrimoniales et civiques) ;
– l'interdisciplinarité de l'histoire avec la géographie et avec d'autres disciplines (à commencer par l'éducation civique).
Ce chapitre devrait permettre aux candidats de mieux préparer ces aspects souvent redoutés de l'ESD. En effet, si la partie historiographique de l'épreuve est en général relativement bien maîtrisée, les aspects plus épistémologiques et pédagogiques le sont beaucoup moins. Pourtant, la plupart des sujets tournent autour de ces axes (« L'utilisation de la carte en cours d'histoire », « Quelles sont les finalités de l'enseignement de l'histoire », « Enseigner l'histoire de l'Europe ? », « En quoi est-ce qu'un cours d'histoire peut compléter un cours d'éducation civique ? », « La problématisation en cours d'histoire », « Le professeur face au devoir de mémoire »…).

Comment prolonger efficacement la lecture de ce chapitre ?
– En lisant attentivement les programmes et accompagnements du collège et lycée, présents dans tous les IUFM et CRDP. Les grandes lignes des programmes doivent être connues par cœur.
– En consultant les manuels de collège-lycée, présents dans les IUFM et CRDP. Il faut être attentif à leur recomposition didactique du savoir savant (voir la place de l'illustration et du texte, l'exploitation proposée des documents, le

type d'exercice, les pages débats, etc.) et à la manière dont ils se sont adaptés à l'évolution des exigences officielles en matière de contenus et de méthodes.

– En participant de manière active au stage organisé durant l'année de préparation par les IUFM dans les établissements scolaires du secondaire. Rien ne remplace l'expérience du terrain, d'autant plus que les programmes et méthodes ont bien changé depuis le passage des candidats en collège-lycée...

– En parcourant les ouvrages suivants, qui nous ont servi à rédiger ce chapitre :

• Antoine Prost, *Douze leçons sur l'histoire*, Paris, Le Seuil, 1996.

• Jean Leduc, Jacqueline Le Pellec et Violette Marcos-Alvarez, *Construire l'histoire*, Bertrand-Lacoste-CRDP Midi-Pyrénées, 1994.

• Jean-Claude Ruano-Borbalan (coord.), *L'Histoire aujourd'hui*, Auxerre, Sciences Humaines, 2000.

• Marc Vigié (dir.), *Clés pour l'enseignement de l'histoire en lycée*, CRDP Versailles, 1996.

• Grégoire Salinero, Pascal François et Alain Thillay, *Histoire-Géographie au collège*, Paris, Belin, 1996.

Ce chapitre traitera d'abord des enjeux de l'enseignement de l'histoire (« pourquoi ? ») en retraçant rapidement l'histoire de la discipline enseignée (structures et publics visés), avant d'aborder le contenu (« quoi ? ») et les modalités (« comment ? ») de cet apprentissage.

Les enjeux de l'enseignement de l'histoire : une pratique sociale répondant à une demande sociale

Présentant l'évolution intellectuelle et institutionnelle de la discipline historique à l'époque contemporaine dans le premier chapitre de son ouvrage *Douze leçons sur l'histoire* (p. 13), Antoine Prost insiste d'emblée sur l'enracinement de ce domaine de connaissance dans une réalité sociale, politique et culturelle :

> La discipline nommée histoire n'est pas une essence éternelle, une idée platonicienne. C'est une réalité elle-même historique, c'est-à-dire située dans le temps et dans l'espace, portée par des hommes qui se disent historiens et sont reconnus comme tels, reçue comme histoire par des publics variés [...] C'est dire qu'avant d'être une discipline scientifique, comme elle le prétend et comme elle l'est effectivement jusqu'à un certain point, l'histoire est une pratique sociale.

Cette dimension s'accentua au XIXe siècle quand l'histoire sortit des cénacles littéraires pour devenir une discipline scolaire. Enseignée par des professeurs à des publics variés dans le respect de programmes officiels définis par les pouvoirs publics, l'histoire s'ancra encore davantage dans la cité. La relation était réciproque. Déterminée par une demande sociale et des orientations politiques, l'histoire scolaire influençait à son tour la société en y diffusant des valeurs normatives, des figures-modèles et des schémas explicatifs. L'enseignement de l'histoire dans le secondaire (niveau qui nous intéresse ici) ne représente donc pas une abstraction institutionnelle ou un simple exercice scientifique, c'est aussi et surtout une réalité historique[1] et une pratique sociale.

L'histoire : une place privilégiée dans le système éducatif et le champ culturel français

Dans le système secondaire français, l'histoire occupe une place de choix. Cette discipline obligatoire est enseignée par 29 000 professeurs de collège et de lycée (dont 5 600 dans le privé) de manière continue de la classe de sixième à celle de terminale. L'histoire constitue également une des épreuves imposées de tous les baccalauréats généraux et techniques. Jugée « matière fondamentale », elle est très présente dans le nouvel enseignement modulaire des classes de seconde et de première mis en place par les plans de rénovation pédagogique du lycée. Les nouvelles orientations citoyennes de l'institution scolaire ont également renforcé la position dominante de l'histoire, traditionnellement associée à l'éducation civique (l'éducation civique est très souvent confiée aux seuls professeurs d'histoire et de géographie…). Régulièrement interrogés par sondages, les parents d'élèves plébiscitent enfin l'enseignement de l'histoire. Plus des deux tiers des personnes interrogées le jugent essentiel ou très important, et un pourcentage encore plus important exprime sa satisfaction devant le travail accompli par les professeurs du secondaire. Cette place reconnue de l'histoire dans le système éducatif français, phénomène dont les professeurs concernés doivent avoir conscience, représente une singularité nationale. Elle ne se retrouve pas dans d'autres pays, où l'histoire tient une place marginale dans l'enseignement (elle n'est obligatoire que dans une partie du cursus, plus souvent dans les classes élémentaires que dans le secondaire). Aux États-Unis par exemple, cette discipline n'est abordée qu'une seule année durant toute la scolarité élémentaire et secondaire.

Ce statut enviable de l'histoire scolaire doit être relié à l'intérêt que le pays porte à sa propre histoire. Cette « passion française » s'observe aussi bien dans les discours politiques que dans les commentaires des journalistes. La discipline occupe dans l'édition une place sans équivalent à l'étranger. Chaque maison importante (Le Seuil, Gallimard, Fayard, Flammarion, Plon…) possède sa collection historique et publie chaque année des ouvrages (à peu près 3 000 chaque année) destinés à un large public. Certains titres d'Emmanuel Le Roy Ladurie ou de Georges Duby ont connu de véritables succès d'édition. Une presse de vulgarisation historique (éditant à 600 000 exemplaires contre 30 000 au Royaume-Uni) permet aussi de toucher un public encore plus vaste avec des titres comme *Historia*, *Historama*, *Notre Histoire*, *Clés pour l'Histoire* ou *L'Histoire*, qui offrent souvent de véritables enquêtes documentées dans les domaines du politique, du socio-économique et du culturel. L'histoire est enfin présente à la radio (les

---

1. *Cf.* Évelyne Héry, *Un siècle de leçons d'histoire : l'histoire enseignée au lycée (1870-1970)*, Rennes, Presses Universitaires de Rennes, 1999, coll. « Histoire ».

émissions de Pierre Miquel sur France Inter) et à la télévision (« Histoire parallèle », « Le sens de l'histoire », « Les brûlures de l'histoire », sans compter les chaînes thématiques spécialisées).

Si l'enseignement de l'histoire bénéficie d'un statut spécifique dans le système éducatif français, c'est qu'il fait écho à la place particulière qu'occupe la discipline dans le champ culturel de ce pays. Antoine Prost (*Douze leçons sur l'histoire*, p. 16-17) explique cette situation singulière en citant plusieurs déclarations sur le rôle et la place de l'histoire enseignée dans la culture et l'identité française :

– Une mise en garde de la revue *L'Histoire* en janvier 1980 (et reprise par la revue de l'Association des professeurs d'histoire-géographie [APHG], *Historiens & Géographes*) évoquant les critiques suscitées par la refonte des programmes : « Une société qui évacue insensiblement l'histoire de ses écoles est une société suicidaire ».

– Une formule du Président de la République François Mitterrand, intervenant lors d'un Conseil des Ministres d'août 1982 consacré au problème de l'enseignement de l'histoire : « Un peuple qui n'enseigne pas son histoire est un peuple qui perd son identité. »

– Une remarque du Premier Ministre Pierre Mauroy, venu inaugurer à Montpellier en janvier 1984 un colloque consacré à l'histoire et à son enseignement :

> L'histoire demeure l'un des meilleurs moyens pour permettre aux jeunes de repérer et de comprendre les valeurs fondamentales [...]. La paix, la liberté, la démocratie, la justice sociale, le respect de la vie et de la personne humaine, le respect des différences, la solidarité entre les peuples, constituent ces principes valeurs.

Peu importe que la construction de cette identité nationale (faite d'une adhésion à un corpus de valeurs communes) puisse emprunter d'autres voies que l'enseignement de l'histoire et que ce dernier ne soit pas toujours porteur de culture identitaire ; l'important est de constater que ces conceptions de l'histoire scolaire rejoignent une opinion couramment admise : l'identité française passerait par l'enseignement de l'histoire. Ce consensus autour de la fonction identitaire de l'enseignement de l'histoire charge les professeurs de cette discipline d'une mission sociale à dimension politique. Cette fonction de support d'une mémoire nationale rehausse le prestige de l'histoire enseignée en lui apportant une nouvelle légitimité, autre que scientifique. Mais ne lui fait-elle pas courir en même temps certains risques : ceux des dérives partisanes, des reconstructions identitaires artificielles et des instrumentalisations politiques ?

Une mission ambiguë : transmettre une mémoire identitaire

La fonction identitaire de l'histoire (évoquée par Jacques Le Goff pour lequel l'historien serait un « passeur de mémoire ») semble encore plus évidente dans le cas de l'histoire enseignée. Les instructions officielles mettent régulièrement l'accent sur cette dimension, notamment dans la perspective des nouvelles missions citoyennes de l'école. Dans le Projet pour le collège défini par l'arrêté officiel de novembre 1995 sur les nouveaux programmes de la classe de sixième, il est stipulé :

> Enseigner l'histoire et la géographie, c'est chercher à donner aux élèves une vision du monde et une mémoire. L'histoire et la géographie aident à constituer ce patrimoine (conçu comme le legs des civilisations de l'humanité à l'homme d'aujourd'hui) qui permet à chacun de trouver identité. Cette identité du citoyen éclairé repose sur l'appropriation d'une culture.

Dans son ouvrage sur *Les Lieux de mémoire*, Pierre Nora a analysé ces liens entre histoire et mémoire et dressé l'historique d'une relation observée notamment au travers de l'institution scolaire. Considérant que c'est sous la IIIᵉ République qu'histoire, mémoire, Nation ont « entretenu alors plus qu'une circulation naturelle, une circularité complémentaire, une symbiose à tous niveaux, scientifique et pédagogique, théorique et pratique », il a montré comment les historiens et professeurs d'histoire se sont efforcés, à partir de 1870, de donner à la France une mémoire authentifiée par une recherche « scientifique ». Véritable outil politique, l'histoire devait glorifier le passé de la Nation, occulter ses périodes troubles et mettre en avant ses grands hommes. Ce qui avait uni le pays était valorisé et ce qui l'avait divisé critiqué. Républicain, E. Lavisse dénonçait dans ses manuels une monarchie belliqueuse et dispendieuse, mais reconnaissait à certains rois une œuvre d'unification administrative et territoriale de la France (Louis XI qui mit fin aux révoltes des grands féodaux, Henri IV qui réconcilia protestants et catholiques). Dans le cadre d'une téléologie républicaine, on encensait la Révolution tout en critiquant la Terreur de 1793. La République était louée comme un régime garantissant les libertés politiques (par le respect du suffrage universel) et assurant l'égalité sociale (par l'accès à une école gratuite et obligatoire), seul régime qui, par son consensus, pouvait préparer la revanche.

Ce couple histoire-mémoire se désunit dans les années 1930, P. Nora parlant même d'un véritable « arrachement ». Comment expliquer que l'enseignement de l'histoire ait perdu alors sa fonction sociale d'entretenir la mémoire nationale ?

Les horreurs de la première guerre mondiale déterminèrent sans doute dans l'opinion et chez les intellectuels le refus d'une histoire patriotique entretenant les rancunes entre peuples. Il s'agissait plus généralement de refuser toute instrumentalisation de l'histoire enseignée ; celle-ci n'avait pas à légitimer des conquêtes territoriales ou à justifier un impérialisme économique. Le fait par exemple que les historiens des débuts de la IIIᵉ République avaient accepté et valorisé la colonisation sembla subitement scandaleux, à l'heure où se développaient les premiers mouvements de libération, bientôt prolongés après 1945 par des guerres de décolonisation. L'embrigadement de l'histoire par les régimes dictatoriaux ou totalitaires explique également ce découplage entre mémoire et histoire. Il n'est pas seulement fait allusion ici à la compromission des historiens avec le pouvoir autoritaire, mais aussi à la manipulation délibérée et systématique de la mémoire collective par ces régimes. L'histoire, écrite comme enseignée, avait servi à truquer le passé pour mieux asseoir le pouvoir et justifier son idéologie. L'homme nouveau, fasciste, nazi ou stalinien, n'avait pas de mémoire ou, plutôt, ne devait savoir du passé que ce qui pouvait renforcer le régime. Cela signifiait la réécriture des manuels d'histoire, l'embrigadement et le contrôle politique des professeurs d'histoire, le truquage des archives, etc.

L'influence des *Annales* explique également cette rupture. En abandonnant « l'histoire bataille » fondée sur le primat de l'individu, du fait et du politique sur le court terme, au profit d'une histoire économique, sociale et culturelle, qui s'intéresse aux peuples, classes et civilisations (y compris extra-européennes) sur le temps long, ce nouveau courant historiographique dissociait forcément histoire et mémoire. L'ancienne histoire nationale, articulée autour de personnages fondateurs ou rassembleurs et de moments symboliques, semblait dépassée.

Si l'histoire peut manipuler la mémoire, la mémoire peut aussi étouffer l'histoire. Dans son essai sur le *Syndrome de Vichy* paru en 1987, H. Rousso, le directeur de l'IHTP (Institut d'histoire du temps présent), a montré comment, jusqu'à à la fin des années 1960, les historiens français ont passé sous silence l'étude du régime de Vichy et de la collaboration. Il s'agissait de maintenir intact le mythe résistancialiste issu de la Libération, selon lequel (exceptés quelques traîtres) les Français avaient résisté en masse, passivement ou activement, contre l'occupant. Il fallut attendre les années 1970 pour que des historiens étrangers, comme l'Américain R. Paxton en 1973, se lancent dans une étude objective du régime vichyssois et de ses responsabilités propres dans l'aide apportée à la politique des nazis. Cette difficulté à historiciser un passé délicat n'est pas propre à la France. En Allemagne, au milieu des années 1980, un débat a agité la communauté historienne autour de la question des origines du nazisme. Certains, comme Ernst Nolte et Michael Stümer, ont affirmé que le nazisme n'a constitué qu'une réaction de défense face à un bolchevisme dont il a reproduit les méthodes de contrôle et de répression ; au risque de dédouaner la population allemande de ses responsabilités propres et de nier la singularité historique de l'Holocauste.

Après une longue mise à distance critique, l'histoire semble réinvestir de nos jours le champ de la mémoire identitaire. Désarçonnée par une modernité parfois menaçante, engagée dans la quête nostalgique de ses racines, la société actuelle fait de plus en plus appel à l'historien pour lui rappeler d'où elle vient (et lui annoncer où elle va). Ce retour du couple histoire-mémoire s'observe dans la vogue des commémorations, le succès des manifestations liées au « patrimoine », la mode des recherches généalogistes, la multiplication des « rétrospectives » dans l'édition et les médias audiovisuels, la sortie de grands spectacles historiques sons et lumières, etc. Cette implication de l'histoire dans la mémoire collective s'observe également sur le terrain judiciaire, à l'occasion de procès à caractère « historique » très médiatisés (procès Barbie, affaire Bousquet, procès Papon, affaire des spoliations des biens juifs), où l'historien a été appelé à la barre pour témoigner et aider la société à exhumer un passé trouble longtemps refoulé. Ce même « devoir de mémoire » incite également de nos jours certaines personnalités intellectuelles et politiques, certaines associations, à demander au gouvernement de reconnaître officiellement l'existence de génocides longtemps oubliés (le génocide arménien) ou le recours à des pratiques antidémocratiques longtemps niées (comme l'usage de la torture durant la guerre d'Algérie, contre lequel Pierre Vidal-Naquet avait déjà protesté en 1958 et au sujet duquel il continue de réclamer aujourd'hui justice et pardon).

Des historiens se sont toutefois élevés contre cette liturgie célébratoire et les dérives possibles de ce « devoir de mémoire » (dont les médias sont si friands). Dans *Vichy, un passé qui ne passe pas*, publié en 1994, H. Rousso notait déjà :

> Faut-il ranger le devoir de mémoire au pupitre ? Non pas, mais que cesse ce rituel infantile consistant à s'indigner tous les six mois parce qu'un scoop révèle que les Français ont collaboré, ou que Vichy fut complice de « la solution finale » : on le sait, on le dit, on l'enseigne ou on le commémore. L'important aujourd'hui, ce n'est plus de dénoncer, ni de dévoiler des secrets. Il est de comprendre et plus encore d'accepter.

En 1998, dans *La Hantise du passé*, le même historien revient sur les liens entre mémoire et histoire. Après avoir rappelé le projet de P. Nora, qui avait voulu avec ses « lieux de mémoire » montrer le processus de fabrication du passé auquel se livraient les sociétés actuelles, le directeur de l'IHTP montre que l'entreprise de P. Nora a été rattrapée par la « frénésie commémorative ».

> Tout se passe comme si notre époque manquait de confiance en elle-même et refusait que la sélection de ce qui doit rester ou disparaître de nos mémoires se fasse de manière spontanée.

Devenu une « injonction impérieuse », l'appel au « devoir de mémoire » prend une forme autoritaire et figée peu propice au travail serein de l'historien. Si nos sociétés veulent vraiment faire le deuil d'événements tragiques du passé, elles doivent plutôt entreprendre un travail de mémoire qui intègre et accepte l'oubli. Processus de connaissance, l'histoire suppose une prise de distance par rapport à un passé dont on s'affranchit et la prise en compte de l'évolution des hommes comme des contextes. Pour ces raisons, H. Rousso a refusé de témoigner au procès Papon. À ses yeux, si le génocide juif doit être jugé, ce n'est pas à l'historien de s'ériger en « procureur du passé ».

Quelle est la place de la mémoire dans l'enseignement de l'histoire ? Certains hommes politiques se sont émus au début des années 1980, avec parfois des arrière-pensées militantes, d'une histoire qui ne jouerait plus son rôle de « passeur de mémoire ». S'insurgeant contre l'introduction du diachronique, du thématique et de l'étude des civilisations dans des programmes scolaires qui négligeaient selon lui l'histoire de France traditionnelle (avec ses repères classiques et rassurants : dates, lieux et personnages célèbres), M. Debré s'exclamait :

> L'orientation de la mentalité française, l'orientation du comportement français ne seront plus les mêmes selon que l'on aura rétabli l'enseignement de l'histoire nationale ou selon, au contraire, que l'on continuera les errements que nous connaissons aujourd'hui.

À ces critiques reprises aujourd'hui par tous ceux qui se font les contempteurs de programmes trop centrés sur l'Europe et trop ouverts sur le monde au détriment de l'histoire nationale (que les jeunes seraient supposés ignorer), il est possible d'opposer la réalité actuelle de l'enseignement de l'histoire :

– L'histoire de France occupe une part toujours très importante dans les programmes. Au lycée, par exemple, si le programme de la classe de seconde est d'esprit très braudélien par le choix du temps long et d'une approche civilisationnelle, les programmes de première et de terminale accordent à l'histoire nationale une plus grande attention.

– Les instructions officielles insistent également de plus en plus sur la dimension « patrimoniale » de l'enseignement de l'histoire. Permettre aux jeunes de s'inscrire dans une mémoire collective en travaillant à partir de documents constitutifs de cette culture commune représente un des objectifs du professeur. Dans le prolongement d'une pédagogie interactive, il est même conseillé d'utiliser les représentations mentales de l'élève pour travailler sur la mémoire collective, en montrant que la mémoire du groupe dont il est issu (groupe familial, social, régional, ethnolinguistique) participe de cette mémoire collective nationale.

– Si l'enseignement de l'histoire participe toujours à l'acquisition et à la transmission d'une mémoire, la démarche pédagogique et l'esprit qui animent cette même mission ont évolué, tout comme ses horizons. Tout en insistant sur cet héritage historique, on incite désormais l'élève à adopter face à ce patrimoine une attitude critique. Loin d'être occultés comme autrefois, les épisodes de tensions nationales (la Terreur, la Commune, l'affaire Dreyfus, Vichy, la guerre d'Algérie, etc.) représentent au contraire des moments forts des programmes d'histoire actuels, manière d'affirmer qu'une nation se constitue aussi et surtout autour de clivages, de conflits et de choix. Autre évolution : cette mémoire s'est élargie en s'affranchissant de ses limites hexagonales. Aujourd'hui, la dimension européenne est mise en valeur. Omniprésente dans le programme de seconde — sont étudiés la lente constitution historique de l'Europe, avec l'Empire romain et la diffusion du christianisme dans l'Antiquité ; le carrefour méditerranéen au XIIᵉ siècle ; l'Europe des humanistes et de la Renaissance au XVIᵉ siècle ; l'Europe des Lumières et de la Révolution au XVIIIᵉ siècle ; l'Europe des Nations et du romantisme au XIXᵉ siècle —, l'Europe domine également les programmes de première — l'aventure industrielle et les transformations sociales de l'Europe ; son expansion coloniale ; ses tensions internes ; l'Europe en guerre ; la crise des démocraties européennes face aux régimes autoritaires — et de terminale — l'Europe dans la deuxième guerre mondiale ; le modèle européen de développement ; la France dans l'Europe. Les programmes s'ouvrent également à l'étude du tiers-monde (en terminale figurent au programme les inégalités de développement, le « modèle chinois », la décolonisation et l'émergence politique du tiers-monde) et à la place de l'immigration en France. Bref, en lieu et place de l'ancienne transmission figée, réductrice et parfois chauvine d'une seule mémoire nationale, l'école se voit désormais confiée la mission d'une transmission plus active et responsable d'une mémoire élargie à l'Europe et au monde. Le patrimoine diffusé s'est enrichi, véhiculant en filigrane des valeurs d'échange, d'ouverture, de solidarité. Reflet d'une France plurielle, la mémoire historique véhiculée par les professeurs s'est aussi ouverte à la diversité culturelle, avec peut-être le risque, parfois évoqué, d'une dérive à l'américaine vers une mémoire éclatée, communautérisée.

L'enseignement de l'histoire en France à l'époque contemporaine

Comme l'a montré Antoine Prost (*Douze leçons sur l'histoire*, p. 17), la place particulière que l'histoire tient dans la tradition culturelle française et la constitution de l'identité nationale s'explique par le rôle important qu'elle occupe dans l'enseignement depuis deux siècles.

L'enseignement de l'histoire au XIXe siècle

Si l'histoire devint obligatoire dès 1818 dans l'enseignement secondaire, il fallut attendre 1880 pour que le primaire intègre l'histoire dans ses programmes. À cette même époque, marquée par la défaite de 1870, survinrent l'arrivée des Républicains au pouvoir et la consécration intellectuelle du courant positiviste ; l'Université s'ouvrit à un enseignement « scientifique » de l'histoire bien différent des cours mondains et rhétoriques professés auparavant. Dans le secondaire, l'histoire était prise en compte depuis longtemps. Enseignée dans les écoles centrales de la Révolution puis dans les lycées napoléoniens, elle devint une matière obligatoire dans les premières années de la Restauration, de la classe de cinquième à celle de rhétorique, à raison de deux heures de cours par semaine.

Dans le même temps, la discipline s'affranchissait de la domination des humanités pour conquérir son autonomie intellectuelle. L'histoire cessait de se résumer à la pénible répétition mnémotechnique des batailles et règnes pour appréhender enfin les réalités politiques et sociales du passé. Cette évolution s'expliquait sans doute par l'apparition d'un corps de professeurs spécialisés et compétents grâce à la mise en place d'une agrégation d'histoire en 1830. Cette petite élite, souvent passée par la rue d'Ulm et qui enseignait dans les lycées prestigieux des grandes villes, donna à la discipline sa véritable dimension. Autrefois évoquée sommairement par des professeurs de lettres dans le cadre de l'étude des grands classiques de l'Antiquité, l'histoire était désormais enseignée pour elle-même. La période contemporaine, qui n'avait jamais été négligée, prit également, avec le ministre de l'Instruction du Second Empire Victor Duruy, plus de place dans les programmes. En 1863, les élèves de la classe de philosophie étudiaient ainsi la période allant de la Révolution à... 1863. L'histoire des pays étrangers n'était pas négligée non plus, ni les champs de la société et de l'économie, même si le politique gardait de loin la priorité.

À la fin du XIXe siècle, l'enseignement de l'histoire s'inscrivait dans un système scolaire assez complexe qui voyait la juxtaposition du primaire et du secondaire. Le primaire comprenait l'école élémentaire, suivie pour certains, après le certificat d'études, par quatre ans d'études supplémentaires dans les EPS (écoles primaires supérieures). De l'autre côté, le secondaire avait ses propres écoles élémentaires. Ce système double reflétait des clivages sociaux. En clair, les enfants de la bourgeoisie suivaient l'ensemble de leur cursus dans un même établissement (des classes primaires payantes à la terminale), évitant ainsi toute promiscuité avec les enfants des milieux humbles qui fréquentaient les écoles primaires et EPS, que les lois Ferry de 1881-1882 sur l'école primaire gratuite, obligatoire et laïque, avaient multipliées. Jusqu'en 1902, persista dans ces lycées de l'élite (75 000 garçons y étaient scolarisés, soit 5 % d'une classe d'âge, proportion qui resta stable jusque dans les années 1930) une programmation qui balayait les périodes historiques en continu de la classe de sixième à celle de terminale : l'Antiquité de la sixième à la quatrième ; des débuts du Moyen Âge à la mort de saint Louis en troisième ; du bas Moyen Âge à la mort d'Henri IV en seconde ; les XVIIe et XVIIIe siècles en rhétorique ; de la Révolution à 1875 en classe de philosophie ou de mathématiques élémentaires. Le niveau de formation des professeurs s'était amélioré. Ces agrégés, passés dans les facultés de lettres, étaient désormais initiés à la recherche historique par des universitaires spécialisés, dans le cadre du DES (diplôme d'études supérieures) mis en place en 1894.

En 1902, une réforme divisa le secondaire en deux cycles (un de quatre ans de la sixième à la troisième et un autre de trois ans de la seconde à la terminale), couvrant chacun l'ensemble de l'histoire, de l'Antiquité au Temps présent. Dans le premier cycle, deux sections étaient proposées dont l'une ne comportait ni latin ni grec, tandis que le baccalauréat moderne (sans langues anciennes) était mis à égalité avec le baccalauréat classique pour l'entrée dans les facultés. Dans les programmes, le précédent principe de continuité fut aboli : chaque cycle couvrait toute l'histoire, ce qui permettait aux élèves ne fréquentant que le collège d'en sortir avec un bagage historique complet. Premier pas vers « l'éducation commune de tous les enfants de la nation », pour reprendre l'expression de Jaurès ? Non, puisque le système des deux filières persistait, avec leur programme spécifique. Par ailleurs, en refusant la gratuité des lycées, la bourgeoisie limitait la démocratisation du système éducatif français.

Concernant la seule histoire, tous les régimes politiques du XIXe siècle avaient participé à l'institutionnalisation de son enseignement. La Restauration fit de cette discipline une matière obligatoire ; la Monarchie de Juillet créa l'agrégation et multiplia les chaires d'histoire à l'Université ; le Second Empire de Victor Duruy définit les premiers programmes ; et la IIIe République commençante rédigea les premiers manuels. Il est probable que le développement d'un enseignement moderne de l'histoire ait participé au triomphe final des valeurs de la République et de la démocratie, en rappelant que les régimes autoritaires sont périssables et que le peuple, en se soulevant au nom de ses droits et de ses libertés, peut être acteur de l'histoire. Les pouvoirs publics reconnaissaient d'ailleurs à l'histoire cette fonction politique. Comme le note Antoine Prost,

> la place de l'histoire dans l'enseignement secondaire renvoie explicitement à une fonction politique et sociale, c'est une propédeutique de la société moderne, telle qu'elle est issue de la Révolution et de l'Empire. (*Douze leçons sur l'histoire*, p. 23)

Comment expliquer cette place importante prise par l'histoire dans l'éducation et, plus largement, dans la société française ? Dispensée pendant longtemps de manière autoritaire et mécanique, l'histoire ne trouva pas sa légitimité dans son enseignement. De grands historiens la lui donnèrent en s'imposant dans les débats publics de ce siècle. À Paris, de grandes figures du monde des lettres occupaient les chaires d'histoire de la Sorbonne, de l'École normale supérieure ou du Collège de France, et obtenaient par un enseignement orienté politiquement — à une époque où les libertés d'opinion et de réunion étaient surveillées — un certain succès auprès d'un public libéral. Ces « historiens », Thiers, Guizot, Michelet, Quinet et plus tard Renan et Taine, tentaient dans leurs écrits, plus littéraires qu'érudits, plus synthétiques qu'analytiques, de dégager les grandes évolutions de l'histoire des civilisations ou de la France. La question centrale de ces professeurs restait celle de la Révolution, de son héritage et de son actualité dans cette France du XIXe siècle qui hésitait encore entre autorité et liberté, tradition et modernité. Les historiens monopolisaient la scène intellectuelle autour du problème des origines des divisions politiques. Comme le note Antoine Prost,

> ce faisant, ils expliquent aux Français leurs divisions, ils leur donnent sens, ce qui permet de les assumer et de les vivre sur le mode politique et civilisé du débat plutôt que sur le mode violent de la guerre civile. La médiation de l'histoire a permis, par un détour réflexif, d'assimiler, d'intégrer l'événement révolutionnaire et de réaménager le passé national en fonction de lui. La société française s'est représentée à elle-même par l'histoire, elle s'est comprise, elle s'est pensée par l'histoire. En ce sens, il est profondément exact que l'histoire fonde l'identité nationale. (*Douze leçons sur l'histoire*, p. 25)

Chargée de maintenir la cohésion sociale et nationale en expliquant les origines de la violence politique et en permettant du même coup de la dépasser, l'histoire répondait déjà à cette époque à ce qu'on appelle aujourd'hui la « demande sociale ». C. Seignobos le précisait en 1884 dans un article consacré à l'enseignement de l'histoire dans les facultés :

> L'histoire n'est pas faite ni pour raconter ni pour prouver, elle est faite pour répondre aux questions sur le passé que suggère la vue des sociétés présentes.

Si le secondaire et *a fortiori* le supérieur ne concernaient à cette époque qu'une minorité privilégiée, le développement de l'école primaire après l'arrivée au pouvoir des républicains fit de l'enseignement de l'histoire une question plus générale. Déjà inscrite comme matière obligatoire par l'Empire libéral en 1867, l'histoire s'imposa définitivement dans les programmes du primaire en 1882. Les écoliers apprenaient leur histoire à raison de deux heures par semaine dans les nouveaux manuels obligatoires, apparus dans les années 1890. En 1917, un arrêt fit de la discipline une matière d'écrit au certificat d'étude (par tirage au sort avec les sciences). Cette histoire était bien différente de celle des collèges et lycées. Plus vulgarisée en raison du public auquel l'enseignement s'adressait, elle était surtout plus chargée idéologiquement. Il s'agissait moins d'enseigner précisément les faits du passé que de renforcer un patriotisme jugé défaillant après l'humiliation de Sedan (E. Lavisse l'affirmait nettement : « L'amour de la patrie ne s'apprend point par cœur, il s'apprend avec le cœur ») et de consolider les assises d'une République récemment installée.

Cette histoire du primaire, qui usait abondamment de l'image et du récit, et s'organisait autour d'héros nationaux comme Vercingétorix ou Jeanne d'Arc, a-t-elle atteint ses objectifs ? Les résultats semblent mitigés. Le recours excessif à une mémoire automatique, centrée sur la répétition de mots clés, de dates repères et de résumés de leçons, donnait à cet enseignement un caractère pénible. Par ailleurs, même si l'histoire de la Révolution et du XIXe siècle formait le cœur de l'interrogation d'histoire du certificat d'études, ces questions n'étaient pas privilégiées dans les programmes et se voyaient même abordées tardivement. L'examen des copies d'élèves révèle enfin de fortes disparités dans les capacités de reproduire correctement les connaissances apprises. Pour autant, le message minimal qu'entendait véhiculer le pouvoir semblait compris et accepté. Cette téléologie républicaine qui faisait de l'histoire de France une évolution vers le progrès, organisée autour de 1789 entre un « avant » volontiers sombre et un « après » plein de promesse, faisait l'objet d'un consensus. L'histoire, discipline d'enseignement, avait rempli sa mission civique et se voyait légitimée.

L'enseignement de l'histoire au XXe siècle

Déjà critiqué par la gauche avant-guerre, le système inégalitaire de la double filière choqua les esprits au lendemain de la première guerre mondiale. La coexistence d'un enseignement primaire supérieur destiné à donner aux enfants du peuple le minimum d'instruction nécessaire à l'exercice des tâches professionnelles, et d'un enseignement secondaire, instrument de culture générale réservé à une élite sociale parut insupportable. L'idée d'une école unique qui ne prendrait en compte que le mérite s'imposa et, dès 1923, les deux filières du primaire supérieur et du secondaire commencèrent à se rejoindre. La gratuité de l'enseignement secondaire ne s'établit progressivement qu'au début des années 1930. S'agissait-il de la fin d'un enseignement de classe ? Non, puisque avec 500 000 élèves à la veille de la deuxième guerre mondiale, les effectifs du secondaire français ne représentaient encore qu'un dixième des enfants d'âge scolaire. Les élèves issus des classes populaires ne pouvaient entreprendre des études longues sans finalités professionnelles, tandis que le maintien de la barrière du latin comme le relèvement des niveaux d'exigence suffisaient à fermer socialement le secondaire. Concernant les programmes d'histoire, ceux de 1925 avaient rétabli le principe de la continuité chronologique de la classe de sixième à celle de terminale.

En 1938, l'application de la scolarité obligatoire jusqu'à 14 ans rallongea le temps d'étude et augmenta le nombre d'élèves inscrits dans le secondaire. Pour permettre à ceux — les plus nombreux — qui quittaient le système éducatif à la fin de la troisième de posséder un bagage historique suffisant, les programmes furent redéfinis, le principe de continuité chronologique étant abandonné. Le premier cycle du secondaire couvrait à nouveau toute l'histoire, de l'Antiquité jusqu'en 1875, avec, pour ceux qui abandonnaient le second cycle, quelques cours consacrés au temps présent. Désireux sans doute d'adapter l'enseignement de l'histoire à ces nouveaux venus supposés moins doués pour l'abstraction, les instructions officielles recommandaient aux professeurs du premier cycle de simplifier leurs leçons...

À partir de 1945, les programmes connurent plusieurs modifications, dont il serait vain de retracer ici les versions successives. Les réformes scolaires des années 1960-1970 allaient modifier la place ainsi que les objectifs et méthodes de l'histoire enseignée.

Le collège unique fut mis en place sur quinze ans. En 1959, fut créé un cycle d'observation de deux ans (sixième et cinquième) commun à tous les élèves. Dans le même temps, le ministre Jean Berthoin rendit la scolarité obligatoire jusqu'à 16 ans. Les effectifs du premier cycle progressèrent rapidement, dans les cours complémentaires publics, rebaptisés collèges d'enseignements général (CEG), comme dans le premier cycle des lycées. En 1963, la réforme fut étendue à l'ensemble du premier cycle, dont les classes furent regroupées pour former des établissements autonomes, l'orientation décisive intervenant en fin de troisième. Les lycées perdirent progressivement leurs premiers cycles. Le collège d'enseignement secondaire (CES), mis en place en 1963, se généralisa entre 1965 et 1975. La différence entre CEG et CES se réduisit peu à peu. La réforme Haby (loi de juillet 1975), appliquée en 1977, acheva cette évolution vers le collège unique. Tous les élèves passaient désormais par le collège et se voyaient ensuite orientés de manière autoritaire. Les programmes furent adaptés en conséquence : les deux cycles du secondaire devaient couvrir l'ensemble de l'histoire. Il semblait normal de permettre à ceux qui quittaient le système éducatif à la troisième d'appréhender au moins une fois ce monde contemporain dans lequel ils allaient désormais s'engager activement. La réforme attribuait au collège l'ancienne mission dévolue au primaire : donner aux futurs citoyens un bagage minimal de connaissances historiques. Il en résultait que les élèves admis en seconde revoyaient toutes les périodes abordées au collège, avec le problème évident d'une impression de redite.

Cette évolution des structures éducatives se doubla d'une révolution pédagogique avec la diffusion dans le milieu scolaire des thèses des psychosociologues et psychopédagogues. Devant la démocratisation de l'enseignement consécutive à la scolarisation des générations du baby-boom, il semblait normal d'adapter les pratiques pédagogiques en les modernisant. Celles-ci devaient libérer la parole de l'élève, sortir le professeur de sa position autoritaire, ouvrir l'école vers la société, etc. L'enseignement de l'histoire au primaire fut directement influencé par ces nouveaux courants pédagogiques. Le collège accueillant désormais tout le monde, l'école élémentaire se concentra sur des savoirs dits « fondamentaux », le français et les mathématiques, considérant les autres disciplines (histoire-géographie, sciences) comme des savoirs secondaires qui seraient approfondis dans le second cycle. En 1969, la réforme du tiers-temps pédagogique entérina cette évolution en accordant 15 heures hebdomadaires aux savoirs fondamentaux, 6 heures pour l'éducation physique et sportive et seulement 6 heures pour les « activités d'éveil » dont l'histoire faisait partie. Dans le prolongement des nouvelles théories pédagogiques, fut également exigé des instituteurs de renoncer à la mémorisation des connaissances pour privilégier des méthodes plus ouvertes et interactives. Libéré des programmes, l'enseignant devait mettre l'accent sur le travail individuel de l'élève et la recherche documentaire autonome. Dans le prolongement de l'histoire matière d'éveil, il fut préconisé au collège de s'appuyer sur les connaissances et expériences de l'élève, de prendre en compte ses intérêts comme facteurs de motivations. Inspirée par les théories des psychopédagogues, cette réforme aboutissait à une conception puérocentrique de l'enseignement. Une dernière nouveauté consista, sous l'influence du structuralisme, à introduire en 1977 dans les programmes une approche thématique, en demandant au professeur d'opérer des coupes transversales au travers de l'histoire, pour étudier sur le long terme l'évolution d'une technique, d'une institution ou d'une idée.

Toutes ces réformes finirent par susciter une critique généralisée, qui, pour n'être pas toujours dénuée d'arrière-pensées politiciennes, manifestait une inquiétude légitime de la part des enseignants et d'une partie de l'opinion devant ces bouleversements des structures et programmes éducatifs. En mars 1980, la revue *Historia* organisa une journée de débats critiques qui réunit autour du ministre Haby des hommes politiques, des historiens et des professeurs. Dans cette croisade contre les réformes, l'APHG était en pointe et dressait ce constat alarmiste :

> Dans l'élémentaire, c'est l'effondrement, dans le 1er cycle, c'est le délabrement, et dans le 2e cycle, c'est la peau de chagrin. (*Historiens & Géographes*, n° 278, avril-mai 1980, p. 556-561)

Bien qu'exagérée, cette critique porta ses fruits et les pouvoirs publics, sous la pression de l'opinion, firent machine arrière, même après l'arrivée de la gauche au pouvoir. L'histoire fut réintégrée dans le cours moyen en 1980, la réforme Haby globalement abandonnée dans le premier cycle. Mais l'opinion restait mobilisée et le nouveau ministre de l'Éducation, Jean-Pierre Chevènement, préféra rétablir l'enseignement de cette matière dans une forme plus traditionnelle.

De nouveaux programmes furent établis, à partir de 1985 pour le collège et à partir de 1987-1989 pour le lycée. Dans le premier cycle, le découpage mis en place en 1971 fut confirmé, avec une classe de troisième qui se concentrait sur l'étude du XXe siècle. Dans le second cycle, les programmes se recentrèrent sur l'Europe et sur le monde pour mieux aider les élèves à comprendre le fonctionnement et les enjeux de la société actuelle. Les systèmes de datation proposés, « de la fin des années cinquante au début des années soixante-dix », en opposition avec la chronologie traditionnelle, disaient bien le choix d'une histoire socio-économique et culturelle, au détriment de l'histoire politique et de ses marqueurs (souvent moins pertinents dans le cadre d'une histoire transnationale). Enfin, l'introduction de nouveaux thèmes, comme l'histoire des sciences et techniques ou l'histoire des médias, traduisait le souci des rédacteurs des programmes de refléter au plus près les évolutions et préoccupations de la société contemporaine.

Ces orientations ont également commandé en 1996 les modifications apportées aux programmes des classes de sixième et de seconde, ainsi que l'introduction de l'éducation civique, juridique et sociale (ECJS) au lycée. Une fois encore, le contexte politique, social et culturel explique ces évolutions : contexte de crise avec le marasme d'une économie soumise aux lois de la mondialisation et génératrice d'exclusion ; contexte de doute avec l'interrogation sur la portée de l'identité européenne (Maastricht en toile de fond) et l'actualité du modèle laïque (l'affaire des foulards). Confrontée à ces problèmes car étant au cœur de la cité, l'école doit également s'adapter aux nouvelles missions que les pouvoirs publics lui confient. La volonté politique de conduire 80 % d'une classe d'âge au baccalauréat risque d'aggraver la crise d'un secondaire déjà fragilisé par l'arrivée massive d'élèves toujours plus nombreux, aux niveaux hétérogènes et aux provenances sociales et culturelles disparates. Les inégalités entre établissements et les tensions au sein des classes (développement de la violence et de l'incivilité) mettent plus que jamais la problématique de l'insertion au cœur de la réflexion scolaire. La décision est prise de faire de l'école le terrain privilégié de la politique publique de prévention de l'exclusion, et l'histoire, dont le domaine de compétence est traditionnellement la compréhension des sociétés, se voit confier le soin d'inciter les élèves à se conduire en citoyens actifs et responsables. Le choix des nouveaux thèmes du programme de seconde et de ses possibles prolongements en cours d'ECJS (la citoyenneté dans l'Antiquité, les influences réciproques des civilisations méditerranéennes au Moyen Âge, l'élargissement des horizons de connaissance à la Renaissance, la contestation du pouvoir autoritaire au nom des droits de l'homme au XVIIIe siècle…) s'inscrit à l'évidence dans le cadre indiqué ci-dessus. Au risque peut-être de réinvestir idéologiquement l'école…

Enseigner quelle histoire[1] ?

Le programme et ses accompagnements : un cadre normatif

Texte officiel et réglementaire ayant une valeur prescriptive, le programme est fixé par un arrêté publié au *Journal Officiel* de la République française et dans le

---

1. *Cf.* Marc Vigié (dir.), *Clés pour l'enseignement de l'histoire en lycée*, CRDP Versailles, 1996.

Bulletin Officiel de l'Éducation nationale. L'État ayant compétence en matière éducative, ce texte de droit public émane du pouvoir exécutif en la personne du ministre de l'Éducation nationale. Modifier les programmes représente toujours un acte politique, qui participe d'une vision d'ensemble de l'école et de son rôle dans la société. En tant que « cadre de référence national », le programme s'impose à l'ensemble du territoire national et de la population concernée, professeurs, élèves et personnel administratif. Cette unicité, qui remonte aux origines du système éducatif contemporain, garantit une école démocratique en refusant les particularismes, générateurs d'inégalités.

Compromis délicat entre l'état des acquis scientifiques, les demandes sociales et les exigences propres au système éducatif, le programme définit les grands ensembles de connaissances devant être maîtrisés à un moment donné d'une progression pour former à l'arrivée du cursus un savoir complet et cohérent. La compréhension du programme d'une classe s'appuyant sur les savoirs et méthodes acquis l'année précédente (les fameux prérequis), il importe de respecter cette progression disciplinaire sur la totalité des deux cycles du secondaire pour que la logique globale de cette architecture normative soit respectée.

De manière plus concrète, les programmes relèvent d'une réflexion collective et d'un processus de concertation. Un service du Ministère, la Direction des lycées et collèges (DLC), demande à un Groupe technique et disciplinaire (composé essentiellement de professeurs du secondaire, sous la direction d'un universitaire et du doyen du groupe histoire de l'Inspection générale) d'élaborer des propositions thématiques et méthodologiques, soumises ensuite à l'avis d'inspecteurs et de professeurs. La synthèse des propositions permet la rédaction d'un texte réglementaire qui est proposé pour avis au Conseil national des programmes (CNP) puis au Conseil supérieur de l'éducation.

Au-delà même des seuls thèmes d'étude, les programmes précisent les contenus des savoirs (notions, documents) et des savoir-faire (méthodes). Cette architecture participant — comme on l'a déjà dit — d'une vision d'ensemble de l'école et de ses objectifs, ces textes définissent toujours les finalités de l'enseignement de la discipline (culturelles, intellectuelles, patrimoniales et civiques), qui donnent à ces axes d'études une dimension supérieure. Ces précisions étaient autrefois apportées dans des « instructions officielles », « compléments » ou « commentaires ». Dans un souci d'efficacité et de réalisme, le Ministère a préféré remplacer ces textes perçus comme trop théoriques et contraignants par des « accompagnements », destinés à éclairer la lecture des programmes dont ils ne font pas officiellement partie. Sortes de prolongements pratiques, les accompagnements permettent au professeur (à qui ils apportent des exemples de programmation, des explications de documents patrimoniaux, des listes bibliographiques, etc.) de mieux comprendre l'esprit de ces textes normatifs et, du même coup, de mieux se les approprier.

Le programme, dont les inspecteurs vérifient le bon suivi à partir du cahier de texte, soulève souvent les protestations des professeurs, qui le jugent lourd et ambitieux. Compte tenu des faibles horaires dévolus à l'histoire, respecter le cahier des charges imposé par le programme, tant dans la transmission d'un savoir que dans l'apprentissage de méthodes, peut en effet paraître impossible. En réalité, les programmes sont trop souvent confondus avec les manuels, qui représentent une version maximaliste des textes normatifs. Désireux de proposer aux enseignants plusieurs démarches pédagogiques et un riche fond documentaire pour chaque thème, les manuels inquiètent souvent ceux qui les utilisent et qui craignent de ne pouvoir exploiter à fond ce qui devrait rester un outil, une lecture parmi d'autres d'un programme imposé.

Encore une fois, enseigner suppose de faire des choix. Il ne s'agit pas de tout dire, mais de sélectionner des problématiques, des découpages chronologiques, des supports documentaires... Le programme de seconde, qui court de l'Antiquité au XIXᵉ siècle, impose d'ailleurs au professeur de choisir dans ce temps long des étapes pédagogiques. Sa tâche est facilitée en ce que le programme de cette classe a renoncé sagement au continuum chronologique pour définir six « moments fondateurs nécessaires à la connaissance du monde contemporain ». Cette périodisation séquencée et problématisée achève de rendre absurde ce qui était déjà impossible : une couverture exhaustive du champ chronologique du programme. Le programme de première, s'il couvre une période plus courte et respecte mieux le continuum chronologique, incite lui aussi le professeur à une approche en focale par le choix d'axes problématisés (les bouleversements socio-économiques et culturels de l'âge industriel, l'émergence des États-Nations, la marche à la deuxième guerre mondiale). L'encyclopédisme et l'érudition restent donc étrangers à l'esprit des programmes.

Si le professeur doit respecter le contenu (thèmes et méthodes) du programme, il a en revanche toute latitude pour opérer des choix dans les problématiques, supports documentaires et méthodes pédagogiques proposées. Seules des connaissances scientifiques solides (validées par le concours et entretenues par un contact régulier avec les récents acquis de la recherche) et des qualités pédagogiques (améliorées par l'expérience du terrain) garantiront la pertinence de ces choix. Est-ce à dire pour autant qu'un même programme sera présenté de manière différente suivant les professeurs et les classes ? Le respect de quelques consignes de base (pertinence scientifique, conformité avec la logique globale et la cohérence du programme, adaptation aux capacités et besoins de la classe) assure un enseignement homogène. S'y ajoutent des exigences propres à certains niveaux, comme pour le lycée le respect des indications horaires en seconde, le traitement de tous les thèmes en première et l'articulation entre histoire et géographie en terminale. Mais la règle essentielle reste le refus d'une accumulation factuelle au profit d'une problématisation facilitant la synthèse.

Entre savoir savant et savoir enseigné, la recomposition didactique

L'histoire enseignée par le professeur dépend de l'histoire savante, dont elle tire ses contenus comme sa légitimité. Nous avons d'ailleurs vu comment l'évolution des programmes tenait compte, avec un certain retard, des renouvellements historiographiques dans le choix des champs thématiques, des périodisations et des méthodes d'analyse des documents (le programme de 1977 est ainsi très braudélien). Pour autant, les acquis de la recherche ne sont pas directement transférables dans le cadre de la classe. Si le professeur doit effectivement veiller à la pertinence scientifique de ses propos et les actualiser en fonction des travaux universitaires, il doit aussi prendre en compte les capacités d'assimilation de ses élèves. Cet effort d'adaptation d'un savoir savant à un cadre scolaire, autrefois dénommé « transposition didactique », est évoqué aujourd'hui par la formule de « recomposition didactique ».

Celle-ci suppose d'abord de comprendre que, si l'histoire savante offre seule au professeur une caution, elle ne lui dit pas quoi et comment enseigner. Le professeur reste libre de ses choix pédagogiques, qui fondent une histoire scolarisée ne se limitant pas à la seule vulgarisation de la recherche. Au demeurant, si l'histoire enseignée dépend, comme l'histoire savante, d'une demande sociale, d'une influence politique et d'un contexte culturel, elle est également soumise à des déterminations qui lui sont propres, tels le renouvellement des conceptions pédagogiques et l'évolution des structures éducatives. Enfin et surtout, les publics (avec leurs acquis culturels et leurs capacités intellectuelles) et les finalités visées ne sont pas les mêmes. Pour toutes ces raisons, un même phénomène historique n'est évidemment pas présenté de la même manière dans une classe de lycée et dans une revue universitaire.

Pour autant, l'écart séparant ces deux horizons de l'histoire ne constitue pas une rupture épistémologique. Les méthodes et exigences restent globalement identiques. Si le professeur de collège doit considérablement simplifier son enseignement pour le rendre accessible, le savoir transmis doit rester scientifiquement valable et méthodologiquement rigoureux. Par exemple en classe de quatrième, une question aussi complexe que l'évolution politique de la Révolution française peut être évoquée sans verser dans la simplification déformante, tout en restant clair et simple. À condition de vérifier les prérequis notionnels et méthodologiques, d'éviter le foisonnement érudit en dégageant des axes d'approche problématisés, d'être attentif à la définition de termes essentiels, de replacer les grandes phases et tournants historiques sur une frise, d'utiliser quelques documents éclairants (textes fondateurs, images évocatrices et cartes), d'évoquer quelques scènes importantes et acteurs majeurs caractérisant un des moments de la période étudiée, de synthétiser enfin le tout dans une trace écrite sobre et efficace.

Vulgariser ne signifie donc pas caricaturer mais adapter un savoir savant, dont on respecte la cohérence conceptuelle. Des deux côtés, chercheur comme professeur, les procédures et les soucis sont les mêmes : il s'agit bien d'une « volonté commune de recherche du sens obéissant à une exigence de vérité et permettant l'exercice du doute raisonné[1] ».

Une histoire totalisante

Comme le montre la lecture des programmes, l'enseignement de l'histoire doit rendre compte d'une totalité : l'évolution des sociétés humaines des origines à aujourd'hui. Le professeur intéressera ses élèves aux causes, modalités et conséquences des phénomènes et montrera à sa classe comment le passé peut éclairer un présent souvent complexe (ce qui ne signifie pas confus). Cet objectif ambitieux suppose le choix d'une approche globale qui ne parle pas de tout mais traite de l'essentiel. Celle-ci suppose d'oublier les balayages chronologiques exhaustifs pour se focaliser sur des moments forts. Elle ne privilégie plus les seuls aspects politiques et militaires mais élargit l'étude à la société, à l'économie, à la culture, au travers du concept de civilisation. Elle suppose également d'insister sur les relations réciproques entre les différents domaines et les différents niveaux de l'étude (comment une société se reflète dans l'art de son époque et comment ce même courant artistique influence la société). Elle invite enfin le professeur à étudier un phénomène (par exemple la religion) dans tous ses aspects.

Histoire totalisante par ses choix chronologiques. Voulant tout dire, les programmes d'autrefois optaient en général pour un continuum chronologique de la préhistoire au temps présent et une méthode analytique très « histoire-bataille » ; avec le risque d'un engorgement encyclopédique encore gérable dans le cadre d'un secondaire élitiste, mais plus dans le contexte actuel de la massification de l'enseignement. La rénovation des approches pédagogiques impose de toute façon une approche différente de cette histoire totale. De même que l'histoire savante n'est pas la reconstitution mais la reconstruction du passé, l'histoire scolaire n'est pas la restitution intégrale des époques disparues mais le traitement problématisé de temps forts de l'humanité permettant l'appropriation de repères fondamentaux. Cette approche nécessite de dégager sur le temps long des moments essentiels, faisant sens par rapport à un questionnement initial. Le programme de seconde s'inscrit dans cette nouvelle logique chronologique. Ceux du premier cycle aussi, qui s'organisent autour d'une problématique centrale : la formation progressive d'un patrimoine européen. Les accompagnements le précisent d'ailleurs :

> Certes, il n'est pas possible, en quatre années, d'embrasser la totalité des territoires de la terre, pas plus que la succession de l'ensemble des civilisations. Mais, on peut tenter un premier inventaire raisonné du monde des hommes en géographie, on peut tenter une première approche de l'histoire de l'humanité, qui sans négliger les autres cultures,

---

1. Marc Vigié (dir.), *Clés pour l'enseignement..., op. cit.*, p. 23.

est essentiellement organisée autour de la lente constitution du patrimoine culturel européen.

Histoire totalisante par ses choix thématiques. Depuis longtemps, l'histoire enseignée ne se résume plus à l'exposition événementielle, narrative et chronologique des seuls faits politiques, militaires et diplomatiques. Sous l'influence des *Annales*, l'histoire scolaire s'est ouverte au social, à l'économique, au culturel, et depuis peu aux nouveaux domaines des sciences, des techniques et des communications. Tous les programmes du secondaire sont désormais organisés autour du concept braudélien de civilisation. Cette lecture de l'histoire commande une approche chronologique évoquée plus haut. En sixième, par exemple, la civilisation égyptienne doit être abordée comme un ensemble, comme « le temps d'une civilisation » ; autrement dit, sans exigence chronologique précise ; il en est de même pour l'histoire des Hébreux. L'évolution de l'histoire de Rome sera expliquée à partir des cinq moments forts de cette civilisation : la fondation, la conquête, le temps d'Auguste, l'apogée et la fin de l'Empire romain. En cinquième, si le champ chronologique est moins étendu, il couvre cependant un millénaire. Le récit continu de cette évolution étant impossible, le programme de cette classe repose là aussi sur une approche civilisationnelle organisée autour de trois temps forts (IXe, XIIIe et XVIe siècles), envisagés (ainsi que le précisent les programmes) comme « des observatoires privilégiés » permettant de caractériser différentes civilisations du Moyen Âge (l'Occident médiéval, le monde islamique et Byzance) et des Temps Modernes. Il existe un même souci de synthèse dans l'approche en « modèle de développement » du programme de terminale.

Histoire totalisante par ses méthodes d'analyse. Dans le cadre civilisationnel évoqué ci-dessus, les programmes encouragent les professeurs à réfléchir (à une période définie et pour un même ensemble géographique) aux liens réciproques entre une aire géographique, une durée, un type d'organisation sociale, une structure économique, une organisation politique, un niveau scientifique et technique, un ensemble de valeurs culturelles et religieuses, des mentalités, etc. En classe de quatrième, par exemple, les accompagnements concernant la question de « l'âge industriel » invitent le professeur à évoquer conjointement (et en les reliant entre eux) différents phénomènes propres à cette période :

– progrès techniques et scientifiques, essor industriel, développement des transports et des échanges commerciaux, puissance militaire, conquête de colonies et de marchés, tensions accrues entre nations et risques de guerre ;

– naissance de l'usine et d'un prolétariat concentré, émergence d'une conscience de classe et luttes sociales, montée en puissance d'une bourgeoisie attachée au libéralisme et à un régime qui garantit ses droits politiques comme ses privilèges socio-économiques, développement des partis et des syndicats modernes ;

– désenclavement des terroirs, progrès de la médecine, généralisation de l'alphabétisation, urbanisation et diffusion de modèles urbains, laïcisation des sociétés ;

– art anticipant, reflétant, inspirant ou rejetant ces évolutions politiques, socio-économiques et culturelles (romantisme, réalisme et impressionnisme).

Cet angle d'étude large s'observe également dans l'analyse de type civilisationnel du phénomène religieux. Thème important des programmes de collège (christianisme occidental et oriental, Islam sont évoqués longuement dans les classes de sixième et cinquième), la religion est toujours abordée comme un système symbolique original mais aussi comme un facteur culturel identitaire et constitutif d'une civilisation. En classe de cinquième, par exemple, l'étude du monde musulman passe par la présentation de Mahomet et de son message, mais consiste surtout à montrer la diffusion de l'Islam et de la civilisation qui lui est associée (organisation politique, système de valeurs, arts, type de société, etc.).

Une histoire conceptualisante

Si le savoir historique se limite à la seule connaissance de faits, noms et dates isolés, que la classe est incapable de rattacher à une idée générale, à un thème ou à une question d'ensemble, ce savoir restera superficiel. De ces connaissances émiettées, l'élève restera prisonnier, sans pouvoir les utiliser dans un cadre chronologique ou logique différent de l'originel. Seule une histoire conceptuelle permet de réemployer le savoir appris. Peu importe ainsi que l'élève de première connaisse dans les détails les origines exactes de la crise de 1929, les noms des responsables gouvernementaux et la liste de leurs mesures, les chiffres précis du chômage ou de l'inflation. Il semble en revanche indispensable qu'il ait compris les mécanismes de la crise : ses raisons, ses modalités et ses conséquences. Certains points doivent ainsi être retenus : le cercle vicieux d'une crise qui s'entretient d'elle-même ; les liens entre les niveaux financiers et économiques (au travers du surendettement des entreprises, de la spéculation boursière artificielle, du recours excessif des particuliers au crédit) ; le rapport entre dépression économique et marasme social ; les conséquences politiques de la crise, avec le discrédit de gouvernements impuissants et la montée des extrêmes. L'élève sera alors à même de reproduire dans d'autres contextes et pour d'autres périodes le schéma explicatif élaboré autour de ce concept de crise, en prenant en compte bien sûr la singularité de l'exemple étudié. De même, ayant analysé avec l'aide de son professeur le concept de crise frumentaire d'Ancien Régime, il pourra l'utiliser dans l'étude des origines de la Révolution française.

Soucieux de garantir un enseignement historique dégagé de la gangue factuelle, les programmes insistent sur la nécessité de privilégier une approche synthétique des thèmes abordés autour de modèles d'analyse, de grilles de lecture. En clair, les professeurs sont incités à s'engager dans une démarche conceptualisante dont de nombreux essais épistémologiques (ceux de P. Veyne, M. Weber et F. Furet) ont montré l'importance dans la constitution puis la reproduction du savoir historique. Si le concept représente un « outil d'intelligibilité » capable d'organiser les perceptions et les connaissances, d'éclairer les relations entre

l'universel et le particulier, de lier les faits dans une logique causale ou consé-
quentielle, c'est qu'il incorpore un raisonnement et se réfère à une théorie (ce que
Max Weber appelle un « idéal-type »). C'est en cela qu'il permet une intelligibilité comparative et fait sens. L'historien soumet la réalité historique à ce modèle
explicatif abstrait et développe ensuite une analyse-type.

Le professeur reprend en cours, mais à une échelle modeste, le même type de
démarche. Prenons l'exemple du concept de fascisme. Pierre Milza (*Les Fascismes*, 1985) a étudié le phénomène fasciste et, d'une étude modélisatrice restée
célèbre, a défini trois fascismes (fascisme-mouvement, fascisme-parti et
fascisme-État), correspondant chacun à un moment dans l'évolution du fascisme
vers le pouvoir, mais aussi à un type de programme idéologique, de stratégie
politique, d'organisation, de militantisme et de clientèle. Cette analyse conceptuelle permet au professeur d'étudier les régimes analogues ainsi que de distinguer ce type politique des dictatures classiques (Portugal de Salazar, Espagne de
Franco ou Hongrie d'Horthy). En dressant avec ses élèves (à partir de documents
d'époque ou d'analyses d'historiens) la liste des caractéristiques spécifiques au
fascisme, l'enseignant montrera également que Vichy (qui recherchait l'appui des
élites traditionnelles et tenait un discours passéiste sur une « France éternelle »)
ne relevait pas du fascisme (même si certains de ses responsables étaient fascistes). Il montrera enfin, dans le prolongement des travaux de S. Berstein,
P. Milza, R. Girardet et R. Rémond, que les mouvements et ligues d'extrême droite
française des années 1930 ne s'apparentaient pas (pour la plupart) au fascisme,
mais avaient emprunté à celui-ci certains aspects de son rituel et de son discours.

Les concepts, souvent empruntés à d'autres sciences sociales (la sociologie a
ainsi produit celui de génération, l'économie celui de marché, la science politique
celui de totalitarisme, la psychanalyse celui d'inconscient collectif, etc.), doivent
être définis par l'enseignant à chaque fois qu'il les évoque (les manuels le font
dans leur rubrique « vocabulaire »). À la différence de l'historien qui les emploie
dans son ouvrage sans avoir à en préciser le sens, le professeur ne bénéficie pas
en effet avec son auditoire d'une même complicité intellectuelle. Quels sont les
concepts proposés par les programmes et les manuels ? Ceux-ci sont de deux
ordres :

– concepts de contenu : civilisation, religion polythéiste et monothéiste, citoyenneté, empire… pour le programme de sixième ; féodalité, Islam, Renaissance, humanisme, réforme… pour le programme de cinquième ; Ancien Régime,
absolutisme, droits fondamentaux, révolution, libéralisme, socialisme, capitalisme, révolution industrielle, impérialisme… pour le programme de quatrième ;
totalitarisme, colonisation et décolonisation, Guerre froide, croissance, inégalités,
intégrisme, mondialisation… pour le programme de troisième ;

– concepts de méthode : événement historique, causalité, évolution, rupture,
source, document…

C'est la combinaison des deux qui permet à l'élève d'analyser, d'interpréter,
de comparer les faits historiques et de construire ensuite une démarche synthé-

tique. À condition bien sûr que le concept ne soit pas livré passivement à la classe, mais que celle-ci se l'approprie en participant à son élaboration puis en le réemployant dans le cadre d'exercices.

Le professeur veillera toutefois à ne pas verser dans les deux défauts d'une lecture conceptuelle de l'histoire (limites qui expliquent sans doute la disparition du terme de concept dans les derniers programmes, même si l'approche pédagogique suggérée continue de s'en inspirer) :

– Le principe même de généralisation, qui est inhérent à la modélisation conceptuelle, va d'abord à l'encontre de la singularité des faits historiques. L'histoire ne se répète jamais, et même si les crises économiques d'Ancien Régime obéissent à une chronologie plus ou moins similaire, même si les organisations fascistes présentent des caractéristiques plus ou moins récurrentes, ces points communs ne doivent pas faire croire à la reproduction des faits et des phénomènes. La reproduction à l'identique des époques (la crise de 1973 n'est pas celle de 1929) ou des modèles (le totalitarisme hitlérien n'est pas comparable au totalitarisme stalinien) n'est jamais qu'une illusion de l'esprit.

– À trop vouloir étudier une réalité historique au travers d'une grille d'analyse, le risque est de simplifier l'objet pour le faire coïncider avec le modèle. Le dérapage méthodologique et épistémologique paraît alors évident. On ne verra que ce qu'on pensait voir, quitte à occulter les traits originaux du phénomène qui le singularisent. Pour éviter ce biais, il peut sembler plus intéressant d'inverser la procédure et d'élaborer le modèle après avoir étudié le fait singulier. M. Weber invitait déjà l'historien à redéfinir constamment ces concepts, dont le contenu était nécessairement variable.

Une histoire problématisée

Outil d'analyse permettant la lecture explicative du passé, le concept sert à articuler des problématiques. Depuis le courant des *Annales* et son apologie pour une histoire-problème, on sait en effet que l'histoire n'est pas la restitution sous forme de chronique fidèle de faits donnés par les documents, mais la construction de ce passé à partir de sources sélectionnées et exploitées en fonction d'une problématique initiale. En classe, le professeur reproduit cette approche scientifique en construisant son cours autour de questions et en demandant aux élèves de participer à l'élaboration puis à la résolution de ces problématiques. Jacqueline Le Pellec constatait ainsi que la problématique scolaire représentait une « problématisation du savoir, c'est-à-dire une transformation de constats en interrogations ».

L'institution incite d'ailleurs l'enseignant à s'engager dans cette démarche problématisante en organisant les programmes autour de questions emboîtées. Les programmes du second cycle du secondaire sont ainsi construits autour :

– D'une problématique centrale consistant à montrer en quoi la connaissance et la compréhension du passé permettent de mieux s'investir dans le monde contemporain.

– De problématiques secondaires attachées au programme d'une classe précise :

• Le programme de seconde pose la question des fondements du monde
contemporain au travers de l'étude de six moments jalonnant l'élaboration de la
civilisation actuelle : la citoyenneté dans l'Athènes classique et l'Empire romain ;
la naissance et la diffusion du christianisme ; les relations entre les civilisations
méditerranéennes au XIIe siècle ; l'humanisme et la Renaissance ; la contestation
de l'absolutisme et la période révolutionnaire ; l'Europe entre restaurations et
révolutions jusqu'au milieu du XIXe siècle.

• Le programme de première s'intéresse aux origines des bouleversements
mondiaux entre le milieu du XIXe siècle et 1939 au travers de l'étude du phénomène industriel et de ses conséquences sociales, idéologiques et culturelles, et du
phénomène national avec ses réalisations politiques et ses tensions.

• Le programme de terminale porte sur les modalités de l'organisation du
monde de 1939 à nos jours, au travers de l'étude de la deuxième guerre mondiale,
dont le bilan sert de point de départ à l'analyse du monde contemporain — appréhendé dans ses enjeux, ses problèmes fondamentaux, ses principales lignes de
clivages et ses grandes transformations ayant abouti au monde d'aujourd'hui —,
et de l'étude de la France depuis 1945 — le but étant d'examiner comment le
pays s'est adapté aux grandes évolutions mondiales et comment il se situe dans le
contexte international actuel.

– Des sous-problématiques qui permettent de développer et de prolonger les
précédentes. Ainsi, le questionnement sur « l'Europe entre restaurations et révolutions au XIXe siècle » de la classe de seconde se décompose en deux problématiques :

• Montrer comment, jusqu'au milieu du XIXe siècle, les conceptions anciennes et les idées nouvelles (libérales et nationales) s'affrontent en Europe, les
révolutions de 1830 et 1848 représentant l'apogée de cette tension.

• Souligner les rapports qui unissent le romantisme et l'évolution politique de
la première moitié du siècle.

De même, le questionnement sur les « grands modèles idéologiques du monde
de l'après-guerre » de la classe de terminale suppose, sans entrer dans le détail de
l'histoire événementielle,

• d'insister sur les traits majeurs caractéristiques de ces modèles, dont on voit
l'influence comme les limites ;

• de montrer, pour l'Europe libérale, la convergence des choix institutionnels
et des transformations économiques, sociales et culturelles ;

• d'évoquer la construction européenne en relation avec cette évolution
d'ensemble.

Très lourd, le programme de terminale opte plus encore que les autres pour
une approche problématique. La logique est la même pour les programmes du
collège. Si l'on prend par exemple les contenus de la classe de cinquième tels
qu'ils sont présentés dans les textes officiels, ceux-ci apparaissent soit avec des

sous-titres soulignant des problématiques explicites (« Le royaume de France, X^e-XVe siècle, l'affirmation de l'État » ou « Le royaume de France au XVIe siècle, la difficile affirmation de l'autorité royale ») soit sans sous-titres mais avec un petit commentaire indiquant l'axe problématique suivant lequel la question sera traitée. Le thème « L'Église dans la chrétienté médiévale » est ainsi introduit : « L'Église est présentée comme une structure et un acteur essentiel de l'Occident médiéval, elle participe à son expansion *via* les évangélisations, pèlerinages et croisades, l'enracinement social et les manifestations de la foi sont étudiées à partir des monuments et des œuvres d'art ». Pour le thème « des cadres politiques et la société médiévale », une fois encore, il ne s'agit pas d'étudier en détail ces structures mais d'en montrer la diversité et l'évolution. Les cadres politiques (féodalité, royaume et empire) seront ainsi abordés de manière synthétique. Concernant les cadres socio-économiques, il faudra se concentrer sur le fonctionnement autonome de la seigneurie, souligner l'essor urbain et économique à partir de l'exemple de deux ou trois villes (comme Venise, Bruges ou Bourges) et insister sur la crise de l'Occident au travers des trois grands fléaux du bas Moyen Âge (famine, peste et guerre).

Les manuels relaient ce souci de problématisation du savoir scolaire. Dans ceux du collège notamment, les chapitres sont souvent introduits par des titres interrogatifs. Dans le manuel Belin édition 2000[1], chacune des leçons est lancée par une question qui reformule l'intitulé thématique du programme et donne au cours une allure plus dynamique :

– Le thème « la naissance de l'agriculture » est vu en deux leçons problématisées : « Qu'appelle-t-on révolution néolithique ? » et « Comment se sont organisées les premières communautés ? ».

– Le thème « L'Égypte : le pharaon, les dieux et les hommes » est vu en trois leçons problématisées : « Qu'y a-t-il d'étonnant dans le territoire égyptien ? », « Comment un pays si étendu est-il gouverné ? » et « Quelle est la place de la religion dans la vie des Égyptiens ? ».

– Le thème « Le peuple de la Bible : les Hébreux » donne lieu à deux leçons problématisées : « Qu'est-ce que la Bible ? » et « Quelle est la nouveauté de cette religion ? ».

– Le thème « La Grèce » est traité en six leçons problématisées : « Qu'est-ce qui fait l'unité du monde grec ? » ; « Qu'est-ce que la mythologie grecque ? » ; « Comment Athènes a-t-elle construit un Empire ? » ; « Que signifie être un citoyen athénien ? » ; « Comment Athènes influence-t-elle tout le monde grec ? » ; et « Comment Alexandre le Grand transforme-t-il le monde grec ? ».

– Le thème : « Rome, de la République à l'Empire » est vu en cinq leçons problématisées : « Comment naît et s'organise la cité de Rome ? » ; « Comment les Romains ont-ils exercé leur domination ? » ; « Comment le gouvernement de

1. Rémy Knafou, Valéry Zanghellini *et al.* (dir.), *Histoire et géographie 6e*, Paris, Belin, 2000.

Rome se transforme-t-il ? » ; « Comment s'organise le monde romain ? » ; et
« Comment se présente la société romaine ? »

– Le thème « Les débuts du christianisme » est envisagé dans deux leçons
problématisées : « Comment est apparu le christianisme ? » ; « Comment le
christianisme a-t-il conquis l'Empire romain ? ».

Cette dimension problématique s'observe également dans les pages « exercices » des manuels.

Soucieux d'entraîner les élèves aux règles de la dissertation et du commentaire de document, les manuels montrent souvent dans leurs prolongements méthodologiques qu'organiser sa réflexion suppose de trouver la question posée
explicitement ou non par l'intitulé du sujet ou par le document. Prenons
l'exemple du manuel Hachette de 1ère édition 1997 : à la fiche méthode consacrée
à la composition, il est stipulé que l'élève, après avoir fait une lecture active du
sujet (repérer les mots clés, déterminer leur sens, interpréter l'ordre des mots,
repérer les mots de liaison, cerner les limites chronologiques et géographiques de
l'intitulé), doit « dégager une problématique » :

> À partir des mots clés, des mots de liaison, de la période, trouver une problématique
> correspondant au sujet : elle se présente sous la forme de questions qui doivent
> permettre de traiter le sujet et servent de colonne vertébrale à l'organisation du plan de
> la composition[1].

Des exemples sont ensuite donnés selon les types de sujets (sujet de type
évolution, p. 113 ; sujet de type tableau, p. 149 ; sujet de type analytique, p. 245
et sujet de type comparaison, p. 287) avec à chaque fois des pistes de réflexion et
des propositions de plan.

Les pages « débats » des manuels ont également une approche problématique :
la classe est confrontée à des lectures différentes d'un même fait historique. Dis-
posant pour un même événement ou phénomène de plusieurs grilles de lecture
relevant de courants historiographiques opposés (dans une version simplifiée bien
sûr), l'élève comprend mieux que le travail de l'historien est une construction
hypothétique du passé et que l'histoire est donc empreinte de subjectivité. Le
manuel Hachette de 1ère édition 1997 propose ainsi en « double page dossier »
une présentation des débats d'historiens autour de la comparaison entre les deux
régimes nazi et stalinien. Le débat (p. 302-303), qui fait écho aux travaux de
H. Arendt, F. Furet, K. Pomian et P. Burrin, est présenté sous la forme interroga-
tive : « Deux régimes totalitaires différents ? »

Les avantages d'une approche problématique du programme sont les suivants :

– Elle permet de fixer les connaissances par son mode dynamique ; elle incite
les élèves à adopter une posture active dans la construction du savoir et elle
contribue à l'acquisition d'un esprit critique. Capable de dégager des questions

---

1. Paris, Hachette, 1997, p. 39.

qui serviront à bâtir un plan, l'élève sera mieux armé pour l'épreuve canonique de la dissertation.

– Elle oblige le professeur à renoncer à l'exposé érudit, magistral et exhaustif pour se concentrer sur un questionnement essentiel qui éclaire le passé mais fait l'impasse sur les aspects secondaires et factuels. Le programme n'en sera que mieux tenu.

– Elle apprend aux élèves la subjectivité et la relativité en histoire en leur faisant comprendre que cette dernière procède par lecture hypothétique du passé et que les sources sont triées et interrogées en fonction d'un questionnement initial. L'histoire pose plus de questions qu'elle n'en résout et s'enrichit plus de nouvelles interrogations que de nouvelles sources.

Toutefois, cette problématisation de l'histoire scolaire n'est pas sans risques et limites. Prise parfois comme une injonction de l'institution dont on comprend mal les finalités scientifiques et pédagogiques, l'approche problématique peut donner lieu à des questionnements figés et stériles se présentant sous la forme de questions stéréotypées — « Pourquoi ? », « Comment ? », « Où » et « Quand ? » — plaquées au début de chaque leçon. Or, tout questionnement ne constitue pas une problématique. Encore faut-il adapter la question au thème abordé et à ses enjeux. Concernant par exemple la question de la citoyenneté dans l'Empire romain, la seule problématique intéressante est celle qui s'interroge sur les enjeux de l'octroi de la citoyenneté romaine avant de montrer en quoi cet acte politique participait au processus de romanisation de l'Empire au IIe siècle après J.-C. Surgit alors une autre difficulté de type épistémologique. Pour définir une problématique pertinente, ne faut-il pas connaître préalablement le thème étudié ? Contrairement à ce que peuvent laisser croire les entrées interrogatives de leçons, le questionnement n'est pleinement éclairant que de manière rétrospective. La bonne question ne permet pas le savoir : elle en découle.

Les nouveaux horizons de l'histoire

Nous avons déjà vu combien l'enseignement de l'histoire répond à une demande sociale. Dans cette perspective, il est normal que les programmes du secondaire prennent en compte les nouveaux horizons qui sont ceux de la population comme de l'État français. Plusieurs facteurs contribuent à élargir le cadre géographique des programmes :

– la progression de la construction européenne, dans laquelle la France inscrit de plus en plus son devenir ;

– la mondialisation de l'économie et de la culture française ;

– la présence dans les collèges et lycées d'une part croissante d'élèves étrangers ou d'origine étrangère, pour lesquels l'école joue plus que jamais un rôle intégrateur.

Longtemps cantonnée aux limites hexagonales, l'histoire scolaire se devait d'ouvrir ses questionnements. Cet élargissement reste toutefois inégal : si les programmes ont fait depuis longtemps la part belle à l'Europe, le reste du monde (excepté les pays relevant de l'aire occidentale ou les pays représentant des grandes puissances) semble négligé. Les pays du Sud sont ainsi franchement oubliés du second cycle du secondaire. Globalement ignorés du programme de seconde, qui ne les évoque que par rapport à la civilisation occidentale (le monde arabo-musulman au XIIᵉ siècle, les contrées « découvertes » par les explorateurs au début des Temps Modernes), ils sont cités dans celui de première (très axé sur l'Europe, comme le précédent) au travers de l'unique question des colonisations. Seul le programme de terminale s'autorise une étude historique du monde. Celui-ci est abordé dans le cadre des cours sur la deuxième guerre mondiale, et il fournit ensuite le thème central de la deuxième grande question portant sur l'évolution du monde de 1945 à nos jours. Sont traités l'économie mondiale de la croissance à la crise, la mutation des sociétés, les inégalités de la croissance, les influences des différents modèles, la division du monde durant la Guerre froide, l'apparition d'un monde multipolaire après 1962, l'éventuelle apparition d'un monde unipolaire depuis le déclin soviétique, l'émancipation des peuples indépendants et les problèmes actuels du tiers-monde. L'étude de la France depuis 1945 incite aussi le professeur à franchir les limites nationales et européennes quand il traite des guerres coloniales et de l'immigration. Mais ce programme de terminale ne peut compenser les lacunes accumulées depuis le collège, et cet intérêt pour l'histoire du monde — limitée ici à la seule époque contemporaine (rien sur les anciennes civilisations précolombienne, chinoise, indienne, arabe, etc.) — paraît bien tardif.

Si l'histoire enseignée sort parfois de l'horizon étroit des États-Nations, c'est surtout pour aborder le cadre européen. Ce choix résulte avant tout d'une demande politique. Lors de la Conférence des ministres européens de l'Éducation en 1991, il avait ainsi été rappelé que l'histoire de l'Europe et de son développement devait être présente dans l'enseignement de l'histoire, de la géographie, des sciences humaines et de l'instruction civique. Cette question serait abordée au travers de l'étude de mouvements sociaux, politiques, idéologiques et religieux, des luttes hégémoniques, des idées et des réalisations institutionnelles qui ont déterminé le développement de l'Europe. Cette programmation n'est pas sans présenter quelques difficultés méthodologiques et épistémologiques :

– La pertinence de l'objet étudié pose d'abord problème, comme le laissait entendre R. Rémond s'interrogeant dans la préface de l'*Histoire de l'Europe*[1] sur le fait de savoir si l'Europe avait vraiment existé... De fait, si le cadre géographique européen (de l'Atlantique à l'Oural ?) n'est déjà pas clairement établi, il est tout aussi difficile de percevoir dans cet ensemble territorial désuni une évolution historique commune et cohérente. Les inégalités de peuplement et de développement économique, les spécificités linguistiques, religieuses et culturelles, les tensions politiques dispersent l'Europe de l'Antiquité à l'époque moderne en des sous-ensembles plus ou moins homogènes à la chronologie spécifique. À

---

1. J. Carpentier et F. Lebrun (dir.), *Histoire de l'Europe*, Paris, Le Seuil, 1992, coll. « Points Histoire ».

partir du XIXe siècle, l'éclatement des empires et la multiplication des États-Nations accentuent cette impression de morcellement. Dans la mesure où l'Europe ne possède pas de réalité politique historique (sauf à insister de manière artificielle sur l'Europe des empereurs romains, de Charlemagne, de Charles-Quint, de Napoléon, etc.), il est impossible de la présenter comme un objet historique préétabli, à moins de verser dans une discutable téléologie de la construction européenne qui ferait de l'histoire de ce continent depuis l'Antiquité une lente prise de conscience supranationale et un effort progressif d'union politique. Projeter ainsi sur le passé un concept actuel reviendrait à faire un anachronisme.

– Le poids de la demande politique, accentué depuis le référendum sur le traité de Maastricht, ne doit pas faire dériver les professeurs vers une histoire supranationale officielle. S'il importe d'évoquer l'histoire de l'Europe afin que celle-ci ne représente pas pour les élèves un cadre institutionnel abstrait, il ne s'agit pas pour autant d'idéaliser un modèle politique, socio-économique et culturel, puis de verser dans un européocentrisme qui remplacerait le nationalisme scolaire d'autrefois. Au demeurant, l'histoire de la construction européenne ne constitue qu'un moment de l'histoire de l'Europe.

– Le contenu même d'un enseignement historique de l'Europe pose donc problème. Si l'on veut échapper au cadre de l'État-Nation, de quoi faut-il parler ? De l'évolution commune des économies, des techniques, des sciences et des arts ? Une histoire politique comparée semble encore plus difficile, à moins d'en rester aux grands courants d'idées, aux forces transnationales (démocrates-chrétiens, socialistes, communistes, libéraux) et aux problèmes communs (laïcité de l'État, représentation politique). Privilégier les récits nationaux fait courir le risque d'une juxtaposition sans synthèse ; mais opter pour l'histoire comparée commune suppose des généralisations et des typologies masquant les spécificités des cas étudiés.

La réponse à ces interrogations et doutes a été donnée dès 1965 par la conférence d'Elseneur. Il y fut recommandé d'organiser les programmes scolaires autour de thèmes communs à l'histoire européenne et ayant influencé le développement de l'Europe. Des exemples furent cités, comme les héritages antiques, l'humanisme et la Renaissance, les oppositions entre absolutisme et système représentatif, l'essor du capitalisme et du socialisme, l'expansion coloniale européenne, les deux guerres mondiales. Les programmes actuels traduisent dans leurs contenus ces orientations. Ainsi, au lycée, le programme de seconde est entièrement consacré à l'Europe, dont il étudie les origines antiques, médiévales, modernes et contemporaines. D. Borne, doyen de l'Inspection générale, reconnaissait d'ailleurs cette démarche volontariste de construction d'une identité et d'une conscience européenne dans *L'Information Historique* de 1996 : « C'est un programme qui est européen, c'est tout à fait conscient, ce sont les fondements de l'Europe d'aujourd'hui que l'on pose. » Celui de première est également centré sur l'Europe, n'en sortant rapidement que pour aborder l'Amérique du Nord (mais dans le prolongement du modèle économique et politique européen) et les pays du Sud (mais dans le cadre des colonies européennes). Seul le programme de terminale, comme déjà spécifié, s'affranchit un peu plus de cet horizon, qui reste néanmoins très présent avec l'évocation de la deuxième guerre mondiale et de la construction politique de l'Europe.

S'intéresser au cadre européen ne signifie pas pour autant abandonner l'histoire nationale. Celle-ci, enseignée de manière exclusive dans le primaire, continue d'occuper une grande part des programmes du secondaire. Au collège, dès la classe de cinquième, la France est le seul État étudié en tant que tel. Dans le cadre de la chrétienté occidentale, le cas du Royaume de France est traité du Xe au XVe siècle. Concernant la naissance des Temps Modernes, le Royaume de France est évoqué au XVIe siècle. En quatrième, l'étude des XVIIe et XVIIIe siècles donne l'occasion de traiter de la monarchie absolue en France ; l'étude de la période révolutionnaire commence logiquement par une présentation du cas français, tandis que l'étude de l'expansion de l'Europe au XIXe siècle se conclut par l'évolution de la France de 1815 à 1914. En troisième, la crise des années 1930 est vue à partir de l'exemple de la France (et de l'Allemagne) ; dans le cadre de l'étude de la deuxième guerre mondiale, une place particulière est faite à l'histoire de France (analyse du régime de Vichy, rôle de la France Libre et de la Résistance). Les finalités culturelles, patrimoniales et civiques de ce choix sont évidentes : il s'agit bien pour les élèves de s'approprier une mémoire nationale. Cette place particulière ne devant pas se faire au détriment du reste du programme, il est conseillé aux professeurs d'illustrer des sujets étudiés dans d'autres parties par des exemples tirés du cadre français (représentation du serment féodal, château de la Renaissance, entreprise industrielle, etc.). La même ambition se retrouve au lycée où, de la seconde à la terminale, l'histoire de France est abordée depuis la Révolution jusqu'à nos jours, avec la volonté de souligner la contribution du pays à l'évolution de la construction de l'Europe, et d'expliquer sa place dans le monde actuel. Ces finalités larges supposent de nouvelles approches. Au souci du détail et au primat du politique a été préférée une vision globalisante qui rassemble les dimensions socio-économique, culturelle et politique des grandes articulations de la société française dans une étude large et sur le temps long (plus de deux siècles).

Convergences disciplinaires

L'enseignement de l'histoire et de la géographie dans le secondaire par le même professeur titulaire d'un concours de recrutement mêlant de manière équilibrée les deux disciplines (il s'agit du CAPES, l'agrégation étant spécifique) est une originalité française. Rares sont les pays où ces deux matières sont enseignées conjointement. En Allemagne, par exemple, la géographie (*Erdkunde*) est une discipline scolaire à part entière, et ceux qui l'enseignent ne font pas nécessairement cours en histoire (selon le système allemand de la bivalence des diplômes d'enseignement, le professeur de géographie enseignera aussi la biologie ou les mathématiques, tandis que le professeur d'histoire enseignera parallèlement les lettres ou une langue étrangère). Cette particularité française peut s'expliquer par l'héritage historique puisque, dans le système éducatif français, le mariage des deux disciplines est antérieur à Victor Duruy. Elle peut aussi s'expliquer par les enjeux politiques que la géographie enseignée a longtemps partagés avec l'histoire — à l'image de l'histoire qui enracinait la fierté patriotique dans la connaissance du passé national, la géographie apprenait au futur citoyen l'amour de son pays en démontrant l'unité de la nation par-delà la diversité des régions —, ce qui a facilité leur rapprochement. Enfin, il est possible d'évoquer le précédent du courant des *Annales*, qui a souligné l'importance d'une collaboration scientifique entre l'histoire et une géographie perçue comme une réflexion sur l'adaptation dans le temps long des hommes à leur milieu. Héritier de L. Febvre comme de P. Vidal de La Blache, F. Braudel avait d'ailleurs mis à profit cette complémentarité dans son étude de la Méditerranée, en montrant qu'une civilisation s'ancrait toujours dans un espace qui lui donnait son identité et déterminait son évolution. Il avait ensuite repris ce même concept de géo-histoire dans *La Civilisation matérielle* pour élaborer le modèle d'économie-monde. Dans son dernier ouvrage, *Identité de la France*, les réflexions historiques trouvent souvent leur origine dans une analyse de l'espace français et de sa mise en valeur.

Aujourd'hui, le couplage scolaire de l'histoire et de la géographie ne suscite plus d'opposition tant sa nécessité didactique s'impose. Comme le reconnaît D. Borne, « la géographie sans l'histoire ne dit que les illusions du présent », tandis que « l'histoire sans la géographie n'est qu'une chaîne linéaire d'événements » (« Former les enseignants, enseigner l'histoire et la géographie », *Espace-Temps*, n° 57-58, 1995). Le lieu du géographe est chargé d'une histoire qui l'a produit et continue de l'organiser. Seule une mise en perspective historique à plusieurs échelles chronologiques permet de révéler l'intervention correctrice des acteurs individuels et collectifs sur cet espace, par exemple de comprendre les conséquences d'une politique d'aménagement. Inversement, l'étude géographique éclaire souvent l'évolution historique en montrant notamment comment les contraintes de l'espace, en pesant sur le peuplement, l'exploitation des ressources naturelles et l'orientation des flux économiques, ont déterminé l'évolution des civilisations, y compris jusqu'à aujourd'hui. Les géopoliticiens de la revue *Hérodote* ont montré dans leurs numéros le poids de l'espace dans les choix politiques. La permanence des contraintes territoriales explique ainsi souvent la permanence des visées stratégiques (la recherche d'une ouverture sur les mers chaudes a toujours orienté la politique russe).

Les programmes et accompagnements insistent sur cette interdisciplinarité histoire-géographie. Peut-être parce qu'en plus de la complémentarité scientifique évoquée plus haut, les deux matières ont en en commun les mêmes démarches intellectuelles inséparables de l'acquisition des connaissances : observation, identification, classement, mise en relation et synthèse des informations. Si cette coordination disciplinaire est implicitement recommandée pour les classes de seconde et de première, elle représente un axe imposé de la classe de terminale. Les points de rapprochement des programmes d'histoire et de géographie aident d'ailleurs les professeurs à mettre en parallèle leurs analyses. Au collège, cette convergence disciplinaire est davantage encore soulignée, notamment au niveau de la méthode. Les phénomènes historiques doivent par exemple être systématiquement spatialisés à partir de cartes ou de croquis, tandis que les facteurs historiques seront invoqués pour expliquer des localisations de peuplement et d'activités économiques.

Mais les rapprochements disciplinaires ne concernent pas seulement les matières jumelles que sont histoire et géographie. L'histoire peut aussi bénéficier d'une mise en liaison avec d'autres disciplines comme les lettres, les langues, les arts plastiques et les sciences. Ces convergences supposent que le professeur d'histoire-géographie lise en début d'année les programmes des autres matières et se tienne au courant des thèmes abordés dans les autres disciplines en parcourant régulièrement le cahier de texte de la classe. Des jeux d'échos apparaissent alors d'un cours à l'autre (au-delà même de la maîtrise de la langue, à laquelle tous les enseignements doivent contribuer).

Ainsi, l'inscription dans le programme d'histoire de textes patrimoniaux également étudiés en cours de lettres (comme la Bible, *L'Odyssée* ou l'*Énéide* pour la classe de sixième) invite à la concertation pour le choix des extraits et la cohérence des approches. D'autres points de convergence apparaissent : entre histoire et arts plastiques (une lecture historique d'un tableau romantique comme *La Liberté guidant le peuple* de Delacroix en quatrième pourrait être prolongée par une approche plus artistique dans le cadre du cours d'arts plastiques) ; entre histoire et langues vivantes (histoire et géographie des États dont les langues sont apprises) ; entre histoire et mathématiques (courbes simples et proportionnalité) ; entre histoire et technologie ou physique (histoire des techniques en quatrième), etc. Il existe un cas de nécessaire rapprochement disciplinaire : l'enseignement de l'éducation civique, dont les liens avec l'histoire paraissent évidents. Qu'il s'agisse entre autres du droit à l'éducation, de la citoyenneté, du patrimoine : tous ces thèmes gagnent à être mis dans une perspective historique, avant d'élaborer un argumentaire et de lancer un débat. Tant que possible, l'enseignant d'histoire-géographie doit donc articuler son enseignement avec celui de ses collègues des autres matières et montrer la similitude des démarches et des finalités, de manière à ce que le croisement disciplinaire permette une compréhension plus approfondie du monde contemporain dans lequel les élèves s'engageront bientôt.

Comment enseigner l'histoire ?

Le choix des méthodes pédagogiques

Comme le rappellent régulièrement les instructions officielles, si les contenus et objectifs des programmes sont imposés, les professeurs restent maîtres de leurs méthodes pédagogiques. Présentons rapidement celles-ci (qui ne sauraient faire l'objet d'une question d'ESD dans la mesure où l'épreuve est supposée s'adresser à des candidats dépourvus d'expérience pédagogique) :

– L'approche magistrale. Cette approche traditionnelle permet de transmettre beaucoup d'informations en peu de temps. S'adressant à des élèves motivés maîtrisant parfaitement les prérequis notionnels et méthodologiques, elle est souvent employée dans l'enseignement supérieur et parfois dans les classes de lycée. Si la seule magie du verbe peut permettre au professeur de soutenir l'attention de son public, il peut aussi recourir à quelques documents pour illustrer ses propos. Mais cette approche qui privilégie la transmission du savoir à l'acquisition active de savoir-faire et d'informations présente d'évidentes limites méthodologiques. Même si la leçon magistrale s'appuie sur une problématique efficace et respecte des exigences de clarté dans l'exposé, elle laisse trop l'élève dans une situation d'assisté. Il n'est pas certain que celui-ci puisse reproduire les connaissances dans une situation différente de celle du cours. Très liée à une conception narrative de l'histoire, cette méthode risque enfin de faire dériver le professeur vers une approche événementielle d'un passé lu au travers d'une grille déterministe.

– L'approche dialoguée. Très répandue dans les deux cycles du secondaire, cette approche consiste à faire participer la classe au déroulement du cours en sollicitant constamment le public. Interrogés par le biais de questions individualisées ou collectives, mobilisés dans le cadre de commentaires de documents ou d'élaborations de plans, les élèves sont amenés à réemployer activement les connaissances informatives et méthodologiques acquises lors des séquences précédentes. Attractive par son caractère interactif qui donne l'impression à la classe de participer à la construction de son propre savoir, cette méthode a aussi ses limites. Elle suppose pour être efficace une pleine collaboration de la classe qui, souvent, préfère attendre passivement les réponses du professeur, obligé par son seul dynamisme de gagner la participation et l'intérêt de ses élèves. Pris par le temps, l'enseignant peut également biaiser le questionnement qui est au cœur de cette méthode : en répondant trop rapidement à ses propres interrogations sans laisser aux élèves le temps de la réflexion et sans rebondir sur leurs erreurs ; en posant des questions fermées qui appellent une connaissance et non une réflexion ; en posant des questions qui ne sont pas reliées à une problématique d'ensemble. Cette pédagogie de la devinette risque de donner aux élèves une conception bien positiviste d'une histoire qui serait plus la restitution collective d'une pseudo-vérité historique que la reconstruction hypothétique du passé.

– L'approche constructiviste. Le but de cette approche plus récente est de faire des élèves les acteurs de leur propre formation. Privilégiant les auto-apprentissages expérimentaux à la transmission du savoir venu d'en haut, cette méthode doit permettre à l'élève de s'approprier des processus intellectuels. Elle prend également en compte la classe réelle (et non celle que souhaiterait le professeur) en jouant sur les problèmes méthodologiques et les lacunes notionnelles des élèves, mais aussi en exploitant leurs représentations et leurs attentes. Fondée encore plus que les précédentes sur l'exploitation de « supports pédagogiques » (en clair les documents, appelés parfois « médiateurs »), cette méthode présente deux variantes : la démarche inductive et la démarche hypothético-déductive. La première va du concret à l'abstrait et, à partir d'un commentaire de documents selon des règles précises (observation, classement et mise en relation), aboutit à une idée générale qui fait office de trace écrite. Efficace sur le plan méthodologique, cette approche reste discutable sur un plan épistémologique, puisqu'elle suppose que le document possède une vérité objective qu'un questionnement orienté fait immanquablement surgir... La démarche hypothético-déductive suppose la définition préalable d'un modèle théorique explicatif que l'exploitation d'un ou plusieurs documents confirmera ou infirmera ; à charge alors d'élaborer une nouvelle grille de lecture. Cette procédure est la plus proche de celle mise en place par l'historien, qui construit son savoir à partir de questionnements liminaires. Reste à savoir si l'on peut transposer dans le cadre d'une classe du secondaire une démarche aussi ambitieuse intellectuellement. Les élèves sont rarement capables d'élaborer eux-mêmes des questions pertinentes, à moins d'être guidés par leur professeur (mais la règle de l'autonomisation de la classe n'est plus respectée dans ce cas). Coûteuses en temps et exigeantes en expérience, ces méthodes sont finalement mal adaptées à la structuration du savoir. Elles risquent au contraire de perturber des élèves demandeurs de repères.

Chacune de ces méthodes possède ses avantages et ses inconvénients. Il convient de choisir la plus efficace en fonction des caractéristiques de la classe, de son expérience professionnelle et de ses propres aptitudes. Il faut aussi respecter quelques règles impératives :

– Refuser l'exhaustivité et l'érudition au profit d'une recomposition didactique fondée sur le choix de savoirs et de savoir-faire essentiels, de documents éclairants et de problématiques pertinentes.

– Mettre le plus possible l'élève en situation de participer à la construction de son savoir, puisque le professeur aujourd'hui ne fait plus cours à la classe mais avec elle et à partir d'elle (en rebondissant sur ses réponses bonnes ou mauvaises, en exploitant ses prérequis comme ses lacunes). Les modules, parcours thématiques et autres TPE (travaux personnalisés encadrés) participent d'ailleurs à cette évolution pédagogique.

– Transmettre par sa passion et sa compétence l'intérêt pour une matière indispensable à la formation d'un citoyen éclairé.

L'utilisation du document

Comme l'ont montré Jean Leduc, Jacqueline Le Pellec et Violette Marcos-Alvarez (*Construire l'histoire,* p. 43-49), les textes officiels prônent depuis longtemps l'usage du document dans l'enseignement de l'histoire. Mais une lecture plus attentive des instructions officielles (IO) permet de noter une évolution dans cette demande institutionnelle, tant dans la conception du document que dans son exploitation pédagogique.

– Les IO de 1890 suggéraient au professeur d'utiliser les documents pour illustrer son enseignement. Afin d'évoquer le couronnement d'Henri IV ou la guerre de Cent Ans, il était supposé mettre en scène le thème abordé en lisant un récit historique ou en montrant à la classe une image décrivant l'événement. Au travers de ces consignes se dessinait en filigrane une méthode d'enseignement. Dans un premier temps, le professeur présentait de manière magistrale le thème de la leçon et, dans un deuxième temps, il montrait un document qui illustrait le cours en le prolongeant de manière attractive (présenté de loin et à la classe, le document ne circulait pas).

– Les IO de 1925 consacraient aux documents une place plus importante en abordant la question dans un chapitre particulier. Il était recommandé aux professeurs de se servir de cartes, de reproductions iconographiques et de documents divers, mais aussi de mobiliser les souvenirs et observations des élèves pour les amener progressivement « à établir eux-mêmes les points essentiels du sujet étudié ». Cette nouvelle approche présentait l'avantage d'inciter l'élève à participer à la construction de son savoir sans tout attendre passivement du discours professoral. Elle développait également le sens de l'observation et celui de la critique. Par ailleurs et pour la première fois, le document, support concret d'un enseignement plus vivant, n'était pas réservé à l'usage exclusif du professeur mais était manipulé par l'élève en circulant de main en main. Toutefois, le document restait cantonné dans le rôle d'auxiliaire pédagogique, aidant seulement à l'illustration et à la mise en scène de la leçon. Il n'était pas étudié en tant que tel.

– Les IO de 1954 recommandaient d'introduire dans le cours des textes et des gravures célèbres. L'objectif de ce recours documentaire était clairement précisé :

> Nos jeunes apprentis s'en retourneraient l'esprit plus délié, possesseurs d'un savoir mieux assimilé et d'autant plus durable qu'ils ne le tiendraient pas d'autrui, mais qu'ils l'auraient forgé eux-mêmes de toute première main.

Cette pédagogie inductive visait l'autonomisation de la classe. À bien le lire toutefois, le texte officiel restait fidèle à une exploitation classique d'un document qui continuait de servir surtout de caution-illustration au discours professoral. La méthode d'analyse proposée était tout aussi anachronique, puisqu'en reprenant les procédés traditionnels de la critique interne et externe, elle s'inscrivait dans le prolongement d'une école méthodique pourtant remise en cause. Il n'y avait pas de place pour l'interrogation du professeur en quête d'une lecture problématique ; le document était porteur d'un sens qu'une analyse dans les règles permettrait de révéler.

– Les IO de 1957 indiquaient les documents utilisables par le professeur en proposant une liste large (« Par document, il faut entendre toute œuvre humaine qui constitue à la fois un élément concret du passé et un moyen efficace de le faire revivre ») qui s'inspirait sans doute avec retard de l'esprit des *Annales*… En précisant les modalités d'utilisation de ces documents, le texte faisait toutefois preuve d'une certaine originalité. Si le document gardait ses usages traditionnels (illustration, mise en contact avec les matériaux historiques, caution), il se voyait enfin attribuer une nouvelle fonction : servir de point de départ au cours. Bien que fondamentale (et d'ailleurs rappelée dans les IO de 1962), cette avancée pédagogique n'était pas, hélas, étayée par des exemples pratiques.

– Les IO de 1981 consacraient la reconnaissance institutionnelle de la méthode active évoquée ci-dessus (et rappelée dans les IO de 1977). En rappelant toutefois la consigne sur un ton impératif (« Faut-il le répéter ? Le document doit servir de point de départ et non simplement, d'illustration *a posteriori* »), le texte sous-entendait que cette approche constructive rencontrait une vive opposition de la part de professeurs attachés à l'ancienne tradition du cours magistral illustré. Les IO de 1985 répétaient l'attachement de l'institution à cette nouvelle pédagogie par le document, qui permettait au professeur d'éviter l'érudition encyclopédique et le discours magistral supposés pénibles et inefficaces. Tout en établissant une nouvelle fois de façon implicite la comparaison entre le travail de l'historien et celui du professeur et de ses élèves, le texte donnait une définition encore plus large des documents utilisables en y englobant des supports nouveaux : chansons, journaux, caricatures, photos, films, graphiques, etc. Valable pour l'ensemble du circuit éducatif du secondaire, le recours pédagogique au document se voyait cependant attribuer des fonctions spécifiques suivant les niveaux d'enseignement envisagés.

– Dans le *Bulletin Officiel* de 1995, le document est présenté comme « constitutif de l'enseignement de l'histoire et de la géographie ». À l'image du chercheur qui construit son objet grâce à ses sources, le professeur bâtit son cours à partir des documents. Situé au centre des programmes, il fait partie des contenus d'enseignement. Plus qu'un simple moyen pédagogique permettant la participation des élèves et le développement de leurs compétences (apprentissage du sens critique), ces documents dits « patrimoniaux » servent de supports actifs pour la construction d'une culture identitaire ; à condition de les sélectionner avec soin et de ne retenir que les plus pertinents dans le cadre d'une séquence problématisée. Alors que les précédentes IO incitaient encore les professeurs à recourir au document, les dernières conseillent désormais aux enseignants de limiter le nombre de textes et d'images pour éviter une surcharge documentaire qui perturbe la classe en dispersant son attention. Les nouvelles épreuves du baccalauréat vont dans le même sens, qui privilégient la synthèse des documents à leur analyse isolée.

La place accordée au document en classe n'a donc cessé d'augmenter et son usage pédagogique s'est renforcé. La comparaison entre un manuel scolaire des années 1970 et un manuel actuel est à cet égard édifiante. Alors que la partie « cours » occupait une place considérable dans le premier (souvent les trois quarts d'une double page), elle est désormais réduite dans le second parfois au tiers (et plus pour les manuels des filières professionnelles). Les manuels se sont également dotés de pages d'exercices, modules, prolongements, etc. qui font la part belle au document. La définition même du terme « document » s'est élargie. D'une conception classique et restrictive qui faisait des textes et gravures les seuls documents autorisés, on est passé à une conception plus extensible qui prend en compte les photos, cartes, graphiques, films, enregistrements, et bientôt les ressources d'Internet.

Deux types de documents sont maintenant distingués :

– les sources historiques brutes : peintures, dessins et gravures d'époque, enregistrements sonores et visuels contemporains, textes d'auteurs, souvent coupés et traduits ;

– les documents élaborés par des historiens ou des auteurs de manuels : graphiques, organigrammes, notices biographiques, cartes.

La différence n'étant pas toujours évidente pour les élèves, ces derniers doivent apprendre à faire cette distinction catégorielle, nécessaire plus tard à la lecture critique des médias.

Concernant les finalités de l'utilisation du document, une évolution se dessine nettement. Dans un premier temps, le document a été considéré comme un auxiliaire du professeur, donnant vie au cours en rompant la monotonie du discours magistral, permettant de passer de l'abstrait au concret par une évocation sonore ou visuelle. Il a aussi été envisagé comme une caution confirmant la pertinence du discours professoral. Avec le passage de la pédagogie magistrocentrique (le professeur fait cours de manière magistrale à un public globalement passif) aux méthodes actives ou puérocentriques (le professeur est un animateur organisant son cours à partir des remarques des élèves), le rôle du document s'est logiquement renforcé. Soucieuse de faire de l'élève le constructeur actif et conscient de son propre savoir, l'institution scolaire a redéfini les modalités d'exploitation du document. Livré au travail critique de l'élève, il permettra au professeur d'organiser son cours en rebondissant sur les interrogations et réponses de sa classe.

L'exploitation du document en classe permet d'initier les élèves à la méthode historique :

– Pour leur faire comprendre la nécessité d'une exploitation critique de sources toujours subjectives, il est possible de leur proposer deux versions d'un même événement ; par exemple, en classe de première, une lecture comparée du 6 février 1934 à partir de deux extraits de presse : la manchette de l'*Action Française* titrant « Après les voleurs les assassins » et celle de l'organe de la SFIO, *Le Populaire*, titrant : « Le coup de force fasciste a échoué ».

– Pour leur révéler comment l'historien appréhende la source à partir d'une grille de lecture « orientée », le professeur peut confronter les élèves au traitement évolutif d'un même thème par le biais d'un parcours historiographique. En classe de seconde (avec des élèves motivés !), il est ainsi possible de montrer en module les différentes lectures de la Révolution française, celle des contre-révolutionnaires Taine et Gaxotte ; celle, romantique et républicaine, de Michelet ; celle des marxistes Mathiez, Soboul ou Vovelle ; celle des libéraux Thiers, Quinet ou Tocqueville ; celle enfin, plus récente, de Furet.

Le professeur montrerait surtout aux élèves comment construire et exploiter les sources. Après avoir distribué à une classe des éléments bruts tirés de registres paroissiaux et de mercuriales, il demanderait par exemple aux élèves d'élaborer puis de comparer une courbe des prix et une courbe de la natalité-mortalité de la population. Après avoir distribué à la classe la reproduction d'une peinture ou d'une gravure d'époque, il demanderait aux élèves d'en faire l'analyse critique au moyen d'une grille méthodologique fournie préalablement. À chaque fois, les élèves devraient problématiser leur travail en trouvant un titre-question.

L'exploitation pédagogique actuelle du document présente trois avantages :
– réduire le temps de parole du professeur au profit du travail personnalisé de l'élève ;
– combler l'écart entre l'histoire savante et l'histoire enseignée en initiant l'élève aux règles de construction du discours historique ;
– inculquer une culture patrimoniale fondatrice d'identité.

Ces approches ne sont pas toutefois sans soulever certaines questions. La réaction d'une classe face à un document ne sera pertinente que si les élèves maîtrisent un certain nombre de prérequis méthodologiques (savoir-faire) et cognitifs (concepts) pour traiter correctement le texte, l'image ou le graphique. Lancer un cours sur la Révolution à partir d'un extrait d'un cahier de doléances rempli de termes obscurs pour un public non averti risque de perturber les élèves, qui éviteront difficilement des commentaires anachroniques ou généraux. Certains professeurs préfèrent intégrer les documents dans le cours de la leçon, après en avoir présenté les enjeux par une rapide introduction contextuelle.

Cette dernière intervention semble d'autant plus nécessaire que le document — qu'il s'agisse d'une image, d'un objet ou d'un texte d'époque — n'est pas plus « concret » et, donc, plus compréhensible pour un élève que le cours du professeur. Sa lecture n'est pas directe ; c'est l'interprétation de l'historien qui lui donne un sens et qui le constitue en source. Mais cette interprétation suppose la mobilisation de connaissances et de savoir-faire élaborés. Confronté à la reproduction d'un retable médiéval empli d'une symbolique religieuse et artistique complexe, l'élève restera bloqué puisqu'il n'en comprendra pas les codes. Croire que le document fait directement sens, c'est oublier la leçon des Annalistes, qui avaient démontré comment l'historien construisait ses sources en les interrogeant par sa culture et ses problématiques.

De ces difficultés découle souvent pour le professeur la nécessité d'intervenir afin de guider l'élève, au risque de fausser alors l'objectif d'autonomisation recherché par les programmes. Réaliste, l'enseignant fournira souvent des éléments de lecture, guidera ensuite ses élèves par des conseils écrits ou oraux. Alors que le but est de permettre à l'élève de construire son propre savoir, il est encadré artificiellement. Certains professeurs « débloquent » même le commentaire en s'adressant à de bons élèves, pour entraîner la classe ou accélérer une explication de document languissante… Croire que l'élève peut toujours se poser des questions historiques pertinentes sans suivre un chemin préalablement balisé par l'enseignant paraît illusoire.

Sujets corrigés

Pourquoi enseigner l'histoire aujourd'hui ?

Dossier :

Document 1 : Dominique Borne, « Une discipline d'enseignement », *Sciences Humaines*, n° 18, septembre-octobre 1997 (article reproduit dans Jean-Claude Ruano-Borbalan [dir.], *L'Histoire aujourd'hui*, Auxerre, Sciences Humaines, 2000, p. 401-404).

Document 2 : Pages « débats » du manuel de H. Bernard, F. Sirel et R. Sueur, *Histoire, seconde*, Paris, Magnard, 1997.

Document 3 : Programmes et accompagnements pour le collège.

Document 4 : Programmes et accompagnements pour la classe de seconde.

Introduction

Discipline « sensible » aux enjeux dépassant largement le simple cadre éducatif, l'histoire a toujours suscité l'intérêt des pouvoirs publics. Conscients que l'apprentissage de cette matière favorisait l'intégration à un système politique et culturel, conscients également que cet apprentissage répondait à une demande sociale à laquelle ils devaient s'adapter, les pouvoirs publics se sont toujours efforcés de définir et d'actualiser les différentes finalités de l'enseignement de l'histoire. Loin d'être laissés à la libre appréciation du professeur, ces objectifs sont ainsi précisés depuis plus d'un siècle par des textes officiels. Ces derniers rappellent régulièrement les missions de l'enseignant comme le contenu des programmes et suggèrent du même coup les méthodes pédagogiques à utiliser.

Si l'on observe l'évolution de ces finalités durant tout le XXe siècle, force est de constater la persistance globale des mêmes objectifs. En 1925, les instructions officielles en dressaient déjà l'inventaire : « [...] l'acquisition de la connaissance matérielle des faits, mais aussi la formation intellectuelle, morale et civique des élèves ». Certes, leur importance relative comme leur interprétation diffèrent selon les époques. Les finalités morales et civiques telles qu'elle étaient définies dans les instructions du début du XXe siècle renvoyaient plus à la leçon de vertus et à l'apprentissage du patriotisme qu'à la formation dans un cadre humaniste d'un citoyen responsable et à la transmission d'un patrimoine identitaire. De même, les finalités culturelles et intellectuelles précisées au début du XXe siècle renvoyaient davantage à l'acquisition mécanique d'un savoir historique de base qu'à l'exercice d'un esprit critique et la découverte d'une certaine autonomie intellectuelle.

Les textes officiels actuels attribuent à l'enseignement de l'histoire quatre finalités réparties en deux grands ensembles (culturel et intellectuel, patrimonial et civique). Il s'agit de

– finalités culturelles : dispenser un savoir ;
– finalités intellectuelles : développer l'esprit critique ;
– finalités patrimoniales : transmettre une mémoire collective fondatrice d'identité ;
– finalités civiques : former un citoyen responsable et actif.

Ce qu'il importe de comprendre, ici, c'est la cohérence de ces finalités, étroitement imbriquées. L'élève ne pourra pleinement s'intégrer dans la cité qu'à la condition de maîtriser l'héritage historique qui structure et fonde cette même cité. L'enseignement de l'histoire, parce qu'il suppose la diffusion de références culturelles et de représentations sociales, est nécessairement constitutif d'identité. Cette dimension « idéologique » de l'enseignement n'est pas inquiétante, mais il faut en apprécier la nature et en mesurer les enjeux comme les limites. Il s'agit bien ici de transmettre une mémoire collective nourrie du passé et d'inculquer des représentations sociales légitimes (en clair, celles qui fondent l'État de droit, républicain et démocratique). L'élève (quelles que soient ses origines) pourra ainsi acquérir des repères constitutifs d'un sentiment d'appartenance à une société ou à une nation et, du même coup, s'insérer (en l'assumant) dans une conscience collective.

C'est parce qu'elle participe d'un « devoir de mémoire » (François Bédarida) que l'histoire intègre ceux qui reçoivent son enseignement dans une « communauté de mémoire » (Dominique Borne). Ce mouvement de l'esprit ne suppose pas un repli identitaire vers une mémoire fossile (d'ailleurs largement reconstruite), mais un élargissement vers d'autres horizons — élargissement à d'autres espaces (celui de l'Europe, dans lequel la France a désormais inscrit son avenir ; celui du monde, puisque beaucoup d'élèves issus de l'immigration proviennent de pays éloignés) et à d'autres enjeux plus actuels (comme les débats sur les problèmes éthiques posés par les progrès des sciences, les inégalités de la mondialisation ou le respect de l'environnement). En ce sens, comme le constate Dominique Borne, « faire de l'histoire, c'est croiser les chemins de l'appartenance et ceux de la tolérance ».

Les finalités culturelles : dispenser un savoir

L'histoire, telle qu'elle est enseignée, doit d'abord transmettre un savoir savant, qui représente une sorte de « culture historienne ». Mais ce savoir ne se résume pas à l'acquisition rapide et fonctionnelle d'une culture générale, qui rappellerait sous la forme d'annales quelques faits majeurs. Certes, l'histoire représente une matière d'examen (tant au collège, avec le brevet, qu'au lycée, avec le baccalauréat), et le professeur doit tenir compte dans son enseignement de cette évaluation finale. Mais cette dimension scolaire, institutionnellement imposée, ne doit pas déboucher sur un bachotage étroit, sur la simple restitution par la mémoire de connaissances factuelles et, plus rarement, méthodologiques. Depuis longtemps d'ailleurs, les correcteurs apprécient autant la capacité des candidats de construire un raisonnement historique (c'est-à-dire de mobiliser leurs informations au service d'une démonstration problématisée) que leur niveau de connaissances. Les nouvelles épreuves d'histoire au baccalauréat, où l'élève doit sélectionner, classer, reformuler et synthétiser des documents qui lui sont fournis, vont dans ce sens.

Ce savoir historique transmis par le professeur est composé de connaissances ainsi que de méthodes :

– Par connaissances, il faut entendre un ensemble d'informations (faits, dates, noms, lieux...) mais aussi de notions (crise, croissance, révolution, cycles...) qui constituent le langage de l'histoire.

– Par méthodes, il faut comprendre les procédés qui permettent de lire ce langage. Cette grille de lecture est formée de différents outils (identifier, classer, problématiser, schématiser, repérer les causalités, chronologiser, etc.). Les règles qui régissent l'exploitation des documents de l'historien (textes, images, cartes, graphiques, etc.) en font aussi partie.

Pour garder à ce savoir sa dimension problématique et conceptualisante, le professeur doit renoncer à toute ambition encyclopédique. Enseigner l'histoire, c'est donc (en conformité avec les instructions officielles) faire le choix de centrer son cours sur des notions essentielles et de délaisser des développements plus périphériques. Prenons l'exemple du programme de seconde ; le professeur devra, en évitant tout esprit d'érudition, se focaliser sur les six moments historiques qui jalonnent l'élaboration de la civilisation contemporaine :

– étudier la signification politique de la citoyenneté dans le monde antique ;

– présenter la religion chrétienne comme composante majeure de la culture occidentale ;

– insister sur la diversité des mondes médiévaux autour de ce carrefour qu'est la Méditerranée du XIIe siècle ;

– évoquer la nouvelle vision de l'homme et du monde développée à la Renaissance ;

– souligner en quoi la période révolutionnaire constitue un tournant fondamental ;

– montrer comment les conceptions nouvelles de la Révolution se sont diffusées puis progressivement imposées en Europe au XIXe siècle.

Au sein même de ces six grands thèmes, le professeur doit centrer son enseignement autour d'une problématique prenant en compte la notion étudiée. Pour la question d'antique dans sa partie romaine, il s'agira par exemple de montrer en quoi l'octroi de la citoyenneté participe au processus de romanisation de l'Empire au IIe siècle après J.-C. Le cas d'une ville, librement choisie, permettra d'indiquer les principaux aspects de la vie civique. Dans le choix de ses supports, le professeur devra également éviter l'éparpillement en se limitant à l'étude de quelques grands textes ou œuvres emblématiques, favorisant la mise en évidence des repères culturels comme le rappel des rudiments de l'analyse historique (la frise des Panathénées, la Bible, une cathédrale, la Déclaration des droits de l'homme, etc.). Si le professeur de seconde choisit librement sa méthode pédagogique et peut insister plus ou moins sur tel ou tel thème, il ne doit pas céder à la tentation de l'accumulation érudite de connaissances factuelles mais construire son enseignement autour du seul objectif de cette classe : la connaissance et la compréhension par les élèves d'un monde contemporain dont le programme pose les bases.

Les finalités intellectuelles : développer l'esprit critique

Cet enseignement de l'histoire participe aussi d'une formation intellectuelle plus générale, qui consiste à former et à exercer l'esprit critique. Si d'autres disciplines comme les lettres ou la philosophie ont les mêmes finalités, l'histoire y parviendra d'autant mieux qu'elle aura habitué l'élève à prendre en compte le caractère relatif des sociétés humaines selon les lieux et les époques ainsi qu'à saisir leur complexité et leur diversité. En développant les qualités d'analyse et de synthèse, elle donne aussi au jeune la possibilité de collecter de manière autonome et avertie ses informations, de trier et de classer ces dernières. Parce qu'il permet à l'élève de comprendre le passé en le mettant en ordre logique et chronologique, et parce qu'il lui permet du même coup de s'inscrire activement dans un monde contemporain devenu intelligible en dépit de sa complexité, l'enseignement de l'histoire dépasse la simple dimension culturelle (la transmission d'un savoir) pour atteindre une dimension intellectuelle (l'exercice de la raison critique). Cette dimension est privilégiée dans le système éducatif d'aujourd'hui.

Les textes officiels (programmes et accompagnements) insistent sur cette formation intellectuelle, et ce dès les premières classes. Les objectifs de l'enseignement de l'histoire en sixième allient ainsi des exigences culturelles et intellectuelles. La dimension culturelle est indiquée d'emblée :

> On incitera les élèves à lire et à observer. On multipliera les occasions d'expression écrites autonomes. On vérifiera la mémorisation des grands repères culturels (dates, localisations, documents, images) que propose le programme. On aidera les élèves à maîtriser les opérations élémentaires de la construction du savoir (identifier, classer et mettre en relation, rédiger quelques phrases de synthèse ou élaborer un croquis simple).

Mais cette dimension culturelle n'est pas gratuite ou isolée : elle s'inscrit dans l'enjeu intellectuel fondamental consistant à éveiller puis à exercer l'esprit critique des élèves. Les programmes précisent d'ailleurs (toujours au sujet de la même classe) :

> La pratique de l'histoire et de la géographie contribue à former l'intelligence active. Apprendre aux élèves à lire et identifier, c'est-à-dire à reconnaître et à nommer, puis à organiser ce qu'on a appris à reconnaître, et enfin à construire quelques phrases pour donner du sens aux éléments rassemblés, exerce le jugement critique et raisonnable.

Pour que cette finalité intellectuelle soit atteinte, encore faut-il que le savoir historique (connaissances et compétences) soit dispensé selon une méthode active. En renonçant à l'exposé magistral et à sa transmission passive d'un contenu érudit comme au cours dialogué et à ses questions souvent fermées pour adopter une approche constructiviste mettant la classe en situation de recherche et de production autonome, le professeur place l'élève au cœur du dispositif éducatif et le fait participer à l'élaboration de son propre savoir. L'apprenant n'absorbe plus des connaissances mais s'approprie un processus intellectuel, où savoir et savoir-faire sont harmonieusement associés. Cela suppose de mettre le document au centre de l'enseignement historique et de permettre aux élèves d'analyser le texte ou l'image en leur apportant les références culturelles et les méthodes analytiques appropriées. On optera alors soit pour une démarche inductive, qui part du document (ou de documents confrontés) dont les informations ont préalablement été extraites et classées, pour élaborer un modèle explicatif, soit pour une démarche hypothético-déductive, qui inverse la procédure précédente en partant d'un modèle théorique validé ou infirmé par l'analyse du document.

Même si la spontanéité de ces exercices encadrés est souvent discutable, ils permettent au professeur d'initier son public aux règles de construction du récit historique. Bien entendu, les élèves n'élaborent pas ici un savoir historique tel que le feraient des chercheurs (ce ne serait qu'une simulation grossière et artificielle), mais ils comprennent les conditions et les modalités de l'élaboration de ce même savoir.

Les textes officiels encouragent dans l'enseignement de l'histoire ces démarches actives, favorisant la formation intellectuelle de l'élève. Les accompagnements de la classe de sixième par exemple rappellent les passages obligés de toute pédagogie de l'histoire :
– lire, observer et identifier (apprendre à s'informer) ;
– mettre en relation (apprendre à relativiser et à compléter l'information reçue et à croiser les différents langages) ;
– rédiger et cartographier (apprendre à restituer une information en utilisant d'autres langages) ;
– mémoriser pour réutiliser des notions.

Il s'agit ainsi de faire en sorte que les documents ne soient plus simplement évoqués ou rapidement montrés en illustration, mais étudiés pour eux-mêmes dans le cadre d'une problématique. Ces documents — étroitement liés à un moment historique qu'ils contribuent à éclairer, mais aussi porteurs d'une valeur patrimoniale — doivent être placés au cœur du programme de sixième et de ses thèmes. En expliquant la composition symbolique de la frise des Panathénées, le professeur décrira du même coup le modèle démocratique athénien ou, plutôt, son idéalisation. Lorsqu'il faudra approcher la vision du monde et les croyances des Égyptiens, le professeur préférera l'étude des représentations du mythe d'Osiris à une pénible nomenclature des dieux.

Les finalités patrimoniales : transmettre une mémoire collective fondatrice d'identité

Enseigner l'histoire, c'est aussi donner aux élèves une mémoire commune qui passe par la reconnaissance d'une culture dont l'appropriation fonde l'identité du citoyen éclairé. En clair, l'enseignement de l'histoire doit permettre à l'élève de découvrir le patrimoine commun dans lequel il s'insère et dont il est l'héritier, de conserver et d'enrichir ce même patrimoine pour mieux le transmettre aux générations suivantes.

Si les premiers programmes (encore marqués par la perte traumatisante de l'Alsace-Lorraine et la mission patriotique qui en découlait pour l'école) évoquaient la « connaissance précise de la formation et du développement de la France » (1890), les programmes plus récents ont élargi cette notion patrimoniale. Il s'agit désormais de « dresser l'inventaire de notre héritage ».

Cette histoire patrimoniale donne à chacun des repères. En ce qui concerne le seul patrimoine français, il faudrait ainsi évoquer :

– des dates clés : la bataille de Bouvines en 1214, la révocation de l'édit de Nantes en 1685, la prise de la Bastille le 14 juillet 1789, la promulgation du Code Civil napoléonien en 1804, la séparation des Églises et de l'État en 1905, la crise de société de Mai 68... ;

– des époques charnières : les guerres de religion, la Révolution, le Premier Empire, la première guerre mondiale, les Trente Glorieuses... ;

– des personnages célèbres : des chefs de guerre comme Jeanne d'Arc, des hommes d'État comme Richelieu, des savants comme Pasteur, des écrivains comme Hugo, des bâtisseurs comme le baron Haussmann... ;

– des héros collectifs : les Camisards, les Sans-Culottes, les Communards, les Poilus, les Résistants... ;

– des œuvres emblématiques : un tableau comme *Le Sacre de Napoléon 1er* de David ou *La Liberté guidant le peuple* de Delacroix, un morceau de musique comme « La Marseillaise » de Rouget de Lisle, un bâtiment comme le Panthéon, un texte comme la Déclaration des droits de l'homme, le « J'accuse » de Zola ou l'Appel du 18 Juin... ;

– des lieux évocateurs : la Vendée contre-révolutionnaire, l'Alsace-Lorraine perdue et revendiquée, l'Empire colonial des cartes murales... ;

– des formules, devises ou déclarations symboliques : « Paris vaut bien une messe », « Liberté, Égalité, Fraternité », « un quarteron de généraux »...

Ces repères agissent comme des lieux de mémoire (pour reprendre l'expression de Pierre Nora) à même de forger un sentiment d'appartenance à une nation. On retrouve ici le lien étroit entre histoire et mémoire. Enseigner l'histoire, c'est aussi inculquer la mémoire d'un peuple qui, au gré d'événements tragiques ou heureux, s'est rassemblé par étapes sur un même territoire où cohabitent et se réunissent les différentes composantes de la population, s'est progressivement doté d'institutions pour se gouverner, s'est lentement reconnu dans les mêmes références culturelles ; bref, s'est constitué en nation.

Cet enseignement patrimonial doit prendre soin d'éviter deux écueils : la nostalgie conservatrice et le repli national. En travaillant autour de la notion de patrimoine, l'enseignement de l'histoire risque en effet de cultiver une inutile et discutable nostalgie passéiste. Le risque de dérive est d'autant plus grand que l'effritement de la mémoire nationale — si forte de 1870 à 1914 — a laissé place depuis une vingtaine d'années à un culte commémoratif entretenant la mémoire d'un passé souvent idéalisé. Les journées du patrimoine comme les anniversaires d'événements importants participent de cette tendance. Cette liturgie célébratoire rencontre l'assentiment du public car elle contribue à renforcer symboliquement une identité collective menacée par ailleurs. Si la télévision se fait le miroir de cette manie commémorative avec ses reportages sur les métiers disparus et les anciennes fêtes de village, le cinéma et la littérature exploitent le même filon en exaltant la nostalgie bucolique ou la mémoire perdue des corons. Sans parler de ceux qui tentent de capitaliser cette vogue du passé par d'artificiels écomusées, ou de ceux qui instrumentalisent politiquement le souvenir de résistances identitaires régionales par des spectacles sons et lumières... Face à ces dérives, l'enseignement de l'histoire doit se démarquer. Il ne s'agit pas d'entretenir le souvenir d'un pays en grande partie disparu en reproduisant les clichés du *Tour de France par deux enfants*. Les repères identitaires d'aujourd'hui ne sont plus forcément ceux d'autrefois, quand l'histoire était enseignée à partir de Michelet ou Lavisse. Loin d'être figés, les lieux de mémoire se reconstruisent et se remodèlent en fonction du temps présent. Certains disparaissent faute d'être entretenus ou toujours signifiants (l'Alsace-Lorraine a cessé d'être un enjeu de mémoire), tandis que de nouveaux apparaissent au gré de l'actualité : la date clé de mai 1981 ; l'épisode charnière de la chute du Mur de Berlin et l'effondrement du Bloc de l'Est ; le personnage célèbre de Mandela ; les héros collectifs, telle l'équipe de France au Mondial de 1998 ; le texte de référence du « traité de Maastricht » ; le lieu symbolique de la pyramide du Louvre ; la formule « les 35 heures », etc. Comme toutes les références historiques, les lieux de mémoire doivent être régulièrement réinterprétés, triés et actualisés.

Loin de centrer la notion de patrimoine au seul pré carré national, le professeur doit aussi élargir ce concept à l'échelle plus vaste de l'Europe et du monde. Il peut ainsi relativiser la place qu'y occupe la France et montrer comment l'évolution de cette dernière s'inscrit dans un mouvement historique d'ensemble. Le choix de repères à portée générale pourrait y aider. Certaines dates clés (le sacre de Charlemagne en 800, la peste noire de 1347-1348, la « découverte » des Amériques en 1492, la Révolution russe de 1917, l'entrée dans la Guerre froide en 1947...), certains épisodes charnières (les Croisades, la Renaissance, la Réforme, les guerres de l'Empire, la décolonisation...), certains personnages célèbres (un conquérant comme Alexandre le Grand, un explorateur comme Magellan, un artiste visionnaire comme Léonard de Vinci, un homme politique contemporain d'envergure internationale comme Gandhi...), certaines œuvres emblématiques (le tableau *Guernica* de Picasso, le morceau de musique « L'Internationale », les pavillons des pays totalitaires à l'Exposition universelle de Paris en 1937, le texte de la « Charte des Nations Unies », etc.) permettent à l'élève de mieux appréhender dans sa totalité cette notion d'héritage patrimonial, sans la restreindre au seul horizon national qui lui est familier. Les programmes officiels insistent d'ailleurs sur cette nécessaire ouverture du concept de patrimoine. Évoquant les élèves, le programme de troisième note :

> Ceux-ci ont mémorisé les principaux repères chronologiques et culturels de l'histoire de France, de l'Europe et du monde jusqu'au début du XXe siècle. Ils ont été entraînés à donner sens à des documents patrimoniaux. L'étude de l'histoire leur a donné une mémoire nationale et européenne, critique et ouverte aux autres cultures.

Sur un plan plus pratique, la transmission de cette histoire-patrimoine passe par l'acquisition de repères chronologiques, spatiaux et culturels dit « fondamentaux » car porteurs de sens et chargés de mémoire collective. Ces repères seront appréhendés par le biais d'une étude de documents que les programmes officiels qualifient de « patrimoniaux ». À leur sujet, les accompagnements des programmes du cycle central du collège (classes de cinquième et de quatrième) se montrent clairs et insistants :

> Il s'agit de traces et d'œuvres que les générations précédentes ont déjà lues, qu'elles ont gratifiées d'un sens et qu'elles ont distinguées au point d'en faire des références pour chacun et pour tous. Il est indispensable que les générations présentes en acquièrent au collège une connaissance intime et critique à la fois, pour s'intégrer dans la chaîne du

temps et de l'espace, avant d'en poursuivre à leur tour la lecture. Le professeur d'histoire et de géographie a la charge scientifique, culturelle et civique à la fois, d'aider ses élèves à connaître et à reconnaître ces documents singuliers et significatifs, dont la position hiérarchique a fondé des territoires, des destins et des mémoires, dont la fréquentation est un passage obligé pour la constitution d'une culture authentique et vivace. Leur enseignement peut être approfondi par leur confrontation avec d'autres documents de toute origine, locale, nationale, européenne ou mondiale, dont le commentaire comparé éclaire leur vocation « patrimoniale » ; il fait l'objet de constantes rencontres et projets pluridisciplinaires.

La finalité civique : former un citoyen responsable et actif

Il ne s'agit pas d'évoquer ici le contenu spécifique des cours d'éducation civique dispensés au collège et au lycée, mais de voir en quoi tout enseignement historique contient nécessairement une dimension civique, d'ailleurs de plus en plus mise en avant par les programmes et accompagnements.

Cette dimension civique est d'abord étroitement liée à la dimension patrimoniale. L'histoire donnant une mémoire aux élèves (parallèlement à la géographie, qui leur apporte une vision du monde) et les aidant du même coup à s'approprier un patrimoine identitaire, elle participe activement à leur construction civique. Le Projet pour le collège de la classe de sixième insiste sur cette relation de complémentarité :

> Comprendre le monde contemporain et agir sur lui en personne libre et responsable, être présent et actif au sein de la cité, exigent la connaissance du monde dans sa diversité et son évolution.

Le programme de la classe de troisième lui fait écho :

> En fin de troisième, les élèves doivent être capables de donner du sens au monde dans lequel ils vivent. Le programme, en offrant des clés de lecture et de compréhension critique, est, avec l'éducation civique, un outil de formation du futur citoyen.

La formation d'un citoyen éclairé repose sur l'appropriation d'une culture commune et identitaire. En permettant aux élèves de mieux comprendre le monde contemporain dont ils sont les héritiers et, ainsi, de mieux s'y engager, l'histoire se fait nécessairement instruction civique.

Les instructions officielles insistent toujours sur ce point avant de montrer comment les questions abordées en cours d'histoire peuvent éclairer des notions d'éducation civique. Le programme de la classe de sixième par exemple rappelle combien « l'enseignement de l'histoire et de la géographie est depuis longtemps associé à l'enseignement de l'éducation civique », avant de donner un exemple de convergence : « l'histoire et la géographie permettent d'éclairer et de mettre en perspective les notions d'identité, de citoyenneté et de patrimoine ». Le programme de la classe de troisième suggère de coordonner l'étude des relations internationales depuis 1945 et de la carte politique du monde actuel avec la cinquième partie du programme d'éducation civique consacrée à la défense et à la paix. Il faut également montrer en quoi la crise des démocraties dans l'entre-deux-guerres intéresse la vie de notre démocratie contemporaine. Le texte se conclut ainsi : « En histoire et en géographie, comme en éducation civique, l'apprentissage du débat démocratique est une finalité permanente ».

Cette convergence apparaît encore mieux dans le programme de seconde, où la notion de citoyenneté occupe une place centrale à la fois dans l'enseignement de l'histoire (notamment pour la période antique) et dans l'ECJS. Certains manuels proposent d'ailleurs en module des approches transdisciplinaires qui suggèrent à l'élève une réflexion thématique comparative et diachronique. Dans leur édition de 1997, les éditions Magnard clôturaient ainsi le thème de la citoyenneté antique par une page débat intitulée : « Devenir citoyen français aujourd'hui ». Le thème, illustré par des articles de presse, était lancé de la manière suivante :

> Si Athènes a strictement limité les règles du droit de cité, les pratiques d'intégration à Rome l'emportèrent sur la longue durée. En France, aujourd'hui, comme le rappelle l'article 3 de la Constitution, l'accès à la citoyenneté se confond avec la jouissance de la nationalité. Comment accède-t-on à la citoyenneté quand on est considéré comme étranger ? (Document 2)

Un même prolongement « civique » était proposé pour les autres thèmes du programme. La question sur « l'expansion du christianisme du IIe au IVe siècle » donnait lieu à une réflexion sur le thème « Église et société aujourd'hui » ; celle sur « La Méditerranée au XIIe siècle » était prolongée par un débat sur « la rencontre des cultures aujourd'hui » et « le regard de l'autre aujourd'hui » ; celle sur « l'émergence des États-Nations » s'ouvrait sur une discussion autour du thème « Europe des États, Europe des Nations aujourd'hui », etc.

Cette convergence n'est pas à sens unique ; l'éducation civique n'est pas seulement un possible prolongement d'un cours d'histoire : elle peut aussi intégrer une dimension historique comme le suggèrent d'ailleurs les programmes officiels. Bien souvent, les leçons d'éducation civique reposent sur l'exploitation de documents historiques, à l'image de la « Déclaration des droits de l'homme et du citoyen de 1789 », de la « Déclaration universelle des droits de l'homme » de 1948 et de la Constitution de 1958. Un cours sur « la solidarité instituée », au programme de la classe de cinquième, ne peut faire l'impasse sur un rappel historique des différentes étapes qui ont permis à la protection sociale de s'organiser progressivement de l'Ancien Régime à l'époque contemporaine (les mesures sociales des corporations, le droit à l'assistance proclamé dans la Constitution de 1791, le mouvement mutualiste du XIXe siècle, la loi de 1841 sur le travail des enfants, les premières grandes lois sociales comme celles de 1898 sur les accidents du travail, les assurances sociales de 1930), avant d'être instituée sous sa forme actuelle avec la Sécurité sociale de 1945. De même, un cours sur « les libertés, les droits et la justice », au programme de la classe de quatrième, devrait s'accompagner (comme le suggèrent les accompagnements des programmes officiels) d'une réflexion sur les rapports entretenus historiquement entre le droit et la justice. Le professeur montrerait ainsi que les lois ne sont pas nécessairement justes, en soulignant que leur élaboration, leur application et leur interprétation s'inscrivent dans les rapports de force de nos sociétés. Il donnerait l'exemple de lois liberticides, telles la loi de prairial 1794, les ordonnances de 1830, la législation de Vichy. Il conclurait sur l'historicité d'un droit qui n'est jamais figé ni immuable ; les lois changent puisqu'elles expriment les choix d'un moment et les produits d'un débat public. Droits et droits de l'homme impliquent aussi une référence à la communauté internationale et à ses organisations successives, comme la SDN de l'entre-deux-guerres ou l'ONU de l'après-deuxième guerre mondiale.

Un même thème peut enfin donner lieu dans l'année à deux développements spécifiques mais complémentaires ; l'un dans le cadre d'un cours d'histoire, l'autre dans celui de l'éducation civique. Les programmes pour la classe de troisième donnent un exemple de cette dernière forme de convergence :

> Les institutions de la Ve République sont analysées sous deux aspects : une présentation en éducation civique, nécessaire au développement logique du programme pour les élèves, et en histoire, plus en avant dans l'année scolaire, dans leur contexte historique.

Quelles sont les finalités de cette dimension civique de l'enseignement de l'histoire ? Celles-ci ont évolué avec le temps et les missions confiées à l'école. Si les instructions officielles de 1890 concevaient encore le cours d'histoire comme une leçon de morale en précisant que le professeur devait « louer les actions vertueuses comme les hommes de bien », si les instructions officielles de 1925 insistaient sur l'importance du sentiment national en notant qu'il fallait « avant tout fortifier le naturel amour du pays natal », les objectifs ont depuis longtemps changé. Depuis les instructions officielles de 1954, les exigences morales et patriotiques ont laissé la place à des finalités plus humanistes. Il s'agit désormais de permettre à l'élève de jouer dans la société le rôle actif d'un citoyen responsable, conscient de ses droits et devoirs, assumant ses responsabilités. Autour de cette mission essentielle, se greffent d'autres notions, anciennes comme le respect de la laïcité de l'État et des libertés religieuses, ou plus récentes comme le souci de la préservation de l'environnement. Toutes ces finalités étaient déjà résumées dans le rapport Joutard de 1989 précisant en quoi l'histoire et la géographie pouvaient jouer un rôle privilégié dans l'éducation civique des élèves. Cinq thèmes étaient supposés être abordés au lycée : laïcité et pluralité spirituelle, démocratie et droits de l'homme, science et éthique, environnement, développement. Il est toutefois possible de s'interroger sur l'éventuelle contradiction entre ces deux missions confiées à l'enseignement de l'histoire : former l'esprit critique et inculquer des valeurs et des idéaux.

Enseigner l'histoire politique
en classe de troisième

Dossier :

Document 1 : Jean-Pierre Rioux, « Histoire contemporaine : le retour du politique »,
in L'Histoire en France, Paris, La Découverte, 1990, coll. « Repères », p. 100-103.

Document 2 : René Rémond, « Du politique », *in Pour une histoire politique,* Paris, Le
Seuil, 1988, p. 379-387.

Document 3 : Programme histoire-géographie troisième et documents d'accompagnement, applicables à partir de septembre 1999.

Document 4 : Martin Ivernel, *Histoire-géographie, 3ᵉ,* Paris, Hatier, 1999, p. 5 (la table
des matières) et p. 286-287 et 292-293.

L'histoire politique, qui s'attache à l'étude du pouvoir — de la conquête à la pratique —, a connu des fluctuations historiographiques. L'histoire pratiquée par
l'école méthodique a ainsi été critiquée par les fondateurs des *Annales* car étroitement événementielle, politique, « historisante ». À la suite des *Annales,* de nouveaux champs d'étude ont été défrichés et étudiés par les historiens : l'histoire
économique et sociale, l'étude des structures, de la longue durée, avec une certaine méfiance pour l'histoire politique. Cependant, cette histoire a toujours existé,
dans l'enseignement comme dans l'histoire universitaire. Aussi, plutôt qu'un retour ou un renouveau, il convient d'évoquer un renouvellement de cette histoire
politique, dans le sillage de René Rémond notamment. En effet, les postulats, les
objets d'études, les méthodes de l'histoire politique ont sensiblement évolué. Cette
évolution n'est pas étrangère à l'histoire enseignée — qui répond pourtant à
d'autres fonctions et à d'autres finalités. Les problématiques renouvelées de
l'histoire politique peuvent être transposées, dans une certaine mesure, dans le
domaine scolaire, par exemple au travers de l'étude d'un régime politique et de
ses institutions : la Vᵉ République en classe de troisième.

L'analyse de quelques pages d'un manuel scolaire montre cependant l'écart
persistant entre la discipline d'enseignement et la science historique, ainsi que le
poids d'une histoire politique plus traditionnelle, centrée sur l'étude de la vie politique et des grands hommes. Cette approche n'exclut pas pour autant le choix
par l'enseignant d'une problématique plus proche des préoccupations actuelles
des historiens du politique.

Histoire politique, « histoire historisante » ?

L'histoire méthodique est souvent accusée d'être une histoire politique ; de n'être
qu'une histoire politique et événementielle. Cette accusation comporte une part de
simplification et de déformation, car — en théorie au moins — les Méthodiques
s'intéressent aussi au domaine socio-économique ou à ce que l'on appelle désor-

mais les « mentalités[1] ». Cette déformation est en partie liée à certaines attaques des fondateurs des *Annales* contre l'histoire méthodique. L'école des *Annales* s'est construite en réaction à une position jugée dominante de l'histoire méthodique et de ses historiens pour Lucien Febvre (« Mais pour nous, cette histoire est inopérante. Questions de méthode ? De tempérament aussi ? En tout cas, conflit net, opposition nette de deux écoles[2] ») ; en réaction à une « histoire historisante » pour Henri Berr (fondateur de la *Revue de Synthèse Historique*) ; cette formule a été reprise par Lucien Febvre : « Sur une forme d'histoire qui n'est pas la notre – L'histoire historisante[3] ».

Ainsi, dans un texte célèbre paru dans la *Revue de Synthèse*, Lucien Febvre s'attaque à l'*Histoire de Russie* d'Ernest Leroux, préfacé par Charles Seignobos : « Politique d'abord ! Il n'y a pas qu'un Maurras pour le dire... Nos historiens font plus que le dire ; ils l'appliquent[4]. » Les reproches sont connus ; cette histoire ne s'intéresserait pas à la longue durée : « En fait, nous n'avons pas une *Histoire de Russie*. Nous avons un *Manuel d'histoire politique de la Russie de 1682 à 1932...*[5] » L'histoire événementielle privilégierait les grands hommes : « On ne demandera à l'*Histoire de Russie* [...] qu'un précis d'événements, vus par un de leurs acteurs[6]. »

Jacques Julliard résume de la sorte les « principaux attendus du jugement », critique des *Annales* à l'égard de cette histoire politique :

> L'histoire politique est psychologique, et ignore les conditionnements ; elle est élitiste, voire biographique, et ignore la société globale et les masses qui la composent ; elle est qualitative et ignore le sériel ; elle est narrative et ignore l'analyse ; [...] elle est ponctuelle et ignore la longue durée ; en un mot, car ce mot résume tout dans le jargon des historiens, elle est *événementielle*[7].

Mais le message de Lucien Febvre ou de Fernand Braudel a aussi été simplifié, schématisé : les historiens des *Annales* se seraient désintéressés de l'histoire politique. Or, c'est moins l'histoire politique en tant que telle qu'une certaine forme d'histoire politique — événementielle, nationale, biographique — qui est critiquée par les fondateurs des *Annales*. Ainsi, Lucien Febvre est bien loin de se désintéresser de la politique quand il rend hommage à « Albert Thomas historien[8] » [professeur d'histoire, député socialiste (1910), sous-secrétaire d'État puis ministre aux Armements (1915-1917), instigateur du Bureau international du travail (BIT)]

1. *Cf.* la classification des faits historiques dans l'*Introduction aux études historiques* de Charles-Victor Langlois et Charles Seignobos [1ère éd. 1898] : I. Conditions matérielles, II. Habitudes intellectuelles, III. Coutumes matérielles, IV. Coutumes économiques, V. Institutions sociales, VI. Institutions politiques.
2. Lucien Febvre, « Et l'homme dans tout cela », *Annales d'Histoire Sociale*, III, 1941, cité dans *Combats pour l'histoire*, Paris, Armand Colin, 1995, coll. « Agora Pocket », p. 99.
3. *Annales ESC*, II, 1947, cité dans *Combats pour l'histoire*, *op. cit.*, p. 114.
4. « Pour la Synthèse contre l'Histoire-Tableau. Une histoire de la Russie moderne – Politique d'abord ? », *Revue de Synthèse*, VII, 1934, cité dans *Combats pour l'histoire*, *op. cit.*, p. 71-72.
5. *Ibid.*, p. 73.
6. *Ibid.*, p. 74.
7. Jacques Julliard, « La politique », *in* Jacques Le Goff et Pierre Nora, *Faire de l'histoire*, 2 : *Nouvelles approches*, Gallimard, 1986, coll. « Folio Histoire », p. 305-306.
8. Lucien Febvre, « Albert Thomas historien », *Annales d'Histoire Économique et Sociale*, IV, 1932, cité dans *Combats pour l'histoire*, *op. cit.*, p. 348-352.

dans les *Annales* en regrettant qu'il n'ait pu collaborer à la revue. Fernand Braudel, même s'il s'en méfie, se préoccupe aussi d'histoire événementielle et politique lorsqu'il décompose les temps historiques :

> Une histoire [l'histoire traditionnelle, événementielle] à oscillations brèves, rapides, nerveuses. [...] Mais telle quelle, c'est la plus passionnante, la plus riche en humanité, la plus dangereuse aussi[1].

Il est loin de condamner définitivement l'histoire politique et de la réduire au temps court, événementiel :

> D'où chez certains d'entre nous, historiens, une méfiance vive à l'égard d'une histoire traditionnelle, dite événementielle, l'étiquette se confondant avec celle d'histoire politique, non sans quelque inexactitude : l'histoire politique n'est pas forcément événementielle, ni condamnée à l'être[2].

Ces positions nuancées, qui tranchent avec l'image habituelle accolée aux *Annales*, expliquent une certaine réappropriation du politique par les Annalistes dans les années 1960 et 1970. Des historiens s'intéressent alors à la politique comme forme de sociabilité et de culture (Maurice Agulhon, notamment *La Sociabilité méridionale*, 1966) ou en utilisant les apports de l'anthropologie (en histoire ancienne Jean-Pierre Vernant ou Pierre Vidal-Naquet).

Mais les attaques vigoureuses des fondateurs des *Annales* contre l'histoire politique traditionnelle ont aussi eu pour conséquence une méfiance de leurs successeurs à l'égard de ce domaine historique. Ces héritiers ont préféré labourer les champs nouveaux, en particulier ceux de l'histoire économique et sociale, ou encore l'histoire des mentalités. Cette histoire des *Annales* « tenait pour les structures contre la conjoncture, pour la longue durée contre l'événement éphémère, pour les forces collectives et l'état des techniques ou de la production contre le pouvoir, l'État et les régimes politiques » (document 1, p. 100) selon Jean-Pierre Rioux évoquant le « retour du politique » dans l'histoire contemporaine.

Cette orientation est aussi renforcée, pour un certain nombre d'historiens (Nora, Furet, Le Roy Ladurie par exemple), par l'influence du marxisme ; celle-ci est soulignée par Jean-Pierre Rioux (« Cette historiographie des *Annales* épousait fortement son temps, fort imprégné d'une vision marxiste du réel.. ») ou encore par Jacques Julliard (« Mais qu'on le veuille ou non, cette orientation de l'historiographie est contemporaine d'une certaine vision marxiste des choses...[3] »).

La méfiance pour l'histoire politique a aussi pu se durcir, se simplifier. Ce qui explique les reproches à l'égard des « successeurs » chez des historiens du politique comme René Rémond :

> Nous savons que l'élargissement des curiosités et des aspirations provoquées par les fondateurs de l'École des *Annales* a été un bienfait pour la science historique tout entière. [...] Ensuite, les diadoques et les épigones [...] ont trouvé agréable de continuer à pour-

---

1. Fernand Braudel, « Préface » de *La Méditerranée et le monde méditerranéen au temps de Philippe II*, 1949, cité dans C.-H. Carbonell et J. Walch, *Les Sciences historiques de l'Antiquité à nos jours*, Paris, Larousse, 1994, p. 255.
2. Fernand Braudel, « La Longue durée », *Annales*, octobre-décembre 1958, cité dans Jacques Le Goff et Pierre Nora *Faire de l'histoire*, 2 : *Nouvelles approches*, Paris, Gallimard, 1986, coll. « Folio Histoire », p. 308.
3. *Faire de l'histoire, op. cit.*, p. 308.

fendre [...] une histoire politique qu'il était commode d'imaginer immobile, sinon recroquevillée[1].

Le nom de René Rémond est lancé ! L'auteur des *Droites en France* (1982) incarne souvent ce renouveau ou plutôt ce renouvellement de l'histoire politique, notamment parce qu'il a dirigé l'ouvrage collectif *Pour une histoire politique* (1988), texte-bilan et texte-programme pour les historiens du politique.

Le renouvellement de l'histoire politique

L'histoire politique n'a jamais été rejetée par l'ensemble de la communauté historienne : des historiens, universitaires ou non (par exemple à l'École libre des sciences politiques, futur Institut d'études politiques [IEP] de Paris), lui ont consacré leurs recherches. Il existe une « histoire souterraine[2] » de l'histoire politique avec des auteurs comme Georges Weill (*Histoire du parti républicain*, 1900), André Siegfried (*Tableau politique de la France de l'Ouest*, 1911) ou encore Albert Thibaudet (*Les Idées politiques de la France*, 1931). Des historiens comme Pierre Renouvin ou Jean-Baptiste Duroselle, spécialistes de l'histoire des relations internationales, ou encore Charles-Edmond Pouthas (auteur d'une biographie de *Guizot pendant la Restauration*, 1923) contribuent aussi par leur rôle de directeur de thèses à l'ouverture du champ de l'histoire politique.

Cependant, le tournant, l'événement fondateur de l'histoire politique reste la publication en 1954, par René Rémond, de *La Droite en France*. Dans cet ouvrage, René Rémond dépasse l'histoire événementielle pour s'intéresser aux droites françaises dans la longue durée, à leurs structures, et il allie aux méthodes des sciences politiques « le meilleur des combats des *Annales*[3] ». L'histoire politique a, dès lors, bénéficié d'un certain nombre de soutiens institutionnels, de lieux et de liens autour de l'IEP, « Sciences po » de Paris, la Fondation nationale des sciences politiques (FNSP), l'université de Paris X-Nanterre et, plus tardivement, l'Institut d'histoire du temps présent (IHTP). René Rémond, dans l'introduction de *Pour une histoire politique*, situe l'histoire politique dans l'historiographie française, montre qu'elle a été caricaturée, voire méprisée. Mais il expose aussi dans le chapitre « Du politique » (document 2) les principes sur lesquels reposent désormais ce champ de recherche. À la base, une définition de la politique est avancée : c'est « l'activité qui se rapporte à la conquête, à l'exercice, à la pratique du pouvoir ». Mais René Rémond entend la politique et le pouvoir de manière restrictive : « seule est politique la relation avec le pouvoir dans la société globale ». Aussi, dans le cadre occidental, « elle se confond avec la nation et a pour instrument et symbole l'État » (mais elle « s'étend aussi aux collectivités territoriales et à d'autres secteurs »). Le premier principe consiste donc dans cette « importance retrouvée du politique[4] » :

---

1. René Rémond, « Introduction », *Pour une histoire politique*, 1988, cité dans Ph. Tétart, *Petite histoire des historiens*, Paris, Armand Colin, 1998, coll. « Synthèse », p. 67.
2. Jean-Pierre Rioux : « Il [le renouveau de l'histoire politique] a sa propre histoire, quasi souterraine », document 1, p. 102.
3. *Ibid.*
4. Jean-François Sirinelli, « L'Histoire politique et culturelle », *Sciences Humaines*, « L'histoire aujourd'hui », n° 18, 1997, p. 37.

pour René Rémond, « il n'est guère de secteur ni d'activité qui, à quelque moment de l'histoire, n'ait eu un rapport avec le politique ».

René Rémond s'attache ensuite à rejeter la perspective qui a pu être celle de certains tenants de l'histoire économique et sociale, éventuellement influencés par le marxisme — dont il tait le nom : certains ne voient dans le politique « que reflet ou masque d'autres réalités plus déterminantes ». Au contraire — et c'est le second principe de l'histoire politique —, René Rémond est « convaincu que le politique existe par lui-même », qu'il a « une consistance propre et une autonomie suffisante pour être une réalité distincte ». Mais il se garde de couper le politique de toute influence ou détermination extérieure, sociale ou économique : « autonomie ne signifie pas indépendance[1] ».

Avec cette réaffirmation de l'importance du politique revient aussi au premier plan l'événement. À la suite de Fernand Braudel notamment, les historiens des *Annales* ont sans doute privilégié la longue durée au détriment du temps court et de l'histoire événementielle. Georges Duby — qui s'inscrit dans l'héritage des *Annales* — participe cependant également à ce « retour » de l'événement dans l'historiographie française avec *Le Dimanche de Bouvines* (1973).

René Rémond rappelle donc — aux dépens selon lui d'une « causalité quelque peu mécanique » ou « d'une certaine rationalité » — l'importance de l'événement : la politique « est faite de ruptures », « l'événement y introduit inopinément de l'imprévisible », de l'irréversible. Parce qu'il touche à tous les secteurs, le politique élargit le champ d'une histoire politique qui prend aussi en compte les diverses temporalités. Cette nouvelle conception permet aux historiens du politique d'atteindre l'ambition d'une histoire globale, « totale » : « L'histoire politique demande à s'inscrire dans une perspective globale » (document 2).

En montrant la place centrale du politique dans les sociétés, ces principes ont permis non seulement de multiplier les objets d'étude de l'histoire politique, d'élargir son champ d'étude bien au-delà de la traditionnelle histoire des idées politiques, mais aussi d'ouvrir la discipline aux apports d'autres sciences sociales (anthropologie, sociologie, sciences politiques). L'histoire politique touche ainsi à l'histoire des relations internationales, notamment au travers de problématiques liant histoire intérieure et politique extérieure : par exemple Nicole Pietri, qui s'intéresse à *La Reconstruction de l'Autriche par la SDN 1921-1926* (1981), ou Robert Frank, avec *La Hantise du déclin. Le rang de la France en Europe, 1920-1960 : finance, défense et identité nationale* (1994). L'histoire militaire retrouve une certaine vigueur, souvent grâce à de nouvelles approches, sur la première guerre mondiale par exemple : Jean-Jacques Becker, avec *1914, comment les Français sont entrés en guerre* (1977), ou Stéphane Audoin-Rouzeau, avec *14-18, les combattants des tranchées à travers leurs journaux* (1986). La propagande mais aussi le rôle de l'opinion publique sont étudiés ; ainsi le domaine fécond des représentations est-il abordé par ces historiens.

L'histoire politique s'est, entre autres domaines, attachée au rôle des intellectuels dans la formation des représentations collectives, en particulier Jean-François Sirinelli avec *Génération intellectuelle. Khâgneux et normaliens dans l'entre-deux-guerres* (1988). Sous l'impulsion de cet historien en particulier, l'histoire politique

---

1. *Ibid.*

est confrontée à — mais aussi enrichie par — une nouvelle approche : celle de la culture politique et de l'histoire culturelle du politique. Un ouvrage collectif dirigé par Jean-Pierre Rioux et Jean-François Sirinelli témoigne de cette rencontre : *Pour une histoire culturelle* (1997) ; il est issu du séminaire sur « l'histoire culturelle de la France au XXe siècle », animé depuis 1989 par les deux historiens (à l'IHTP, puis à la FNSP et à la Colombia University in Paris). Cet ouvrage a été l'occasion d'une rencontre entre des historiens très divers, de générations différentes, de périodes et d'objets d'étude variés, « ayant touché au vif du culturel[1] », spécialistes notamment de l'histoire politique comme Serge Berstein ou Jean-François Sirinelli. Pour ce dernier, l'histoire politique doit non seulement rendre compte des comportements, individuels et collectifs, mais aussi de « ce qui relève de la perception et des sensibilités[2] ». Cet élargissement du champ de l'histoire politique « aux phénomènes de transmission des croyances, des normes et des valeurs » débouche sur la rencontre avec l'histoire culturelle autour d'une notion centrale : la culture poli tique, à laquelle s'attache Serge Berstein dans *Pour une histoire culturelle*[3].

Jean-François Sirinelli estime de son côté que c'est « l'ensemble des représentations qui soudent un groupe humain sur le plan politique, c'est-à-dire une vision du monde partagée, une commune lecture du passé, une projection dans l'avenir vécue ensemble[4] ». Les normes, les valeurs et les croyances constituent donc des objets d'étude de cette histoire culturelle du politique qui puise aux sources de l'anthropologie. Deux exemples permettent d'illustrer ces nouvelles approches : Christophe Prochasson souhaite interroger l'affaire Dreyfus selon cet angle culturel[5] ; Stéphane Audoin-Rouzeau et Annette Becker étudient, eux, la « culture de guerre » lors du premier conflit mondial[6].

Cette histoire politique enrichie doit s'intéresser à tous les acteurs, et non plus seulement aux « grands » personnages, aux dirigeants. Elle peut redonner sens à l'événement, mais elle doit aussi prendre en compte la longue durée et, pour Jean-François Sirinelli, c'est le deuxième gain épistémologique de cette histoire politique enrichie. En effet, les phénomènes culturels, notamment les cultures politiques, excèdent le temps court. Cette nouvelle approche des temporalités historiques — qui permet à l'historien du politique de s'intéresser aussi bien à l'événement qu'à la longue durée (« croiser le regard sur le temps court de l'événement avec celui qui relève d'une analyse davantage structurelle », écrit Jean-François Sirinelli[7]) — constitue une sorte de réponse aux critiques des *Annales* à l'égard de leurs prédécesseurs, et ouvre la possibilité de dépasser la contradiction entre la démarche des Annalistes et celle des historiens du politique.

---

1. Jean-Pierre Rioux, « Introduction. Un domaine et un regard », *in* Jean-Pierre Rioux et Jean-François Sirinelli (dir.), *Pour une histoire culturelle*, Paris, Le Seuil, 1997, p. 8.
2. Jean-François Sirinelli, « L'Histoire politique et culturelle », art. cité, p. 37.
3. Serge Berstein, « La Culture politique », *in* Jean-Pierre Rioux et Jean-François Sirinelli (dir.), *Pour une histoire culturelle, op. cit.*, p. 371-387.
4. Jean-François Sirinelli, « L'Histoire politique et culturelle », art. cité, p. 39.
5. Christophe Prochasson, « L'Affaire dans tous ses états », *in* Jean-Pierre Rioux et Jean-François Sirinelli (dir.), *Pour une histoire culturelle, op. cit.*, p. 233-249.
6. Stéphane Audoin-Rouzeau et Annette Becker, « Violence et consentement : la "culture de guerre" du premier conflit mondial », *ibid.*, p. 251-271.
7. Jean-François Sirinelli, « L'Histoire politique et culturelle », art. cité, p. 39.

L'ancienne histoire des institutions politiques évolue elle aussi suite à cette rencontre du « culturel » et du « politique », notamment dans *Une Histoire générale des systèmes politiques,* dirigée par Maurice Duverger et Jean-François Sirinelli, consacrée aux empires, aux monarchies, mais aussi dans *La Démocratie libérale,* dirigée par Serge Berstein (1998), dont il est sans doute possible de s'inspirer pour une pratique scolaire de l'histoire.

L'histoire politique dans l'enseignement : une permanence, une possibilité de renouvellement

L'histoire enseignée, si elle répond à ses propres exigences, si elle évolue selon sa propre temporalité, n'est cependant pas totalement déconnectée — au contraire et heureusement — de la science historique, de l'histoire universitaire.

Ainsi, la problématique de Serge Berstein dans *La Démocratie libérale* (1998) selon laquelle un régime politique est « une traduction institutionnelle, à un moment de l'histoire, de l'équilibre provisoire qui s'est institué entre les diverses forces qui agissent sur une société » peut, dans une certaine mesure, être transposée dans l'enseignement. Cet angle d'approche des institutions invite à prendre en compte des domaines autres que le politique, les réalités sociales et culturelles par exemple, pour montrer qu'un régime n'est pas qu'une construction abstraite, juridique, mais qu'il résulte au contraire des rapports de forces et des évolutions d'une société.

L'étude des institutions politiques, celles de la Ve République en France, figure ainsi au programme de la classe de troisième. Les grandes phases de la vie politique depuis 1945 doivent être analysées, en « relation avec les transformations matérielles et culturelles de la société, de ses modes et cadres de vie, de ses aspirations » (document 3). Cette indication illustre la transposition dans l'histoire enseignée de lectures ou de problématiques de l'histoire politique.

En classe de troisième, les connaissances des événements politiques de la Ve République et des mécanismes institutionnels restent élémentaires et insistent sur deux temps forts : les institutions politiques et les acteurs ou les forces politiques. Le programme invite ainsi à privilégier les années de Gaulle et les années Mitterrand. Ces deux moments permettent de montrer les potentialités de la constitution de 1958 et de préciser la nature du régime : un régime parlementaire laissant de larges pouvoirs au Président de la République, surtout quand les majorités présidentielle et parlementaire se confondent. Les documents d'accompagnement de ces programmes de troisième évoquent aussi le thème des grandes forces politiques, « occasion de montrer comment s'articulent, dans une démocratie, les affrontements politiques, et quels sont les règles et les enjeux du débat démocratique ». Ce thème du programme d'éducation civique met en évidence le pluralisme de la démocratie à travers la connaissance des acteurs de la vie politique et sociale.

En effet, la Ve République, et surtout ses institutions, doivent également être étudiées — comme les questions de défense — en éducation civique. Cette indication officielle correspond tout d'abord à la volonté forte d'associer, et même de coordonner étroitement, les disciplines d'histoire, de géographie et d'éducation civique, enseignées le plus souvent par un même professeur, en particulier en classe de troisième dont le programme est construit sur une imbrication permanente de l'histoire et de la géographie. Ensuite, ces programmes montrent un renforcement de l'éducation civique, ne serait-ce qu'en termes d'horaires. C'est l'étude coordonnée de ces trois disciplines qui doit permettre d'atteindre leurs objectifs généraux : la compréhension du monde actuel et la formation du citoyen. L'étude en éducation civique doit montrer que la constitution traduit et met en œuvre des valeurs et des principes (ceux de la démocratie, comme la séparation des pouvoirs) ; elle prévoit aussi le fonctionnement et les rapports entre les institutions (analysés à partir du cheminement de la loi).

Ces nouvelles approches des programmes et des documents d'accompagnement doivent permettre de renouveler l'étude de thèmes d'histoire politique comme les institutions. L'histoire politique n'est cependant pas une nouveauté des programmes scolaires : au contraire, une grande permanence caractérise son enseignement. L'histoire politique — surtout nationale — ainsi que les grands personnages historiques font partie de l'enseignement dès les premiers programmes. Cette histoire politique enseignée a connu toutefois des évolutions et une certaine éclipse dans les années 1960 et 1970 à la suite de l'enseignement de l'histoire des civilisations, des faits de longue durée, d'une histoire plus économique et sociale, notamment sous l'influence de Fernand Braudel. Mais l'histoire récente des programmes scolaires, dans les années 1980 et 1990 et, surtout, les programmes en vigueur actuellement montrent un certain « retour » de l'histoire politique.

Les pages du manuel *Histoire-Géographie 3e* (document 4) traduisent les choix d'une équipe éditoriale pour mettre en œuvre ce thème de la vie politique française depuis 1945 et, plus précisément, sous la Ve République : « La Ve République de De Gaulle » (p. 286-287) et « De Mitterrand à Chirac » (p. 292-293). Les deux temps forts de la Ve République indiqués par les textes officiels sont donc traités, de même que les institutions du régime, présentées sous la forme d'un organigramme (document 4, p. 287). Cette adéquation avec les programmes — qui permet entre autres de préciser la nature du régime dans une perspective historique — correspond aussi à une certaine propension à privilégier les grands hommes (*cf.* les nombreux documents, textes et photos de De Gaulle et Mitterrand), l'histoire de la vie politique (élections, référendums, alternance, gouvernements et premiers ministres) et les institutions.

Ces choix sont liés aux attentes du programme. Cependant, celui-ci invite aussi à étudier la vie politique en relation avec les transformations matérielles et culturelles de la société, conformément — nous l'avons vu — à de nouvelles problématiques scientifiques. Ce manuel aborde ces thèmes au chapitre « La société française depuis 1945 », avec des éléments qui peuvent être reliés à l'histoire de la vie politique comme : la société de consommation, les transformations du travail (essor des employés, travail des femmes, montée du chômage) et du cadre de vie (urbanisation), l'évolution religieuse et culturelle (recul de la pratique religieuse), les étrangers en France, etc. Autant de thèmes qui permettent de mettre en relation régime politique et société, de montrer en quoi un régime peut traduire l'équilibre entre les forces sociales et politiques. Ce manuel rend cette dernière problématique possible, sans pour autant la traiter pleinement : cela relève de la liberté pédagogique et de l'autonomie des professeurs — soulignées dans les textes officiels.

L'histoire politique a été « rénovée » ; elle a précisé ses principes, élargi son champ d'étude et rencontré d'autres disciplines — notamment l'anthropologie —, ainsi que d'autres domaines historiques — telle l'histoire culturelle. L'histoire enseignée ne reste pas étrangère à ces évolutions. Les textes officiels prennent ainsi en compte une problématique renouvelée pour aborder l'étude de la Ve République, dont la vie politique doit être mise en relation avec les évolutions sociales et culturelles de la France. Une histoire politique plus traditionnelle persiste cependant, en partie dans les manuels, probablement davantage dans les pratiques scolaires.

Le principe de causalité en histoire

Dossier (dossier et corrigés élaborés à partir de l'ouvrage d'Antoine Prost, *Douze leçons sur l'histoire*) :

Document 1 : Raymond Aron, *Introduction à la philosophie de l'histoire*, Paris, Gallimard, 1938, p. 164 (repris *in* Antoine Prost, *Douze leçons sur l'histoire*, Paris, Le Seuil, 1996, p. 179).

Document 2 : Fernand Braudel, *Écrits sur l'histoire*, Paris, Flammarion, 1969, p. 11 (repris *in* Antoine Prost, *Douze leçons sur l'histoire*, op. cit., p. 182).

Document 3 : François Furet, *L'Atelier de l'histoire*, Paris, Flammarion, 1982, p. 14 (repris *in* Jean Leduc, Violette Marcos-Alvarez et Jacqueline Le Pellec, *Construire l'histoire*, Bertrand-Lacoste-CRDP Midi-Pyrénées, 1994, p. 108).

Document 4 : Henri-Irénée Marrou, *De la connaissance historique*, Paris, Le Seuil, 1954, p. 187-188 (repris *in* Antoine Prost, *Douze leçons sur l'histoire, op. cit.*, p. 187).

Document 5 : Jacques Marseille (dir.), *Histoire, 1ère. Le monde du milieu du XIXᵉ siècle à 1939*, Paris, Nathan, 1997.

Introduction

Une part importante du travail de l'historien consiste à rechercher les causes des phénomènes qu'il étudie et à distinguer parmi ces différents facteurs explicatifs ceux qui lui paraissent les plus déterminants. Il s'interroge ainsi sur les origines de la Révolution française (Jean-Pierre Bertaud), de la première guerre mondiale (Dominique Lejeune) ou de la deuxième (Yves Durand) ; il peut disserter sur les principales causes de la chute de l'Empire romain, de l'expansion de l'Islam, de la révolution industrielle, de la crise de 1929, de l'avènement du nazisme, de l'effondrement du Bloc de l'Est, etc. Dans le débat historique, ce type de réflexion occupe une place non négligeable, surtout dans le cadre d'une histoire reconstructive qui organise le passé selon une problématique qui peut être celle de la causalité.

Dans l'enseignement de l'histoire, la compréhension des causalités apparaît aussi comme un souci majeur. Les programmes et leurs accompagnements insistent sur la nécessité pour les élèves du collège de saisir la pluralité des causes et de comprendre leur intégration dans un système explicatif global. Au lycée, les élèves doivent maîtriser ce questionnement sur les causalités multiples (propre aux sciences humaines), en démontrant par exemple les « mécanismes » de la dépression des années 1930 ou « l'engrenage » de Sarajevo en 1914. Les professeurs eux-mêmes, encore si attachés pour la clarté de leur exposé au schéma ternaire causes-modalités-conséquences, achèvent de légitimer intellectuellement l'analyse causale en l'intégrant régulièrement dans leurs cours (comme les y invitent d'ailleurs les manuels[1]).

---

1. *Cf.* document 5, p. 42 : exercice demandant à l'élève de présenter sous la forme d'un organigramme les raisons et conséquences de l'exode rural ; p. 56 : schéma causal

Cette dernière n'est pourtant pas sans poser quelques problèmes. La recherche forcenée des origines risque d'abord de dériver vers un finalisme discutable. Ne serait ainsi retenu de ce qui est antérieur à un événement que ce qui permet d'expliquer ce dernier (*cf.* documents 2 et 4). Or, si les dysfonctionnements de l'Ancien Régime conduisent en partie à la Révolution française, le dernier siècle de l'époque moderne ne se réduit pas à ses contradictions, de même que la Révolution possède une certaine autonomie par rapport à l'époque qui l'a précédée. Résumer la République de Weimar à ses seules faiblesses pour la présenter comme l'antichambre du nazisme serait tout aussi caricatural.

Sans compter que certains penseurs dénient à l'histoire toute capacité et légitimité à l'analyse causale. Dans son essai *L'Édification du monde historique* (évoqué par Raymond Aron dans son « Introduction à la philosophie de l'histoire »), le philosophe allemand du XIXe siècle Wilhelm Dilthey affirmait ainsi — position reprise ensuite par d'autres comme Max Weber ou Karl Jaspers — que seules les « sciences de la nature » (c'est-à-dire à cette époque la physique et la chimie) étaient capables d'« expliquer » les phénomènes ; autrement dit, d'engager une démarche analytique qui établit des liaisons causales entre les phénomènes. L'histoire, qui relève des « sciences de l'esprit », ne pourrait que « comprendre » les phénomènes, c'est-à-dire engager une démarche synthétique qui consiste à interpréter les intentions humaines.

Cette distinction ne fait pas l'unanimité. Dans le premier tome de *Temps et récit*, Paul Ricœur présente les positions d'autres théoriciens estimant que l'analyse causale est possible et légitime en histoire. Pour certains, si l'histoire ne peut en effet établir de lois, elle en utilise néanmoins. Ces connexions causales sont simplement singulières (elles ne valent que pour une situation donnée) et non systématiques comme dans le cadre des sciences exactes. Pour d'autres, il n'est pas possible de dissocier explication et narration, dans la mesure où dire ce qui est arrivé suppose de préciser du même coup pourquoi cela est arrivé. Toute mise en intrigue est par nature une explication. Dans *L'Atelier de l'histoire*, François Furet notait ainsi que toute histoire, même la plus événementielle, restait implicitement causaliste puisqu'elle reposait nécessairement sur l'hypothèse que l'après découle de l'avant (document 3). Cette idée était également évoquée par Paul Veyne qui, dans *Comment on écrit l'histoire* (p. 111), remarquait déjà que « ce qu'on nomme explication n'est guère que la manière qu'a le récit de s'organiser en une intrigue compréhensible ».

S'intéresser à la causalité historique, c'est aussi réfléchir aux différentes temporalités historiques. Comme le notent Jean Leduc, Jacqueline Le Pellec et Violette Marcos-Alvarez dans *Construire l'histoire*, deux lectures sont possibles :

– Une lecture « déterministe » où ce qui s'est passé produit ce qui se passe et où ce qui se passe produit ce qui se passera. Cette lecture permet d'expliquer ce que le présent doit au passé et de prévoir ce que l'avenir devra au présent.

– Une lecture « finaliste » où le futur influence et produit le présent. Il s'agira par exemple de la conception providentialiste des penseurs chrétiens de l'histoire,

---

présentant les solutions de Roosevelt contre la crise de 1929 ; et 140 : chapitre de cours sur la situation en 1914 intitulé « La marche à la guerre ».

de saint Augustin à Bossuet, pour qui l'histoire se déroule linéairement en vue d'une cause finale, le Jugement Dernier.

Cette réflexion sur la causalité s'inscrit aussi dans une évolution historiographique. Les historiens méthodiques adhéraient volontiers à une conception déterministe de l'histoire, et adoptaient ce faisant une démarche narrative et chronologique qui leur semblait la mieux adaptée au repérage des liens de cause à effet. Dans leur *Introduction aux études historiques* (p. 246), Charles-Victor Langlois et Charles Seignobos suggéraient ainsi :

> Il faut suivre, autant que possible, l'ordre chronologique parce que c'est celui dans lequel on est sûr que les faits se sont produits et qu'on devra chercher les causes et les effets.

La Nouvelle Histoire a remis en question cette causalité littéraire. Comme le note Henri-Irénée Marrou dans son essai *De la connaissance historique*, les historiens s'efforcent désormais de repérer des « rapports d'indépendance » plus que des « chaînes causales ». Les soubresauts imprévisibles de la fin du XXe siècle (tel l'effondrement du Bloc de l'Est, que peu de spécialistes avaient envisagé) ont achevé de discréditer les principes explicatifs et les capacités prédictives d'une histoire trop sûre de l'infaillibilité de sa logique causale. À l'image de la nouvelle géographie qui a renoncé à sa démarche déterministe, l'histoire semble désormais se contenter de discerner des interactions au sein d'ensembles complexes.

Enfin, il ne faudrait pas occulter la dimension éthique de cette question de la causalité historique. À trop inscrire l'histoire dans une vision étroitement déterministe ou finaliste, le chercheur ou le professeur risquerait de déresponsabiliser les individus. Sans adopter la position du moraliste ou du magistrat, il s'agit de rappeler que les hommes restent acteurs et donc responsables de leur histoire. Ne pouvant se protéger derrière l'improbable déterminisme d'une chaîne causale implacable ou derrière l'invraisemblable destin d'un plan préconçu, ils doivent assumer leurs choix. Parce qu'elle oblige à ce rappel éthique, la question de la causalité historique a aussi sa place dans les cours d'éducation civique.

La recherche et la hiérarchisation des causes

À l'inverse du scientifique, pour lequel toutes les causes se valent dans leur importance et leur chronologie, l'historien s'emploie souvent à hiérarchiser les causes, en distinguant par exemple les causes profondes et lointaines des causes superficielles et immédiates. Les premières, plus déterminantes et plus générales mais plus malaisées à repérer (car enfouies dans un écheveau complexe et largement antérieur à l'événement qu'elles sont supposées avoir provoqué), pèseraient lourd dans la chaîne explicative du fait historique. En revanche, les secondes, pour paraître évidentes car simples et presque contemporaines de l'événement dont elles sont supposées être à l'origine, resteraient finalement secondaires.

Dans le but d'affiner l'étude causale, il est possible de suivre Antoine Prost[1] dans la distinction qu'il opère entre trois types de causes :

– Les causes finales : elles relèvent de l'intention et renvoient ainsi à une conduite rationnelle.

---

1. *Douze leçons sur l'histoire, op. cit.,* chap. « Imagination et imputation causale ».

– Les causes matérielles : elles constituent des données objectives expliquant l'événement ou la situation. Plus que de cause, on parlera ici de conditions, car ces dernières ont rendu l'événement possible plus qu'elles ne l'ont déterminé directement.

– Les causes accidentelles : elles relèvent du hasard et servent de déclencheurs. C'est un faisceau de conjonctures qui expliquent non pas l'événement, mais le fait que l'événement survienne à tel endroit, à tel moment et sous telles modalités.

Loin de s'exclure, ces différentes causes s'emboîtent au contraire dans une véritable chaîne logique qui conduit à l'événement ou à la situation. Tous ces facteurs explicatifs ont leur place — à un degré divers selon leur importance et leur chronologie — dans la venue du fait. Pour plus de clarté, prenons le célèbre exemple de l'explosion de la mine, évoqué par Charles Seignobos dans *La Méthode historique appliquée aux sciences sociales* et repris par Marc Bloch dans son *Apologie pour l'histoire*. Ce qui provoque l'explosion de la mine, ce sont :

– une cause accidentelle : une étincelle met le feu aux poudres ;

– des causes matérielles : différents paramètres comme la charge de poudre, le fourneau creusé et dans lequel la poudre a été mise, les caractéristiques physiques de la roche autour du fourneau ;

– une cause finale : la décision humaine de faire sauter la mine, dans l'intention par exemple d'élargir une route.

Les enjeux pour l'histoire de la réflexion sur la causalité

Cette recherche et cette hiérarchisation des causes n'est pas sans enjeux pour l'histoire. Par cette démarche logique qui conduit l'historien à repérer les origines des phénomènes qu'il décrit, l'histoire s'éloigne d'abord radicalement de la littérature, à laquelle elle se rattache pourtant par sa dimension narrative. On quitte l'intuition pour entrer ici dans le domaine plus rationnel de l'argumentation.

Par ailleurs, cette explication rationnelle qui consiste à relier un fait ou une situation à ses origines n'est pas sans rapprocher l'historien du scientifique, même si le chimiste ou le biologiste se moque de distinguer les causes lointaines et immédiates, profondes ou secondaires. Le constat que tel phénomène socio-économique, politique, culturel ou autre a tendance à produire tel résultat n'amène-t-il pas à la conclusion que l'histoire a ses lois, dont la répétition s'observe à différentes époques ?

La réalité n'est pas si simple. Les lois scientifiques sont soumises à de strictes conditions de validation. En chimie, par exemple, pour authentifier l'application d'une loi, il faut vérifier si les conditions de température et de pression sont bien réunies. L'histoire n'offre pas les mêmes conditions de travail. Les conditions de validité d'éventuelles lois historiques paraissent si nombreuses à rassembler et si complexes à étudier qu'il est impossible d'affirmer l'existence de ces mêmes lois. L'immensité infinie de la chaîne causale historique rend toute recherche exhaustive impossible. Max Weber le notait déjà dans ses *Essais sur la théorie de la science* (1965, p. 162) :

> Même la description du plus petit fragment de la réalité ne peut jamais être pensé de manière exhaustive. Le nombre et la nature des causes qui ont déterminé un événement singulier quelconque sont toujours infinis.

Par ailleurs, si l'histoire n'offre pas de lois, cette impossibilité tient aussi à la nature même de la discipline. Tout d'abord, les conduites humaines, objet de l'histoire, relèvent de l'ordre du sens et non de celui de la science. Alors que les sciences exactes expliquent les réalités naturelles et matérielles, l'histoire, en tant que science humaine, tente de comprendre les hommes et leurs conduites. Les démarches qui en découlent sont donc différentes. La science exacte recherche les causes et vérifie les lois, sa logique est déterministe : les mêmes causes produiront toujours les mêmes effets. Comme le précise le principe d'Archimède, tout corps plongé dans un liquide subit une poussée verticale, de bas en haut, égale au poids du liquide déplacé et appliquée au centre de gravité de ce liquide déplacé. Certes, les sciences exactes sont devenues probabilistes et certaines découvertes ont été relativisées ; mais elles continuent de se caractériser par des procédures de vérification-réfutation rigoureuses auxquelles les sciences humaines ne peuvent prétendre. L'histoire procède donc de manière différente. Si elle peut rendre compte de l'action humaine, ce n'est pas parce que celle-ci obéit à des lois, mais parce que l'action humaine est rationnelle. Elle découle toujours d'une intention, qui n'est pas prévisible parce que non déterminée, mais qui peut néanmoins être appréhendée par la compréhension, seul mode d'intelligibilité de l'histoire. Confronté à un univers fait de significations, d'intentions, de volontés, de représentations et de croyances, le chercheur tentera de les comprendre par des hypothèses et des problématiques. Que l'histoire ne constitue pas une science ne lui ôte pas une prétention à la vérité ; cependant, il s'agira de la vérité des hommes et non de celle des choses, et l'histoire atteindra cette dernière mais par un mode d'intelligibilité propre. À l'inverse du scientifique qui se limite à la recherche des causes, l'historien s'attache d'ailleurs plus aux raisons, qui constituent des conditions de possibilité plus humaines, car plus marquées par le sens. Et même quand il étudie une situation apparemment plus dominée par les contingences naturelles et matérielles que par des intentions ou des raisons (comme l'histoire des crises frumentaires où les intempéries causent de mauvaises récoltes provoquant la hausse du prix du pain qui aboutit à des explosions sociales), l'historien reste dans une histoire humaine, puisqu'il montre comment les hommes s'adaptent et donnent sens à cette contingence liminaire (le climat).

Dans son essai *De l'histoire considérée comme science* publié en 1894, Paul Lacombe notait une autre différence essentielle dans la recherche de causalité entre l'historien et le scientifique. Alors que ce dernier part des causes pour observer leurs effets, selon des protocoles expérimentaux qui, en réunissant les mêmes procédures, aboutissent aux mêmes résultats, l'historien tente de remonter le courant, partant de situations ou de faits spécifiques pour retrouver leurs causes multiples et complexes. Antoine Prost nomme cette démarche inversée très délicate « rétrodiction ». À l'inverse du scientifique, l'historien est certain de son point d'arrivée ; il peut proposer plusieurs explications causales mais un invariant demeure qui est le résultat final.

Il faut donc conclure à une situation intermédiaire. L'histoire ne relève ni du déterminisme absolu spécifique à la seule science exacte, ni de la pure contingence propre aux créateurs de fiction. L'historien repère dans l'écheveau du passé certains facteurs explicatifs qui lui paraissent déterminer partiellement le phénomène qu'il étudie, mais ces causes n'épuisent pas le phénomène. Au fond, celui-ci échappe toujours à ceux qui voulaient le réduire à une seule grille d'analyse explicative. Il y a bien un lien entre ces multiples origines et le fait qu'elles ont provoqué, mais la chaîne causale est trop complexe pour que l'histoire puisse s'expliquer totalement au point de devenir prévisible. Marx l'avait déjà noté : l'histoire ne se répète pas.

Le recours à la construction hypothétique

La seule histoire réelle étant précisément celle qui a eu lieu, il n'est pas inintéressant, surtout dans une démarche logique consistant à comprendre les causes des phénomènes, de se demander si les choses auraient pu se dérouler autrement. Pour Antoine Prost, imaginer une autre histoire représente même le seul moyen de trouver les causes de l'histoire réelle. Le recours à l'imagination serait ainsi inhérent à la démarche historique (*cf.* document 1).

Un courant historiographique américain a utilisé de manière systématique cette procédure dite « contre-factuelle ». Un représentant de cette New Economic History (appelée parfois cliométrie), Robert Fogel, s'est ainsi efforcé de montrer l'impact du chemin de fer sur la croissance économique américaine en imaginant ce qu'aurait été l'évolution de cette même économie sans la voie ferrée. Grâce à la méthode hypothético-déductive, celui qui a partagé le prix Nobel d'économie avec son collègue Douglas North en 1993, conclut que les chemins de fer n'étaient pas indispensables à l'industrialisation. L'utilisation des canaux aurait également permis la croissance, à un rythme cependant moins soutenu. D'autres historiens ont modélisé dans l'abstrait la croissance de l'économie russe à partir de 1918 en imaginant l'échec de la révolution soviétique et, du même coup, une évolution de cette économie dans un cadre libéral.

Même si cette démarche est très controversée, elle est pourtant propre au travail de l'historien. On ne peut en effet définir la chaîne causale qu'en se posant la question de savoir si le déroulement des événements aurait été identique si tel ou tel facteur *a priori* explicatif n'était pas intervenu. Raymond Aron, dans son *Introduction à la philosophie de l'histoire*, s'interroge ainsi — dans le prolongement de Max Weber — sur le rôle joué par Bismarck dans le déclenchement de la guerre de 1866 entre l'Autriche et la Prusse. Affirmer que la décision du chancelier se trouve à l'origine de la guerre revient à penser que, sans celle-ci, la confrontation n'aurait pas eu lieu, du moins pas dans ces conditions :

> La causalité effective ne se définit que par une confrontation avec les possibles. Tout historien, pour expliquer ce qui a été, se demande ce qui aurait pu être. La théorie se borne à mettre en forme logique cette pratique spontanée de l'homme de la rue.

À partir de l'exemple historiographique célèbre des causes de la Révolution française, Antoine Prost (*Douze leçons sur l'histoire*, p. 185) montre que l'historien qui voudrait déterminer la place chronologique et l'importance des différents facteurs explicatifs de cet événement historique devrait s'efforcer d'individualiser ces causes en imaginant ce qui serait advenu si chacune d'elles n'avait pas existé. Il serait ainsi possible de déterminer l'importance spécifique des facteurs, en distinguant pour chacun d'entre eux ce qui relève de la cause profonde et ce qui appartient à la cause superficielle ou conjoncturelle. Seraient alors individualisés les facteurs économiques (crise structurelle de l'économie française à la fin du siècle et mauvaise récolte de 1788), sociaux (ascension de la bourgeoisie et réaction nobiliaire), politiques (crise financière de la monarchie, mise en cause du modèle absolutiste, renvoi de Turgot), culturels (contestation des philosophes, développement de l'écrit), etc.

Ce travail hypothético-déductif où l'imagination apporte son secours à la réflexion sur la causalité s'avère d'autant plus nécessaire que, souvent, la connaissance rétrospective du passé restreint, sinon obscurcit, l'horizon explicatif de l'historien. Celui-ci, sachant ce qui s'est passé, a du mal à concevoir d'autres cheminements logiques que ce qui a été. Antoine Prost cite l'exemple historiographique de la défaite militaire de la France en mai-juin 1940. La déroute fut si brusque et complète qu'elle incita pendant longtemps les historiens à la présenter comme un événement inéluctable. La France devait s'écrouler face à la percée allemande dans les Ardennes. Depuis quelques années, une relecture historiographique de la campagne de France bat en brèche cette conception fataliste de la défaite. Dans sa volumineuse enquête sur *Les Français de l'an quarante* parue en 1990, Jean-Louis Crémieux-Brilhac rappelle ainsi quelques éléments ignorés ou occultés. Les pertes françaises en mai-juin 1940 — environ 100 000 hommes — furent, proportionnellement à la durée de la bataille et aux effectifs généraux de l'armée, plus importantes que celles de Verdun en 1916 et témoignent de l'âpreté des combats. La déroute et le désarroi ne furent pas complets non plus puisque, à la fin du mois de mai, le rétablissement sur la Somme avait rehaussé le moral des troupes. Sur le plan du matériel et des forces en présence, la France, appuyée sur ses alliés et ses colonies, renforcée par le réarmement entrepris depuis 1936, ne se trouvait pas dans une situation d'infériorité. Ses chars et ses chasseurs, du moins pour les dernières générations, étaient qualitativement supérieurs à ceux de l'adversaire et, durant le mois de mai, en dépit des opérations, le pays produisit plus de blindés que l'Allemagne. Au total, et même si les conceptions stratégiques de l'état-major étaient dépassées, la défaite française ne paraissait pas inéluctable. Du reste, personne au printemps 1940 ne la concevait, tant le souvenir glorieux de la première guerre mondiale restait prégnant, en France comme ailleurs.

Cet exemple souligne la nécessité pour l'historien de résister à « l'illusion rétrospective de la fatalité » (pour reprendre l'expression de Raymond Aron dans *Dimensions de la conscience historique*, 1961). Connaissant le passé, le chercheur ne doit pas pour autant limiter ses explications causales à ce seul horizon, mais tenter par des reconstructions hypothétiques de mieux cerner toutes les possibilités de l'objet qu'il étudie. Max Weber le notait déjà : « Pour démêler les relations causales réelles, nous en construisons d'irréelles. »

Conclusion

Ignorant plus ou moins les débats des philosophes et épistémologues qui mettent en doute la capacité de l'histoire de produire une analyse causale, les programmes et accompagnements d'histoire pour le secondaire insistent traditionnellement sur la recherche des causes et des conséquences. Si ce travail (qui doit être mené collectivement par le professeur et sa classe) est valorisé, c'est qu'il présente plusieurs avantages scientifiques et pédagogiques :

– Le schéma classique causes-modalités-conséquences oblige tout d'abord les élèves à réfléchir à l'événement historique en le contextualisant : sont distingués ses origines mais aussi ses enjeux. Ce modèle d'organisation de la pensée, qui articule bien des plans de devoirs et de cours, permet aussi de fixer les connaissances en les organisant logiquement.

– Cette recherche hypothétique des causes présente un autre intérêt, celui de donner du sens à un passé apparemment complexe ou désordonné. La reconstruction causale *a posteriori* assure l'intelligibilité de l'histoire, avantage non négligeable pour le chercheur comme pour le professeur qui s'efforcent à leur échelle respective d'organiser le passé pour le rendre lisible. R. Aron notait : « L'historien par une prédiction rétrospective des probabilités dégage l'articulation du devenir historique. »

– Enfin, dans le cadre de la transdisciplinarité histoire-éducation civique, cette logique causale permet de dégager les responsabilités individuelles ou collectives dans la production d'un événement historique. Celui-ci ne surgit plus au gré des contingences : il est le résultat de facteurs mais aussi de volontés humaines. L'histoire n'est plus seulement le chaos anonyme des structures, elle est également le fait d'acteurs identifiables à qui l'on peut demander des comptes.

Pour autant, cette recherche causale, même si elle évite les artifices d'une linéarité téléologique qui conduirait au fatalisme, n'est pas sans risque. La tentation est bien présente de verser dans les enchaînements rassurants d'une histoire mécanique dont on tirerait des lois. Comme l'affirment les auteurs de la brochure *Clés pour l'enseignement de l'histoire en lycée*[1], « si l'analyse causale doit permettre de comprendre, elle ne doit pas donner l'illusion de pouvoir prédire ». Il n'est pas interdit de penser qu'en histoire le hasard et l'imprévu ont aussi leur place.

---

1. Marc Vigié (dir.), *Clés pour l'enseignement...*, *op. cit.*

La biographie historique entre enjeux
épistémologiques et pratique scolaire

Dossier :
Document 1 : Jacques Le Goff, « Introduction », *Saint Louis*, Paris, Gallimard, 1996,
   p. 13-27.
Document 2 : Martin Ivernel, *Histoire-Géographie 5ᵉ*, Paris, Hatier, 1997, « La Vie de
   saint Louis », p. 122-123.
Document 3 : Histoire, terminale, L, ES, S, Paris, Belin, 1998, « Biographies », p. 344-
   351.
Autres documents : programmes et documents d'accompagnement collège et lycée.

Les vicissitudes de la biographie, ce « genre d'écrit qui a pour objet l'histoire de
vies particulières » selon *Le Petit Robert*, reflètent de manière plus ou moins fidèle
les débats, les controverses historiographiques, voire les progrès de la science
historique. En effet, la place et le rôle de la biographie ont largement fluctué au
cours du XXᵉ siècle. Sous les critiques des historiens des *Annales*, elle a connu une
éclipse jusqu'aux années 1970. Depuis, le genre a été revisité, et de nouvelles approches, de nouvelles problématiques l'ont enrichi. Cette place nouvelle de la biographie transparaît aussi dans l'histoire scolaire, notamment dans les manuels.
Ceux-ci accordent parfois une place privilégiée à la biographie, transposant plus
ou moins les approches novatrices des historiens, sans que disparaisse pour autant
complètement un usage plus classique, sous la forme de notices biographiques par
exemple.

La biographie sous le feu de la critique

Les historiens des *Annales*, notamment ses fondateurs Marc Bloch et Lucien
Febvre, ont critiqué, parfois avec virulence, l'histoire telle qu'elle avait pu être
pratiquée par les historiens rattachés à l'école méthodique. Les Annalistes rejettent
en effet l'histoire politique et événementielle, « l'histoire historisante » qui privilégient selon eux les grands personnages et les hauts faits, pour développer une
histoire économique et sociale, une histoire des grandes masses, des gens ordinaires. L'histoire sérielle, à la recherche du quantitatif, néglige voire rejette elle
aussi cette histoire des hommes illustres, d'où une méfiance parmi tous ces historiens à l'égard de la biographie.
   Le courant des *Annales* privilégie aussi le temps long, à l'image de Fernand
Braudel pour qui le temps de l'individu — celui de l'histoire événementielle, mais
aussi, traditionnellement, celui de la biographie — constitue une « agitation de
surface, les vagues que les marées soulèvent sur leur puissant mouvement[1] ». À

---

1.   Fernand Braudel, « Préface », *La Méditerranée et le monde méditerranéen…*, *op. cit.*, p. 255.

l'inverse, la longue durée est le temps des évolutions profondes, le temps des structures fondamentales, déterminantes. Cette prédilection pour le temps long renforce également le soupçon à l'égard de la biographie.

Cette défiance ne signifie pas pour autant un rejet complet de la biographie. En témoigne la position de Marc Bloch, évoquée par Jacques Le Goff dans l'« Introduction » de sa biographie de saint Louis :

> Marc Bloch le constatait [l'abandon de la biographie] — sans le mépris qu'on a prétendu pour cette forme historiographique, avec regret au contraire —, probablement avec le sentiment que la biographie, comme l'histoire politique, n'était pas prête à accueillir les renouvellements de la pensée et de la pratique historiennes. (Document 1, p. 15)

L'histoire n'aurait pas été « prête », insuffisamment mûre pour s'attaquer au genre biographique, alors que les nouveaux champs de l'histoire économique et sociale constituaient une priorité pour les historiens des *Annales*[1].

Il faut encore noter que Lucien Febvre s'est intéressé à Martin Luther (*Un destin, Martin Luther*, 1928) ou à Rabelais (*Le Problème de l'incroyance au XVIe siècle. La religion de Rabelais*, 1942). Mais plus que de biographies au sens strict, ces ouvrages sont l'occasion d'interrogations sur les éléments mentaux, culturels, économiques et sociaux d'une époque. Georges Duby, auteur de *Guillaume le Maréchal* (1984) et qui revendique la filiation de Marc Bloch, Lucien Febvre ou Fernand Braudel, contribue lui aussi à nuancer l'idée d'un rejet de la biographie par les historiens des *Annales*.

Enfin, le genre biographique n'a jamais complètement disparu : il rencontre toujours le succès auprès du public, notamment grâce à des collections comme les « Grandes biographies » chez Fayard. Les manuels scolaires ont également longtemps accordé une place privilégiée aux biographies des grands personnages, en particulier aux « héros » de l'histoire nationale, de Vercingétorix à Gambetta.

Les nouvelles approches de la biographie

La biographie a effectué son retour sur le devant de la scène historiographique à partir des années 1970. La publication du *Louis XI* de Paul Murray Kendall en 1974 ou l'ouvrage de Jean-Noël Jeanneney, *François de Wendel en République, l'argent et le pouvoir, 1914-1940*, paru en 1976, illustrent ce renouveau. Succès publics et intérêt croissant des historiens se conjuguent pour faire une place nouvelle à la biographie. Le renouvellement de l'histoire politique contribue à cette évolution en rendant une certaine autonomie non seulement au politique mais aussi aux acteurs. L'histoire culturelle participe aussi à cette réhabilitation de l'individu par rapport aux structures et à ce nouvel essor de la problématique biographique. L'histoire des intellectuels, par exemple lors de l'affaire Dreyfus évoquée par Christophe Prochasson (« Il est désormais légitime de parler d'une histoire des intellectuels...[2] »), illustre cette évolution. Ce domaine constitue aussi l'objet de nombreux travaux de Jean-François Sirinelli[3].

---

1. Jacques Le Goff expose notamment cette position dans « L'Historien au travail », Entretien avec Jacques Le Goff, *Sciences Humaines*, n° 18, 1997, p. 13.
2. Christophe Prochasson, « L'Affaire dans tous ses états », art. cité, p. 234.
3. Évoqués par exemple dans « Les Élites culturelles » in Jean-Pierre Rioux et Jean-François Sirinelli (dir.), *Pour une histoire culturelle, op. cit.*, p. 275-298.

Ces évolutions historiographiques s'inscrivent dans leur époque. Et ce contexte, dans lequel les historiens sont évidemment plongés, a aussi contribué dans les années 1970-1980 à ce retour de la biographie en accordant une place nouvelle à l'acteur. Le rejet des totalitarismes, le déclin de l'influence du marxisme et du structuralisme, le libéralisme ont, pêle-mêle, contribué à cette promotion de l'individu face aux structures et aux classes sociales, et ouvert un nouvel espace au genre biographique en histoire.

Les autres sciences sociales ne restent pas étrangères à ce mouvement. Le nom de Pierre Bourdieu est ainsi souvent évoqué par les historiens, aussi bien pour *Les Héritiers. Les étudiants et la culture* (en 1964 avec Jean-Claude Passeron), pour *La Reproduction. Éléments pour une théorie du système d'enseignement* (1970), que, récemment, pour « L'Illusion biographique[1] » évoquée notamment par Jacques Le Goff dans l'Introduction de *Saint Louis* (document 1, p. 18). Illusion car la biographie tend à rendre inéluctable un destin, des événements, dans un excès de sens et de cohérence par rapport aux hasards, aux choix, aux hésitations qui font aussi une vie. L'influence de Pierre Bourdieu est aussi relevée par Marc Lazar à propos de la biographie de Maurice Thorez[2] de Stéphane Sirot :

> Ce livre s'inscrit dans une collection qui s'inspire de toute une réflexion marquée aujourd'hui par la sociologie de Pierre Bourdieu et qui consiste, lorsque l'on fait une biographie, à d'abord s'intéresser à la construction du personnage telle qu'elle a été réalisée soit par lui-même soit par d'autres[3].

Ce propos illustre non seulement une rencontre, féconde et discutée, entre sciences sociales, mais aussi une nouvelle problématique à l'œuvre dans le genre biographique : la « déconstruction » d'un personnage — ou plutôt de l'image ou encore de la mémoire d'un personnage — pour mesurer le poids, la part de ces/ses représentations. Car le « retour » de la biographie dans le champ de la science historique correspond surtout à un renouvellement de ses problématiques, autour d'une idée centrale : les rapports entre l'homme et les structures. Quelle est la part d'autonomie, de liberté d'un individu ? Dans quelle mesure est-il le reflet de son milieu ? Jacques Le Goff cite à ce sujet l'Italien Giovanni Levi (un des historiens du courant de la *micro-storia*) pour qui la biographie est « le lieu idéal pour vérifier le caractère interstitiel — et néanmoins important — de la liberté dont disposent les agents » (document 1, p. 19).

La récente biographie de Louis IX, *Saint Louis* (1996), de Jacques Le Goff a fait date en raison de la renommée de ce dernier et de sa place dans l'histoire universitaire (pour ses livres, sa direction de collections, sa collaboration ou direction de revues comme les *Annales*, ses postes à l'École pratique des hautes études puis à l'École des hautes études en sciences sociales), mais aussi en raison de sa ou, plutôt, de ses problématiques, novatrices et illustrant parfaitement ce renouvellement du genre. En effet, au travers de cette biographie, Jacques Le Goff ne renonce pas à

---

1. Pierre Bourdieu, « L'Illusion biographique », *Actes de la Recherche en Sciences Sociales*, n° 62-63, 1986, p. 86-87.
2. Stéphane Sirot, *Maurice Thorez*, Paris, Presses de Sciences-Po, 2000.
3. « Autour de la biographie de Maurice Thorez par Stéphane Sirot », débat entre Marc Lazar, Jean Vigreux et l'auteur, *Cahiers d'Histoire*, n° 78, 2000, p. 137-150.

l'ambition de faire de l'histoire « globale » ou « totale » : « Je me suis aperçu en cherchant l'histoire de l'individu que c'était un sujet d'histoire globale privilégié[1]. » Dans *Saint Louis*, Jacques Le Goff fait du personnage un « sujet "globalisant" autour duquel s'organise tout le champ de la recherche » (document 1, p. 16) ; même si cette ambition, celle de la connaissance intégrale d'un individu, reste pour lui une « quête utopique ».

Un personnage central dans une approche globale : cela signifie que, dans *Saint Louis*, Jacques Le Goff n'entend pas abandonner les structures, les « profondeurs » de la société. Au contraire, parce qu'il n'est plus possible aujourd'hui d'opposer individu et société (« L'individu n'existe que dans un réseau de relations sociales diversifiées, p. 21), et que Louis IX « participe à la fois de l'économique, du social, du politique, du religieux, du culturel » (p. 16). La biographie aborde donc les rapports société ou structures/individu, mais selon des problématiques multiples :

– Saint Louis reflet, dans une certaine mesure, de son époque et de ses structures politiques, sociales, religieuses, etc.

– Saint Louis acteur qui fait, qui construit son époque.

– La « mémoire » de saint Louis, enfin, est aussi objet d'études, car ce personnage extraordinaire a suscité une documentation abondante, pour sa sanctification notamment.

Surtout, ces sources sont doublement objet d'histoire : elles révèlent des informations, mais elles sont en elles-mêmes porteuses de sens, de représentations ; elles construisent une image de Louis IX, modèle de roi chrétien.

Louis IX se prête particulièrement à cette lecture plurielle, à plusieurs niveaux — avec notamment ce questionnement des sources, cette interrogation sur la construction de la mémoire royale —, car il a voulu lui-même se conformer aux idéaux, aux modèles de son époque : il a voulu être à la fois roi et saint.

Enfin, cette biographie est aussi pour Jacques Le Goff l'occasion de poursuivre une préoccupation centrale des historiens, celle de la pluralité des temps historiques : « Il n'y a pas, au XIIIe siècle, un temps, mais des temps du roi » (p. 23). Même dans le cadre de la biographie, le temps n'est plus unique, homogène : le temps de la vie de Louis IX entrecroise les temporalités économique, sociale, politique, intellectuelle et religieuse. C'est pourquoi l'ouvrage prend place dans l'historiographie et dans la réflexion épistémologique en histoire. La biographie permet également à Jacques Le Goff de « réfléchir utilement sur les conventions et sur les ambitions du métier d'historien, sur les limites de ses acquis, sur les redéfinitions dont il a besoin » (p. 15). La réflexion sur les sources, leur questionnement selon les méthodes critiques classiques, mais aussi et surtout comme production de mémoire, témoignent de cette interrogation épistémologique. Cette biographie montre encore l'essor de la mémoire comme objet d'histoire et le développement de la problématique qui vise à « déconstruire » les représentations, les images, bref la mémoire, pour atteindre quelques vérités sur un personnage.

La même question centrale, celle des rapports entre un individu et la société ou les structures qui l'entourent, est à l'œuvre dans la biographie d'Hitler de

---

1. Jacques Le Goff, « L'Historien au travail », art. cité, p. 13.

Ian Kershaw[1]. Dans cet ouvrage, l'historien britannique met à la portée du grand public — sous la forme narrative de la biographie — des idées en partie développées dans un essai, *Hitler ou le charisme en politique* (1995). Cette biographie est aussi mêlée d'histoire sociale, car Ian Kershaw veut montrer que, au cœur du pouvoir nazi, se trouve une relation de type personnel avec le dirigeant. Pour ce dernier, avec la modernité de l'État (bureaucratie, économie, armée), la « domination charismatique » constitue peut-être la nature particulière du nazisme. Dans cette perspective, la biographie ne saurait se limiter à l'homme. Au contraire, Ian Kershaw estime qu'il est impossible de se contenter de l'élément biographique, et « l'approche du phénomène biographique doit avant tout montrer comment celui-ci [Hitler] opérait à l'intérieur d'un système[2]. »

La biographie s'intéresse aussi désormais à des personnes ordinaires, à des anonymes, tels Louis-François Pinagot choisi « au hasard » par Alain Corbin[3] ou le meunier Mennochio étudié par Carlo Ginzburg[4]. Cet historien, du courant italien de la *micro-storia*, a étudié le cas de ce meunier du Frioul, condamné au XVIe siècle par l'Inquisition, à travers les archives judiciaires. L'étude d'un tel cas particulier permet à Carlo Ginzburg d'accéder à la culture populaire qui mêle lectures de la Bible ou du *Decameron* à un ensemble de croyances paysannes, de mythes et rites païens. La collecte d'indices, explicites ou implicites, de cette culture dans les dossiers des procès favorise la reconstitution des pratiques sociales et culturelles d'un milieu à travers un individu.

Cet exemple rappelle aussi l'importance des sources et de leur utilisation, de leur questionnement par l'historien. Dans *Saint Louis*, Jacques Le Goff attache ainsi une grande importance aux sources, à leur fiabilité, à la construction de la mémoire royale. L'utilisation des sources repose sur une problématique ainsi que sur la critique « classique » de celles-ci. Ian Kershaw justifie, lui, les documents utilisés pour sa biographie d'Hitler : les documents nouveaux ou les documents disqualifiés[5]. Le contact avec les sources et archives est également évoqué de manière originale par Alain Corbin qui cherche à s'attacher à un individu ordinaire : il choisit au hasard une commune de son Orne natale, Origny-le-Butin, et deux noms — il élimine l'un des deux, mort jeune — dans les tables décennales de l'état civil de la fin du XVIIIe siècle. Par la collecte de toutes les informations utiles sur son illustre inconnu, Alain Corbin réussit à reconstituer son univers : un village d'autrefois et son décor ; ses jeux de parentèle et d'amitié ; les différents métiers et la stratification sociale de cette société rurale, avec ses conflits et ses mentalités.

Ces remarques témoignent du développement de la réflexion épistémologique en histoire. La narration, le récit en histoire, l'objectivité de l'historien et la scienti-

---

1. Ian Kershaw, *Hitler*, 1 : *1889-1936*, Paris, Flammarion, 1999.
2. « Quand un biographe d'Hitler récuse "l'hitlérocentrisme" », entretien avec Ian Kershaw, *Le Monde des Débats*, décembre 1999, p. 28-29.
3. Alain Corbin, *Le Monde retrouvé de Louis-François Pinagot. Sur les traces d'un inconnu, 1798-1876*, Paris, Flammarion, 1998.
4. Carlo Ginzburg, *Le Fromage et les vers. L'univers d'un meunier du XVIe siècle*, Paris, Aubier, 1976.
5. « Quand un biographe d'Hitler… », art. cité, p. 28.

ficité sont des questions récurrentes depuis l'essor de la discipline historique, mais sans doute posées avec plus d'acuité dans les années 1990[1].

La biographie a aussi pris une forme moins connue, celle de la prosopographie, ou biographie collective, qui traite collectivement des notices biographiques pour tenter de dégager des types, des facteurs explicatifs. Cette démarche a été appliquée en histoire ancienne aux élites romaines du *Cursus honorum*, ainsi qu'en histoire contemporaine, par exemple aux élites de la IIIe République. Mais les notables ne sont pas les seuls à être étudiés dans cette perspective.

Ainsi, Jean Maitron (1910-1987), instituteur, puis professeur de l'enseignement secondaire et maître-assistant à Paris I-Sorbonne, mais aussi militant et historien du mouvement ouvrier, est à l'origine d'une entreprise d'envergure : le *Dictionnaire biographique du mouvement ouvrier français*, dit aussi « Maitron ». Ce projet date de 1955 ; la publication a commencé aux Éditions Ouvrières en 1964 pour s'achever en 1993. Une centaine de collaborateurs ont rassemblé des dizaines de milliers de notices biographiques des militants du mouvement ouvrier depuis 1789. L'œuvre, en 44 volumes répartis selon quatre périodes (1789-1864, 1864-1871, 1871-1914, 1914-1940), s'ouvre cependant à la période 1940-1980. Le dernier volume a mis à jour le dictionnaire grâce à de nouvelles sources, dossiers personnels ou archives étrangères (de Moscou notamment), créant un ensemble qui compte plus de 100 000 notices.

La biographie dans l'enseignement

La biographie dans l'enseignement a toujours privilégié une approche plus classique et les vies des grands personnages, notamment dans les programmes scolaires de la fin du XIXe siècle qui accordent un rôle aux grands personnages de chaque époque, de l'histoire nationale en particulier. Ces biographies souvent « psychologisantes » se retrouvent dans les manuels d'Ernest Lavisse ou de Jules Mallet et Jules Isaac ; elles visent à fixer la mémoire des élèves grâce à des images fortes, comme Louis IX roi rendant la justice sous le chêne de Vincennes.

La place et le rôle de la biographie dans la pratique scolaire, observée par exemple dans des manuels scolaires, ont connu des vicissitudes semblables à celles de la biographie dans l'histoire universitaire. Le développement de l'histoire économique et sociale, l'essor de la longue durée et des faits de civilisation se sont en effet répercutés dans l'histoire scolaire. La biographie s'est faite moins présente, sans pour autant disparaître complètement ; mais elle n'a souvent persisté que sous la forme de courtes notices. À la suite des évolutions historiographiques, sous l'influence des biographies publiées dans les années 1980-1990 et de leurs nouvelles approches du genre, la biographie a reconquis le terrain perdu, particulièrement dans les manuels scolaires.

Le manuel *Histoire-géographie 5e* (document 2) donne un exemple de cette place nouvelle de la biographie dans l'histoire enseignée avec une double page consacrée à Louis IX à travers des extraits de *La Vie de Saint Louis* de Joinville. Ce choix est presque naturel car *Le Livre des saintes paroles et des bons faits de notre Saint Louis* de Jean de Joinville (un « témoin exceptionnel » pour Jacques Le Goff, document 1,

---

1. *Cf.* par exemple Gérard Noiriel, *Sur la « crise » de l'histoire*, Paris, Belin, 1996.

p. 16) constitue une source majeure et un passage obligé pour toute étude de Louis IX. De manière significative, ces pages sont placées sous la bannière du « Patrimoine », titre de l'équipe éditoriale qui reprend à dessein un terme mis en exergue dans les textes officiels. En effet, les nouveaux programmes des classes de collège accordent une place particulière aux documents dits « patrimoniaux ». Ceux-ci font l'objet d'une approche double : comme tous les documents, ils doivent être étudiés, analysés, critiqués ; mais jugés fondamentaux et porteurs de sens, ils doivent être enseignés pour eux-mêmes, mémorisés. Une « connaissance intime et critique à la fois » résument les documents d'accompagnement. La *Vie de Saint Louis* de Joinville figure au rang de ces documents patrimoniaux, qui sont centraux même si la liste n'a qu'un caractère indicatif. Le choix du manuel *Histoire-géographie 5e* ne doit donc pas surprendre. Mais l'approche de ces documents correspond surtout à une démarche scolaire qui consiste essentiellement à prélever des informations dans les documents de Joinville. Cette démarche principale est complétée par une mise en relation des textes avec des documents d'une autre nature : des miniatures extraites de manuscrits du XVe siècle.

Ces pages s'adressent à des élèves de cinquième et s'adaptent à leurs compétences, à leurs possibilités. L'une des problématiques novatrices de Jacques Le Goff, la construction de la mémoire royale, ne peut donc être transposée à ce niveau. Les documents sont utilisés pour les informations qu'ils apportent sans critique poussée. Cette analyse critique constitue cependant l'un des objectifs centraux de l'enseignement de l'histoire ; mais il est atteint progressivement, de la sixième à la terminale.

Enfin, l'étude proposée par le manuel *Histoire-géographie 5e* s'organise autour de quelques thèmes : le roi justicier, le faiseur de paix, le roi chrétien, le croisé. Ces thèmes scolaires autant qu'universitaires ou scientifiques permettent sans doute de centrer l'étude de Louis IX sur l'essentiel, suivant la biographie de Jacques Le Goff : un roi qui a voulu se comporter selon un modèle de roi très chrétien. Le dossier proposé à l'étude des élèves peut être complété par l'intervention magistrale du professeur, apportant des informations détaillées qui donnent sens aux textes comme aux images. La religiosité de Louis IX s'explique par l'influence des Cisterciens et des ordres mendiants. Cette indication générale permet d'éclairer des points plus précis (comme les vêtements simples, la robe brune de Louis IX dans certaines miniatures).

Avec ces documents et la biographie, des enseignants peuvent recourir au récit, qui retrouve ainsi de manière sensible une place dans les textes officiels. Pour la classe de sixième, ces textes soulignent que la pratique du récit en histoire « enrichit l'imaginaire des élèves ». Le récit est employé pour capter l'attention, toucher, émouvoir mais aussi pour s'adresser à la mémoire : « un portrait de Louis IX, à partir de l'œuvre de Joinville, aide les élèves de la classe de cinquième, sensibles au récit, à fixer cette évolution dans leur mémoire ».

L'usage de la biographie n'est pas cantonnée aux classes de collège. Les documents d'accompagnement des programmes de seconde soulignent par exemple la possibilité d'aborder le thème « Humanisme et Renaissance » avec des personnalités comme Érasme et Léonard de Vinci. Bien d'autres personnages pourraient être retenus pour traiter les autres parties de ce programme.

Le manuel *Histoire, terminale, L, ES, S,* (document 3) montre une autre mise en œuvre de la biographie dans l'histoire scolaire. Il s'agit de notices plus traditionnelles, ramassées en fin de manuel, avec d'autres « outils », tels les fiches méthode ou le lexique. Ces notices concernent les principaux personnages du programme de terminale, de 1939 à nos jours — exclusivement des hommes politiques, surtout de quelques grandes puissances (les cinq membres permanents du Conseil de Sécurité de l'ONU : États-Unis, URSS, Royaume-Uni, Chine, France), mais aussi d'Allemagne, d'Inde, de Yougoslavie. Cet usage de la biographie est parfois élargi à des artistes, écrivains, savants, etc. Néanmoins, cet exemple montre que la pratique de la biographie dans l'histoire scolaire ne reflète pas toujours les nouvelles approches de la science historique. La biographie peut rester une simple source de repères, un objet de mémorisation ou un outil pour les élèves. Car l'histoire enseignée répond aussi à ses propres exigences en termes de connaissances et de méthodes, et peut donc diverger des approches plus novatrices de la science historique.

La biographie permet d'atteindre un certain nombre d'objectifs généraux de l'enseignement de l'histoire. Avec elle, les élèves peuvent repérer et prélever des informations, les mettre en relation, les confronter. Elle favorise l'apprentissage et le développement d'une démarche critique, en même temps qu'elle fournit des repères — patrimoniaux pour certains — et un support à la mémorisation, grâce au récit notamment.

Son usage scolaire reste parfois traditionnel, en fournissant des points de repère (ce qui constitue aussi un objectif pertinent, dans le cadre d'une approche patrimoniale par exemple), mais peut aussi révéler une démarche plus globale, éventuellement critique, et témoignant des nouvelles approches historiographiques. Après une certaine éclipse, la biographie représente aujourd'hui un objet d'étude légitime pour les historiens, en particulier en raison du renouvellement de ses problématiques.

La place du récit en histoire

Dossier (dossier et corrigé élaborés à partir de l'ouvrage d'Antoine Prost, *Douze leçons sur l'histoire*, Paris, Le Seuil, 1996) :
Document 1 : Antoine Prost, *Douze leçons sur l'histoire*, op. cit., p. 245-247.
Document 2 : Paul Veyne, *Comment on écrit l'histoire*, Paris, Le Seuil, 1971, p. 14-15 et 22 (repris in Antoine Prost, *Douze leçons sur l'histoire*, op. cit., p. 248-249).
Document 3 : François Bourguignon, « L'Écriture de l'histoire, le discours en question », *in* Jean-Claude Ruano-Borbalan, *L'Histoire aujourd'hui*, Auxerre, Sciences Humaines, 2000, p. 365-369.

Introduction

La question de la forme du discours historique constitue un thème essentiel de la réflexion épistémologique sur l'histoire, dans la mesure où elle renvoie à la nature même de la discipline. Michelet concevait l'histoire comme un genre littéraire au service de la vérité. Les historiens positivistes de la fin du XIXe siècle, s'ils refusaient toute subjectivité romanesque au profit d'une rigueur scientifique impersonnelle, restèrent au fond fidèles à cette histoire-récit qui privilégiait les individus et les événements en défrichant les terrains exclusifs du politique, du militaire et du diplomatique. Marc Bloch et Lucien Febvre dénoncèrent cette histoire qui ignorait les masses et le temps long comme les domaines jugés plus fondamentaux de l'économie, de la société et du culturel. Leurs héritiers prolongèrent ce refus d'une histoire narrative, au profit d'une histoire rythmée par les séries, les répétitions et les cycles. Cette évolution devait aboutir aux conceptions braudéliennes de la longue durée et d'un temps « pratiquement immobile » où l'historien ne racontait plus mais se contentait de repérer des continuités et de construire des hypothèses. Quelle était la place du récit dans cette histoire marquée par les grilles d'analyse marxistes et structuralistes ainsi que par les méthodes quantitatives qu'autorisait désormais le recours à l'informatique ?

L'histoire n'avait en fait jamais perdu sa dimension narrative et les critiques des Annalistes portaient moins sur la question du discours que sur la conception de l'histoire elle-même. En clair, si les choix des positivistes en matière de thématiques, de temporalités et de sources étaient discutés, la place du récit en histoire n'était pas remise en cause. Ainsi que l'a souligné François Bourguignon dans un article sur « l'écriture de l'histoire » (document 3), même les représentants de la Nouvelle Histoire (comme Jacques Le Goff avec *La Civilisation de l'Occident médiéval* en 1964, Emmanuel Le Roy Ladurie avec *Montaillou* en 1975 et Philippe Ariès avec *L'Homme devant la mort* en 1977) étaient restés fidèles aux techniques de la narrativité, en modifiant les agencements du récit historique et en mettant celui-ci au service d'un nouveau cadre historiographique.

L'histoire ne peut en effet se passer d'une trame narrative, entendue comme la mise en place d'une intrigue dans laquelle se trouvent impliqués des acteurs.

Même l'histoire socio-économique et l'histoire culturelle — qui pourtant se prêtent mal *a priori* au récit — n'échappent pas à cette règle. Comme ailleurs des éléments de nature différente sont mis en relation ; des personnages y interviennent ; la chronologie est respectée. La dimension narrative ne se limite donc pas (comme on le croit trop souvent) à la « petite histoire » ou « historiette », qui présente pour un grand public la vie romancée de quelques grands. Elle ne se résume pas non plus à l'évocation (de type chronique) des régimes politiques et des guerres. Cette dimension narrative est en fait constitutive de la discipline historique. Un constat qui fait des habituels discours sur « la disparition du récit » ou sur « le retour du récit en histoire » une illusion rhétorique ou un cliché journalistique.

Deux méthodes complémentaires : le récit et le tableau

Ainsi que l'a démontré Antoine Prost dont nous reprenons ici l'analyse (*cf.* le chapitre « Mise en intrigue et narrativité », document 1), l'historien dispose pour rendre compte du passé de deux méthodes différentes mais complémentaires : le récit et le tableau.

Le récit suppose la présentation chronologique des événements passés dans lesquels quelques personnages importants sont impliqués. Ce procédé, qui convient bien au temps court et à ses inflexions brusques, revient pour l'historien à chercher des indices lui permettant de rapporter avec précision et certitude les faits et d'expliquer les motivations des protagonistes. S'intéressant aux modalités des événements et aux intentions des acteurs, cette investigation aboutit à un mode d'écriture qui s'apparente au récit.

Si l'historien privilégie le temps long pour repérer des permanences qui ont valeur générale, s'il préfère étudier l'évolution lente des structures qui concernent non plus les individus mais les masses, il optera alors pour d'autres méthodes plus quantitatives. Les analyses statistiques, les observations anthropologiques systématiques lui permettront de présenter le fonctionnement des sociétés, les cycles de l'économie, les structures des mentalités. Ce type de recherche historique aboutit à un mode d'écriture qui relève du tableau.

Cette distinction générique peut sembler recouper une évolution historiographique. En clair, le premier mode, narratif, équivaudrait à une histoire traditionnelle, celle qui, dominante au XIXe siècle, faisait la part belle à l'action des grands hommes rapportée sous la forme d'une chronique politique, militaire et diplomatique. Le deuxième mode, plus analytique, s'apparenterait à l'histoire telle que l'entendaient les fondateurs des *Annales* et leurs continuateurs comme Fernand Braudel. Cette histoire, qui privilégiait les domaines du social, de l'économique et du culturel, étudiait des processus lents et leurs conséquences sur de larges collectivités humaines. Mais cette séparation s'avère spécieuse, tant les historiens mêlent nécessairement les deux modes, le récit et le tableau.

Dans le premier tome de *Temps et récit* publié en 1983, Paul Ricœur a d'ailleurs montré que toute histoire (y compris l'histoire sérielle ou quantitative) reste construite selon des formes qui gouvernent le récit, et il a souligné que même l'histoire des structuralistes respectait une mise en intrigue minimale. Fernand Braudel ne fait-il pas ainsi de la Méditerranée le personnage central de sa thèse sur le monde méditerranéen à l'époque de Philippe II, montrant comment cet espace évolue et se recompose sur la longue durée ? Combinant trois types de récits qui correspondent aux trois étages de la tritemporalité braudélienne, l'auteur installe progressivement son intrigue : « le déclin de la Méditerranée comme héros collectif sur la scène de l'histoire mondiale ». Toute étude, même à dominante structurale, qui respecte un ordre chronologique présente les acteurs et indique les enchaînements logiques entre les phénomènes étudiés, introduisant au fond des éléments narratifs dans le corps de l'analyse.

Inversement, tout récit historique suppose une analyse minimale de type tableau. Même les études les plus marquées par la trame narrative comme les biographies n'échappent pas à cette règle. En rapportant le parcours du général de Gaulle, Jean Lacouture respecte certes le fil chronologique et évoque les grands moments de son personnage célèbre dans une langue admirable. Mais il organise aussi son récit autour de thématiques problématisées. Il analyse par exemple l'influence sur le général de son milieu d'origine, catholique, conservateur et monarchiste. Il étudie les relais politiques qui lui permirent de diffuser ses conceptions tactiques iconoclastes dans les années 1930. Il explique les relations conflictuelles qu'entretinrent à Londres de Gaulle et ses partenaires anglo-saxons. Il s'interroge sur les raisons de l'échec politique du RPF durant la IVe République, etc. Le troisième tome, enfin, consacré à l'action de l'homme d'État sous la Ve République, abandonne même partiellement la logique chronologique pour traiter de manière thématique des différents domaines d'intervention du président de la République : la question algérienne, la politique d'indépendance nationale, les institutions, les réformes économiques et sociales, les médias, etc. Ainsi, toute histoire de type événementiel contient nécessairement des énoncés généraux sous forme de tableaux qui permettent de rendre compte du passé de manière globale et cohérente.

Même si chaque ouvrage d'histoire a tendance, selon les époques, les modes historiographiques et les préférences de l'auteur, à privilégier une forme plutôt que l'autre, ces deux dimensions du récit et du tableau sont toujours associées. Le meilleur exemple de cette juxtaposition est sans doute l'étude biographique de Georges Duby, *Guillaume le Maréchal*, publiée en 1984 et qui adoptait un mode narratif littéraire et romanesque. Tout en retraçant par d'incessants va-et-vient temporels l'itinéraire de celui qui fut jugé par ses pairs comme « le meilleur des chevaliers », c'est toute la chevalerie du XIIe siècle que le médiéviste présente. Biographie et histoire culturelle se croisent. L'auteur montre en quoi son personnage incarnait de manière presque caricaturale cette aristocratie guerrière, enserrée dans le respect d'un rituel organisé autour de la guerre et de son simulacre festif (Guillaume était le capitaine de tournoiement de son suzerain, le roi d'Angleterre), des solidarités du lignage (Guillaume, par son mariage, devint l'un des barons les plus puissants de l'entourage du roi Plantagenêt) et de la morale religieuse (arrivé au terme de son existence, l'ancien croisé Guillaume se fit moine templier). Pour décrire son héros et le monde qui l'entoure, Georges Duby s'est servi d'une source intéressante, mais lacunaire et partiale : l'hagiographie qu'un troubadour a consacrée (à la commande de la famille) à Guillaume et à ses exploits militaires. En bon romancier toutefois, l'auteur a eu l'habileté de masquer ce lourd travail préparatoire d'érudition pour plonger directement son lecteur dans l'univers de son personnage. Revenant en 1999 sur cette étude dans l'ouvrage *L'Histoire aujourd'hui*, Jean-Claude Ruano-Borbalan insiste sur la qualité d'écriture de l'auteur :

> Le livre de Georges Duby, *Guillaume le Maréchal*, est donc un chef-d'œuvre d'histoire compréhensive, où le lecteur, guidé par l'historien, comble de son imagination toutes les zones d'ombre. Les relations de tournois sont à cet égard saisissantes. On imagine jusqu'à l'odeur de sueur, de foin et de sang rarement versé, exhalant d'un camp où plusieurs milliers d'hommes et quelques femmes s'affairent ; qui à préparer le combat, qui à apprêter les victuailles ou à prêter sur gages. Qu'on ne cherche pas dans ce récit d'exposé théorique et référencé tentant de résoudre une « question » théorique. Être le temps d'une lecture, chevalier, au plus près de ce qu'ils furent vraiment, voilà l'ouvrage. En cela, tous les mécanismes de l'identification romanesque sont à l'œuvre dans ce livre.

La mise en intrigue

Récit et tableau s'unissent dans cet acte propre à l'historien qu'Antoine Prost nomme « la mise en intrigue ». Cette construction de l'objet historique suppose d'organiser le passé autour de problématiques initiales ; l'historien délimite son sujet en cherchant une réponse à une (ou plusieurs) question(s) qu'il s'est préalablement posée(s). En cela, tout récit historique est d'abord un choix : des événements, des lieux et des personnages sont préférés à d'autres selon un questionnement liminaire. Paul Veyne rend compte de cette réalité en affirmant dans son essai *Comment on écrit l'histoire* que « l'historien découpe des itinéraires dans la trame infinie de l'événementiel ».

Prenons l'exemple de la thèse d'Antoine Prost sur les anciens combattants dans la société française de l'entre-deux-guerres (1977). L'historien entendait au début répondre à cette problématique centrale de l'influence de la première guerre mondiale sur les mentalités de la société française. Pour analyser cet impact, il délimita un corpus, les anciens combattants, et organisa son étude autour de la question du pacifisme de ces derniers et de ses répercussions sur le reste du pays. Un choix qui supposait d'écarter d'autres thèmes, comme la vie quotidienne des poilus dans les tranchés ou le rôle de l'état-major. Cette construction de l'objet historique, ou « mise en intrigue », amena l'auteur à combiner trois histoires :

– Une histoire politique des différentes associations de vétérans. Cette étude organisationnelle présentait les conditions d'apparition et les modes de fonctionnement de ces mouvements divisés par catégories et préférences politiques. Elle observait leur action de lobbying sur le monde politique pour obtenir des pensions, infléchir la politique extérieure, critiquer un parlementarisme dévoyé oublieux des sacrifices du front, etc.

– Une histoire sociale de ces millions d'anciens combattants, avec une étude de leur place dans la société française, de la difficulté pour ces hommes qui avaient quitté leur famille et leur travail pendant quatre ans à se réinsérer dans un monde, « l'arrière », qui leur était devenu étranger.

– Une histoire culturelle des mentalités françaises de l'après-guerre, avec une étude de la progressive transformation d'une expérience de guerre en mémoire de guerre puis en commémoration de la guerre par le biais des monuments aux morts et des cérémonies du 11 Novembre ; puis une étude de l'ambiguïté d'une commémoration qui faisait coïncider le pacifisme de la plupart des vétérans avec le patriotisme toujours cocardier du reste de la population et des autorités.

Entre récit et fiction

Recourir aux termes de récit et d'intrigue présente l'inconvénient de rapprocher le travail de l'historien de celui du romancier. La recherche historique ne risque-t-elle pas d'être assimilée à une fiction ? Il convient en fait de s'entendre sur la signification exacte des mots. L'histoire est un récit dans la mesure où celui qui l'écrit raconte autant qu'il explique. L'histoire est aussi un récit dans le sens où Paul Veyne disait de l'histoire qu'elle représentait un « roman vrai » (*Comment on écrit l'histoire*, p. 22). L'histoire s'apparente au genre romanesque en étant « un récit d'événements » (pour reprendre une autre formule de Paul Veyne), une mise en action d'actions représentées » ; dans son écriture même, elle ne peut se soustraire aux procédés littéraires. Mais il s'agit d'un roman « vrai », car ce récit est validé par le recours à des méthodes d'analyse critique de sources et à des schémas logiques d'argumentation. C'est le point sur lequel insiste Paul Ricœur :

> L'historien n'est pas un simple narrateur, il donne des raisons pour lesquelles il tient un facteur plutôt que tel autre pour la cause suffisante de tel cours d'événements. Le poète crée une intrigue qui tient par son squelette causal. Mais celui-ci ne fait pas l'objet d'une argumentation. (*Temps et récit*, t. 1)

Ces précautions sont d'autant plus importantes que, dans les années 1970 et 1980, tout un courant historiographique a récusé la prétention à la vérité de l'histoire en affirmant que cette dernière ne représentait qu'une fiction dont on devait reconnaître les limites. Dans un essai publié en 1975, *L'Écriture de l'histoire*, Michel de Certeau montrait ainsi que le discours historique était toujours un récit et que cette dimension littéraire, loin de se résumer à une affaire de rhétorique, posait la question de la légitimité de la recherche historique. À la même époque, un mouvement intellectuel américain, le *linguistic turn*, radicalisa ces réflexions européennes. Désormais, l'ouvrage historique, étroitement marqué par les engagements politiques et les présupposés socio-culturels de son auteur, ne constituait qu'un discours arrangé abusant la crédulité du lecteur par la rigueur artificielle de ses pseudo-reconstructions logiques. Dans un essai qui reçut en 1973 un certain écho dans la communauté historienne, *Metahistory : The historical imagination in nineteenth century Europe*, Hayden White soulignait ainsi combien toute construction historique dépendait des présupposés de son auteur. Si ces positions extrêmes ont le mérite de démonter définitivement l'espoir naïf d'une possible restitution, neutre, entière et définitive du passé historique (conception héritée des positivistes du XIXe siècle), elles ont le défaut d'aboutir à un relativisme qui dénie à l'historien le droit et le pouvoir d'établir l'authenticité d'un fait. Ce relativisme, qui fragilise l'analyse historique, n'est pas sans danger à l'heure où certains faussaires de la profession (tels les révisionnistes) s'emploient insidieusement à remettre en cause des vérités établies.

Face à ce péril, il faut refuser la critique relativiste. Si l'histoire garde toujours une dimension narrative, cela ne signifie pas pour autant qu'elle soit une fiction. Le récit historique reste en effet soumis à une méthode critique éprouvée qui lui

permet d'atteindre la vérité ou, du moins, d'émettre des probabilités. Tout historien devrait d'ailleurs fournir à son lecteur les preuves lui ayant permis d'établir
certains faits avec exactitude et avoir l'honnêteté intellectuelle de reconnaître ses
doutes lorsque les sources restent trop lacunaires pour être affirmatif. Mais, plus
encore que la richesse des sources et la rigueur de leur traitement, c'est la qualité
du questionnement initial qui fait la valeur de l'œuvre historique. C'est à ce niveau que doit s'appréhender le débat sur la vérité historique.

Pour reprendre les termes d'Antoine Prost, « lorsque l'historien pose des
questions à des documents, il aboutit à des réponses vraies mais ces vérités sont
partielles et provisoires » (« Entretien avec A. Prost », *in L'Histoire aujourd'hui,*
p. 375). Partielles et provisoires parce que les résultats obtenus dépendent des
problématiques initiales et que celles-ci, par définition, restent marquées par leur
contexte historique et la subjectivité de leur auteur. Les types d'interrogations
évoluent avec le temps comme les méthodes d'analyse. Aussi, même si de nouvelles sources ne sont pas découvertes, un objet historique sera nécessairement
enrichi par le renouvellement des procédures de recherche. Aujourd'hui, les historiens ont donc perdu les ambitions naïves et idéalistes des Méthodiques, sans verser pour autant dans un relativisme cynique et dangereux. Pour eux, l'histoire ne
représente ni le passé entièrement restitué par la science ni une fiction totalement
subjective et contextualisée. Loin de ces deux extrêmes, ils ont opté pour une position plus pragmatique. Celle-ci consiste à penser que la recherche historique
constitue une démarche rationnelle faite d'analyses argumentées et étayées par
des preuves, mais que les résultats de cette même recherche restent limités par les
problématiques formulées et les sources consultées. Véritable « mise en intrigue »,
l'histoire n'est pas une fiction, puisque ces résultats sont validés par des méthodes
critiques rigoureuses qui authentifient ses propositions de caractère général.

Il appartient ainsi à l'historien de comprendre que la recherche de la vérité
n'est pas forcément incompatible avec la structure narrative de l'histoire. À condition de respecter la logique du raisonnement et la rigueur des procédures d'analyse critique de dépouillement des sources, l'histoire n'a rien à craindre d'une
dimension narrative qui lui est de toute façon inhérente.

Conclusion

François Furet note dans *L'Atelier de l'histoire* (1982) : « L'histoire est fille du récit
[…] faire de l'histoire, c'est raconter une histoire. » Histoire et récit sont inséparables : la recherche historique consiste aussi à faire revivre des personnages, à
décrire des contextes, à exposer des intrigues. Faire de l'histoire, c'est raconter, et
certains y excellent, de J. Michelet à G. Duby. En histoire, l'analyse est liée à la
narration et l'histoire vise à instruire tout en divertissant ; c'est pourquoi cette
discipline est appréciée d'un vaste public. Il ne s'agit pas d'évoquer ici les grandes
épopées, les biographies historiques très « littéraires », voire les romans historiques qui représentent pourtant les succès de librairie, mais de noter à un niveau
plus épistémologique que raconter, c'est finalement la même chose qu'expliquer.
P. Veyne le constatait déjà dans *Comment on écrit l'histoire* (p. 111) :

> Le roi fit la guerre et fut vaincu, ce sont en effet des choses qui arrivent, poussons
> l'explication plus loin, par amour de la gloire, ce qui est bien naturel, le roi fit la guerre et

fut vaincu à cause de son infériorité numérique [...] L'histoire ne dépasse jamais ce niveau d'explication très simple, elle demeure fondamentalement un récit et ce qu'on nomme explication n'est guère que la manière qu'a le récit de s'organiser en une intrigue compréhensible.

La correspondance est donc étroite entre l'explication historique et la forme du récit. Un ouvrage d'histoire pourra toujours se résumer à une mise en intrigue autour d'un problème posé, où l'auteur démêlera les causes, les modalités et les conséquences d'événements présentés en un tout cohérent.

Attention donc à l'opposition simpliste entre l'histoire-récit des Méthodiques et l'histoire problématisée des Annalistes. Les premiers faisaient nécessairement de l'analyse, tandis que les seconds ne pouvaient échapper au récit. Il n'y avait pas d'un côté la simple narration de la bataille et de l'autre la problématique interprétative de la bataille. L'attention portée à la longue durée et l'usage de séries statistiques n'y changent rien. Même si l'événement, la biographie et le récit semblèrent, des *Annales* à la Nouvelle Histoire, passer au second plan, au profit d'une histoire globale qui s'intéressait aux structures socio-économiques et mentales sur le long terme, les historiens n'avaient jamais cessé de raconter. Parce que les chiffres, les faits et les dates ne parlent pas d'eux-mêmes mais sont interrogés et interprétés, parce que le passé n'est pas restitué mais reconstruit au travers d'hypothèses et de grilles de lecture, parce que les vides doivent être comblés par l'imagination (*cf.* A. Corbin et son sabotier inconnu) ; en clair, l'histoire est une science humaine et non une science exacte (et dépend donc de la compréhension et non de l'explication), l'historien n'a jamais quitté le champ du récit. Il s'agit toutefois d'un récit élargi[1], puisqu'il ne se limite plus à la seule chronologie des événements, mais s'appuie désormais sur des contextes déterminants, évoque des enjeux, discute des origines et des conséquences des phénomènes, propose différentes explications, fait intervenir des héros collectifs, etc. Cette redécouverte de l'histoire-récit a relégitimé l'intervention personnelle de l'historien dans son métier. Alors que la Nouvelle Histoire, avec sa méthode sérielle, semblait évoluer vers une dépersonnalisation « scientifique » de la pratique historienne, est réaffirmé depuis peu le caractère narratif d'une histoire qui assume mieux la subjectivité de son auteur. En 1991, G. Duby insistait déjà sur ce point dans un ouvrage bilan :

> Je peux établir, par exemple, preuves en main, que le 27 juillet 1214 et non pas le 26 ou le 28, deux armées s'affrontèrent dans la plaine de Bouvines et même qu'il faisait chaud ce jour-là, que les moissons n'étaient pas achevées [...] Tout cela est vrai, incontestablement. Mais si, historien de la société féodale, je n'entends pas me limiter à ces détails, si je cherche à comprendre ce qu'étaient une bataille, la paix, la guerre, l'honneur, pour les combattants qui la livrèrent, il ne suffit pas de mettre en avant les « faits ». Je dois m'efforcer de regarder les choses avec les yeux de ces guerriers, je dois m'identifier à eux, qui ne sont plus que des ombres, et cet effort d'incorporation imaginaire, cette revitalisation exigent de moi que je « mette du mien » comme on dit. Du subjectif[2].

---

1. Lire à ce sujet la rubrique « histoire » dans Jean-François Dortier (dir.), *Les Sciences humaines. Panorama des connaissances*, Auxerre, Sciences Humaines, 1998.
2. G. Duby, *L'Histoire continue*, Paris, Odile Jacob, 1991.

Enseigner l'événement : l'exemple de la chute du Mur de Berlin en classe de terminale (séries L, ES, S)

Dossier :
Document 1 : Fernand Braudel, « Préface », *La Méditerranée et le monde méditerranéen au temps de Philippe II*, 1949, repris *in Écrits sur l'histoire*, Flammarion, 1969, et cité *in* C.-H. Carbonell et J. Walch, *Les Sciences historiques de l'Antiquité à nos jours*, Paris, Larousse, 1994, p. 251-256.
Document 2 : Georges Duby, « Avant-propos », *Le Dimanche de Bouvines*, Paris, Gallimard, 1973.
Document 3 : Programme histoire-géographie terminale (séries L, ES, S).
Document 4 : Documents d'accompagnement des Programmes du cycle terminal voie générale (séries L, ES, S).
Document 5 : Henri Bernard et François Sirel, *Histoire, terminale, L, ES, S. Le monde de 1939 à nos jours*, Paris, Magnard, 1998, « Sujet Bac – Commentaire de document [Une du journal *Le Figaro*, 10 novembre 1989] – Novembre 1989. La chute du Mur de Berlin », p. 166-167.

La place et le rôle de l'événement sont un enjeu de réflexion épistémologique pour les historiens. Les fondateurs des *Annales* et leurs successeurs, comme Fernand Braudel, ont en effet critiqué l'histoire événementielle des Méthodiques pour privilégier au contraire la longue durée. Pourtant, l'événement connaît une nouvelle faveur depuis les années 1970, non seulement en relation avec un courant comme l'histoire politique, mais aussi du fait d'historiens, tel Georges Duby, qui revendiquent leur filiation avec les *Annales*. Surtout, ce retour de l'événement s'accompagne d'une réflexion sur sa signification, sur son rapport avec d'autres temporalités, qui renouvelle sa conception.

Ces nouvelles problématiques, cette volonté d'emboîter ou de croiser temps long et temps court, approches structurelle et conjoncturelle, ne sont pas non plus étrangères aux programmes scolaires et à leur possible mise en œuvre par les manuels scolaires.

Méfiance et intérêt pour l'événement, de Fernand Braudel à Georges Duby

« Une histoire dangereuse » (Fernand Braudel)

Dans un texte célèbre (document 1), Fernand Braudel décompose le temps historique en trois : une histoire quasi immobile, « celle de l'homme dans ses rapports avec le milieu qui l'entoure », au-dessus de laquelle se développe une histoire lentement rythmée, une « histoire sociale, celle des groupes et des groupements » ; enfin, à l'échelle de l'individu, le temps de l'histoire « traditionnelle » ou encore événementielle : une histoire « à oscillations brèves, rapides, nerveuses […] la plus passionnante, la plus riche en humanité, la plus dangereuse aussi ». Braudel justifie sa méfiance pour cette histoire « brûlante » : les sources sont déformantes non seulement car elles ont longtemps négligé les pauvres, les humbles, mais aussi car elles traduisent les passions, les « rêves et les illusions ». Surtout, ce temps est, pour tous, un « monde aveugle », qui ne perçoit pas les évolutions de plus longue durée, qui ignore la lente évolution des structures et des forces de profondeur. Aussi l'événement se trouve-t-il placé, dans cette conception des temps de l'histoire, dans un rapport de subordination par rapport à la longue durée. Pour Braudel en effet, l'histoire événementielle ne fait sens que si « l'on embrasse de larges périodes de temps ». Plus clairement sans doute, il écrit : « Les événements retentissants ne sont souvent que des instants, que des manifestations de ces larges destins et ne s'expliquent que par eux. »

Cette conception des temps historiques, ces rapports entre temps court, événement et longue durée s'inscrivent dans des débats historiographiques. Fernand Braudel met en cause l'histoire événementielle, qu'il associe, qu'il confond avec l'histoire traditionnelle et politique, celle des Méthodiques, auxquels il rend cependant hommage pour les progrès de la science historique en termes d'instruments de travail et de méthodes rigoureuses. Néanmoins, l'histoire économique et sociale que développent les *Annales* est opposée à cette histoire. Avant Fernand Braudel, Lucien Febvre a critiqué les choix de l'histoire événementielle, notamment dans ses comptes rendus d'ouvrages publiés dans la *Revue de Synthèse* ou dans les *Annales*, repris pour un certain nombre dans *Combats pour l'histoire*[1]. Dans « Histoire ou politique ? Deux méditations : 1930, 1945[2] », il attaque la démarche suivie dans deux ouvrages[3] d'histoire diplomatique : leurs auteurs ne s'intéressent qu'à la diplomatie et aux documents diplomatiques (« Eux, retranchés derrière un parti pris simple, celui de n'utiliser jamais que les documents diplomatiques proprement dits[4] »). Les forces profondes, l'économie, le commerce, les passions, les appétits, les facteurs naturels et physiques, etc. : « Il leur suffit qu'[ils] dorment dans de secrètes profondeurs[5]. » C'est l'un des reproches majeurs (à l'égard de manuels, d'ouvrages de vulgarisation, et non de thèses ou de travaux de recherche, il faut le préciser) de Lucien Febvre : cette histoire n'est qu'une histoire diplomatique, une histoire des grands événements, des grands personnages, des batailles.

Ce qui est en jeu dans ce débat, c'est aussi la définition même de l'événement et son interprétation, enjeu épistémologique qui a connu des réponses variées — sinon opposées — dans l'historiographie. Pour les Méthodiques, au premier rang

---

1. Lucien Febvre, *Combats pour l'histoire, op. cit.*
2. *Ibid.*, p. 61-69.
3. Henri Hauser (dir.), *L'Histoire diplomatique de l'Europe (1871-1914)*, Paris, PUF, 1929, et A. Roubaud, *La Paix armée (1871-1914)*, Paris, Armand Colin, 1945.
4. Lucien Febvre, *Combats pour l'histoire, op. cit.*, p. 62.
5. *Ibid.*

desquels Charles-Victor Langlois et Charles Seignobos, l'événement est connu — indirectement le plus souvent — par les traces qu'il laisse, traces et documents dont il faut vérifier la véracité. L'événement est un accident, une rupture qui affecte le cours de l'histoire. L'historien doit classer les événements selon la hiérarchie de leurs effets, de leurs conséquences. L'histoire est une sorte de chaîne d'événements liés entre eux par des relations, de causalité principalement. Cette conception de l'événement et du rôle de l'historien repose sur un certain nombre de postulats : l'existence de faits « donnés » ou « bruts » notamment, que l'historien se contente d'examiner attentivement. Les Méthodiques privilégient l'étude des documents écrits et, donc, les événements politiques et diplomatiques, les grands personnages et les hauts faits, même s'ils ne négligent pas complètement l'économie.

Ces conceptions de l'histoire et de ses objets d'étude ont été discutées — par François Simiand et la *Revue de Synthèse* par exemple — dès le début du XXe siècle, sous l'influence de la sociologie et de Durkheim en particulier. C'est le statut de l'histoire comme science, voire sa scientificité même, qui est en débat : discipline idiographique qui s'attache à l'étude de faits particuliers ou d'événements uniques, discipline nomographique qui analyse d'autres faits.

Dans ce débat historiographique, les travaux de Marc Bloch et Lucien Febvre, leur rencontre et la création des *Annales* ont entraîné une série de ruptures épistémologiques : la conception du document a été bouleversée, considérablement élargie ; pour ces historiens, prime le questionnement, le « problème », car il n'y a pas de fait donné ; le refus du primat du politique au profit de l'histoire économique et sociale, voire une certaine dépréciation de l'histoire politique assimilée à l'histoire événementielle. Fernand Braudel est sans doute l'un des plus critiques à l'égard de cette histoire événementielle (« une agitation de surface ») en raison de la reconstruction des temps historiques qu'il entreprend.

Comme le temps long prime sur l'événement, le singulier est dépassé par le sériel et l'événement est affaibli, et même discrédité par ces remises en cause. Pourtant, l'événement va bénéficier d'un indéniable regain d'intérêt de la part des historiens, qui n'est pas seulement le fait d'attaques contre les *Annales*. Fernand Braudel évolue, et ses écrits postérieurs à *La Méditerranée...* présentent une autre conception de l'événement :

> Un événement à la rigueur peut se charger d'une série de significations ou d'accointances. Il porte témoignage parfois sur des mouvements très profonds, et par le jeu factice ou non des causes et des effets chers aux historiens d'hier, il s'annexe un temps très supérieur à sa durée[1].

Le rapport entre événement et longue durée peut donc sensiblement évoluer : non plus placé dans un rapport de subordination (l'événement ne s'explique que par des phénomènes plus longs), l'événement peut être porteur de cette longue durée.

---

1. Fernand Braudel, « La Longue durée », *Annales ESC*, n° 4, 1958, repris *in Écrits sur l'histoire*, Flammarion, 1984, coll. « Champs », p. 49.

« *La valeur inestimable de l'événement* » *(Georges Duby)*

Georges Duby, dans l'« Avant-propos » de son ouvrage *Le Dimanche de Bouvines* (document 2) fait justement référence à cette conception renouvelée de l'événement de Braudel quand il cite une interview de ce dernier dans *Le Monde* (14 décembre 1979) : le « simple fait divers » peut être « l'indicateur d'une réalité longue et quelquefois, merveilleusement d'une structure ». Georges Duby, qui présente de profondes parentés avec l'école des *Annales* — il revendique d'ailleurs cette filiation dans cet « Avant-propos » : « ...des historiens qui, comme moi, s'affirmaient les disciples de Marc Bloch et de Lucien Febvre... » —, dépasse la réticence ou la prudence (*cf.* ci-dessus : « témoignage parfois », « merveilleusement d'une structure ») de Fernand Braudel pour s'intéresser à un événement, la bataille de Bouvines, qui s'est déroulée le 27 juillet 1214.

Il doit d'ailleurs justifier ce choix face à l'étonnement de ses amis historiens. Comme il le rappelle, l'histoire des *Annales* puis la Nouvelle Histoire ont en effet rejeté l'événement au profit de « la longue et moyenne durée, l'évolution de l'économie, de la société, de la civilisation ». Au demeurant, cette dernière expression reprend précisément le sous-titre des *Annales ESC* de 1946 à 1993 : « Économie, Société, Civilisation ». Outre le plaisir de rédiger librement ce *Dimanche de Bouvines* pour la collection « Trente journées qui ont fait la France », la principale justification de Georges Duby demeure d'ordre épistémologique. En effet, pour lui, il est nécessaire d'exploiter l'événement afin d'atteindre les évolutions de longue durée et « les mouvements obscurs ». Par rapport à la conception de Braudel présentée dans sa « Préface » de *La Méditerranée...* (nuancée par ses propos ultérieurs), il s'agit presque d'un renversement.

Pour Duby, l'événement est un révélateur des structures et des évolutions lentes. L'événement crée des remous, fait du « bruit », est « grossi » par les témoignages mais aussi par les historiens ; il est « sensationnel », d'où pour Duby son « inestimable valeur ». Car tel un séisme, il révèle en « explosant » les profondeurs, qu'il fait resurgir, qu'il « tire avec lui ». Cette conception de l'événement est particulièrement novatrice. L'événement entremêle, croise les différentes temporalités, révèle les structures, les évolutions lentes, des « traces qui, sans ce coup de filet, seraient demeurées dans les ténèbres, inaperçues ». Objet à nouveau digne d'étude, l'événement relève pour Georges Duby non seulement de l'ordre du réel mais aussi et surtout de l'ordre de la mémoire : l'événement fait du « bruit », résonne, amplifie les discours et, ce faisant, révèle les structures profondes de la société médiévale, ainsi que les constructions de la mémoire et de l'historiographie. La conception de l'événement est donc largement enrichie : Georges Duby étudie la bataille à travers les documents sources, la construction de l'événement, révélatrice de la société féodale, mais également le devenir de cet événement à travers l'histoire et l'historiographie.

Cette conception n'est pas étrangère à de nouvelles préoccupations des historiens : l'histoire de la mémoire ou l'historiographie. Elle n'est pas non plus l'apanage de Duby, puisque des préoccupations analogues guident par exemple Emmanuel Le Roy Ladurie dans *Le Carnaval de Romans* (1979) ou Natalie Zemon Davies dans *Le Retour de Martin Guerre* (1982). Le courant de l'histoire politique participe aussi à ce « retour en grâce » de l'événement, sous la plume de René Rémond notamment[1]. Celui-ci souligne en effet ce que l'événement a d'imprévisible, ce qu'il introduit d'irréversible. Pour lui, l'événement peut aussi, à son tour, être structurant.

C'est également de cette façon renouvelée, enrichie, que les programmes entendent des événements comme les deux guerres mondiales.

Dans l'enseignement : quelle place pour l'événement ?

Tant de soutiens à l'événement ne doivent pas manquer d'influencer les programmes scolaires. Car, outre ses propres finalités, l'histoire enseignée diffuse aussi une partie des connaissances et des problématiques issues de la recherche historique. Cette diffusion des savoirs historiques est d'ailleurs l'un des enjeux de ces programmes, qui, pour Dominique Borne, inspecteur général de l'Éducation nationale, « ont toujours été attentifs aux champs nouveaux de la recherche historique[2] ».

« Redonner toute sa valeur à l'événement » (document 4)

Les documents d'accompagnement des programmes donnent des indications — sinon une orientation — de lecture des programmes : ils rappellent « l'absolue nécessité de les terminer » (par l'usage et le respect des fourchettes horaires en particulier), mais précisent aussi des notions (comme celle de culture) ou des problématiques (à propos des totalitarismes : « mettre en évidence les traits fondamentaux et communs, tout en faisant, bien entendu, la part de la spécificité de chacun de ces régimes »).

En histoire, les « orientations générales » de ces documents d'accompagnement du cycle terminal (voie générale) précisent les problématiques générales, l'esprit de la mise en œuvre de ces programmes ; c'est-à-dire — de manière assez ambitieuse — mener une réflexion sur « les temps de l'histoire et la manière dont ils infléchissent et conditionnent la vie des sociétés humaines » (document 4). Quels sont les temps historiques envisagés par ces documents ? Aussi bien le temps long, la longue durée « nécessaire pour aborder l'ensemble des phénomènes structurels qui constituent le cadre de l'existence des hommes », que le temps court de l'événement, des éléments conjoncturels. À la manière du raisonnement multi-scalaire en géographie, qui emboîte les différentes échelles, l'enseignant d'histoire est invité à emboîter ces temporalités : « à l'intérieur de ces séquences de longue durée interviennent les éléments conjoncturels ». La décomposition du temps historique est transposée dans ces programmes de manière simplifiée ou adaptée : ce qui est nommé ici longue durée (le phénomène d'industrialisation donné en exemple) relève plutôt du temps de « l'histoire sociale » évoqué par Fernand Braudel, deuxième « temporalité » qu'il distingue d'une « histoire quasi immobile ».

---

1. *Cf.* René Rémond, « Du politique », *in Pour une histoire politique*, Paris, Le Seuil, 1988, p. 379-387, en particulier p. 386.
2. Dominique Borne, « Une discipline d'enseignement », *Sciences Humaines*, n° 18, 1997, p. 14-15.

Néanmoins, ces documents évoquent deux temporalités qu'il convient d'étudier. Le temps long est celui du processus d'industrialisation et des transformations qu'il entraîne sur les structures des sociétés, l'économie, la vie culturelle et religieuse, les rapports de puissance, etc. Le temps plus court est celui de l'événement. Les documents d'accompagnement précisent l'intérêt et le sens de l'événement : par rapport à la longue durée, l'événement fait sens parce qu'il peut expliquer des phénomènes plus larges et qu'il accélère ou infléchit des évolutions plus lentes. D'où une sorte de hiérarchie entre les événements : certains sont « conjoncturels » (« ils infléchissent une évolution sans en remettre en cause les données majeures »), d'autres sont « déterminants », comme les deux guerres mondiales, et exigent un traitement particulier.

Ces réflexions qui doivent guider les enseignants dans leurs pratiques professionnelles ne reflètent pas un fade compromis entre des courants divers de la discipline historique. Au contraire, elles traduisent « l'état » de la discipline — équilibre toujours instable, mouvant, signe d'une discipline vivante — et sont plutôt porteuses des problématiques actuelles : une volonté de croiser temps long et temps court, approche structurelle et conjoncturelle. Ces problématiques sont déjà présentes dans les ouvrages de Georges Duby ou encore à l'œuvre dans l'histoire politique et dans l'histoire du temps présent qui intègre le temps présent dans une temporalité plus longue.

Ces approches diverses n'apparaissent plus comme antinomiques, contradictoires, mais comme complémentaires au sein de démarches renouvelées par une dialectique entre des pôles variés de la science historique.

« Coup de théâtre », la chute du Mur de Berlin

Dans le programme de la classe de terminale (séries ES, L, S), cet événement peut être abordé dans deux parties différentes : soit dans les grands modèles idéologiques (le modèle soviétique) soit dans les affrontements des grandes puissances et la dissolution des blocs. L'analyse de la chute du Mur prend d'ailleurs tout son sens dans le croisement de ces parties du programme, dans la mise en relation de temporalités différentes. Les documents d'accompagnement invitent justement les enseignants à effectuer cette mise en relation : « La présentation de ces modèles fournit par ailleurs aux élèves les outils nécessaires à une entrée de plain-pied dans le chapitre suivant portant sur l'affrontement des blocs et leur dissolution. » L'étude du modèle soviétique relève en effet d'une temporalité plus longue que celle de l'événement : un soubassement idéologique, un système politique, une organisation de l'économie, des pratiques culturelles, etc. Ce modèle est aussi envisagé de manière évolutive : l'apogée ou la maturité sous Staline, les difficultés économiques et celles dues aux réformes, l'effondrement en 1989-1991. Enfin, cette histoire du modèle soviétique doit être reliée à l'histoire des relations internationales depuis 1945, car ces histoires s'interpénètrent en raison des pressions réciproques entre les deux grandes puissances ou encore en raison de la vocation internationale et de la volonté d'expansion de ce modèle soviétique.

L'événement de la chute du Mur, le 9 novembre 1989, est assurément une date fondamentale du XXᵉ siècle, qu'il clôt d'une certaine façon (*cf.* l'expression de

« court XX[1] siècle[1] » pour 1914-1989). Cet événement a aussi entraîné un renou-vellement des problématiques, des questionnements des historiens sur l'histoire soviétique ou sur le totalitarisme. Mais dans le cadre scolaire d'un manuel, cet événement est surtout l'occasion de mettre en œuvre une approche renouvelée de l'événement. Le questionnement du document (document 5, p. 166-167) montre en effet tout ce qu'a d'imprévisible et d'irréversible l'événement : « coup de théâtre », « fin d'un monde ». Cependant, de nombreuses questions invitent l'élève à utiliser ses connaissances pour situer l'événement dans une temporalité plus longue, celle de la Guerre froide : « Par qui et quand le mur de Berlin a-t-il été construit ? Quelles étaient les relations internationales à cette date ? Pourquoi ce mur a-t-il été construit ? Que symbolisait-il ? L'événement doit aussi être situé dans son contexte (« Quelle est la situation internationale à la date de l'article ? »), dans le-quel sont recherchés des éléments d'explication (« Comment peut-on caractériser la politique de Gorbatchev ? Quels en ont été les effets ? »). Les évolutions du « modèle soviétique », les dysfonctionnements notamment économiques, les diffi-cultés à réformer le système, bref des phénomènes plus longs doivent permettre d'emboîter cet événement dans la longue durée.

L'étude du document proposée dans ce manuel, outre le travail sur l'événe-ment, permet un travail méthodologique sur la une d'un journal, ainsi qu'une réflexion critique qui doit être menée sur tous les types de documents. En témoignent les questions sur « la position des auteurs », « l'opinion du journal » ou sa position politique. Cette démarche est parfaitement conforme aux objectifs et aux attentes des programmes, c'est-à-dire un examen critique des informations. Tout au long des classes du secondaire, les élèves sont amenés à repérer des in-formations, à les identifier, les classer, les confronter de manière critique avec d'autres informations. La recherche problématique et critique s'affirme de plus en plus tout au long de cette scolarité et permet aux élèves de pratiquer les dé-marches de l'historien ; en quelque sorte, de faire de l'histoire.

Au gré des évolutions de l'historiographie, l'événement a connu des fortunes di-verses. Placé au centre de la construction historique par les Méthodiques, il a subi les critiques des historiens des *Annales*, qui, souvent, lui ont préféré la longue du-rée. Mais, renouvelé par des approches novatrices, défendu par certains courants historiques, l'événement resurgit. Les problématiques actuelles tendent à faire une place à l'événement, emboîté, croisé avec d'autres temporalités. Ces problémati-ques inspirent les programmes scolaires et l'enseignement de l'histoire.

---

1.   Par exemple dans « Ce "court XXe siècle" », *Sciences Humaines*, n° 18, 1997, p. 50.

L'histoire entre sources et problématiques
Une restitution ou
une reconstruction du passé ?

Dossier (dossier et corrigé élaborés à partir de l'ouvrage de Jean Leduc, Violette Marcos-Alvarez et Jacqueline Le Pellec, *Construire l'histoire*) :

Document 1 : Lucien Febvre, « Leçon d'ouverture au Collège de France » prononcée en 1933, *in Combats pour l'histoire*, Paris, Armand Colin, 1953, (repris *in* Jean Leduc, Violette Marcos-Alvarez et Jacqueline Le Pellec, *Construire l'histoire*, Bertrand-Lacoste-CRDP Midi-Pyrénées, 1994, p. 58).

Document 2 : Henri-Irénée Marrou, *De la connaissance historique*, Paris, Le Seuil, 1954, p. 48-51 (repris *in* Jean Leduc, Violette Marcos-Alvarez et Jacqueline Le Pellec, *Construire l'histoire, op. cit.*, p. 59).

Document 3 : Antoine Prost, « Les Pratiques et les méthodes », *Sciences Humaines*, n° 18, septembre-octobre 1997 (repris *in* Jean-Claude Ruano-Borbalan, dir., *L'Histoire aujourd'hui*, Auxerre, Sciences Humaines, 2000, p. 385-391).

Introduction

L'histoire, telle qu'elle est écrite par l'historien ou enseignée par le professeur, ne doit pas être une simple présentation des événements du passé. Elle ne peut l'être de toute façon car le vieux rêve de l'historien érudit allemand Ranke, « seulement montrer ce qui s'est vraiment passé », s'avère vite illusoire. Même dans ses formes apparemment les plus neutres ou les plus factuelles (chronique médiévale, récit hagiographique, histoire politique événementielle), l'histoire constitue toujours une construction (ou plutôt une reconstruction) intellectuelle d'un passé qui n'est ni brut ni neutre. Il s'agit toujours de sélectionner et de critiquer des sources autour d'une problématique initiale puis de reconstruire les faits en les inscrivant dans une logique démonstrative comme dans une perspective historique.

Construire les faits

L'impossibilité d'une histoire reconstitutive

Tenter de reconstituer le passé tel qu'il fut est évidemment impossible. Trois raisons s'y opposent :
– la disparition ou l'altération des traces (documents, témoignages, etc.),
– l'impossibilité d'une recherche exhaustive,
– la subjectivité de l'historien.

Même l'histoire contemporaine, qui semble *a priori* plus favorable à ce genre de tentative avec sa proximité chronologique et son abondance documentaire, ne permet pas cette présentation brute et totale du passé. Consulter toutes les sources (écrites et orales, publiques et privées) liées à un événement est impossible. Sonder tous les cœurs et les esprits, récolter tous les témoignages des personnes concernées par un même fait (témoins ou acteurs) le sont également. Et même si ces conditions étaient réunies — ce qui est matériellement irréalisable —, comprendrait-on pour autant le fait ou le phénomène en question ? On aurait simplement une masse documentaire impossible à présenter comme telle et à utiliser. Il faudrait trier, relier, comparer, interpréter ces sources à la lumière d'interrogations initiales. Intervient alors cet autre problème qu'est la subjectivité de l'historien. Placé dans un certain contexte, le chercheur fait des choix qui ne sont jamais neutres. Ses problématiques, axes d'approche et méthodes d'analyse s'inscrivent toujours dans des modes intellectuelles, des engagements politiques et des courants historiographiques qui font de toute recherche historique une œuvre subjective, marquée par son époque comme par la personnalité de son auteur.

C'est donc l'historien qui, en fin de compte, choisit ses sources, définit ses axes et problématiques, pose les questions et ordonne les réponses. En ce sens, les chercheurs et les professeurs d'histoire sont bien des « metteurs en scène ». Cette formule — qui est celle de Jean Leduc, Jacqueline Le Pellec et Violette Marcos-Alvarez dont nous suivons ici l'analyse — ne doit pas être mal interprétée. Il existe bien dans la corporation des illusionnistes (les romanciers de la « petite histoire » qui font parler leurs personnages et plongent dans les pensées de ces derniers) et des faussaires (les historiens des pays totalitaires qui retouchent les archives et réécrivent le passé conformément aux exigences politiques du pouvoir ; les négationnistes qui nient la réalité historique de l'Holocauste) ; mais cette expression ne signifie pas que l'histoire est fiction. Elle veut dire que l'histoire est une construction intellectuelle (un arrangement et un discours) qui vise à rendre intelligible une réalité confuse, à éclairer et à donner du sens à un passé riche ou lacunaire, mais toujours complexe. « Autant le savoir avant de faire route avec elle : Clio n'est pas une magicienne capable de faire ressurgir le passé ».

À partir des traces laissées par le passé, l'historien :
– sélectionne un corpus de sources autour de quelques problématiques ;
– présente les faits dans leurs modalités, établit des relations de cause à effet, observe les conséquences, ce qui lui permet de confirmer, préciser, nuancer ou infirmer ses hypothèses de départ ;
– inscrit enfin ses résultats dans une perspective et un contexte historique.

Encore une fois, la réalité passée n'est pas un donné que l'historien n'aurait qu'à retrouver et reconstituer fidèlement de manière passive. Cette réalité, l'historien doit la retrouver, la trier, l'interroger et l'organiser. L'historien fait toujours des choix.

Histoire reconstitutive ou reconstructive, un débat historiographique

La question de savoir si l'on peut et s'il faut rapporter les choses du passé telles qu'elles se sont réellement déroulées a longtemps agité les historiens. En affirmant que « les faits ne parlent qu'à celui qui sait les interroger » (*Apologie pour l'histoire*), Marc Bloch adoptait une conception reconstructive du fait historique, chère à cette histoire-problème que se voulaient les *Annales*. Pourtant, une autre conception a longtemps prévalu et survit encore pour le grand public : celle qui prétendait reconstituer fidèlement des situations historiques par la magie d'un style évocateur (comme les tableaux de la Révolution française de Michelet) ou par la rigueur d'une exploitation critique des sources (les Méthodiques). Le fait historique constitue-t-il du donné ou du construit ?

Certains historiens positivistes ont réduit l'histoire à la seule narration exacte du fait passé. Fustel de Coulanges affirmait ainsi lors de sa leçon d'ouverture au Collège de France : « L'histoire n'est pas un art, mais une science pure, comme la physique ou la géologie, elle vise uniquement à trouver des faits, à découvrir des vérités. » Il précise plus tard : « L'unique habileté de l'historien est de bien tirer des documents tout ce qu'ils contiennent et de ne rien ajouter de ce qu'ils ne contiennent pas. » Gabriel Monod s'inscrivait dans cette tradition intellectuelle, en notant dans son *Introduction à l'histoire* (1946) que la tâche de l'historien était de présenter « des faits bien constatés », ajoutant : « Il suffit de se laisser porter par les documents, lus l'un après l'autre, tels qu'ils s'offrent à nous, pour voir la chaîne des faits se reconstituer automatiquement » (p. 50).

Au nom des Annalistes, Lucien Febvre dénonça sur un mode polémique cette conception reconstitutive du fait historique. Sa célèbre leçon d'ouverture au Collège de France en 1933 se voulait déjà une charge contre « le fait en soi » (document 1). L'orateur y démontrait que le fait n'était jamais « donné » mais « créé » par l'historien. Lors d'une conférence tenue à l'École normale supérieure en 1941, le ton se fit plus sarcastique à l'encontre des Méthodiques et de leur « respect puéril et dévotieux du fait ». D'autres historiens qui se plaçaient dans l'héritage intellectuel des *Annales* dénoncèrent la même approche naïve du travail de l'historien. Dans un ouvrage d'épistémologie paru en 1954, *De la connaissance historique*, Henri-Irénée Marrou évoquait avec humour « la myopie consciencieuse de l'érudit positiviste content d'accumuler des faits dans sa boîte à fiches » (document 2). Au début des années 1990, Georges Duby, qui retraçait son itinéraire intellectuel dans un livre-témoignage, *L'Histoire continue*, mettait toujours en garde les jeunes historiens contre la tentation de « reconstituer des intrigues, d'enchaîner des petits faits vrais » (p. 76). Pour lui aussi, le fait historique n'était jamais une donnée brute.

À la conception reconstitutive des Méthodiques, les Annalistes et leurs héritiers préféraient une conception constructive, qui faisait du fait historique une construction de l'historien. Le fait ne représentait pas une réalité endormie dans les archives qu'une providence complaisante livrerait aux bons soins du chercheur, à charge pour lui de le restituer intégralement par la magie d'une critique rigoureuse ou d'une langue admirable ; il était à construire par l'historien. Dans un essai au titre significatif, *L'Atelier de l'histoire*, François Furet notait : « Il n'y a pas de faits purs, le fait historique est un choix intellectuel » (p. 23).

De là naît d'ailleurs le quiproquo qui sépare souvent l'historien du témoin, et qui peut être observé par exemple dans les séminaires et colloques réunissant les spécialistes de la deuxième guerre mondiale et les anciens résistants. Si le témoin ne retrouve jamais dans l'œuvre de l'historien l'épaisseur foisonnante d'un passé qu'il a connu de l'intérieur pour l'avoir vécu, c'est que l'historien ne s'intéresse pas à la restitution fidèle d'une ambiance ou au rappel exact d'une chronologie factuelle. Il cherche avant tout à construire une démonstration autour d'une problématique d'ensemble qui commande le choix des sources et la sélection des faits. Dans *Comment on écrit l'histoire* (p. 14), Paul Veyne soulignait déjà cette opposition fondamentale entre le vécu et l'analyse historique, entre la mémoire des faits et leur analyse :

> Le vécu tel qu'il ressort des mains de l'historien n'est pas celui des acteurs... en aucun cas ce que les historiens appellent un événement n'est saisi directement et entièrement.

Même incompréhension du travail spécifique de l'historien de la part de ces juges qui convoquent les chercheurs à la barre des témoins lors des procès mettant en cause les hauts fonctionnaires de Vichy. L'historien n'est paradoxalement pas le mieux placé pour répondre à la question naïve : « Que s'est-il passé exactement ? »

L'histoire n'est donc pas un photomontage qui — pour reprendre la formule de Paul Veyne — saisirait l'histoire en direct. Écrire l'histoire, cela suppose le choix préalable d'une problématique, de sources et de faits. L'historien intéressé par les origines de la Révolution française et désireux par exemple de défendre la problématique marxiste (selon laquelle cet événement découlerait d'un retard des rapports de production sur les forces productives au XVIIIe siècle ; autrement dit, de dérèglements socio-économiques ayant abouti à une crise du pouvoir) ne se lancera pas dans la narration exhaustive des faits politiques, militaires, sociaux, économiques et culturels de la seconde moitié du Siècle des Lumières. Il choisira plutôt dans cet amas événementiel les faits qui rentrent dans son axe de questionnement et les interprétera à partir de sources sélectionnées en conséquence.

Construire les sources

Il n'y pas d'histoire sans document, comme le soulignent les deux historiens méthodiques Victor Langlois et Charles Seignobos : « L'histoire se fait avec des documents. » Même lorsqu'Alain Corbin dresse le profil de l'inconnu Pinagot, sur lequel on ne sait rien ou presque, il commence par exploiter les très rares informations directes concernant son personnage, avant d'élargir son étude en recourant à toutes les sources lui permettant de présenter le monde de ce sabotier du Perche. Ce point acquis, reste la question de l'exploitation des sources par les historiens. Ces derniers ont pendant longtemps seulement reproduit leurs sources sans les traiter (pas de critique sur l'authenticité et la subjectivité, de datation, de mise en parallèle et de travail comparatif, de questionnement dans le cadre d'une problématique, etc.). Dans le cadre naïf d'une histoire narrative où les sources étaient supposées dire directement les faits, la question du traitement des sources n'avait pas de sens. Si les Méthodiques ont été les premiers à élaborer une véritable grille d'analyse des documents écrits, il a fallu attendre le courant des *Annales* pour que l'exploitation des sources donne lieu à un vrai bouleversement épistémologique. Tout en élargissant l'appareil documentaire de l'historien (en y incorporant les témoignages oraux, les objets, les paysages, les images, etc.), Marc Bloch et Lucien Febvre ont montré la nécessité d'une construction des sources.

L'historien et ses sources, une longue histoire

Dans la deuxième moitié du XIXe siècle, les historiens érudits allemands et les historiens méthodiques français déterminèrent un nouveau rapport à la source. Autrefois genre littéraire se résumant à une compilation narrative, l'histoire exigeait désormais la recherche érudite et l'exploitation rigoureuse de documents originaux. Ayant compris que c'était ce travail documentaire en amont qui distinguait le récit historique de la fiction littéraire, les Méthodiques entreprirent de définir ce qu'ils entendaient par source et précisèrent leur méthode d'analyse dans des manuels dont le plus célèbre est resté celui de Charles-Victor Langlois et de Charles Seignobos. En dépit d'une définition large de la source historique (« l'histoire se fait avec des documents. Les documents sont les traces qu'ont laissé les pensées et les actes des hommes d'autrefois », *Introduction aux études historiques*, p. 29), les historiens méthodiques utilisèrent surtout les documents officiels archivés et les sources archéologiques. Leurs préférences allaient vers les textes politiques, administratifs, juridiques et diplomatiques émanant des pouvoirs publics et répertoriés dans les archives de l'État. Ces choix documentaires sont à relier avec les thèmes de prédilection d'une école qui privilégiait l'histoire politique, militaire, religieuse et diplomatique. Si l'on considère que « source » est un terme polysémique englobant les traces écrites et orales, les objets et les paysages, les historiens méthodiques avaient une conception réduite de leurs sources, se contentant des seuls « documents » (trace écrite, officielle de préférence).

Cette restriction se doublait d'une exploitation insuffisante de ces mêmes sources. Rappelons rapidement que cette méthode d'analyse se décomposait en deux études :

– l'heuristique : recherche et classement des documents grâce aux sciences auxiliaires (philologie, archéologie, épigraphie, diplomatique), étude externe des mêmes documents (qui, quand, où, etc.) ;

– l'herméneutique : critique interne du texte (contenu, motivations), comparaison éventuelle avec d'autres documents et synthèse établissant ce qui peut être considéré comme sûr.

Même si une place était faite à l'hypothèse, les Méthodiques interrogeaient plus la source pour elle-même (nature, date, validité, etc.) que par rapport à une problématique initiale. Il en résultait une démarche qui était plus reconstitutive que reconstructive : il s'agissait plus de restituer fidèlement le passé à partir d'une exploitation rigoureuse de ses traces que de construire une lecture de ce même passé à partir d'un questionnement initial organisant le choix et l'utilisation critique des sources.

Dans l'entre-deux-guerres, les *Annales* remirent en cause ce culte exclusif du document officiel et opérèrent une révolution épistémologique dans l'exploitation de la source. Dans le cadre d'une dénonciation globale de l'histoire positiviste (de ses choix thématiques, de ses conceptions chronologiques, de ses méthodes de travail…), Marc Bloch et Lucien Febvre critiquèrent sa conception et son exploitation restrictive de la source.

En élargissant le concept de source historique au domaine du non-écrit, les Annalistes récusaient le terme trop restrictif de document pour lui préférer celui de source. Plus riche, ce dernier caractérisait mieux la diversité des traces s'offrant désormais au chercheur : archives privées (testaments, correspondance, livres de compte), registres paroissiaux, documents iconographiques, enregistrements sonores, témoignages oraux, presse, objets de la vie quotidienne, paysages, etc. Marc Bloch l'affirmait déjà en 1940 dans son *Apologie pour l'histoire ou Métier d'historien* (p. 27) :

> Autant que du dépouillement des chroniques ou des chartes, notre connaissance des invasions germaniques dépend de l'archéologie funéraire et de l'étude des noms de lieux. Sur les croyances et les sensibilités mortes, les images peintes ou sculptées, la disposition et le mobilier des tombes ont au moins autant à nous dire que beaucoup d'écrits.

Quand l'histoire des *Annales* s'ouvrit après la guerre et sous l'influence de Fernand Braudel aux mentalités, cette pluralité et cette diversité des sources s'accentua. Avec le recours au folklore, à l'imaginaire et aux représentations, la formule des *Annales* « tout est source » était devenue plus que jamais la règle.

Si les Annalistes ont élargi les ressources de l'historien, ils ont surtout modifié le statut de la source et le rapport des chercheurs à celle-ci. Marc Bloch et Lucien Febvre ont montré que les sources utilisées par l'historien ne sont jamais « naturelles ». Archives écrites officielles, témoignages oraux, monuments, photographies et bandes sonores, objets d'autrefois, etc. : tous ces vestiges du passé ne sont pas bruts mais résultent d'une élaboration humaine en vue d'une finalité particulière (religieuse, politique, économique, artistique...). Ces sources construites, l'historien doit les construire à son tour. Cela signifie d'abord un travail de datation, de classement et d'analyse critique. Cette procédure fut mise au point et pratiquée par les Méthodiques, qui partaient de la source pour élaborer leur histoire. Cela suppose aussi parfois de bâtir à partir de ses sources des tableaux, des graphiques, des typologies, qui permettent de visualiser le contenu informatif des documents et d'étayer une démonstration (l'histoire économique et sociale offre de nombreux exemples de construction de données statistiques).

Depuis l'histoire des *Annales*, la construction des sources a pris un sens différent. Avec l'histoire-problème, la démarche est inversée. C'est désormais l'historien qui choisit et interprète le document selon sa problématique initiale. Il sollicite le document à partir d'une interrogation liminaire. En fonction de ses hypothèses de départ, il va privilégier tel document et abandonner tel autre, aborder le document dans telle perspective, les comparer, pour valider sa thèse originelle. Il ne s'agit donc plus du schéma inductif qui était celui des Méthodiques (le fait est tiré du document). Le document est intégré dans une nouvelle démarche de questionnement, de problématique. Dans *L'Archéologie du savoir*, Michel Foucault revenait en 1969 sur cette évolution épistémologique fondamentale en notant que l'historien avait « changé de position à l'égard du document ».

Des sources triées et exploitées autour d'une problématique

Ce n'est donc pas la source qui fait l'historien, mais sa problématique, à la lumière de laquelle seront lus les documents. L'historien et ses questionnements se retrouvent au centre de l'histoire. Bien entendu, ces problématiques et interrogations évoluent, s'enrichissent, se nuancent et se précisent avec le temps. Soumise à différentes grilles de lecture — méthodique, marxiste, structuraliste —, une même source « parlera » différemment, livrera des informations de nature différente.

Une source n'a donc jamais livré tous ses renseignements ; l'histoire n'est pas limitée par la quantité de documents mais par la qualité et l'originalité des interrogations des chercheurs. L'histoire se renouvelle plus par les apports théoriques de nouveaux courants historiographiques que par la découverte de nouvelles sources. Charles-Victor Langlois et Charles Seignobos se trompaient en affirmant dans *Introduction aux études historiques* (p. 253) :

> L'histoire dispose d'un stock de documents limités [...] la quantité des documents qui existent, sinon des documents connus, est donnée ; le temps, en dépit de toutes les précautions qui sont prises de nos jours, la diminue sans cesse ; elle n'augmentera jamais [...] Les progrès de la science historique sont diminués par là même. Quand tous les documents seront connus et auront subi les opérations qui les rendent utilisables, l'œuvre de l'érudition sera terminée.

De fait, même si l'on découvrait d'intéressantes et très nombreuses sources nouvelles sur l'Antiquité romaine (bâtiments, statuaires, monnaies, inscriptions, textes, etc.), l'histoire de cette période n'en serait pas bouleversée pour autant. Le cas de la Grèce ancienne est à cet égard évocateur. La plupart des découvertes archéologiques majeures datent de la fin du XIXe siècle et du début du XXe siècle. Depuis cette époque, peu de fouilles majeures ont été effectuées. Or, l'approche de la Grèce a été bouleversée dans les années 1960 par le recours à la nouvelle grille structuraliste. En soumettant les textes et objets issus des vieilles bibliothèques et des vieux chantiers de fouilles à de nouvelles problématiques, Jean-Paul Vernant, Pierre Vidal-Naquet et Marcel Detienne ont renouvelé en profondeur les travaux sur la religion, la société et la culture grecques. La nouveauté ne réside pas ici dans la richesse d'un corpus documentaire mais dans les questions posées à ces vieilles sources. Sans recourir à des documents inédits mais en croisant les approches anthropologiques, linguistiques et sociologiques, Pierre Vidal-Naquet a ainsi réalisé en 1983, avec *Le Chasseur noir. Formes de pensées et formes de société dans le monde grec* un ouvrage novateur.

L'histoire contemporaine offre d'autres exemples de ces renouvellements plus méthodologiques que documentaires. Par exemple, on pensait avec une certaine naïveté que l'histoire du Parti communiste français serait bouleversée par l'ouverture des archives du Kremlin. Or, l'accès à ces sources inédites n'a pas renouvelé de fond en comble ce champ de l'histoire politique française. Les anciens articles et ouvrages de Marc Lazar ou Philippe Buton n'ont pas été remis en cause. Avant même l'ouverture des archives soviétiques au début des années 1990, les historiens français avaient su interroger avec pertinence les documents en leur possession en les soumettant à des grilles d'analyse adaptées. La grille lexicologique s'était ainsi avérée intéressante (dans le cas d'une parole contrôlée, le texte est moins signifiant par son contenu informatif que par la façon dont les choses sont dites). En rentrant sur ordinateur les numéros de *L'Humanité* des années 1930 et en traitant cette base de données avec des logiciels de lexicologie, Denis Peschanski de l'IHTP était parvenu à dater précisément le virage politique du PCF. L'analyse sémantique et morpho-syntaxique montrait avec évidence quand le parti était passé d'une stratégie sectaire « classe contre classe » à une stratégie de Front populaire. L'histoire du parti pouvait également s'appuyer sur les souvenirs d'anciens militants et responsables du parti, comme le prouvent les excellentes analyses d'anciens communistes, tels Philippe Robrieux ou Annie Kriegel.

De même, si l'histoire du régime nazi a connu depuis une vingtaine d'années un profond renouvellement, elle le doit moins à la découverte de nouvelles sources qu'aux débats historiographiques sur la nature du régime, sur son mode d'organisation, sur les origines et les raisons du génocide, etc. Les querelles entre historiens fonctionnalistes et intentionnalistes ont contribué à ouvrir de nouvelles pistes de recherche, à élargir le champ des questionnements. Ce qui a fait l'intérêt de la thèse de Ian Kershaw sur l'opinion publique en Bavière sous le IIIe Reich n'est pas la richesse et la nouveauté de ses sources, mais l'originalité de ses problématiques (notamment sur les limites organisationnelles du centralisme totalitaire nazi, sur les modes de résistance de la population, etc.).

Dans cette même perspective, il était aussi possible d'analyser avec lucidité l'URSS à une époque où les documents sur le sujet étaient rares et partiaux. Mais il fallait « faire parler » les rares sources disponibles (sources directes contrôlées comme la presse, les journaux télévisés et films de propagande, les statistiques officielles, etc., et sources indirectes contestataires comme les témoignages des dissidents) au travers de questions nouvelles et pertinentes. En 1976, un ouvrage intitulé *La Chute finale. Essai sur la décomposition de la sphère soviétique* fit ainsi grand bruit. Y figurait ce constat alors ahurissant :

> L'URSS, après quarante ans de planification et de croissance officiellement remarquable, émerge comme une énorme poche de sous-développement avec un niveau de vie rappelant l'époque préindustrielle. C'est le blocage définitif de l'économie soviétique et le développement des échanges entre l'Est et l'Ouest qui nous font prendre conscience du retard croissant du monde communiste. Encore une fois, on a sous-estimé la capacité de mensonge et de dissimulation du totalitarisme.

L'auteur de ces lignes prophétiques, quinze ans avant l'implosion de l'URSS, n'était pas un soviétologue confirmé mais un jeune diplômé de l'Université de Cambridge, Emmanuel Todd, auteur d'une thèse d'histoire comparée sur les communautés paysannes française, italienne et suédoise à l'époque préindustrielle. Comment l'auteur était-il arrivé à sa conclusion finale : « Dans dix, vingt ou trente ans, un monde surpris assistera à l'effritement ou à l'effondrement du premier des systèmes communistes » ? Refusant de prendre en compte les analyses de soviétologues insuffisamment critiques par rapport aux documents officiels, Emmanuel Todd proposait d'appliquer à l'étude contemporaine de l'URSS les méthodes historiques utilisées pour les sociétés anciennes, notamment les techniques déductives et critiques d'interprétation des statistiques démographiques et économiques. Certaines informations, recueillies directement ou reconstituées à partir des sources officielles, comme la baisse dramatique de l'espérance de vie des Moscovites, l'augmentation inquiétante du taux de suicide, le sous-équipement médical, témoignaient ainsi de la déliquescence d'un régime.

En résumé, si l'historien ne peut travailler sans sources, leur quantité ne constitue pas la condition de possibilité d'une recherche historique. La qualité de cette dernière dépend plus du regard posé sur le passé et ses traces que de la masse documentaire.

Conclusion

L'histoire est toujours une construction de l'historien. À partir d'une hypothèse de lecture déterminée par la subjectivité de l'auteur ainsi que par le contexte de son époque, l'historien va construire ses sources, son sujet et sa temporalité. Le passé ne se donne jamais comme une réalité brute qu'il s'agirait simplement de révéler par la grâce d'une méthode rigoureuse ou d'un style évocateur. L'historien commence toujours par formuler des questions avant de définir des bases documentaires et des procédures d'analyse ; autrement dit, de construire l'objet de son enquête. Il appartient donc au professeur de ne pas abuser ses élèves avec les charmes spécieux d'une histoire positiviste qui prétendrait extirper du document une vérité quasi scientifique à partir d'un seul questionnement bien mené. En classe comme dans la salle des archives, la problématique précède toujours les sources et guide la lecture d'un passé reconstruit.

C'est enfin parce que l'histoire est reconstructive et suppose par là même une mise en intelligibilité, une production de sens et un ordonnancement du monde, qu'elle permet (autant sinon plus que les autres disciplines scolaires) l'apprentissage de l'esprit critique et la maîtrise progressive de l'autonomie intellectuelle, finalités essentielles de l'enseignement secondaire.

Enseigner l'histoire culturelle

Dossier :
Document 1 : Roger Chartier, « Histoire culturelle », *in L'Histoire en France*, Paris, La Découverte, 1990, p. 90-94.
Document 2 : Extraits de sommaires de manuels scolaires, Martin Ivernel, *Histoire-géographie 5ᵉ*, Paris, Hatier, 1997 ; *Histoire 1ʳᵉ L, ES, S. Le monde du XIXᵉ siècle à 1939*, Paris, Magnard, 1997 ; *Histoire, terminale, L, ES, S*, Paris, Belin, 1998 ; Henri Bernard et François Sirel, *Histoire, terminale, L, ES, S. Le monde de 1939 à nos jours*, Paris, Magnard, 1998.
Document 3 : Textes officiels (programmes et documents d'accompagnement) de collège et lycée.

Selon une expression célèbre de Michel Vovelle, l'histoire des *Annales* est passée de la « cave au grenier », d'une histoire économique, sociale, démographique à une histoire culturelle, à une histoire des mentalités. Le champ de l'histoire culturelle a en effet été ouvert par les historiens des *Annales*. Ce champ est resté longtemps — reste ? — relativement flou dans ses concepts, divers voire éclatés dans ses objets d'étude. Des mentalités aux représentations et sensibilités, l'histoire culturelle suit un parcours multiple, mais fécond, pour constituer aujourd'hui une sorte de creuset, un lieu de rencontre entre des historiens très variés, par leurs origines ou leurs travaux. Les préoccupations de l'histoire culturelle, ses nouvelles approches et problématiques, ne restent pas étrangères à l'histoire scolaire. Un certain nombre de thèmes sont réactualisés par ce courant historique à travers les programmes, qui affirment de plus en plus nettement une finalité culturelle.

L'histoire des mentalités : un champ ouvert par les *Annales*

Les historiens des *Annales* ont ouvert de nouveaux champs, en particulier en matière d'histoire économique et sociale. Conformément à leur projet, à leur ambition d'histoire globale, des historiens comme Marc Bloch ou Lucien Febvre n'ont pas ignoré les mentalités (« sensibilités », « mentalités », « représentations » : la conceptualisation de l'objet d'étude et son appellation même ont évolué avec le développement de ce secteur de la recherche). Cette préoccupation transparaît ainsi dans un article de Lucien Febvre paru dans les *Annales* en 1941 : « Comment reconstituer la vie affective d'autrefois ? La Sensibilité et l'Histoire[1] ». L'historien constate la nouveauté mais, surtout, l'intérêt du domaine : « La Sensibilité et

---

1. Lucien Febvre, « Comment reconstituer la vie affective d'autrefois ? La Sensibilité et l'Histoire », *Annales d'Histoire Sociale*, III, 1941, repris *in Combats pour l'histoire, op. cit.*, p. 221-238.

l'Histoire : sujet neuf. Je ne sais pas de livre où il soit traité. [...] et voilà donc un beau sujet [1] ».

Le propos de Lucien Febvre dans cet article consiste essentiellement à définir le concept de sensibilité et à montrer sa pertinence pour l'historien, à esquisser une méthode de recherche et à ouvrir des pistes :

> Je demande l'ouverture d'une vaste enquête collective sur les sentiments fondamentaux [il cite la mort] des hommes et leurs modalités[2].

Pour ce faire, il indique les sources, les documents qui peuvent être utilisés, et emprunte définitions et concepts à d'autres sciences sociales. Lucien Febvre précise aussi les objets d'étude de cette approche historique, qui doit en fait fonder pour lui tout travail d'historien :

> [...] la sensibilité dans l'histoire vaut-elle une enquête, une large, puissante et collective enquête ? Et la psychologie, est-ce un rêve de malade si je pense, si je dis ici qu'elle est à la base même de tout travail d'historien valable[3] ?

Il évoque notamment l'histoire des idées et des institutions, refusant la tendance à faire de ces catégories des objets « éternels », détachés de l'économique, du social, du culturel :

> Voilà [les idées, les institutions] ce que l'historien ne peut comprendre et faire comprendre sans ce souci primordial, que j'appelle, moi, psychologique : le souci de relier, de rattacher à tout l'ensemble des conditions d'existence de leur époque le sens donné à leurs idées par les hommes de cette époque[4].

Dès l'époque des fondateurs, les *Annales* ont ouvert ce champ des sensibilités. Georges Duby en rend d'ailleurs compte dans *L'Histoire continue* :

> Marc Bloch, depuis *Les Rois thaumaturges* jusqu'à *La Société féodale*, invitait à considérer l'« atmosphère mentale ». Avec plus d'insistance, Febvre appelait à écrire l'histoire des « sensibilités », celle des odeurs, des craintes, des systèmes de valeurs... Febvre nous proposait un nouvel objet d'étude, les « mentalités »[5].

À la suite de ce qu'écrit par exemple Lucien Febvre en 1941, l'histoire culturelle française « s'est définie contre la tradition de l'histoire des idées » (*cf.* document 1) et a précisé ainsi son « champ » et ses objets détude : « les valeurs, les formes, les symboles partagés », plutôt que les créations intellectuelles individuelles, volontaires et singulières. Car les historiens des *Annales* refusent d'envisager de manière autonome les idées ou les sensibilités. Ils souhaitent les rattacher à ce que Lucien Febvre appelle « l'ensemble des conditions d'existence », en quelque sorte relier l'intellectualité à la matérialité. Comme le souligne Roger Chartier (document 1), ces traits de l'histoire culturelle se comprennent aussi à la lumière de l'influence de histoire économique et sociale en matière de sources, de catégories sociales ou encore de temporalité. L'histoire culturelle a ainsi — dans un premier temps — recherché des « sources massives, socialement représentatives, des séries longues, des données homogènes et répétées », susceptibles d'être traitées selon une approche sérielle, comme les archives notariales ou judiciaires.

1. *Ibid.*, p. 221.
2. *Ibid.*, p. 236.
3. *Ibid.*, p. 238.
4. *Ibid.*, p. 230.
5. Georges Duby, *L'Histoire continue*, Paris, Odile Jacob, 1991, p. 119.

Les catégories sociales, les statuts professionnels et les niveaux de fortune à l'œuvre dans l'histoire sociale ont été reproduits sur le postulat d'une « adéquation entre écarts culturels et clivages sociaux ». Enfin, la décomposition du temps historique, en particulier la distinction entre longue durée et temps court, a été reprise dans le cadre d'une problématique soulignant « la lenteur des transformations qui modifient les mentalités collectives par opposition à l'événementiel nerveux des innovations intellectuelles ou esthétiques ».

Cette histoire des mentalités, ainsi définie, par son opposition à une histoire autonome des idées et par ses emprunts à l'histoire économique et sociale, est en plein essor dans les années 1960-1970. De cette période, Roger Chartier retient cinq noms majeurs pour leur contribution à l'histoire des mentalités : Georges Duby, Robert Mandrou, Jacques Le Goff, Philippe Ariès et Michel Vovelle. La courte bibliographie qui accompagne l'article de Robert Chartier permet de préciser non seulement les œuvres mais aussi et surtout les objets d'étude, les centres d'intérêt, les problématiques alors à l'œuvre dans l'histoire culturelle. Les modes de pensée des élites et les croyances populaires constituent un premier objet d'étude, par exemple pour Robert Mandrou dans *Magistrats et sorciers en France au XVII* siècle. *Une analyse de psychologie historique* (1968). Conformément à l'appel de Lucien Febvre, la démographie historique s'enrichit de l'étude des attitudes devant la vie, avec les travaux majeurs de Philippe Ariès, comme *L'Homme devant la mort* (1977). Michel Vovelle poursuit l'étude de ce thème dans *La Mort et l'Occident de 1300 à nos jours* (1983). L'histoire médiévale est loin de négliger ces nouvelles approches. Georges Duby, dans *Les Trois Ordres ou l'imaginaire du féodalisme* (1978), ou Jacques Le Goff, avec *La Naissance du Purgatoire* (1981), s'intéressent à de nouveaux objets : l'imaginaire au travers des représentations que la société féodale se construit, ou les représentations de l'au-delà.

L'histoire — que l'on n'appelait pas encore — culturelle se développe, donne lieu à de nombreux travaux, à des approfondissements, notamment de ses concepts. Ainsi s'opère progressivement le passage des mentalités aux représentations, aux pratiques et à la « culture ». Ce cheminement est évoqué par Georges Duby dans *L'Histoire continue* :

> Je n'emploie plus le mot mentalité. Il n'est pas satisfaisant et nous ne tardâmes pas à nous en apercevoir. Mais à l'époque, à la fin des années cinquante, il convenait assez bien, en raison de ses faiblesses, de son imprécision même[1].

Représentations, sensibilités, histoire culturelle du politique : le foisonnement de l'histoire culturelle

Jacques Le Goff, qui s'inscrit dans l'héritage des *Annales*, évoque la situation de l'histoire des mentalités en 1974 dans l'ouvrage collectif *Faire de l'histoire*[2]. Le sous-titre du chapitre est révélateur : « Une histoire ambiguë ». En effet, pour l'historien médiéviste, l'histoire des mentalités est neuve, voire novatrice — « un front pion-

---

1. Georges Duby, *L'Histoire continue, op. cit.*, p. 120.
2. Jacques Le Goff, « Les Mentalités. Une histoire ambiguë », *in* Jacques Le Goff et Pierre Nora (dir.), *Faire de l'histoire*, 3 : *Nouveaux objets*, Paris, Gallimard, 1986, coll. « Folio Histoire » [1ère éd. 1974], p. 106-129.

nier » —, car elle permet notamment de concilier des approches historiques souvent opposées :

> Elle se situe au point de jonction de l'individuel et du collectif, du temps long et du quotidien, de l'inconscient et de l'intentionnel, du structural et du conjoncturel, du marginal et du général[1].

Mais le champ est encore flou, à la recherche d'une cohérence conceptuelle, et Jacques Le Goff se demande même si elle a donné des « exemples convaincants ». Il évoque plusieurs voies possibles pour son devenir : « le fourre-tout, la tarte à la crème », mais aussi la possibilité de s'établir dans le champ de la recherche historique.

En raison de cette imprécision même et du flou des concepts centraux du champ, l'histoire des mentalités (faute d'autre appellation) se développe, s'étend, touche à tous les domaines : par exemple le sentiment religieux, étudié par Alphonse Dupront dans des ouvrages sur les croisades ou le sacré (*Du sacre. Croisades et pèlerinages...*, 1987), et la peur, analysée par Jean Delumeau dans *La Peur en Occident XVᵉ–XVIIIᵉ siècles* (1978).

Dans le foisonnement des années 1970, l'histoire des mentalités semble glisser vers une anthropologie historique. L'étude du corps, l'histoire de la médecine, de la famille, de la sexualité (par exemple, en 1975, Jean-Louis Flandrin, *Les Amours paysannes du XVIᵉ au XIXᵉ siècle*) montrent un déplacement de l'analyse démographique vers les comportements collectifs (outre Philippe Ariès et Michel Vovelle, citons Pierre Chaunu, auteur en 1978 de *La Mort à Paris du XVIᵉ au XVIIIᵉ siècle*). Cette rencontre entre démographie historique et histoire culturelle permet de rapprocher une histoire quantitative, sérielle et une histoire plus qualitative ; elle donne lieu à de nombreux ouvrages, comme *Les Hommes et la peste dans les pays européens et méditerranéens, des origines à 1850* de Jean-Noël Biraben (1975-1976). Les objets étudiés mais aussi les approches s'apparentent à ceux et celles de l'anthropologie pour l'étude des sociétés primitives, avec cependant l'historicité et les variations dans le temps comme spécificités fortes. Emmanuel Le Roy Ladurie donne avec *Montaillou, village occitan de 1294 à 1324* (1975) l'exemple de cette rencontre féconde : une nouvelle approche des dossiers de l'Inquisition sur les Cathares du Languedoc lui permet de faire revivre une communauté rurale du début du XIVᵉ siècle. *Le Carnaval de Romans à la fin du XVIᵉ siècle* (1979) du même historien montre une des nouvelles directions de recherche de l'histoire culturelle : l'étude des formes de sociabilité, notamment à travers la fête, qui peut, comme dans ce carnaval, réactiver des antagonismes sociaux. Cette fête a aussi été étudiée par Michel Vovelle en Provence (*Les Métamorphoses de la fête en Provence de 1750 à 1820*, 1976) ou par Mona Ozouf (*La Fête révolutionnaire de 1789 à 1799*, 1976).

Cette histoire des mentalités multiplie donc ses objets d'étude, étend son champ — aux limites toujours floues —, emprunte aux autres sciences sociales et renouvelle ses approches et ses problématiques dans les années 1980. Roger Chartier (document 1) évoque ce renouvellement de l'histoire culturelle, ses « interrogations et reformulations », et relève deux évolutions fondamentales. Il s'agit tout d'abord de la remise en cause du primat du sériel, du répétitif au profit de la

---

1. *Ibid.*, p. 111.

singularité, voire « d'expériences limites, de témoignages individués », avec par exemple une attention portée à des textes rares, étudiés et même édités par des historiens. Par ailleurs, les problématiques se déplacent « des objets aux pratiques » : l'approche qui consiste à rechercher des écarts culturels porte désormais sur les « modalités d'appropriation » d'objets (comme le livre), d'espaces, d'idées ou de codes communs (en matière de religion par exemple). Le rapport culture des élites/culture populaire s'enrichit, car la littérature ou la religion dites « populaires » manifestent en réalité un rapport complexe avec la culture « des élites » : rapport « fait d'emprunts, de remaniements, d'aménagements ». Les idées de domination et de résistance de la culture populaire sont donc enrichies et complexifiées. Les approches de l'histoire culturelle sont renouvelées par le concept de pratique mais aussi et surtout par celui de représentation, qui permet de penser et d'articuler les « images claires, produites pour soi ou pour les autres, et les schèmes incorporés et automatiques qui règlent les conduites ». Les objets de l'histoire culturelle peuvent ainsi être envisagés de manière dynamique, « comme des dispositifs ou des configurations singuliers et discontinus ».

Roger Chartier précise un certain nombre de domaines de la recherche historique qui illustrent ces nouvelles approches, notamment les « modalités de la croyance », étudiées par Alphonse Dupront dans *Du sacré. Croisades et pèlerinages. Images et langages* (1987). Robert Chartier évoque aussi un domaine fructueux : « l'histoire des manières de lire », qu'il a largement contribué à développer avec de nombreux ouvrages, souvent en collaboration[1]. Pour lui, l'écrit, ses usages et ses modes d'appropriation permettent — c'est l'un des « points d'entrée » de l'histoire — d'appréhender les transformations des sociétés, les représentations des individus, et de reconsidérer les divisions sociales : « éviter de partir toujours d'un découpage social préalable », « élargir ce que l'on doit entendre par division sociale : les divisions entre protestants et catholiques, entre hommes et femmes, entre communautés de métiers sont aussi des divisions sociales[2] ».

Parmi les domaines nouveaux de l'histoire culturelle, Roger Chartier évoque aussi les usages de l'espace, qui invitent à citer le nom d'Alain Corbin. Dans *Le Territoire du vide* (1988), ce dernier montre l'émergence du désir de rivage en Occident au milieu du XVIIIe siècle, une attirance historiquement datée donc, qui entraîne de nouveaux usages, de nouvelles pratiques.

Même si le concept de représentation s'impose très souvent parmi les historiens, les objets étudiés sont multiples : croyances, mythes, arts, idéologies, et de nombreux auteurs soulignent, sinon l'éclatement, du moins l'éclectisme des recherches en histoire culturelle : histoire de l'art, histoire de l'éducation, histoire des intellectuels, histoire des sciences, etc. Les objets étudiés par Alain Corbin peuvent illustrer cette variété : après une thèse sur *Archaïsme et modernité en Limousin au XIXe siècle* (1975), il s'intéresse aux mutations de la sexualité masculine, au travers des évolutions du désir de prostituée dans *Les Filles de Noces* (1978) ; dans *Le Miasme et la Jonquille* (1982), il montre comment les usages de l'odorat parti-

---

1. *Lectures et lecteurs dans la France d'Ancien Régime* (1987), *Histoire de l'édition française* (1981-1986) ou encore *Histoire de la lecture dans le monde occidental* (1997).
2. « Les Représentations du passé », entretien avec Roger Chartier, *Sciences Humaines*, n° 18, 1997, p. 28-29.

cipent à l'imaginaire social, aux processus de distinction ; il étudie l'évolution de la violence et du sentiment de cruauté à travers un meurtre commis en 1870 en Dordogne dans *Le Village des cannibales* (1990) ; il poursuit l'étude des usages de l'espace avec *Les Cloches de la terre. Paysage sonore et culture sensible dans les campagnes au XIXe siècle* (1994), qui envisagent les représentations et les pratiques de l'espace sonore ; il dirige enfin la publication de *L'Avènement des loisirs* (1996).

L'histoire des sensibilités d'Alain Corbin constitue l'une des voies de l'histoire culturelle aujourd'hui. Cette histoire, plus qu'une école ou un courant, constitue sans doute davantage un point de rencontre entre des historiens de différentes périodes, de filiations diverses voire opposées, autour d'un objet commun : le « culturel ». L'ouvrage *Pour une histoire culturelle*[1] illustre cette rencontre, cette volonté d'échanges entre des historiens qui « ont touché aux rives du culturel ». Bilan d'étape, cet ouvrage a également pour ambition non seulement de développer l'histoire culturelle mais aussi de « revivifier l'ensemble de la recherche historique[2] ». Car de nombreux domaines de l'histoire touchent, d'une manière ou d'une autre, au culturel, l'histoire politique notamment : il en va ainsi des travaux de Jean-François Sirinelli, qui a dirigé la publication d'une *Histoire des droites en France* (1992), ou de Serge Berstein, auteur d'une contribution sur « La Culture politique[3] » (1997) et qui a dirigé la publication de *La Démocratie libérale* (1998).

Au terme de ce rapide parcours de l'histoire culturelle, force est de constater — à l'instar d'Alain Corbin — l'incertitude qui entoure la dénomination et la délimitation de ce champ historique :

> En témoigne la flexibilité des notions de mentalités, de représentations, d'anthropologie historique. Il en va de même de l'histoire culturelle. En ce domaine, toute tentative de définition ne peut être qu'artificielle[4].

Ce qui n'ôte ni pertinence ni légitimité aux recherches et contribue plutôt à faire de l'histoire culturelle un creuset pour tous les éléments de la recherche historique.

L'histoire culturelle dans l'enseignement

L'histoire enseignée est une histoire générale, moins spécialisée que les différents courants de la recherche historique. Cependant, l'histoire enseignée n'ignore pas les avancées, les nouvelles approches de l'histoire universitaire ou scientifique. Ainsi, Dominique Borne estime que l'histoire enseignée et « les programmes ont toujours été attentifs aux nouveaux champs de la recherche historique[5] ». Pour lui, aujourd'hui, « cette histoire scolaire se veut, délibérément, plus culturelle[6] ». Comment cette volonté — non dénuée de caractère officiel par la voix d'un inspecteur général — se traduit-elle dans les programmes et dans un aspect de la pratique scolaire de l'histoire, c'est-à-dire les manuels ?

---

1. Jean-Pierre Rioux et Jean-François Sirinelli (dir.), *Pour une histoire culturelle, op. cit.*
2. *Ibid.*, quatrième de couverture.
3. Serge Berstein, « La Culture politique », art. cité.
4. Alain Corbin, « Du Limousin aux cultures sensibles », *in* Jean-Pierre Rioux et Jean-François Sirinelli (dir.), *Pour une histoire culturelle, op. cit.*, p. 101-115.
5. Dominique Borne, « Une discipline d'enseignement », art. cité.
6. *Ibid.*

L'enseignement de l'histoire, au collège comme au lycée, a tout d'abord une finalité générale délibérément civique mais aussi culturelle. Dominique Borne évoque les repères et les documents fondamentaux qui donnent aux programmes de collège « une dimension culturelle et dessinent un parcours patrimonial ». De même, au lycée, « les finalités, culturelles et civiques, sont identiques », particulièrement affirmées dans le programme de seconde. Cette forte connotation culturelle des programmes ne correspond pas seulement à une transposition de la recherche historique : elle répond aussi pour Dominique Borne à une attente sociale en matière de citoyenneté, d'histoire religieuse et d'histoire de l'art.

Les textes officiels, programmes et documents d'accompagnement, reprennent logiquement cette orientation culturelle. En classe de sixième par exemple, ces textes précisent ce qu'il faut entendre par « finalités culturelles » : le programme aide à « constituer ce patrimoine qui permet à chacun de trouver une identité. Cette identité du citoyen éclairé repose sur l'appropriation d'une culture. » Il ne s'agit cependant pas d'imposer une culture, voire une idéologie. C'est à une appropriation distanciée qu'appellent les textes officiels, notamment grâce à l'exercice de l'esprit critique inhérent à la pratique de l'histoire. En dernier ressort, c'est la finalité civique de l'enseignement — former des citoyens éclairés — qui justifie et donne son sens à cette finalité culturelle : « la finalité culturelle ne prend corps que dans la capacité à transposer les connaissances historiques et géographiques du champ scolaire au champ social » (accompagnement des programmes de troisième). La même perspective est défendue dans les documents d'accompagnement de seconde : « Les finalités civiques sont étroitement articulées avec les finalités culturelles. Permettre aux élèves de s'approprier librement une identité culturelle est indispensable à la construction d'une communauté nationale. »

Ces quelques exemples montrent comment l'histoire scolaire reprend à son compte, depuis la fin des années 1980, les nouvelles approches de l'histoire universitaire — l'histoire culturelle ici — pour les intégrer à ses propres finalités, civiques surtout. Mais, en l'occurrence, l'école comme la communauté des historiens sont confrontées aux mêmes questions politiques et sociales : comment fonder la citoyenneté, l'identité sociale ; comment lier le corps social ? Des convergences d'idées, de concepts, de préoccupations ne doivent donc pas surprendre.

Les textes officiels reprennent aussi certains des apports de l'histoire culturelle dans le but de modifier les pratiques scolaires ; il s'agit d'accroître la part du culturel et de renouveler ses approches. En effet, traditionnellement, la culture est la dernière dans l'agencement des catégories historiques après le politique, l'économique et le social. La situation scolaire de l'histoire culturelle s'explique également par la faiblesse de sa présence dans la formation initiale des enseignants, qui souvent s'estiment démunis ou peu « outillés », d'un point de vue méthodique par exemple, pour l'aborder. De plus, les sujets d'examen, du brevet mais surtout du bac, ne privilégient pas les thèmes d'histoire culturelle. L'ensemble de ces raisons d'ordre scolaire ainsi que les développements de la recherche historique expliquent ce volontarisme des textes officiels en matière d'histoire culturelle.

Cette volonté de renouveler l'histoire enseignée par l'histoire culturelle se retrouve par exemple au collège, en cinquième notamment, avec l'importance accordée aux œuvres — tels les bâtiments — pour aborder le thème de l'Église dans la chrétienté occidentale. L'art roman ou l'art gothique ne doivent pas faire l'objet d'une démarche du type histoire de l'art, impliquant l'apprentissage d'un vocabulaire architectural spécifique. Si « l'enracinement social et les manifestations de la foi sont étudiés à partir des monuments et des œuvres d'art » (programme de cinquième, 2ᵉ partie : « La chrétienté occidentale »), la priorité est d'expliquer la fonction et le sens de ces bâtiments. L'abbaye et la cathédrale expriment une vision de Dieu et des hommes, induisent des pratiques : la prière et la vie des moines, la montée en puissance de la ville et du pouvoir épiscopal.

Les programmes et les documents d'accompagnement, pour se garder de tout schématisme, abordent avec prudence la question des liens entre le culturel et les autres domaines historiques. Ces documents du cycle central du collège stipulent ainsi : « l'évolution culturelle et artistique est liée à l'évolution économique sans en être exclusivement dépendante » car « les recherches artistiques [...] ont une évolution propre ». Les documents d'accompagnement du cycle terminal indiquent pour leur part : « Sans le réduire à n'être qu'une conséquence des évolutions matérielles, le culturel doit cependant être conçu comme étroitement lié au social, au politique, voire à l'économique. » Ce qui est en jeu ici est tout à la fois le statut du culturel et de l'histoire culturelle mais aussi son intérêt et sa pertinence dans un cadre scolaire.

Ces textes précisent les principaux dangers à éviter : la nomenclature, l'exhaustivité ou l'énumération sans problématique, l'empilement de connaissances, les données culturelles couronnant le politique, l'économique et le social. Tout l'intérêt mais aussi toute la difficulté des approches scolaires de l'histoire culturelle consistent dans cette articulation entre ces différents « ordres ». Le thème de l'âge industriel, étudié en quatrième mais aussi en première, permet de montrer comment des mutations économiques et sociales transforment les productions culturelles, les croyances, l'accès à la culture, etc. La généralisation de l'alphabétisation, la laïcisation, les recherches artistiques participent de cet âge industriel, même si ces liens ne sont pas univoques, même si les temporalités ou les finalités sont différentes.

L'approche culturelle ne doit pas se cantonner à quelques parties réservées des programmes : « le culturel est nécessairement présent dans d'autres rubriques que celles qui lui sont exclusivement consacrées » (accompagnement cycle terminal). L'exemple de la religion catholique montre comment un thème culturel peut irriguer les programmes. Cette religion est étudiée en seconde (« Naissance et diffusion du christianisme » ; « La Méditerranée au XIIᵉ siècle : carrefour de trois civilisations » ; « Humanisme et Réforme »), mais aussi en première dans le cadre de l'âge industriel et sa civilisation : évolution des pratiques religieuses et de l'expression de la foi, nouvelles questions pour l'Église entre condamnation et adaptation à ce monde nouveau. Le risque est grand d'isoler le culturel dans quelques chapitres distincts. Les textes officiels prennent garde de souligner ce danger et de proposer des pistes pour l'éviter. Cependant, la volonté forte de donner une place à l'histoire culturelle dans les programmes se traduit parfois, pour certains thèmes, par une approche plus traditionnelle où la culture se juxtapose aux autres données (par exemple la France de 1945 à nos jours en terminale). Pour d'autres thèmes, au collège comme au lycée, les problématiques sont vraiment renouvelées par une approche culturelle : l'approche par les monuments en cinquième dans le chapitre sur l'Église médiévale, ou de nombreux chapitres du programme de seconde. Ces difficultés transparaissent aussi — et même plus clairement — dans les manuels scolaires, qui constituent une sorte de première mise en œuvre des programmes.

Ainsi, dans les manuels de terminale, au chapitre sur la France depuis 1945, les évolutions économiques, sociales et culturelles donnent lieu à des traitements très divers. Parfois, les thèmes culturels disparaissent presque pour ne faire l'objet que d'une double page (« Le temps de la culture de masse » dans le manuel Magnard, document 2). Mais cette situation n'est pas commune à tous les manuels : le manuel Belin (document 2) consacre par exemple un chapitre au sujet « Culture et société de 1945 à nos jours », en privilégiant toutefois une approche classique de la culture (l'État et la culture, la politique culturelle, le patrimoine, le cinéma, même si les croyances sont aussi abordées). D'une manière générale, ce chapitre montre la difficulté à transposer les approches de l'histoire culturelle, en particulier la problématique qui consiste à relier le culturel au social. En effet, dans les manuels, l'économique et le social font souvent l'objet d'un chapitre distinct des évolutions culturelles.

En revanche, un manuel de cinquième, comme le manuel *Histoire-géographie 5e* (document 2), montre une plus grande prégnance des nouvelles approches culturelles, sans doute aussi parce que les finalités et les objectifs culturels des textes officiels sont plus précis. Il faut en particulier relever la forte présence du patrimoine, qu'il s'agisse de textes comme *Le Livre des Merveilles* de Marco Polo, ou de bâtiments, telles l'église Sainte-Sophie ou l'abbaye de Fontenay. Cette approche patrimoniale correspond aux attentes exprimées dans les textes officiels. Les documents patrimoniaux sont en effet une nouveauté forte des programmes de collège et « un passage obligé pour la constitution d'une culture authentique et vivace ». Pour Dominique Borne, ces documents liés aux repères (historiques et géographiques) donnent aux programmes « une dimension culturelle[1] ». Cette forte place des monuments, du patrimoine démontre aussi que les programmes répondent à une demande sociale en matière d'histoire artistique et d'histoire religieuse. Face à un constat d'ignorance ou de méconnaissance — religieuse en particulier —, qui constitue un enjeu civique d'importance, les programmes sont porteurs d'une forte logique patrimoniale et une approche culturelle de ces thèmes.

Ce rapide parcours de l'histoire culturelle a mis en évidence les écarts qui séparent l'histoire scolaire de l'histoire universitaire. L'histoire culturelle a-t-elle été « le secteur peut-être dominant, sûrement entraînant de l'histoire en France », selon l'appréciation de Roger Chartier (document 1, p. 90) ? La réponse dans le domaine de l'histoire enseignée est incertaine. Cette histoire reste plus générale et doit satisfaire à ses propres finalités. Cependant, il y a sans doute convergence de préoccupations : les finalités culturelles de l'enseignement de l'histoire sont de plus en plus affirmées, les programmes réactualisent un certain nombre de thèmes à la lumière des nouvelles approches de l'histoire culturelle.

---

1. Dominique Borne, « Une discipline d'enseignement », art. cité, p. 15.

L'histoire du temps présent
Comment l'écrire ? Pourquoi l'enseigner ?

Dossier (le dossier et le corrigé ont été établis à partir du livre de Jean-François Soulet sur *L'Histoire immédiate*[1]) :

Document 1 : Allocution d'Ernest Lavisse aux étudiants de la faculté des lettres de Paris, le 4 novembre 1884, *in* Ernest Lavisse, *Questions d'enseignement national*, Paris, Armand Colin, 1885 (repris *in* Jean-François Soulet, *L'Histoire immédiate*, Paris, PUF, 1994, p. 16-18).

Document 2 : Introduction de Lucien Febvre à l'ouvrage d'Henri Michel, *Les Idées politiques et sociales de la Résistance*, Paris, PUF, 1954 (repris *in* Jean-François Soulet, *L'Histoire immédiate*, op. cit., p. 38).

Document 3 : Antoine Prost, « Histoire du temps présent et enseignement », *Historiens & Géographes*, n° 287, décembre 1981 (repris *in* Jean-François Soulet, *L'Histoire immédiate*, op. cit., p. 35-36).

Document 4 : René Rémond, « L'Histoire contemporaine », *in* François Bédarida, *L'Histoire et le métier d'historien en France, 1945-1995*, Paris, Éditions de la Maison des Sciences de l'Homme, 1995, p. 392-393 (repris *in* Christian Delacroix, François Dosse et Patrick Garcia, *Les Courants historiques en France, XIXᵉ-XXᵉ siècles*, Paris, Armand Colin, 2000, p. 257).

Document 5 : Jacques Marseille (dir.), *Histoire, terminales*, Paris, Nathan, 1998, p. 326-329, rubrique « arrêt sur images » intitulée « Vers l'architecture du XXIᵉ siècle ».

Introduction

L'intitulé du sujet appelle une réflexion sur les enjeux épistémologiques posés par l'objet étudié. L'expression « histoire du temps présent » est controversée, puisqu'il semble par définition impossible de faire l'histoire de l'instantané. Une période intermédiaire paraît nécessaire entre l'actualité et sa constitution en domaine de recherche par l'historien, c'est-à-dire sa problématisation, son étude documentaire et son interprétation critique. Un délai identique serait également nécessaire au professeur désireux d'intégrer l'actualité dans son enseignement.

L'expression « histoire du temps présent » (par allusion à l'Institut d'histoire du temps présent, fondé en 1978) oblige donc à définir ce qu'on entend par « temps présent ». Comme le précise Jean-François Soulet dans *L'Histoire immédiate*, dont nous nous inspirons ici, le temps présent représente la « partie terminale de l'histoire contemporaine ». Elle remonterait en amont aux trente dernières années pour englober en aval une période très rapprochée de l'actualité. Elle au-

---

1. *Cf.* également F. Bédarida, « Temps présent et historiographie », *Vingtième Siècle*, janvier-mars 2000, p. 153-160.

rait ainsi comme principale caractéristique d'avoir été vécue par l'historien ou ses principaux témoins.

Dans le secondaire, l'enseignement du temps présent occupe une place importante. Au collège, le programme de la classe de troisième aborde l'histoire immédiate en traitant de « l'élaboration et de l'organisation du monde d'aujourd'hui » et de « la France depuis 1945 ». Au lycée, le programme de la classe de terminale est entièrement consacré à l'histoire du temps présent. Le programme courant « jusqu'à nos jours », le professeur est même supposé prendre en compte l'actualité.

Cette ambition n'est pas nouvelle, même si l'histoire du temps présent n'a obtenu (en France du moins) sa reconnaissance officielle que tardivement. Les premiers historiens de l'Antiquité pratiquaient déjà l'histoire immédiate, et le genre s'est prolongé durant le Moyen Âge et l'époque moderne. Si des problèmes méthodologiques et épistémologiques (le recours privilégié à la fragile source orale, le choix d'un traitement trop narratif et littéraire, le manque de recul critique par rapport à l'objet étudié, la sur-représentation du politique et du militaire, etc.) ont longtemps limité la discipline et lui ont valu pour des raisons différentes la condamnation des tenants de l'école méthodique puis de celle des *Annales*, le genre a retrouvé une pleine légitimité universitaire depuis les années 1970. Ouvrant le colloque « Écrire l'histoire du temps présent » en 1992, René Rémond déclarait d'ailleurs qu'il s'agissait désormais d'une « cause gagnée ».

La place de l'histoire du temps présent dans l'enseignement relève aussi d'une longue tradition puisque, dès le Second Empire, les programmes de 1865 de Victor Duruy invitaient le professeur à pousser son étude jusqu'en 1863 ! Ceux de 1902 englobaient l'affaire Dreyfus. Cette prise en compte du temps présent par l'institution scolaire, interrompue en 1940 pour cause d'une actualité politique et militaire difficilement présentable, oubliée par la suite en raison du primat accordée au temps long et aux structures, réapparut en 1983 (l'école intégrant comme souvent avec un léger retard les récents acquis de la recherche universitaire). Les nouvelles finalités civiques de l'enseignement (permettre à l'élève de comprendre les origines immédiates d'un monde contemporain dans lequel il devra s'engager) ne pouvaient en effet donner à l'histoire du temps présent qu'une place éminente dans les programmes et accompagnements.

En dépit de cette injonction officielle, dire le passé proche, voire le présent, n'est pas chose facile pour un professeur d'histoire. Les difficultés méthodologiques et les écueils épistémologiques sont nombreux. Comment évoquer le présent et le construire intellectuellement quand on ignore la suite de l'histoire ? Les spécialistes des autres périodes évoluent dans la sécurité d'une histoire rétrospective... Comment présenter le passé proche quand on ne dispose pas encore de synthèses universitaires récentes faisant autorité et apportant une caution scientifique au professeur ? Comment être certain de distinguer le fait historique du simple événement ; autrement dit, comment agir en historien méthodique plus qu'en journaliste du sensationnel ? Comment se prémunir contre les risques d'une évocation subjective du passé proche, d'une présentation d'autant plus partiale, voire engagée et militante, que ce passé récent a été vécu par l'enseignant, en tant que témoin, ou même en tant qu'acteur ? Comment être sûr d'éviter les pièges de la pression médiatique, de la manipulation de l'histoire ? L'histoire du temps présent étant une histoire sensible en raison de son extrême contemporanéité et de son inscription au cœur de la cité, elle réclame plus qu'une autre compétence scientifique et vigilance méthodologique.

Cet effort s'impose d'autant plus que l'histoire du temps présent est nécessaire et légitime. Devant les bouleversements récents du monde contemporain, le système éducatif ne peut rester muet. Face aux questions brûlantes posées par le passé proche ou l'actualité (implosion de l'Empire soviétique, mutations et convulsions des ex-pays de l'Est, crises au Proche-Orient, montée des intégrismes, recul des idéologies mais apparition de nouvelles exigences civiques, essor des technologies de communication, etc.) et interpellant les élèves, le professeur doit proposer une lecture explicative qui ordonne et fait sens. Pour y parvenir, il doit sélectionner et hiérarchiser ce passé proche, apparemment si riche et complexe, le reconstruire autour de problématiques et de typologies, le contextualiser et l'inscrire dans une perspective historique, proposer différentes grilles d'analyse, recourir à des méthodes particulières de décodage de l'image et du son, vecteurs privilégiés de l'histoire immédiate, etc. Bref, il doit refuser d'être un journaliste commentant à chaud sous la pression de l'opinion commune pour rester un historien à part entière.

Une histoire ancienne

À l'inverse de ce qui est parfois avancé, le succès de l'histoire immédiate, longtemps ignorée ou méprisée, ne constitue pas une mode récente. Si la reconnaissance officielle par l'institution représente en effet un phénomène relativement nouveau, la discipline elle-même relève pourtant de l'histoire très ancienne puisque les pères fondateurs du genre la pratiquaient déjà.

À l'origine du genre historique

L'étymologie du mot grec *historia* indique bien que la conception originelle de la discipline intégrait déjà cette notion de contemporanéité. L'historien était celui qui « sait pour en avoir été le témoin » (direct ou indirect, en recueillant le témoignage de ceux qui ont vécu l'événement). Véritable mémoire collective du présent, l'histoire était forcément celle du temps présent. Les historiens ne s'exprimaient que sur des sujets dont ils avaient été les témoins ou les acteurs ; chez les Grecs : Hérodote et les guerres médiques, Thucydide et la guerre du Péloponnèse, Xénophon et l'Anabase, Polybe et les guerres macédoniennes et puniques ; chez les Romains : César et la guerre des Gaules, Salluste et la conjuration de Catilina, Tacite et les empereurs de son temps, etc.).

La prise en compte du vécu et le recours privilégié à la source orale auraient pu nuire aux travaux des historiens de l'Antiquité grecque et romaine. Or, en dépit de nombreux défauts touchant aux motivations comme aux méthodes de ces premiers historiens de l'immédiat, la plupart de ces derniers respectaient finalement les règles essentielles de la discipline :

– Ils replaçaient leur sujet contemporain dans son contexte et l'intégraient à une perspective historique (avant de relater les guerres médiques, Hérodote en rappelait ainsi les origines et présentait l'histoire des peuples concernés).

– Ils ne se contentaient pas du seul témoignage oral et collectaient le maximum de documents pour mieux les croiser (proconsul en Asie, Tacite avait accès aux archives officielles du Sénat, qu'il dépouillait méthodiquement en les comparant aux écrits de ses prédécesseurs et qu'il croisait avec les témoignages de ses contemporains).

– Sans se contenter d'une simple restitution chronologique des événements, certains proposaient une grille explicative de l'actualité récente (Thucydide distinguait causes immédiates et origines profondes dans l'affrontement entre Athènes et Sparte, avant de montrer en quoi ce conflit représentait une guerre d'un genre nouveau aux conséquences lourdes pour le monde grec). Comme le notait David Roussel dans son essai sur *Les Historiens grecs* paru en 1973, l'Athénien manifestait déjà cette qualité essentielle de tout historien du temps présent : une « aptitude à métamorphoser presque immédiatement le vécu en objet de connaissance ».

Une histoire longtemps instrumentalisée

Cette domination de l'histoire du temps présent, appuyée elle-même sur le primat de la source orale, devait se maintenir durant tout le Moyen Âge. Parmi ces historiens médiévaux du contemporain, citons Grégoire de Tours, évoquant les conflits entre les petits-fils de Clovis ; Bède le Vénérable, prolongeant son histoire ecclésiastique de l'Angleterre jusqu'en 731 (soit quatre ans avant sa mort) ; Eginhard, rédigeant la biographie de son maître Charlemagne ; Villehardouin, relatant la quatrième croisade à laquelle il avait participé ; Joinville, décrivant saint Louis qu'il avait accompagné en Terre Sainte ; Froissart, rapportant les événements de la guerre de Cent Ans dont il était un contemporain ; Philippe de Commynes, faisant l'apologie de Louis XI.

Toutefois, à la différence de certains historiens de l'Antiquité, les chroniqueurs médiévaux du temps présent n'échappèrent pas aux pièges de l'histoire immédiate. Privilégiant le récit, ils ne replaçaient pas les événements décrits dans leur contexte et ne les inscrivaient pas dans une perspective historique. Ils ne contrôlaient pas assez l'exactitude de leurs sources orales. Trop liés aux puissants qui les protégeaient et les rémunéraient, ils ne respectaient pas, surtout, une distance suffisante par rapport à leur objet (Froissart rédigea deux versions du premier livre de ses chroniques, l'une pro-anglaise pour son patron Robert de Namur, l'autre pro-française pour son nouveau commanditaire Guy de Blois). Avec ces « reporters » engagés, l'histoire du temps présent entra dans l'ère du plaidoyer politique et perdit une grande partie de son crédit. Cette évolution fut accentuée par la création en 1437 de l'Office d'historiographe royal, qui mit le genre sous la coupe d'un pouvoir désireux de mêler histoire et propagande pour mieux asseoir son autorité.

Durant l'époque moderne, le genre conserva sa position dominante dans la production historique (songeons aux récits d'Agrippa d'Aubigné et de La Popelinière sur les guerres de religion au XVIe siècle ou aux *Mémoires* de Saint-Simon sur la cour au XVIIIe siècle) mais sans se défaire des défauts constatés plus haut. Ceux-ci s'observaient même chez un historien de qualité comme Voltaire. Après avoir rédigé le *Siècle de Louis XIV* seulement dix-sept ans après la mort du souverain, celui qui avait été nommé historiographe du roi s'engagea en 1768 dans un

Précis du siècle de Louis XV. Si l'auteur avait dépouillé avec soin les archives officielles et interrogé de nombreux témoins, son œuvre pêchait par ses partis pris idéologiques, ses engagements politiques et son caractère narratif, marqué par la prépondérance du politique et du militaire.

Devenue un véritable outil de propagande au service du pouvoir en place, l'histoire du temps présent fit au début du XIXe siècle son entrée dans les programmes scolaires. Alors que, jusque-là, ces derniers s'arrêtaient prudemment à la mort de saint Louis, Napoléon Ier y introduisait l'histoire la plus récente, celle de la Révolution et de son règne, présenté sous un jour idéal (manuels de Louis Domairon et de l'abbé Gauthier). Sous le Second Empire, le ministre de l'Instruction publique Victor Duruy intégra définitivement l'histoire immédiate dans les programmes scolaires, n'hésitant pas à présenter aux élèves un fait aussi contemporain que l'expédition du Mexique.

Au début de la IIIe République, l'école primaire, à qui avait été confiée la double mission d'enraciner le nouveau régime dans les esprits et d'y renforcer le patriotisme pour préparer la revanche, fit à l'histoire du temps présent une place de choix. Pour l'historien et ministre Ernest Lavisse, traiter l'histoire la plus contemporaine représentait une nécessité civique, comme il le rappelait dans son allocution aux étudiants de la faculté des lettres de Paris le 4 novembre (document 1). Aboutissement d'une téléologie républicaine et patriote, le temps présent occupait une part importante des manuels, tandis que les instituteurs et professeurs se voyaient invités par les consignes officielles à rappeler l'amputation de l'Alsace-Lorraine, à exalter la récente aventure coloniale et à célébrer les valeurs de la nouvelle République. Le risque était de faire dériver l'histoire immédiate vers une histoire militante soumise à toutes les manipulations, à toutes les instrumentalisations politiques et civiques. Cette récupération devait prendre des formes plus graves dans les écoles des régimes totalitaires du XXe siècle, où une histoire immédiate revue et corrigée (omissions, images truquées, délires pseudo-scientifiques) servit à légitimer les exactions et mensonges du pouvoir en place.

Engouement populaire et reconnaissance officielle

Comment expliquer que cette histoire de l'immédiat, longtemps critiquée pour son traitement narratif et sa subjectivité militante, ait pu finalement s'imposer ? Le genre bénéficia tout d'abord de tout temps d'un fort engouement populaire. Les soubresauts d'un XXe siècle agité — avec ses conflits comme les deux guerres mondiales et les guerres coloniales, ses crises socio-économiques comme celles de 1929 et de 1973, ses bouleversements politiques comme l'effondrement du Bloc de l'Est en 1989 — suscitent nécessairement l'intérêt des contemporains. Désireux de comprendre une histoire dans laquelle ils sont engagés mais dont ils ne saisissent pas toujours les « brûlures » (pour reprendre le titre significatif d'une émission télévisée), ils se tournent vers l'historien du temps présent pour une lecture à chaud de l'événement. Il est attendu de ce spécialiste qu'il dépasse le trouble de l'instant afin d'ordonner les faits et d'en proposer une lecture explicative, même si la pression d'une opinion qui veut surtout être rassurée et confortée dans ses préjugées peut gêner le travail plus objectif de l'historien.

Répondant à une attente publique, des historiens s'interrogèrent ainsi sur les raisons d'une première guerre mondiale à peine achevée (Pierre Renouvin, *Les Origines immédiates de la guerre*), sur les dysfonctionnements du système politique français (Albert Thibaudet, *La République des comités Essai d'histoire contemporaine*), sur l'émergence de la nouvelle puissance américaine (André Siegfried, *Les États-Unis d'aujourd'hui*), sur la crise économique de 1929 (les articles de Jacques Rueff, François Bloch-Lainé et Alfred Sauvy), etc. Mais l'exemple le plus connu reste celui de Marc Bloch analysant à chaud la déroute française de mai-juin 1940 dans *L'Étrange défaite*, remarquable essai d'histoire immédiate, où ce médiéviste relevait avec lucidité les responsabilités collectives d'un naufrage dont il allait bientôt payer le prix.

Un dernier thème porteur d'un grand intérêt du public est l'histoire de la Résistance. Le conflit à peine achevé, un fort consensus se dessina autour de la nécessité de rendre compte des combats de l'ombre. Une Commission d'histoire de l'Occupation et de la Libération de la France (octobre 1944), devenue par la suite Comité d'histoire de la guerre (1945) puis Comité d'histoire de la seconde guerre mondiale (1951), rassembla les témoignages des anciens des maquis et réseaux, avant de soumettre cette masse documentaire à un travail critique d'interprétation. Tout en faisant progresser l'histoire immédiate sur le plan méthodologique, cette vaste enquête contribua à crédibiliser une histoire du temps présent en mal de reconnaissance officielle. C'est donc bien parce qu'elle répond à une demande sociale que l'histoire immédiate s'est imposée. De nos jours, avec le développement médiatique et l'amélioration du niveau culturel de la population, cette pression sociale va en s'accentuant. Face à l'incapacité des journalistes d'expliquer en profondeur des événements forts (tensions au Proche-Orient, crise dans les Balkans, montée de l'intégrisme islamiste, etc.) qui interpellent l'opinion, les historiens de l'immédiat se voient de plus en plus sollicités.

Si l'histoire du temps présent a toujours bénéficié de l'engouement du public, elle n'a obtenu sa reconnaissance officielle que tardivement. Pendant longtemps, l'institution universitaire a ignoré ce domaine de recherche laissé avec dédain aux journalistes. Marqué par sa dimension littéraire et partiale, le genre avait il est vrai de quoi rebuter ceux qui voulaient se consacrer à l'histoire avec méthode et désengagement. En s'adonnant à la fin XIXe siècle au culte exclusif de la source écrite et, plus précisément, de l'archive publique, les tenants de l'école positiviste avaient défini une histoire savante qui refusait à la tradition orale toute légitimité historique. Grosse consommatrice de sources orales faute de pouvoir exploiter des archives écrites encore inexistantes ou juridiquement inconsultables, l'histoire du temps présent se voyait forcément écartée. Elle ne l'était pas totalement toutefois, puisque les impératifs patriotiques et républicains imposaient de faire et d'enseigner l'histoire immédiate (introduite dans les classes de terminale des lycées en 1886), à condition bien sûr de recourir tant que possible au document écrit. Certains des représentants de l'école méthodique s'y résolurent, comme Ernest Lavisse et Charles Seignobos qui, en 1921 et 1922, supervisèrent la rédaction d'une *Histoire de la France contemporaine, de la Révolution à la paix de 1919*. Les historiens des *Annales* se montrèrent encore plus sévères envers l'histoire du temps présent. Même si Marc Bloch se livra, comme nous l'avons vu, à l'exercice de l'analyse à chaud, même si la revue de Lucien Febvre consacra entre 1929 et 1945 près d'un cinquième de ses articles au genre, l'histoire immédiate était trop associée à l'histoire événementielle et politique traditionnelle décriée pour être acceptée par les Annalistes. Après-guerre, la mode braudélienne d'une histoire civilisationnelle sur le temps long ainsi que l'influence marxisante d'une approche quantitative de sujets économiques et sociaux ne plaidaient pas en faveur d'une histoire du temps présent, totalement discréditée auprès de l'institution, le grand public, lui, continuant de lui prêter attention. Il faudrait d'ailleurs évoquer ici le rôle de certains journalistes dans la vogue de l'histoire immédiate à partir des années 1960. Occupant un terrain délaissé par les universitaires, des reporters et chroniqueurs explorèrent des périodes récentes (la deuxième guerre mondiale avec Henri Amouroux, la IVe République avec Georgette Elgey, la IVe République gaullienne avec Raymond Tournoux, les conflits coloniaux avec Jean Lacouture et Yves Courrière, les relations internationales avec André Fontaine, etc.). Habitués à exploiter la source orale, ces journalistes n'avaient pas les préventions d'historiens dont ils respectaient en revanche la démarche rigoureuse (souci d'impartialité, références infrapaginales, documents en annexe, etc.). Traitant de sujets brûlants dans une langue vivante, ils obtinrent la reconnaissance du grand public comme l'estime de l'Université et contribuèrent ainsi à légitimer l'histoire immédiate. Cet intérêt des journalistes pour l'histoire du temps présent s'est d'ailleurs maintenu et nous vaut certaines enquêtes passionnantes, telle celle de Christopher Nick sur le 13 mai 1958.

Le premier historien universitaire à protester contre la mise à l'écart dont était victime l'histoire immédiate fut René Rémond. En 1957, ce dernier fit paraître dans la *Revue Française de Science Politique* un article intitulé « Plaidoyer pour une histoire délaissée. La fin de la IIIe République » qui se voulait une défense et illustration de l'histoire du temps présent. Préférant voir dans l'ostracisme dans lequel l'Université tenait l'histoire immédiate une prudence méthodologique plutôt qu'une position de principe, l'auteur des *Droites en France* démontrait l'absurdité d'une telle réserve. L'absence de recul ne gênait pas forcément la lecture sereine d'un passé récent, tandis que l'absence d'archives officielles pouvait être compensée par le recours aux archives privées comme aux témoignages oraux. À l'image de leurs confrères anglo-saxons dont René Rémond vantait l'audace intellectuelle, les historiens français devaient donc défricher l'histoire de leur temps. Si l'article fit grand bruit, l'Université resta sur ses positions et seule la Fondation nationale des sciences politiques répondit au manifeste de son futur président en organisant des colloques consacrés au passé récent (fin de la IIIe République et Vichy) et en constituant des fonds d'archives contemporains. Restait à former un personnel qualifié pour aborder ces délicats terrains de proximité ; l'IEP de Paris s'y employa en lançant en 1975 un cycle d'études d'histoire du XXe siècle.

Ces promotions de l'histoire du temps présent finirent par emporter l'adhésion du monde universitaire et des instances gouvernementales. Alors que jusqu'en 1959 l'étude du monde contemporain dans les lycées s'arrêtait à l'année 1939, les programmes des classes de terminale intégrèrent enfin, à partir de 1962, la deuxième guerre mondiale. En novembre 1980, plusieurs enseignants et chercheurs réunis à Sèvres pour des journées d'études relancèrent le débat sur la nécessité d'introduire plus largement le temps présent dans les programmes sco-laires. Leurs conclusions — résumées par Antoine Prost qui répondait à trois questions clés : Peut-on enseigner l'histoire du présent ? Doit-on l'enseigner ? Comment le faire ? (document 3) — reçurent un écho positif et décidèrent le gou-vernement à élargir l'enseignement de l'histoire immédiate. Deux arrêtés de 1982 et 1988 modifièrent les programmes de manière à ce que les élèves de première apprennent l'histoire de la deuxième guerre mondiale, ceux de terminale abordant la période allant de l'après-guerre à nos jours.

Ces victoires progressives de l'histoire immédiate ne furent pas sans provo-quer certaines réticences auprès de l'opinion et du milieu enseignant. Celui-ci constatait avec raison l'absurdité consistant à inciter les professeurs à enseigner une histoire du temps présent que l'Université continuait globalement d'ignorer. Il en résultait un manque de formation que l'organisation de quelques séminaires de formation continue à l'instigation de l'APHG ne suffisait pas à contrebalancer. Les instances officielles ayant pris acte du problème, elles autorisèrent la création en 1978 d'un laboratoire associé au CNRS et consacré à l'histoire immédiate : l'Institut d'histoire du temps présent (IHTP). Ayant pris la suite du Comité d'histoire de la seconde guerre mondiale, l'IHTP s'intéressa en priorité à la pé-riode de l'Occupation, même si des enquêtes furent lancées sur la décolonisation, le personnel politique de l'après-guerre ou la politique culturelle. En diffusant ses *Cahiers* et son bulletin trimestriel, en organisant des séminaires et colloques, cet institut contribua grandement au développement de l'histoire immédiate et à sa reconnaissance par le monde universitaire.

Une histoire possible

Si l'histoire du temps présent est finalement parvenue à gagner un statut officiel, beaucoup continuent de lui refuser une légitimité intellectuelle. Réduisant le genre à une simple chronique événementielle élaborée à partir de la fragile source orale, ils récusent l'histoire immédiate au nom de la rigueur méthodologique de l'histo-rien. Pourtant, s'il est vrai que l'impossibilité d'accéder à certaines archives comme le manque de recul par rapport à son objet peuvent parfois pénaliser la discipline, l'histoire de l'immédiat reste possible et même légitime, à condition de travailler avec d'autres sources et de construire une grille de lecture adaptée.

Les difficultés spécifiques à l'histoire immédiate

L'historien du temps présent se heurte à deux problèmes spécifiques à sa disci-pline : l'impossibilité d'accéder à certains documents et le manque de recul par rapport à l'objet étudié. Les archives publiques, très souvent utilisées par les contemporanéistes, sont fermées à l'historien de l'immédiat en raison de la fa-meuse « loi des trente ans », qui régit en France ainsi que dans le reste de la Com-munauté européenne et aux États-Unis la consultation des documents émanant de l'État. Ceux-ci (circulaires des ministères, correspondance des préfets et ambassa-deurs, rapports de police, etc.) ne peuvent être dépouillés qu'après une période de trente ans, séparant la constitution officielle de l'archive de la demande de consultation. Le délai peut être d'ailleurs rallongé lorsqu'il s'agit de documents touchant à la sécurité nationale (défense, police, diplomatie, etc.) ou à la vie privée des individus (dossier médical ou judiciaire, état civil, etc.). Les justifications de ces procédures d'attente sont mal établies : volonté de ne pas dévoiler des secrets d'État, prise en compte de l'intimité des personnes, souci ne pas réveiller des plaies ouvertes en attisant des passions encore vives à propos de périodes contro-versées (Occupation, guerre d'Algérie, etc.). La question suscite régulièrement des polémiques, comme l'a montré la sortie tumultueuse du livre de Sonia Combe, *Archives interdites. Les peurs françaises face à l'histoire contemporaine* (1994). Certains historiens accusent le pouvoir politique de couvrir ses fautes par cette loi du silence. D'autres objectent que ce même pouvoir n'hésite pas à faciliter le travail des historiens du temps présent en ouvrant les archives publiques lorsque l'actualité et la pression publique l'exigent ; ainsi, lors du procès Papon, le gouvernement s'est engagé à permettre l'accès des historiens aux archives traitant de la répression de la manifestation du FLN à la station de métro Charonne en 1961, l'accusé occupant alors les fonctions de préfet de police de Paris.

Même si cette contrainte est souvent contournée par l'octroi facile de déroga-tions individuelles, elle gêne à l'évidence l'historien de l'immédiat. Penser toute-fois qu'elle empêche totalement son travail reviendrait à croire que certains do-cuments sont indispensables à la recherche et que la qualité de l'histoire dépend de la richesse de ses sources. Or chacun sait que la valeur d'une étude historique repose plus sur l'originalité et la pertinence du questionnement de l'historien que sur l'abondance de ses archives. C'est la problématique qui fait l'histoire et non la source. Les historiens de l'Antiquité, qui doivent souvent se contenter de quelques fragments de céramique et quelques bribes de textes, le savent bien. Il appartient d'ailleurs au chercheur de s'adapter à l'état de ses sources et d'en tirer le meilleur profit en croisant les techniques d'investigation et les grilles d'analyse.

Au demeurant, il n'est pas certain que ces archives publiques auxquelles les historiens de l'immédiat n'ont pas accès leur eussent été d'un grand secours. Le confidentiel n'est pas toujours essentiel et le développement de nouveaux moyens de communication (fax, Internet, etc.), où l'écrit laisse de moins en moins de traces, enlève à l'historien du temps présent bien des regrets ! Sans compter qu'il est souvent possible d'obtenir les mêmes informations grâce aux révélations pu-bliques d'hommes d'État une fois leur mandat achevé. Ces entretiens, mémoires et chroniques, véritables mines de renseignements, permettent au chercheur de contourner légalement l'interdiction des trente ans et de faire l'histoire de leur temps. L'historien américain de la guerre du Viêtnam fera ainsi bon usage des *Mémoires* de Kissinger et de McNamara ; l'historien de la décennie Mitterrand utilisera avec profit les volumes de *Verbatim* du conseiller présidentiel Jacques Attali ; l'historien du gaullisme et de ses réseaux s'intéressera de près aux *Mé-moires* de Jacques Foccart, etc.

L'autre problème spécifique à l'historien de l'immédiat est la contemporanéité de son objet d'étude. Le chercheur peut-il rendre compte avec lucidité et rigueur d'un fait qui lui est proche chronologiquement ? Peut-il travailler sans cette fa-meuse distance critique qui le sépare de son sujet et qui constitue un filet de sécu-rité ? Avoir été témoin direct ou indirect ou acteur d'un événement étudié n'entraîne-t-il pas nécessairement l'historien dans le piège de la subjectivité ou de l'engagement militant ? Le risque existe en effet — dans l'introduction d'une étude sur la Résistance parue en 1954, Lucien Febvre le rappelait avec malice en se faisant l'avocat du diable (document 2). Il ne faut pas l'occulter mais le reconnaître pour mieux le circonvenir. Utiliser sa propre mémoire des faits dans le cadre de la recherche n'est pas sans danger, comme le montrent les études très orientées des historiens contemporains de la Révolution française ou de la Commune. Mais cet écueil de la partialité n'est pas le monopole des historiens de l'immédiat : un sujet vieux de plusieurs siècles peut être étudié de manière engagée. Les historiens marxistes qui plaquent leur grille d'analyse orientée sur l'esclavage dans l'Antiquité, la structure féodale au Moyen Âge ou les origines socio-économiques de la Révolution française ne sont-ils pas eux aussi victimes d'un dérapage subjectif, alors même que leur sujet d'étude ne leur est pourtant pas contemporain ? À l'inverse, il est possible d'analyser à chaud mais de manière relativement objective un événement auquel on a participé, tel Gabriel Monod, publiant en 1871 des *Souvenirs de campagne* d'une lucidité dépassionnée.

Les atouts spécifiques à l'histoire immédiate

Si les risques de la contemporanéité sont souvent évoqués, ses avantages le sont moins, alors même qu'ils existent et contribuent à faire de l'histoire immédiate une discipline possible et légitime.

Assister à l'événement (et même y participer) ne présente pas que des inconvénients. L'historien, par sa culture et son habitude analytique, est en mesure de s'extraire du chaos événementiel pour ordonner logiquement et chronologiquement le réel ; il est à même d'en repérer à chaud les enjeux et les conséquences. N'étant pas un témoin ordinaire, il donnera à son récit une portée particulière. L'exemple du capitaine Marc Bloch, analysant en temps réel les causes profondes de la défaite de 1940, a déjà été donné.

Vivre l'événement de l'intérieur permet également à l'historien de saisir l'atmosphère du moment, l'état d'esprit des participants, et de donner ensuite à son étude cette épaisseur du réel qui manque si souvent aux analyses rétrospectives. Cet avantage se révèle surtout intéressant quand il s'agit d'époques troublées, d'engagements délicats, qu'il faut rendre avec nuance, en en respectant la complexité. Henri Michel évoquait d'autant mieux les déchirures de la Résistance qu'il avait partagé ses luttes. Philippe Robrieux décrivait d'autant mieux les luttes de tendances et les conflits idéologiques au sein du PCF qu'il avait été un responsable UEC (Union des étudiants communistes) au moment de la déstalinisation du parti. Devant le temps qui, souvent, simplifie le passé en en gommant la riche complexité, ne faut-il pas prendre le risque d'analyser l'instant ; non pas dans l'instant, puisque l'historien a toujours besoin d'un délai d'élaboration, mais rapidement, pour garder à l'instant son intégrité ?

Quant à l'argument d'une documentation insuffisante, ce problème ne suffit pas à empêcher le travail de l'historien de l'immédiat. Si ce dernier doit parfois renoncer aux charmes (souvent trompeurs) des archives publiques, il compense cette lacune par le recours à d'autres sources (présentées en 1995 par René Rémond : *cf.* document 4). Les informations officielles concernant un État sont souvent imprimées et, donc, en accès libre. En France, l'historien peut ainsi consulter le *Journal Officiel* pour les actes publics, les Rapports des commissions et les dossiers ministériels, etc. À un échelon plus local, le dépouillement des archives des services publics départementaux ne présente pas de problème en général. Le même historien tire profit des enquêtes (émanant d'organisations privées ou d'institutions publiques, comme l'annuaire statistique et les tableaux économiques de l'INSEE) et des sondages d'opinion (qui, à condition de respecter quelques règles méthodologiques, fournissent de précieux instantanés). Le chercheur peut également utiliser les archives privées (de particuliers, d'associations ou d'entreprises), avec d'autant plus de facilité que leur consultation n'est pas limitée par la loi des trente ans. Certaines fondations, qui gèrent les documents concernant une personnalité (Fondation François Mitterrand, Fondation Georges Pompidou, Fondation Maurice Thorez, Fondation Charles de Gaulle, etc.), offrent ainsi à l'historien du temps présent un accès relativement libre à différents documents (correspondances, rapports, ouvrages, enregistrements sonores, bandes vidéo, photos, etc.). Ces riches archives privées ont permis dans les pays anglo-saxons le développement de l'histoire d'entreprise (*business story*).

L'historien de l'immédiat peut encore recourir aux sources médiatiques. Véritable objet historique en soi, le journal constitue surtout une banque de données pour le chercheur. Ce dernier y trouve non seulement des précisions factuelles sur les faits et phénomènes qui l'intéressent, mais aussi des amorces d'analyses critiques qu'il peut reprendre, élargir ou infirmer. Lorsqu'il s'agit d'étudier certaines organisations connues pour leur tradition du secret (partis politiques, syndicats, églises, entreprises, etc.), la consultation d'un dossier de presse se révèle souvent utile. Mais il faut respecter certaines règles méthodologiques : connaître le fonctionnement d'un organe de presse, prendre en compte la tendance politique du journal et le contexte de parution, croiser les sources. Certaines techniques d'analyses quantitatives, comme la lexicologie, permettent une analyse plus profonde du texte journalistique.

Un autre filon médiatique, presque réservé à l'historien de l'immédiat, est celui de l'image fixe ou animée. Photos, bandes sonores, films et productions télévisées peuvent être consultés par l'historien dans le cadre de collections privées ou d'institutions publiques, comme l'Institut national de l'audiovisuel (INA) à Paris, même si, dans ce dernier cas, la consultation des archives audiovisuelles est limitée par des problèmes de coûts et de règlements juridiques. Si l'apport informatif du document audiovisuel est limité (le scoop audiovisuel est rare, la plupart des renseignements étant déjà fournis par l'écrit ou l'imprimé), l'image ou le son peuvent enrichir la connaissance de l'historien en lui fournissant d'autres données, relatives au climat, à l'ambiance ou à la psychologie des acteurs. Introduit au cœur du réel par la magie du reportage radio ou du document télévisé, l'historien s'immerge alors dans son objet. Confronté de plus en plus à un déferlement d'images, avec le développement médiatique qui noie l'actualité sous un flot visuel et sonore (par exemple lors de la guerre du Golfe, de la répression de la place Tianan men, des soulèvements populaires dans le Bloc de l'Est), l'historien du temps présent ne peut ignorer ces nouvelles sources. Il ne s'agit plus seulement de les utiliser comme simple illustration d'un savoir élaboré à partir d'autres documents, mais de les considérer comme des objets d'étude à part entière, au sujet desquels l'historien construira son analyse. Mais il faut lire correctement ces documents iconographiques et audiovisuels, qui nécessitent une compétence particulière ; autrement, le risque est de tomber dans les pièges de la manipulation (tels les images truquées ou le faux direct) ou de ne pas interpréter convenablement les signes et symboles de ces images intentionnelles. Certains spécialistes comme Marc Ferro ont déjà montré la voie.

Mais la source la plus communément utilisée par les historiens de l'immédiat, et qui leur est d'ailleurs réservée eu égard à la spécificité de leur objet, est le témoignage oral. Cette source, si particulière dans sa constitution et dans son traitement, suscite des réactions diverses dans la communauté historienne ; d'ailleurs surtout en France, car les pays anglo-saxons ont reconnu très tôt sa valeur scientifique, notamment dans l'histoire des classes sociales et des communautés ethniques. Si le rejet hérité de la méfiance méthodique devant une source éminemment subjective ne se rencontre plus guère, certains continuent de considérer le témoignage oral comme une solution de fortune, un dernier recours quand l'écrit manque ou n'est pas exploitable. D'autres font de la source orale un simple complément de l'écrit, qu'il viendrait illustrer et confirmer. Peu en fait abordent l'oral comme une source à part entière, bien adaptée à certains domaines d'étude (par exemple la vie quotidienne ou le milieu politique) et nécessitant simplement une exploitation spécifique. Pour traiter la source orale (à distinguer de l'archive orale, constituée officiellement en dehors de l'historien et de sa recherche) qu'il a lui-même élaborée, le chercheur doit respecter une fois encore une méthodologie particulière, mise au point en grande partie par les sociologues, ethnologues et psychologues (qui recourent plus facilement et avec moins de réticence au témoignage que l'historien). Afin que cette source fragile et à la valeur discutable — les témoignages sont rarement enregistrés, ils ne sont pas assez nombreux et diversifiées pour avoir une valeur statistique, leur retranscription est imparfaite, etc. — soit utilisée avec pertinence, l'historien doit croiser et recouper tant que possible les informations émanant des témoignages avec ceux de l'écrit, être attentif aux limites d'une évocation du passé qui interfère avec le présent, prendre en compte les reconstructions de la mémoire, reconnaître l'éventuelle partialité de son interlocuteur... Si ces précautions sont prises, le recours à la source orale se révélera d'autant plus appréciable qu'il donnera au récit une saveur particulière, comme le montre la passionnante enquête de Patrick Rotman et Hervé Hamon sur les étudiants communistes des années 1960 (*Génération*, 1987-1988).

Le recours à une méthodologie adaptée

Si l'histoire immédiate respecte les règles traditionnelles de l'histoire (problématisation, critique des sources, distanciation par rapport à l'objet étudié, etc.), le genre suppose aussi une démarche méthodologique particulière.

Même si les frontières en aval du genre ont été repoussées au point de flirter avec l'actualité, l'historien de l'immédiat ne doit pas pour autant devenir journaliste du présent s'il veut conserver la spécificité de son approche. Le risque serait grand de tomber dans une histoire prophétique où, à partir d'une action en cours (les crises au Proche-Orient ou les soubresauts de l'ancien monde communiste), il s'agirait de juger l'avenir. Le fait d'ignorer l'issue des événements ou l'aboutissement d'une tendance historique n'a d'ailleurs pas que des inconvénients en obligeant l'historien à envisager toutes les hypothèses au lieu de travailler dans la sécurité spécieuse de l'analyse rétrospective. Ricœur défendait ainsi les atouts épistémologiques d'une l'histoire du temps présent qui « défatalise » l'histoire en permettant à l'historien de rester attentif à « ce qui demeure virtuel dans le présent, à ce qui y est encore ouvert sur le possible ».

L'historien de l'immédiat peut se prémunir contre cette tentation en ancrant ses propos dans le passé. Interrogé sur la crise dans les Balkans depuis des années, il ne doit pas se contenter d'une analyse conjoncturelle mais enraciner son discours dans l'histoire en montrant les origines lointaines de ces tensions actuelles, ce qui lui permet d'ordonner et de donner du sens à une situation complexe rendue confuse par les commentaires à chaud des journalistes.

Pour échapper à cette prégnance confuse du passé récent et organiser l'analyse du temps présent — au lieu de se contenter du commentaire journalistique —, l'historien de l'immédiat peut également modéliser son étude. En croisant des critères pour établir des typologies, en recourant à des idéaux-types chers aux sociologues et aux politologues, il a la possibilité de mieux distinguer les différents moments d'une évolution économique, de comparer les modes organisationnels d'une même réalité politique, etc. Désireux d'étudier de manière typologique les mécanismes de désatellisation des six États est-européens situés dans l'orbite de l'URSS, J.-F. Soulet mettait en évidence en 1991 (*L'Implosion des systèmes communistes*) deux types d'évolution : solutions de compromis (Pologne et Hongrie) et mutations imposées (RDA, Tchécoslovaquie, Bulgarie et Roumanie).

Une histoire nécessaire

La demande sociale

La société actuelle, *via* ses écoles, ses médias, ses entreprises ou ses institutions, sollicite avec insistance l'histoire immédiate. Elle le fait d'autant mieux que le genre suscite un vif intérêt, autant auprès d'un public scolaire que d'un public amateur.

Les professeurs qui enseignent en troisième ou en terminale le monde contemporain de la deuxième guerre mondiale à nos jours prennent souvent conscience de l'intérêt de leurs élèves pour une histoire qui, étant la leur mais aussi celle de leurs parents et grands-parents, trouve en eux plus de résonance. Elle leur permet également de mieux lire un temps présent qui leur apparaît souvent au début dans le chaos de son immédiateté. À l'autre extrémité de la société, les personnes âgées, qui aspirent à retrouver et à mieux comprendre un passé vécu dont elles ont fréquemment gardé la nostalgie, constituent elles aussi un public fidèle à l'histoire du temps présent (dans ses franges les plus « reculées » : de la deuxième guerre mondiale aux années 1960). Au demeurant, cet intérêt est partagé par l'ensemble de la société, comme le prouvent la place privilégiée de l'histoire du temps présent dans les revues d'histoire (grand public, avec *L'Histoire Magazine*, ou universitaire, avec *Vingtième Siècle*) et les nombreuses collections d'histoire proche (« L'histoire immédiate » au Seuil, « Pour une histoire du XXᵉ siècle » chez Fayard, « Témoins de notre temps » chez Stock, « Témoin » chez Gallimard et « La mémoire du XXᵉ siècle » chez Complexe).

Toutefois, cette demande sociale n'est pas sans ambiguïté. Jean-François Soulet montre que, si l'historien de l'immédiat est sollicité comme savant (qui sait et éclaire par son savoir et sa méthode), il l'est également comme arbitre (qui dit la vérité sur une question controversée et départage), psychanalyste (qui explore l'inconscient et déculpabilise), voire prophète (qui prédit l'avenir). Cette attente complexe s'observe dans le traitement inégal des périodes et sujets du passé proche. Si certains événements (par exemple Mai 68) et périodes (la guerre d'Algérie) sont bien couverts, d'autres le sont moins. L'histoire de la collaboration, ainsi, pour être devenue depuis une dizaine d'années un véritable créneau éditorial et un fréquent sujet de colloque, est restée dans l'ombre pendant très longtemps, avant que des universitaires anglo-saxons (tel Robert Paxton), sans doute moins sensibles au mythe résistancialiste que leurs collègues français, ne décident de travailler sur ce thème délicat.

Parfois, la société peut intervenir directement sur l'écriture de l'histoire du temps présent, pour l'orienter, la canaliser ou la critiquer. Certaines fondations privées n'ouvrent ainsi leurs archives qu'à des historiens ayant « montré patte blanche » ; certains lobbies (très actifs sur des sujets sensibles comme la deuxième guerre mondiale ou la décolonisation) exercent des pressions, notamment auprès des pouvoirs publics, pour que les chercheurs et les enseignants respectent leurs conceptions du passé. Sensibles à ces sollicitations, les instances officielles peuvent entériner ces pressions en ouvrant ou supprimant des crédits à la recherche, en modifiant les programmes scolaires, etc. Ce sont par exemple des amicales d'anciens combattants et de résistants qui, estimant que la deuxième guerre mondiale était négligée avec sa place finale dans l'ancien programme de première, ont fait pression sur le ministère de l'Éducation pour que la question soit inscrite au début du programme de terminale. L'historien lui-même n'est pas neutre face à ces exigences sociales. Comme les autres, il obéit à des préférences politiques et suit des modes intellectuelles, sa lecture du passé proche en étant nécessairement affectée.

Cette interrogation sociale s'est manifestée ces dernières années autour de sujets passionnés, telle la question du régime de Vichy et sa participation aux persécutions antisémites. Les spécialistes de cette période ont été très sollicités par les médias (ils ont été conseillers historiques dans des films comme *L'Œil de Vichy* et *Pétain*) et par la justice (des historiens ont été appelés à la barre pour témoigner lors du procès Papon ; certains ont accepté, comme Marc-Olivier Baruch, d'autres comme Jean-Pierre Azéma ou Henri Rousso ont été plus réservés, estimant qu'il y avait là confusion des rôles). En 1989 déjà, devant les accusations selon lesquelles l'ancien milicien Paul Touvier aurait bénéficié de complicités au sein de l'Église pour organiser sa fuite, le cardinal Decourtray avait mis sur pied une commission d'historiens du temps présent dirigée par René Rémond pour dépouiller les archives de l'archevêché de Lyon et faire la lumière sur cette question controversée. Avec le risque peut-être de transformer ces spécialistes du temps présent en arbitres souverains du passé, précisant le juste et édictant le vrai, alors que là n'est pas le rôle de l'historien. Ainsi, en 1993, devant des rumeurs alléguant d'éventuels liens entre Pierre Cot et les services secrets de l'URSS, la famille de l'ancien ministre de l'Air du Front populaire fit appel à un comité d'historiens pour établir la « vérité »…

Un enseignement nécessaire mais risqué

Si l'enseignement du temps présent répond à une forte demande sociale (du public et de l'institution), il n'est pas sans risque puisque le professeur travaille ici sans filet. Abordant un passé très récent, il ne dispose pas de garantie suffisante sur le plan scientifique (son sujet n'a pas ou peu été défriché par des chercheurs qui pourraient se porter caution de la pertinence d'une analyse) et sur le plan méthodologique (l'extrême contemporanéité du sujet augmente le risque d'une subjectivité partisane). Les manuels que le professeur est tenté d'utiliser encore plus que d'ordinaire faute d'informations suffisantes ne constituent pas toujours un recours satisfaisant.

Jean-François Soulet cite le cas exemplaire de l'enseignement du régime soviétique vu au travers des manuels scolaires français. Jusqu'au début des années 1970, le regard de l'institution scolaire resta étonnamment indulgent et positif face à ce sujet délicat. Dans les années 1960, le jugement porté sur la politique stalinienne depuis l'entre-deux-guerres était même franchement positif ! Les manuels Nathan, Masson ou Bordas louaient volontiers sa fermeté de caractère, ses qualités d'organisateur, son opportunisme. Les opposants au dictateur, comme Trotsky, étaient quasiment oubliés, tandis que la répression — pourtant connue des historiens — était sous-estimée et traitée rapidement. Les réalisations économiques et sociales de l'URSS étaient présentées avec une troublante absence de sens critique face aux statistiques et discours officiels. La nouvelle équipe Brejnev bénéficia du même traitement de faveur. Il faut attendre les années 1970 pour qu'une nouvelle génération de manuels cite les révoltes des démocraties populaires, évoque la résistance des intellectuels, fasse allusion au testament de Lénine, souligne les injustices sociales et les problèmes des nationalités, etc.

Comment expliquer pareil aveuglement de l'institution scolaire devant ce thème d'histoire immédiate ? S'agissait-il d'un souci de prudence face à un sujet délicat dont le traitement critique pourrait susciter les protestations de parents d'élèves comme de syndicats d'enseignants et, donc, conformité au discours ambiant (« pas de politique au lycée »…) ; de l'influence de l'idéologie communiste alors dominante dans le monde des chercheurs de l'Université et des professeurs du secondaire (la remise en cause de l'URSS supposait celle d'un PCF alors très influent) ? Toujours est-il que l'enseignement de cette question d'histoire du temps présent manqua singulièrement de clairvoyance et d'esprit critique. Figés dans des représentations stéréotypées ou partisanes, les manuels n'intégrèrent pas les débats historiographiques d'alors entre l'école « totalitaire » et l'école « révisionniste ». Les leçons de cet échec doivent être tirées. Il ne remet pas en question la nécessité ni la pertinence d'un enseignement du temps présent mais en souligne les exigences méthodologiques. Le chercheur, comme le professeur, de l'immédiat doit plus encore qu'un autre se désengager de son objet de recherche et d'enseignement. Il doit garder l'esprit ouvert, remettre en cause ses grilles de lecture et actualiser ses problématiques. Il doit multiplier et diversifier ses sources, manifester un fort esprit critique face aux clichés convenus et aux discours officiels.

L'histoire du temps présent aujourd'hui

En vingt ans, l'histoire du temps présent a accompli de gros progrès dans la recherche et l'enseignement. Alors que cette discipline donnait lieu dans les années 1960-1970 à peu de travaux universitaires et qu'il n'existait ni centre de recherche ni revue qui lui soient consacrés, cette discipline est aujourd'hui reconnue officiellement et jouit de l'intérêt croissant des étudiants et des professeurs. Les sujets abordés sont également plus variés que par le passé. Si l'histoire politique continue de dominer la production (maîtrises, DEA et thèses) — héritage de l'impulsion donnée par l'IEP —, d'autres thèmes sont traités comme l'histoire de la presse, l'histoire des mouvements sociaux et des syndicats, l'histoire économique et sociale. Seule l'histoire religieuse et culturelle semble encore en retrait. En revanche, les manuels scolaires ont intégré le champ culturel dans l'histoire immédiate, notamment dans le cadre de la question « loisirs et culture en France depuis 1945 » du programme d'histoire de terminale ; le manuel Belin propose ainsi aux élèves de réfléchir sur la signification politique, socio-économique et culturel de dix monuments emblématiques de la France de demain (document 5, p. 326-329). Cette histoire immédiate s'ouvre aussi de plus en plus sur l'étranger, avec des nouveaux sujets portant sur la décolonisation, les organisations internationales, la construction européenne, etc. La part accrue donnée à l'histoire du temps présent dans les programmes (part confirmée et élargie à chaque réforme des programmes depuis le début des années 1980) est désormais bien acceptée par les professeurs, après une légère réticence initiale justifiée par une formation insuffisante.

Certains problèmes demeurent toutefois. La recherche fondamentale (historiographie, épistémologie et méthodologie) reste trop limitée. L'existence d'une seule structure de recherche à l'échelle nationale, l'IHTP (très centrée sur l'histoire de la deuxième guerre mondiale et de l'après-guerre et pas assez sur le très contemporain), est discutable. Compte tenu de la place croissante du temps présent dans les programmes scolaires du collège et du lycée, place à relier avec la nouvelle dimension civique de l'enseignement — permettre aux jeunes de comprendre les origines immédiates et le fonctionnement du monde actuel dans lequel ils devront s'engager —, une meilleure formation des professeurs, notamment *via* les IUFM, serait à envisager. L'exemple d'autres pays étrangers serait sans doute à suivre, comme celui de l'Allemagne, où l'histoire du temps présent (*Zeitgeschichte*) a bénéficié de l'intérêt des chercheurs et du soutien des pouvoirs publics dès l'après-guerre. Soucieux de comprendre les dérèglements de l'Allemagne de Weimar ainsi que le fonctionnement criminel du régime nazi, le gouvernement a très tôt encouragé la recherche immédiate, créant en 1952 un Institut d'histoire de notre temps et dotant chaque université d'une chaire d'histoire du temps présent.

Histoire et mémoire : enseigner l'histoire de l'extermination des Juifs

Dossier :

Document 1 : Pierre Nora, Préface, *Les Lieux de mémoire*, 1 : *La République*, Paris, Gallimard, 1984, repris *in* Ch.-O. Carbonell et J. Walch, *Les Sciences historiques de l'antiquité à nos jours*, Paris, Larousse, 1994, p. 316-327.

Document 2 : Henry Rousso, « La Mémoire n'est plus ce qu'elle était », *in Écrire l'histoire du temps présent. En hommage à François Bédarida*, Paris, CNRS, 1993, p. 105-106.

Document 3 : Jean Belot, « Devoirs de mémoires », *Télérama*, n° 2351, 1ᵉʳ février 1995, p. 5.

Document 4 : « Comment parler d'Auschwitz à l'école », entretien avec Dominique Borne *in Les Collections de l'Histoire*, n° 3, « Auschwitz. La solution finale », octobre 1998, p. 108-109.

Depuis les années 1980, la mémoire est incontestablement à la mode non seulement dans les médias ou dans les politiques publiques, qui ont contribué à multiplier les commémorations et les célébrations nationales — à tel point que, désormais, un ouvrage édité par le ministère de la Culture et de la Communication les recense chaque année[1] —, mais aussi dans les travaux et les recherches des historiens qui s'intéressent de plus en plus à la mémoire, surtout collective. Il convient donc de préciser ce qu'est la mémoire envisagée par la science historique et leurs relations. En effet, au-delà de l'opposition qui caractérise souvent ce couple, la mémoire est de plus en plus une source et, surtout, un objet d'étude pour l'histoire. Ces relations complexes ne vont pas sans soulever des questions multiples auxquels n'échappent ni les historiens, ni les enseignants d'histoire.

Histoire et mémoire : « tout les oppose » (document 1, p. 318)

La mémoire, nous dit *Le Robert*, est l'ensemble de facultés, de fonctions psychiques qui permettent la fixation, la conservation, le rappel et la reconnaissance des souvenirs du passé. Cette mémoire est-elle seulement individuelle ou peut-elle aussi être collective ? Paul Ricœur rappelle que la tradition la mieux établie en philosophie rapporte la mémoire à « l'expérience intérieure, à l'intériorité[2] », à l'individu donc. De ce caractère personnel découlent trois caractéristiques de la mémoire : un lien très fort entre mémoire et identité personnelle (la « mienneté » évoquée par Paul Ricœur) ; la mémoire « témoigne de la continuité personnelle de la personne[3] » ; et, enfin, la mémoire contribue à situer le sujet dans le passage du temps

---

1. Cf. *Célébrations nationales 2000*, Paris, Direction des Archives de France, 1999.
2. Paul Ricœur, « Passé, mémoire et oubli », *in Histoire et mémoire*, CRDP de Grenoble, 1998, p. 31-45.
3. *Ibid.*, p. 32.

(passé/présent/futur). Mais Paul Ricœur évoque également le sociologue — et philosophe de formation — Maurice Halbwachs[1], qui montre pour sa part le caractère social de la mémoire, l'existence d'une mémoire collective : « on ne se souvient pas seul » ; « nos souvenirs sont encadrés dans des récits collectifs, eux-mêmes renforcés par des commémorations, célébrations publiques[2] ». Au final, pour Paul Ricœur, « mémoire privée et mémoire publique se constituent simultanément selon le schéma d'une constitution mutuelle et croisée[3] ». D'où aussi des qualités, des fonctions similaires de la mémoire individuelle et de la mémoire collective, qui peut revendiquer « le même titre de mienneté, de continuité et d'orientation dans le temps[4] » et qui peut être frappée par l'oubli ou, au contraire, par les abus de la mémoire.

De cette double définition individuelle et collective de la mémoire, les historiens retiennent principalement — voire uniquement — la seconde, et la plupart des historiens s'appuient sur la définition et l'approche de Maurice Halbwachs qu'il convient donc de préciser. Son objectif principal est de démontrer que la mémoire n'est pas seulement individuelle mais aussi sociale. Pour lui, nos souvenirs résultent d'expériences collectives, dans le cadre de groupes divers : familial ou professionnel par exemple. La mémoire est d'autant plus forte que persistent ces groupes et les espaces de ces expériences, alors que le détachement — social ou spatial — est un vecteur d'oubli. Maurice Halbwachs distingue trois niveaux de mémoire : les souvenirs individuels, la mémoire collective (souvenirs directs : souvenirs d'expériences communes passées ; et indirects : les traces — récits, institutions, archives — du passé) et la tradition (constituée de récits, de mythes ou de rituels), qui se développe quand les acteurs ou les témoins des événements disparaissent.

Les travaux de Maurice Halbwachs — qui favorisent aussi l'interdisciplinarité des sciences sociales et l'essor de l'ethnohistoire ou de l'anthropologie historique — ont une grande influence sur les travaux des historiens qui reprennent souvent ses idées essentielles. Ainsi, pour lui, la mémoire collective se construit en fonction du présent, de ses besoins et de ses enjeux. Par ailleurs, la mémoire collective s'appuie sur du concret, du sensible, par exemple sur l'émotion pour Pierre Nora : « La mémoire s'enracine dans le concret, dans l'espace, le geste, l'image et l'objet » (document 1, p. 318). Enfin, la mémoire collective entretient l'identité d'un groupe particulier ; elle ne cherche donc pas à être universelle.

Les historiens, à la suite de Maurice Halbwachs, s'accordent en général sur un certain nombre de caractéristiques de la mémoire collective, de cet ensemble de représentations collectives du passé selon la définition souvent avancée : « corpus de représentations et d'images plus ou moins structurées (mémoire nationale, mémoire ouvrière, mémoire résistante, etc.) insérées dans une tradition, elle-même mi-réelle mi-imaginaire[5] » pour François Bédarida ; « représentations du passé,

---

1. Maurice Halbwachs, *La Mémoire collective*, 1950.
2. Paul Ricœur, « Passé, mémoire et oubli », art. cité, p. 33.
3. *Ibid.*, p. 32.
4. *Ibid.*, p. 35.
5. François Bédarida, « Mémoire et conscience historique dans la France contemporaine », *in Histoire et mémoire, op. cit.*, p. 89-96.

entendues comme des faits politiques, culturels ou sociaux[1] » pour Henry Rousso. La mémoire est plurielle tout d'abord car elle est l'expression particulière de groupes, privilégiés par les historiens aux dépens de l'individu. Une de ses fonctions est précisément de permettre à un groupe de se reproduire, de transmettre des informations, des savoirs, des comportements, etc. La mémoire, ensuite, est par nature sélective : elle oublie certains phénomènes et privilégie ou grossit d'autres événements. Ces déformations de la mémoire peuvent aboutir à l'élaboration de mythes ou de symboles : par exemple saint Louis et Jeanne d'Arc dans la mémoire nationale. Par ailleurs, la mémoire sélectionne et oublie des périodes « noires » de l'histoire : le régime de Vichy ou la guerre d'Algérie. Les oublis, les silences de la mémoire collective évoluent : en témoignent les nationalismes en Europe centrale « réactivés » après 1989 ou l'histoire de la mémoire de Vichy, dont les fluctuations depuis la deuxième guerre mondiale ont été étudiées par Henry Rousso dans *Le Syndrome de Vichy de 1944 à nos jours* (1987)

La mémoire collective est subjective, en appelle à l'émotion, à l'affectif :

> Parce qu'elle est affective et magique, la mémoire ne s'accommode que des détails qui la confortent ; elle se nourrit de souvenirs flous, télescopants, globaux ou flottants, particuliers ou symboliques, sensible à tous les transferts, censure ou projections. (Document 1, p. 318)

Les historiens estiment aussi très souvent que la mémoire est de l'ordre de la croyance, de la foi ou encore du sacré, autant de termes récurrents sous leur plume. Pour Pierre Nora, « la mémoire installe le souvenir dans le sacré ». De même, pour Jean-Pierre Rioux : la mémoire « sacralise » le temps « en refusant toute discontinuité et toute chronologie[2] ».

Enfin, la mémoire peut être manipulée par le pouvoir politique et constitue un enjeu des luttes sociales et politiques. Les régimes politiques cherchent à utiliser les fêtes, les commémorations pour tirer quelque légitimité de la mémoire. Mona Ozouf montre ainsi dans *La Fête révolutionnaire de 1789 à 1799* (1976) comment les révolutionnaires utilisent les commémorations pour enseigner la Révolution, rejeter et critiquer l'Ancien Régime, par l'occultation de certains faits (la Terreur notamment) et la célébration de certains épisodes comme le 14 juillet 1789 ou le 10 août 1792. Cette manipulation de la mémoire par le pouvoir repose sur l'amnésie volontaire, l'occultation des faits. C'est l'histoire officielle de l'URSS qui masque le rôle de Trotsky, en effaçant son visage de certaines photos officielles par exemple. Cette construction de la mémoire ne repose pas seulement sur des bases si grossières et n'est pas l'apanage d'un régime totalitaire comme l'URSS de Staline. Dans *Le Syndrome de Vichy*, Henry Rousso montre aussi comment s'organise après 1944 l'oubli des divisions, de la guerre franco-française au nom de l'unité de la Nation, d'une Nation résistante pendant la guerre.

Généralement, ces caractéristiques de la mémoire collective reposent sur une opposition, presque terme à terme, avec l'histoire. La mémoire est commémoration ; l'histoire est reconstruction du passé. La mémoire est vécue au présent, alors que l'histoire met à distance le passé, elle est « une représentation du passé » (document 1, p. 318). La mémoire sacralise, on l'a vu, alors que l'histoire est une

---

1. Henry Rousso, « Réflexions sur l'émergence de la notion de mémoire », *ibid.*, p. 75-85.
2. Jean-Pierre Rioux, *Le Monde*, 18 mars 1993.

opération intellectuelle et désacralisante : l'historien «laïcise et met en prose le temps des héros et des mythes, des sagas fondatrices et des grandes peurs rassembleuses[1]». La mémoire est plurielle, particulière à des groupes ; l'histoire a « vocation à l'universel ». « La mémoire est un absolu et l'histoire ne connaît que le relatif » (document 1, p. 318).

Les rapports entre histoire et mémoire se fondent également sur une opposition très forte : l'histoire vise, sinon à éliminer la mémoire, du moins à la corriger. Cette conception se retrouve notamment dans les écrits de Pierre Nora, qui évoque le « criticisme destructeur de mémoire spontanée », ou pour qui « la mission vraie [de l'histoire] est de la [la mémoire] détruire et de la refouler » (document 1). Jean-Pierre Rioux estime lui aussi que le « volontarisme critique » de l'historien, « son obsession scientifique [...] détruisent le souvenir-fétiche, débusquent la mémoire de ses espaces naturels[2] ».

Certains historiens envisagent cependant le rapport à la mémoire de manière plus bienveillante. Ainsi, Jacques Le Goff écrit dans *Histoire et mémoire* que « l'histoire doit éclairer la mémoire et l'aider à rectifier ses erreurs[3] ». Néanmoins, l'historien reste en position de supériorité face à la mémoire. Conformément à son histoire, la science historique se fonde sur la critique des causes transcendantes, et fonde sur la raison, la recherche d'objectivité son rapport au passé.

Ces oppositions quasi absolues entre histoire et mémoire pourraient être nuancées. L'histoire vise à la scientificité par l'exposé des sources, par la démonstration, par la critique des pairs aussi ; mais l'historien ne peut pas être considéré comme parfaitement objectif. Il est inséré dans la société, soumis à sa pression : « L'historien n'est pas "au-dessus de la mêlée" » et « l'histoire s'écrit en fonction des choix de société que l'historien assume[4] » écrit notamment Jean-Clément Martin. De même, la mémoire, les souvenirs d'un témoin n'excluent pas forcément la distanciation critique, la relativisation d'actions ou de faits passés. Mais surtout, en particulier depuis les années 1980, ces relations se sont complexifiées, enrichies. La mémoire est devenue source et objet d'histoire. Les historiens ont été confrontés à une profusion de mémoire, de commémorations, ainsi qu'à une nouvelle attente de la justice, qui posent en termes nouveaux la question des rapports à la mémoire.

La mémoire source et objet d'histoire

Le tournant historique et historiographique se situe — pour François Bédarida[5] notamment — au milieu des années 1970 avec deux grands succès publics : *Le Cheval d'orgueil* (1975) de Per Jakez-Hélias et *Montaillou, village occitan* (1975) d'Emmanuel Le Roy Ladurie. Tous les historiens s'accordent pour replacer ce tournant dans son contexte : la crise économique « génératrice de pessimisme et de

---

1. *Ibid.*
2. *Ibid.*
3. Jacques Le Goff, *Histoire et mémoire*, Paris, Gallimard, 1988 [1ère éd. : 1977], coll. « Folio », p. 194.
4. Jean-Clément Martin, « L'Histoire et la justice au service de l'oubli », *Le Monde des Débats*, décembre 1999, p. 19.
5. François Bédarida, « Mémoire et conscience historique... », art. cité, p. 90.

doute après l'euphorie des Trente Glorieuses ; le reflux des philosophies du progrès ; le tarissement des doctrines et des espérances révolutionnaires[1] ». Le terme « mémoire » envahit incontestablement la société car, face à un avenir incertain, « la tendance est au retour au passé et à la recherche d'une identité[2] ». Recherches identitaire et mémorielle vont en effet de pair dans une société en pleine mutation qui voit la disparition de modes de vie traditionnels, rural mais aussi urbain et industriel, et qui connaît une crise de la transmission culturelle.

La science historique n'échappe pas à ces circonstances. En témoigne l'engouement pour l'étude de la mémoire à partir des années 1970. Cet intérêt, dans le contexte de l'après-Mai 1968 et d'un certain rejet d'une « histoire académique », se traduit tout d'abord par le recours aux sources orales. Il s'agit de recueillir la parole de ceux qui n'ont pas laissé de traces écrites, de sauver de l'oubli la mémoire de mondes en voie de disparition (monde rural ou société industrielle). Ainsi, des historiens comme André Burguière ou Jacques Ozouf lancent un projet d'archives orales axé sur les métiers, qui débouche par exemple sur *Nous les maîtres d'école*, de Jacques Ozouf. Philippe Joutard est aussi l'un des pionniers de cette histoire de la mémoire collective — en l'occurrence la mémoire d'une révolte — avec *La Légende des Camisards, une sensibilité au passé* (1977).

Dans les années 1980, l'attrait pour l'histoire de la mémoire ne faiblit pas. Mais ce courant de recherche évolue, en fonction des débats qui parcourent la société et la vie politique, notamment les questions de lien social, de l'identité nationale, des valeurs républicaines. À cet égard, l'ouvrage majeur de la période est l'œuvre collective dirigée par Pierre Nora : *Les Lieux de mémoire* (1984-1993), sept volumes organisés en trois parties : *La République, La Nation, Les France*. Cette vaste entreprise historiographique, dont l'importance est soulignée par tous, donne un nouvel essor à l'histoire de la mémoire en même temps qu'il modifie ses approches. Dans la préface de l'ouvrage, Pierre Nora justifie le projet et son objet d'étude. L'étude des « lieux de mémoire » résulte de la conjonction de deux mouvements : un mouvement historiographique, « le moment d'un retour réflexif de l'histoire sur elle-même », et un mouvement historique, « la fin d'une tradition de mémoire » (document 1, p. 320). Cette dernière idée est la plus connue : « on ne parle tant de mémoire que parce qu'il n'y en a plus » (p. 316). Dans les années 1970, d'après Pierre Nora, disparaissent les « sociétés-mémoires », comme l'Église, la famille ou l'école, qui conservaient et transmettaient des valeurs. Sombrent aussi les « idéologies-mémoires », réactionnaire, progressiste ou révolutionnaire, mais qui toutes reliaient le passé à l'avenir.

Ce mouvement s'accompagne de la fin d'une « histoire-mémoire » car, sous les effets d'une histoire critique, disparaît « l'adéquation de l'histoire et de la mémoire » (p. 317). L'histoire aurait chassé d'elle-même la mémoire. Le signe le plus tangible de « cet arrachement de l'histoire à la mémoire est peut-être le début d'une histoire de l'histoire, l'éveil, en France tout récent, d'une conscience historiographique » (p. 318). Et l'histoire nationale est la première victime de cette « histoire-critique » ; c'est elle qui a le plus porté la mémoire collective, notamment sous la IIIe République :

---

1. *Ibid.*
2. *Ibid.*

Histoire, mémoire, Nation ont entretenu alors plus qu'une circulation naturelle : [...] une symbiose à tous les niveaux, scientifique et pédagogique, théorique et pratique. (p. 319)

Le postulat de la disparition de la mémoire sous le feu de la critique de l'histoire est discutable. La mémoire d'une société rurale traditionnelle a sans doute disparu. Mais d'autres structures sociales et la société en général continuent certainement à « produire » de la mémoire ; une mémoire — par exemple de la Résistance, de Vichy, de la guerre d'Algérie — à laquelle les historiens sont de plus en plus confrontés. Pierre Nora et tous les historiens des *Lieux de mémoire* ont surtout contribué à relier histoire et mémoire. Le concept de « lieu de mémoire » appliqué à des sujets très variés — le Panthéon, « La Marseillaise », l'*Encyclopédie* Larousse ou le *Petit Lavisse* par exemple — rend possible une histoire de la mémoire de plus en plus reconnue comme objet d'histoire.

Indubitablement, *Les Lieux de mémoire* correspondent à une attente dont rend aussi compte dans les années 1980 la profusion de commémorations, le gouvernement en étant souvent l'initiateur. L'État cherche sans doute par une « politique de la mémoire » à répondre à « une très forte demande liée à une certaine vision du passé, à ce besoin d'enracinement[1] ». Mais cet usage politique de la mémoire et de la commémoration n'est pas si aisé à orchestrer. Le bicentenaire de la Révolution de 1789 en donne un exemple. En effet, la célébration a cherché à transmettre un message consensuel — 1789 et les droits de l'homme —, plutôt que la fracture historique majeure de l'histoire. Cependant, la commémoration a été prise dans des enjeux multiples, par exemple l'opposition entre la tradition de la gauche jacobine ou celle de la droite catholique conservatrice. Le bicentenaire a aussi montré la difficulté pour le pouvoir politique à mobiliser, et le rôle majeur des médias qui ont fait de la célébration un véritable événement, au travers d'une manifestation comme le défilé du 14 Juillet organisé par Jean-Paul Goude. La commémoration étatique a également été relayée par de très nombreuses opérations locales, qui ont parfois révélé une mémoire plurielle de 1789, en particulier en Vendée.

Le processus de commémoration n'est donc pas univoque, même dans le cadre d'une politique de la mémoire. En effet, l'État ne cherche pas seulement à célébrer un élément positif de l'identité nationale. Le processus « mémoriel » peut aussi être « l'occasion d'un retour critique, là encore angoissé, sur le passé[2] » pour Henry Rousso, qui évoque à ce propos l'instauration d'une nouvelle commémoration en 1993, le 16 juillet (date anniversaire de la rafle du Vélodrome d'hiver en 1942), rappelant le souvenir des « crimes racistes et antisémites » de Vichy. Pour Henry Rousso, il s'agit là d'une rupture : pour la première fois, « un crime d'État est non seulement reconnu, mais il est commémoré officiellement[3] » ; pour la première fois, l'accent est mis sur un événement négatif, détestable.

Cet exemple et le nom d'Henry Rousso conduisent à évoquer l'histoire du temps présent. En effet, l'utilisation des sources orales mais aussi l'étude d'événements relativement proches sont du ressort de cette histoire. Dans *Écrire l'histoire du temps présent*, Henry Rousso note d'ailleurs que l'histoire de la mémoire s'est surtout développée dans le champ de l'histoire du temps présent.

---

1. Henry Rousso, « Réflexions sur l'émergence de la notion de mémoire », art. cité, p. 78.
2. *Ibid.*, p. 80.
3. *Ibid.*

L'actualité du passé et la pression de la demande sociale ont poussé les historiens à étudier des événements très contemporains, qui ont laissé des séquelles durables. Aussi, Henry Rousso estime que cette histoire de la mémoire « a le plus souvent été une histoire des blessures ouvertes de mémoire car elle n'était au fond qu'une manifestation parmi d'autres des interrogations actuelles et brûlantes sur certaines périodes qui ne "passent pas" », dans le contexte « un peu trouble et la perte de repères des années 1980-1990 » (document 2, p. 106). Cela explique les objets d'étude de cette histoire qui a privilégié des thèmes comme la Grande Guerre, la guerre d'Algérie et, surtout, la deuxième guerre mondiale ; de là aussi des interrogations renouvelées sur le régime de Vichy et l'extermination des Juifs.

Ce dernier thème a fait l'objet d'études au cours des années 1980, dans un contexte particulier lié à l'existence d'un petit nombre d'historiens (ou prétendus tels) d'extrême droite, les révisionnistes, qui ont cherché à nier l'existence des chambres à gaz et l'extermination massive des Juifs. Ces « assassins de la mémoire[1] », selon le titre d'un ouvrage de Pierre Vidal-Naquet, ont contraint les historiens à se placer sur le terrain de l'histoire « positive », pour réfuter leurs affirmations en opposant le vrai et le faux à partir de preuves, de faits vérifiables ; les ont « obligés à répondre à des questions d'ordre très factuel — la plus inepte et la plus douloureuse étant la nécessité d'affirmer périodiquement l'existence des chambres à gaz...[2] ».

À propos de l'extermination des Juifs et de l'histoire du régime de Vichy, les historiens, notamment de l'IHTP, ont été amenés à jouer un rôle nouveau, celui d'expert, appelés par la justice ou par l'Église à témoigner ou à enquêter. Le rôle s'est révélé difficile voire dangereux à jouer pour les historiens, confrontés à plusieurs risques, en particulier celui de se mettre au service de la mémoire, du devoir de mémoire. « Témoins et historiens sont conviés à jouer aux Justes, ou, à tout le moins, aux activistes d'une mémoire sans oubli[3] » écrit ainsi Jean-Pierre Rioux au sujet des appels aux historiens, surtout à propos de la deuxième guerre mondiale et des crimes contre l'humanité.

La mémoire dans l'enseignement de l'histoire

Les relations entre histoire et mémoire dans l'enseignement sont tout aussi complexes. L'école elle-même participe à la transmission d'une mémoire, d'une culture et d'un patrimoine communs, librement et de manière critique et distanciée ; mais ces derniers doivent contribuer à former des citoyens. « Enseigner l'histoire et la géographie, c'est enfin chercher à donner aux élèves une vision du monde et une mémoire. L'histoire et la géographie aident à constituer ce patrimoine qui permet à chacun de trouver identité. Cette identité du citoyen éclairé repose sur l'appropriation d'une culture » affirment fortement et très explicitement les programmes de sixième. À ce titre aussi, l'univers concentrationnaire et l'extermination des Juifs ainsi que des Tziganes figurent dans les programmes de

---

1. Pierre Vidal-Naquet, « Un Eichmann de papier », *Esprit*, 1980, repris *in Les Assassins de la mémoire*, Paris, La Découverte, 1987.
2. Henry Rousso, « Réflexions sur l'émergence de la notion de mémoire », art. cité, p. 83.
3. Jean-Pierre Rioux, « Pas de tribunal de l'Histoire ! », *Le Monde des Débats*, décembre 1999, p. 18.

troisième comme dans ceux de terminale. Mais plus qu'une question de programme, ce qui est en jeu, c'est la manière d'aborder le thème, sa mise en œuvre
qui relève de la liberté pédagogique et n'est pas prévue par les textes officiels.

L'enseignement de l'histoire est souvent mis en demeure de remplir un
« devoir de mémoire ». Cette exigence est par exemple exprimée par Jean Belot
dans un éditorial du journal *Télérama*, titré de manière significative « Devoirs de
mémoire » (document 3), et qui illustre la manière dont peut s'exprimer la demande sociale à l'égard de l'école. Le journaliste rappelle en effet la nécessité et
l'actualité du devoir de mémoire à l'occasion tout d'abord du 45ᵉ anniversaire de
la libération d'Auschwitz et des autres camps d'extermination, notamment car « il
y a encore des gens, cinquante ans plus tard, pour nier la réalité des chambres à
gaz et du génocide » ; mais aussi en raison d'événements beaucoup plus récents
voire contemporains, que ce soit au Rwanda ou en ex-Yougoslavie. Ces tragédies
démontrent que l'information par les médias ne suffit pas à empêcher de nouvelles atrocités, contrairement à ce qui avait pu être avancé :

> On a pensé longtemps que l'extermination programmée et méthodique de millions
> d'individus n'aurait pas eu lieu — ou aurait été stoppée — si l'opinion internationale
> avait été mieux informée. [...] Et on constate aujourd'hui que [...] les médias finissent
> par banaliser l'horreur, qui continue normalement de prospérer. (Document 3)

Face à cet échec de l'information, Jean Belot en appelle à l'école qui, selon lui,
ne doit pas seulement entretenir la mémoire d'Auschwitz, mais aussi en tirer un
enseignement. Il souhaite donc que « la Communauté européenne décide que
chaque adolescent, à la fin de ses études secondaires, ira obligatoirement visiter
Auschwitz ou Majdanek. Le souvenir, les témoignages, les documents, c'est
bien, aller sur place, c'est indispensable. »

Cette idée n'est pas entièrement neuve. Elle participe — certes, de manière
moins systématique —, de pratiques déjà mises en œuvre par les enseignants. Les
professeurs d'histoire invitent en effet d'anciens déportés dans les classes pour
témoigner et, parfois, conduisent leurs élèves dans des camps de concentration.
L'APHG a aussi participé activement à l'information des enseignants par l'organisation de colloques ou de voyages. À cet égard, Dominique Borne (document 4)
relève la diffusion en 1989 auprès de 35 000 professeurs d'une brochure de François Bédarida intitulée *Le Nazisme et le génocide, histoire et enjeux*. Pour l'inspecteur
général, les enseignants « disposent aujourd'hui de toute l'information scientifique
nécessaire ». En effet, comme l'écrit Henry Rousso à propos de la deuxième guerre
mondiale et du nazisme : « c'est probablement en ce domaine que l'historiographie étrangère et française est des plus abondantes » (document 2, p. 106).

La question est donc beaucoup moins d'ordre scientifique que pédagogique ; il
s'agit de la mise en œuvre du sujet. Les manuels scolaires proposent un certain
nombre de documents qui peuvent induire des démarches pédagogiques. Les
manuels de troisième par exemple privilégient de manière quasi systématique les
témoignages de rescapés des camps comme Elie Wiesel, Primo Levi, Martin Gray
ou encore Geneviève de Gaulle-Anthonioz, pour ne citer que les plus connus. Le
dossier de documents du manuel Belin[1] comporte quatre pages intitulées

---

1. Rémy Knafou *et al.* (dir.), *Histoire, géographie 3ᵉ*, Paris, Belin, 1999.

« Témoignages sur les camps de concentration » et « Témoignages sur les camps d'extermination : Auschwitz-Birkenau ». Des photos et des cartes, comme celles des ghettos et des camps pendant la guerre, complètent le plus souvent les textes des témoins. C'est le cas dans la double page sur le génocide du manuel Magnard[1] intitulée « Mémoire du siècle », qui est accompagnée d'autres thèmes à travers l'ouvrage. Le texte de présentation des documents est explicite quant à la démarche suivie : « Les témoignages aident [...] surtout à entrer en contact avec l'horreur quotidienne vécue par les victimes » ; ou encore, les camps « contribuent, lorsqu'ils ont été conservés, à exprimer la présence du passé, constituant ainsi des "lieux de mémoire" du génocide[2] ».

À cette question de la mise en œuvre dans l'enseignement de l'extermination des Juifs, Dominique Borne répond tout d'abord simplement : « De manière historique [...] l'extermination doit être considérée comme un objet d'histoire, non comme un absolu de vérité » (document 4). Et il précise ce qu'il entend par là : situer l'extermination dans l'espace et dans le temps, dans l'histoire du peuple juif, dans celle de l'Allemagne et du nazisme et même de l'Europe. Si l'extermination des Juifs est un sujet qui demande tant à articuler précisément histoire et mémoire, c'est que son approche et sa mise en œuvre ne sont pas exclusivement historique mais s'accompagnent aussi d'une portée morale, reconnue d'ailleurs par Dominique Borne. Il écrit ainsi : « les professeurs parlent toujours appuyés sur des valeurs. Ces valeurs sont celles qui fondent tout l'enseignement de l'histoire, celles de la démocratie, des droits de l'homme et de la République. »

L'idée la plus novatrice exprimée dans cet entretien consiste plutôt en une certaine méfiance à l'égard de démarches qui privilégient l'émotion et la compassion. Dans cette perspective, la visite d'Auschwitz n'est pas, pour Dominique Borne, « le meilleur moyen de produire de l'histoire. Parce que l'émotion submerge la volonté de comprendre » (p. 109). Se retrouve ici — et ce n'est pas un hasard — l'opposition émotion/raison évoquée à propos du couple mémoire/ histoire. La démarche « émotionnelle » comporte deux autres risques : tout d'abord, le risque d'un transfert de culpabilité sur les élèves (« mais les jeunes ne sont coupables de rien ») ; ensuite, le risque d'une approche manichéenne de l'extermination des Juifs avec, d'un côté, les victimes et, de l'autre, les persécuteurs, et qui oublie cette « zone grise de la corruption et de la collaboration » analysée par Primo Levi, que Dominique Borne cite. Un certain nombre de travaux récents ont montré que les massacres de Juifs ont aussi été commis par des « hommes ordinaires », ce qui doit avoir des conséquences sur l'enseignement et ses finalités civiques. En effet, pour Dominique Borne,

> ne pas expliquer cela, c'est laisser croire qu'il est toujours facile de distinguer les victimes et les bourreaux et que le retour d'un événement comparable [l'enjeu du « Plus jamais ça »] est inconcevable tant est grande sa singularité, tant il doit être aisé de reconnaître le mal et de choisir son camp.

Dominique Borne s'oppose ici, de manière nuancée mais précise, à un type de démarche qui privilégie la mémoire, le devoir de mémoire.

---

1. Michel Casta et Frédéric Doublet (éd.), *Histoire-géographie 3ᵉ*, Paris, Magnard, 1999, coll. « Planétaires ».
2. *Ibid.*, p. 74.

L'enjeu est complexe pour l'école, qui doit remplir ce devoir et contribuer à préserver cet objet de mémoire, l'extermination des Juifs. Ce devoir anime très certainement la grande majorité des enseignants. Le message de Dominique Borne consiste à leur rappeler une priorité, celle de la démarche historique et de son rapport avec la mémoire :

> Quand l'objet de mémoire fait mal, le sacraliser ne résout rien. L'histoire — l'histoire naturellement critique — qui ne fonctionne pas, au contraire, de manière manichéenne est, peut-être, thérapie.

Avec l'extermination des Juifs, les enseignants sont confrontés à des enjeux et à des préoccupations proches de celles des historiens, plus sans doute que pour d'autres domaines de l'histoire. Peut-être parce que les historiens, notamment du temps présent, sont eux aussi confrontés à des difficultés, à des risques, à une forte attente sociale. H. Rousso évoque ainsi la situation de l'historien, « tantôt "vecteur de mémoire" », « tantôt "expert" chargé de dire le "droit" sur le passé lorsqu'un besoin de vérité établi se fait sentir » ; un historien pris dans un « dilemme entre sa fonction critique et sa fonction civique », « entre sa nécessaire indépendance scientifique et la menace d'instrumentalisation, qu'elle se nomme expertise ou qu'elle se nomme défense d'une cause[1] ». F. Bédarida décrit une posture analogue de l'historien qui doit « se tenir sur une ligne de crête malaisée[2] » entre les risques de l'amnésie et de la polarisation sur le mémoriel. Les deux auteurs entrevoient cependant des pistes pour permettre à l'historien — à l'enseignant ? — de jouer son rôle, de tenir sa position. Il s'agit pour H. Rousso non pas « d'entretenir la mémoire mais de lui redonner une historicité[3] ». F. Bédarida, lui, écrit :

> Se méfier des émotions, des passions, voire des indignations, d'autre part affirmer les droits de la connaissance rationnelle, afin d'expliquer l'apparemment inexplicable : condition qui commande la transmission de la mémoire[4].

Dans ces conditions, l'historien peut sans doute servir de médiateur, de passeur de mémoire, mais d'une mémoire savante passée au crible de l'histoire, une mémoire intelligible, vivante et productrice de sens.

Histoire et mémoire nouent des relations complexes, qui dépassent assurément l'opposition pure et simple. La mémoire — surtout collective — est désormais une source et un objet d'étude pour l'histoire, notamment mais pas seulement pour l'histoire du temps présent. Ces relations sont complexes car l'historien est pris dans un jeu d'attentes, d'exigences multiples et parfois contradictoires. De plus en plus, dans les années 1990, l'historien a été appelé à jouer un rôle d'expert ou de « passeur » de mémoire. Cette difficulté à articuler histoire et mémoire est aussi une préoccupation des enseignants, en particulier avec des thèmes comme l'extermination des Juifs. À la suite de l'inspecteur général Dominique Borne, et d'historiens comme François Bédarida ou Henry Rousso, un cheminement possible se dessine : celui qui consiste avant tout à historiser la mémoire, à faire d'abord de l'histoire avec la mémoire.

---

1.   Henry Rousso, « Réflexions sur l'émergence de la notion de mémoire », art. cité, p. 85.
2.   François Bédarida, « Mémoire et conscience historique… », art. cité, p. 96.
3.   Henry Rousso, « Réflexions sur l'émergence de la notion de mémoire », art. cité, p. 85.
4.   François Bédarida, « Mémoire et conscience historique », art. cité, p. 96.

Enseigner le totalitarisme
Les limites de la conceptualisation en histoire

Dossier (dossier et corrigé élaborés à partir du livre du professeur du manuel histoire de première Bertrand Lacoste, rédigé par J. Le Pellec) :
Document 1 : Pierre Milza, *Les Fascismes*, Paris, Le Seuil, 1991, p. 155.
Document 2 : Norbert Frei, *L'État hitlérien et la société allemande*, Paris, Le Seuil, 1994, p. 238-239.
Document 3 : Nicolas Werth et Gaël Moullec, *Rapports secrets soviétiques*, Paris, Gallimard, 1995, p. 18-19.
Document 4 : Ian Kershaw, « Nazisme et stalinisme, limites d'une comparaison », *Le Débat*, n° 89, mars-avril 1996, et *Qu'est-ce que le nazisme ? Problèmes et perspectives d'interprétation*, Paris, Gallimard, 1992, coll. « Folio » (repris *in* Martine Fournier, « Les Fractures du XXe siècle », *in* Jean-Claude Ruano-Borbalan, *L'Histoire aujourd'hui*, Auxerre, Sciences Humaines, 2000, p. 83-90).
Document 5 : Jean-Michel Lambin (dir.), *Histoire 1ère*, Paris, Hachette, 1997, p. 272 et 286.

Introduction

Les premières occurrences des termes « totalitarisme » et « totalitaires » datent des années 1920, les dirigeants et théoriciens fascistes italiens y ayant recours pour qualifier leur régime. Le philosophe Gentile parlait ainsi d'un « État total » contrastant avec les démocraties pluralistes. Dans les années 1930, les premières comparaisons entre État fasciste et État communiste furent établies ; les deux régimes étaient qualifiés tous deux de « dictatures modernes » ou de « totalitarismes ». Se retrouvaient dans les deux cas la priorité accordée à l'ordre politique, la volonté de modeler la société, le contrôle étatique de l'économie, la censure de la pensée, la confiscation du pouvoir, et la combinaison entre terreur et foi. On insistait également sur la différence entre dictatures classiques et régimes totalitaires : alors que les premières se satisfaisaient d'un contrôle autoritaire des seuls opposants, les seconds, quelle que soit leur idéologie, aspiraient à contrôler tous les individus dans tous leurs domaines d'activité et ignoraient les personnes au profit des masses. En dépit de leur hostilité réciproque (qui pouvait d'ailleurs s'estomper selon la conjoncture, comme le prouve le pacte germano-soviétique du 23 août 1939), ces États totalitaires, adversaires de la démocratie libérale, présentaient donc suffisamment de caractéristiques communes pour être analysés au travers d'un même modèle politique.

Ce concept de totalitarisme, rendu célèbre par l'essai de Hannah Arendt *Le Système totalitaire* (1951), occupe aujourd'hui une place importante dans les programmes et manuels scolaires (en classe de troisième pour le collège, et en classes de première et de terminale pour le lycée). Il sert toujours à distinguer et à expliquer les origines comme le fonctionnement des régimes mussolinien, hitlérien et stalinien. L'institution scolaire a pris cependant en compte les débats historiographiques autour de la pertinence du concept de totalitarisme. Celui-ci, très marqué par son contexte politique de diffusion, semble un peu figé. À trop vouloir modéliser l'étude des régimes totalitaires, ne risque-t-on pas de faire entrer dans ce cadre très particulier des régimes qui ne relèvent peut-être pas de cette catégorie, telles l'Italie fasciste ou l'URSS post-stalinienne ? Les historiens se sont également divisés sur l'analyse des régimes totalitaires. Certains ont mis en cause l'ancienne lecture d'un régime figé, d'une société entièrement contrôlée et écrasée par l'État-parti. Ils ont montré que ces régimes évoluaient (jusqu'à perdre leur caractère totalitaire pour redevenir de classiques dictatures), et laissaient à l'économie, à la société et à la culture une plus grande autonomie qu'il y semblait au premier abord. Un autre débat, portant surtout sur le régime nazi, s'est ouvert à propos de l'origine du génocide juif. Fallait-il l'expliquer — comme le suggérait une école intentionnaliste — par la seule volonté d'Hitler, volonté enracinée dans une idéologie raciste et concrétisée par une stratégie d'extermination concentrationnaire élaborée sur le long terme ; ou fallait-il — comme le proposait une école fonctionnaliste — y voir une mesure circonstancielle déterminée par les exigences de la guerre et concernant toutes les structures du régime ?

Cette interrogation sur les modalités de l'Holocauste incite l'historien et le professeur d'histoire à poser la question de la singularité du régime totalitaire nazi. C'est un débat d'autant plus légitime qu'il fait écho à la querelle des historiens allemands à la fin des années 1980. En affirmant que le nazisme n'aurait été qu'un antimarxisme et le génocide racial qu'une réponse au génocide de classe communiste, Ernst Nolte (*Le Fascisme et son époque*, 1970) a mis en lumière la nécessité d'une réflexion sur la spécificité de la politique d'extermination nazie et, plus largement, sur la possibilité d'une étude comparative des systèmes totalitaires qui risquerait de banaliser la Shoah. La publication, parfois controversée, d'enquêtes ou d'essais sur les régimes communistes au XXe siècle (celui de François Furet, *Le Passé d'une illusion* [1995] et celui préfacé par Stéphane Courtois, *Le Livre noir du communisme* [1997]) a relancé le débat. Devant cette agitation historiographique, l'enseignant doit recourir à des mises au point faisant autorité, comme celle de Ian Kershaw, qui a bien dégagé les spécificités du régime hitlérien et montré les limites d'une utilisation excessivement comparatiste du concept de totalitarisme. Il peut également s'inspirer, comme nous le faisons ici, de l'excellente synthèse à visée pédagogique de Jacqueline Le Pellec (livre du professeur du manuel de première Bertrand Lacoste). Dans tous les cas, le professeur doit veiller à ne pas négliger l'importante dimension morale et civique de l'enseignement de ce concept totalitaire, en insistant sur la notion de responsabilité individuelle dans la mise en place de la terreur de masse spécifique à ces régimes et en montrant que ces derniers ont eu bien plus souvent affaire à des sociétés séduites qu'à des sociétés asservies (surtout dans le cas nazi).

Histoire d'un concept

L'apogée du concept historique de totalitarisme

De l'immédiat après-guerre jusqu'à la fin des années 1960, le concept de totalitarisme connut un grand succès dans la recherche comme dans l'enseignement de l'histoire, surtout dans les pays anglo-saxons où le même terme était utilisé pour décrire et analyser conjointement les régimes fascistes et communistes. En France, cette modélisation rencontra moins de succès, sans doute parce que chercheurs et enseignants restèrent longtemps sous l'influence de l'idéologie communiste. Soumettre le régime soviétique à la même grille d'analyse que celle des régimes fascistes aurait supposé une critique implicite d'un pays et d'un système qui restaient une référence pour beaucoup dans ce contexte de Guerre froide qui radicalisait les engagements. Ce n'est donc qu'à partir des années 1970 — marquées par le déclin politique du PCF et l'émergence d'une opposition interne (les dissidents) et externe face à la répression et aux coups de force du Bloc de l'Est (l'invasion de la Tchécoslovaquie par les troupes du Pacte de Varsovie) — que les intellectuels français eurent davantage recours au concept de totalitarisme, à une époque où cette même grille de lecture commençait à être remise en cause dans les autres pays...

L'ouvrage fondateur de l'école anglo-saxonne du totalitarisme est l'essai de Hannah Arendt, *Les Origines du totalitarisme*, publié en 1951. Après s'être interrogée dans la première partie de l'ouvrage sur les sources historiques et intellectuelles du phénomène totalitaire, la politologue américaine comparait les deux systèmes totalitaires fasciste et communiste en relevant les similitudes. Ceux-ci trouvaient leurs fondements dans les mêmes dérèglements originels des sociétés modernes engendrés par la guerre et la crise économique. Leur fonctionnement était guidé par le même objectif, la domination totale de l'homme, et trouvait son application pratique dans une même terreur, dont les camps (camps de concentration nazis et goulags soviétiques) étaient la forme la plus aboutie. Cette terreur était justifiée par une « idéologie », système de pensée clos sur lui-même et qui entendait tout expliquer par le recours aux « lois de la nature » pour le nazisme et aux « lois de l'histoire » pour le communisme. Obstacles au progrès naturel par l'appartenance à une race dégénérée et pernicieuse (les Juifs) ou au progrès historique par l'appartenance à une classe dominante et injuste (les capitalistes), les adversaires objectifs de ces deux régimes devaient être éliminés par une même répression, par cette terreur qui est l'essence des régimes fasciste et communiste. Enfin, les véritables objectifs de ces derniers étaient communs : aboutir à une société de masse composée d'individus déshumanisés et soumis à la domination totalitaire. C'est donc dans cette volonté d'un contrôle total (des individus, du monde et de l'histoire) que s'exprimait la spécificité du totalitarisme (quel que soit son référentiel idéologique) par rapport au régime autoritaire traditionnel.

Deux autres théoriciens du totalitarisme, Carl Friedrich et Zbigniew Brzezinski, auteurs en 1956 d'un essai intitulé *Totalitarian dictatorship and autocracy*, reprirent l'étude comparative de Hannah Arendt en distinguant à leur tour six caractéristiques propres aux régimes totalitaires de droite comme de gauche : une idéologie officielle, un parti unique de masse, un système de terreur, le monopole des moyens de communication, des moyens de combat, le contrôle centralisé de l'économie. Ces traits communs étaient facteurs de stabilité. Évoluant peu dans leur organisation interne (si ce n'est pas un renforcement progressif du contrôle totalitaire), peu sensibles au contexte extérieur (à l'exception de phénomènes extrêmement perturbateurs, telle une guerre mondiale), ces États étaient perçus comme « monolithiques ».

La remise en cause d'un concept trop marqué idéologiquement et difficilement généralisable

En partie conçue, dans le contexte de la Guerre froide, pour disqualifier l'adversaire communiste (comparé à ce modèle unanimement critiqué qu'était le fascisme allemand ou italien, le communisme soviétique voyait son image ternie), cette analyse comparative du phénomène totalitaire (où l'Allemagne hitlérienne et l'URSS stalinienne étaient appréhendées au travers des mêmes pratiques du pouvoir et des mêmes méthodes de contrôle des masses) se trouva logiquement remise en cause à la fin de cette période de tension internationale. Contaminée par un contexte polémique propice aux jugements de valeur et par la référence au contre-modèle de la démocratie libérale, présentée implicitement comme la norme, cette lecture semblait anachronique.

Certains spécialistes du fascisme italien montrèrent également les limites de cette modélisation autour du concept de totalitarisme. À trop étendre le champ d'application de cette grille, la singularité des cas étudiés n'était plus respectée. Renzo de Felice s'interrogeait ainsi dans un essai paru en 1988, *Le Fascisme, un totalitarisme à l'italienne*, sur la pertinence du concept totalitaire appliqué à l'Italie de l'entre-deux-guerres. Le biographe de Mussolini ne voyait dans le régime italien qu'un « totalitarisme manqué ». Si la volonté totalitaire existait, elle s'était trouvée rapidement contrariée par de nombreux facteurs de résistance : l'influence modératrice et conservatrice de l'Église ; le peu d'enthousiasme des élites sociales et des milieux d'affaires devant « l'homme nouveau fasciste » et le dirigisme d'une économie autarcique ; les accommodements d'une diplomatie opportuniste ; l'inertie d'une bureaucratie étatique bien incapable de contrôler efficacement l'ensemble de la population ; pour ne pas parler de « l'esprit latin », rebelle à ces froids embrigadements totalitaires... S'il fallait absolument voir dans le fascisme italien une phase totalitaire, il était à la rigueur possible d'évoquer le « tournant totalitaire » de l'après-1938, caractérisé par le développement de l'appareil étatique au détriment du parti. Pierre Milza, auteur d'un ouvrage de référence, *Les Fascismes*, paru en 1985, exprime les mêmes réticences quant à la nature « totalitaire » du régime mussolinien (document 1). Pour lui, le qualificatif ne peut s'appliquer qu'à partir de 1936. Avant cette date, les nombreux compromis passés avec les forces traditionnelles (Église, monarchie, bourgeoisie et armée) ne rendent pas pertinente cette lecture trop radicale du passé italien.

Divergence d'analyse entre intentionnalistes et fonctionnalistes

Au-delà même de son historicité, la grille d'analyse totalitaire paraissait surtout trop limitée. Elle ne permettait pas, par exemple, de rendre compte de l'évolution de ces États, finalement moins monolithiques qu'il y semblait. Pour certains historiens, la nouvelle histoire de l'URSS supposait une désidéologisation qui allait de pair avec l'abandon de la thèse monolithique. La toute-puissance du parti communiste, l'écrasement de la société par l'État étaient des vues erronées, comme le révélait la consultation désormais possible des archives soviétiques. Ces historiens « révisionnistes » entreprirent ainsi de réhabiliter l'étude d'un terrain autrefois perçu comme figé, celui de la société et de l'économie des pays communistes, en montrant que ces domaines étaient en fait plus autonomes et évolutifs qu'il y semblait. L'effondrement relativement rapide de l'URSS prouvait d'ailleurs de manière rétrospective que l'État n'avait pas été aussi puissant, qu'il n'avait pas contrôlé la société de manière aussi parfaite que l'avaient longtemps affirmé les soviétologues. Cette société civile avait trouvé des moyens de survie et d'expression loin du pouvoir ; un pouvoir central dont les marges d'action apparaissaient finalement assez limitées, notamment en raison des tensions internes qui traversaient les appareils bureaucratiques. L'étude des épurations avait ainsi apporté deux révélations : la responsabilité des organismes locaux dans ces éliminations politiques qui ne relevaient pas toutes de la paranoïa stalinienne, et la difficulté des organismes centraux à faire observer leurs consignes à ces organismes locaux, assez indépendants. Il fallait donc distinguer entre une évidente volonté totalitaire et la réalité : une application pratique brouillonne, « mélange inextricable d'ordre et de désordre, de "rationalisation" volontariste et d'irrationalité » (document 3, Nicolas Werth prend néanmoins ses distances avec une lecture révisionniste trop schématique).

D'autres historiens, spécialistes de l'Allemagne nazie, comme Norbert Frei (auteur d'un ouvrage intitulé *L'État hitlérien et la société allemande*, paru en 1994), ont aussi souligné les limites pratiques d'une étude trop théorique du concept de totalitarisme. Si certains points posaient déjà problème, tel le statut différent des victimes dans les deux régimes (statut absolu des Juifs pour les nazis, statut fonctionnel des saboteurs koulaks pour les staliniens), le débat portait surtout sur la distance entre les intentions et le fonctionnement totalitaire — d'où le nom donné aux historiens partisans de ces deux thèses opposées : intentionnalistes et fonctionnalistes. Le régime nazi avait clairement l'intention de contrôler étroitement et totalement sa population, mais cet objectif initial avait-il été atteint pour autant ? Une étude empirique du système nazi révélait en fait une polycratie (éclatement du pouvoir en de petites unités relativement autonomes, ce qui allait à l'encontre de la thèse d'un centralisme totalitaire) et une désorganisation administrative croissante, accentuée par la guerre (*cf.* document 2).

Les enjeux d'un débat historiographique : la comparaison entre l'Allemagne nazie et l'URSS stalinienne

La « querelle des historiens » réactualise le concept de totalitarisme

En 1987, un article de l'historien allemand Ernst Nolte relança la polémique sur la comparaison entre les systèmes totalitaires allemand et soviétique. Plus que la pertinence scientifique d'une telle comparaison, c'était la question des enjeux idéologiques de cette approche qui avait déchaîné les passions.

Bien qu'Ernst Nolte ait déjà, dans un ouvrage paru en 1970 intitulé *Le Fascisme et son époque*, souligné les liens entre le totalitarisme soviétique et le totalitarisme nazi[1], ce furent ses articles des années 1980 qui déclenchèrent « la querelle des historiens allemands » (« *Historikerstreit* »). Il est vrai qu'Ernst Nolte avait radicalisé son propos en affirmant que le marxisme était la cause du nazisme. Celui-ci serait apparu en réaction à la peur du communisme et le génocide de race des nazis constituerait ainsi une réponse au génocide de classe des bolcheviks. Dans cette perspective, le goulag représenterait même l'exemple matriciel du camp de concentration nazi ; ce dernier différerait du premier non par ses objectifs d'extermination mais par ses méthodes. En faisant du nazisme une réponse au communisme, Nolte plaçait le bolchevisme à l'origine du mal. Cette analyse lui valut des protestations indignées de la part d'historiens comme de philosophes (notamment Jürgen Habermas). Pour Ian Kershaw toutefois, les positions d'Ernst Nolte trouvèrent un écho chez certains jeunes historiens allemands « désireux de bousculer l'ancienne orthodoxie de la gauche libérale […] Hitler serait une image spéculaire de Staline, tous deux incarnant deux approches du visage totalitaire de la modernité » (document 4).

L'ouvrage controversé d'Ernst Nolte fut en partie relayé en France par le célèbre essai de François Furet, *Le Passé d'une illusion*, paru en 1995. L'historien de la Révolution, pourtant ancien militant communiste, n'hésitait pas à pourfendre les tabous sur le communisme en faisant de cette idéologie « la plus grande catastrophe de notre siècle, qui s'offre comme une renaissance de la civilisation alors qu'elle en a été le premier écroulement », et en dénonçant « l'illusion communiste » comme « le plus enivrant breuvage de l'homme moderne privé de Dieu ». Intéressé par les vues de l'historien allemand, François Furet engagea une correspondance avec lui, dont les meilleurs passages donnèrent lieu en 1998 à une publication, *Fascisme et communisme*. Plus prudent que son homologue d'outre-Rhin, François Furet commençait par reconnaître — suivant en cela Hannah Arendt — dans le concept de totalitarisme un idéal-type dans lequel se retrouvent pour les deux systèmes nazi et stalinien des formes violentes similaires :

– origine révolutionnaire contre la société bourgeoise ;
– toute-puissance d'un parti-État ;
– culte du chef ;
– place fondamentale de l'idéologie ;
– haine de la démocratie libérale ;
– absence de droit et terreur comme pratique quotidienne ;
– pratique concentrationnaire.

Mais il refusait dans un deuxième temps de cautionner l'idée d'un lien causal entre le génocide racial et le génocide de classe ; en revanche, la peur de la terreur stalinienne expliquait sans doute en partie le succès du fascisme et du nazisme. Si l'on voulait insister sur un point commun indiscutable entre les deux systèmes,

---

1. « Le fascisme est un antimarxisme qui cherche à détruire l'ennemi en élaborant une idéologie radicalement opposée, bien qu'apparentée et utilisant des méthodes quasiment identiques ».

unis d'ailleurs par « une complicité conflictuelle », il fallait plutôt le trouver dans une même matrice : la première guerre mondiale.

> Fils de la guerre, bolchevisme et fascisme tiennent d'elle ce qu'ils ont d'élémentaire : l'habitude de la violence, la simplicité des passions extrêmes, la soumission de l'individu au collectif, et enfin l'amertume des sacrifices inutiles ou trahis.

François Furet reconnaissait toutefois à l'historien allemand le mérite d'avoir levé le tabou de « l'antifascisme historiographique ».

Polémiques autour du Livre noir du communisme

La polémique ouverte par les articles d'Ernst Nolte fut relancée par la parution à la fin de l'année 1997 de cet ouvrage-bilan sur le communisme au XXᵉ siècle. Une équipe d'historiens établissait pays par pays le compte des « crimes, terreurs et répressions » réalisées au nom du communisme, de 1917 (révolution russe) à 1989 (chute du Mur de Berlin). Appuyée sur des études statistiques réalisées à partir d'archives inédites, cette enquête suscita une polémique, notamment en raison de la préface et de la conclusion de Stéphane Courtois faisant de la dimension criminelle du communisme « une question à la fois centrale et globale ». Avec des pertes estimées entre 85 et 100 millions de morts, le communisme s'identifiait selon lui à « un crime de masse ».

Des questions méthodologiques posaient déjà problème : pouvait-on, par exemple, comme le faisait Stéphane Courtois, comptabiliser indistinctement les disparus des purges, les morts des guerres civiles et les victimes des famines — Nicolas Werth reconnaissait lui-même qu'il fallait séparer ce qui relevait d'une « terreur organisée » de ce qui apparaissait comme « des excès incontrôlés » ? Mais l'ouvrage suscita surtout la critique en raison de la comparaison entre la terreur communiste et la Shoah des nazis. Pour Stéphane Courtois, les crimes commis au nom du communisme relevaient de ceux définis par le Tribunal de Nuremberg (crimes de guerre, crimes contre la paix et contre l'humanité), ce qui autorisait les historiens à parler de génocide à propos du totalitarisme communiste. Certains chercheurs ont protesté contre l'extension de l'emploi d'un terme risquant d'être banalisé, au plus grand profit de ceux qui nient l'Holocauste. Devant les affirmations de Stéphane Courtois selon lequel le « génocide de classe » (celui des koulaks ukrainiens par exemple) rejoint le « génocide de race », d'autres historiens comme Nicolas Werth établissent une distinction au nom de « l'intention génocidaire », spécifique à la machinerie nazie.

Totalitarisme brun, totalitarisme rouge : l'analyse de Ian Kershaw

Pour Ian Kershaw, cette modélisation autour des deux totalitarismes est théorique et, par là même, « limitée et superficielle ». Seule l'analyse empirique des deux systèmes permet d'en souligner les différences et d'en repérer les spécificités. Si l'on peut effectivement rapprocher Hitler et Staline, la comparaison générale entre les systèmes fasciste et communiste est moins pertinente. Se posent certaines questions comme la place du fascisme italien ou la définition du communisme post-stalinien (*cf.* document 4). Parce que les successeurs de Staline n'ont été que des hauts fonctionnaires sans dynamisme gérant une machine répressive, où la terreur était réduite et ne se traduisait plus par le rituel des procès et l'élimination physique, la seule comparaison valable concerne l'Allemagne hitlérienne et l'URSS stalinienne. Cette comparaison permet de révéler les spécificités du modèle nazi :

– Les bases sociales et les niveaux de développement diffèrent : le nazisme représente l'exemple unique d'un totalitarisme s'étant imposé dans un pays industriel avancé connaissant un régime démocratique. L'URSS (comme la Chine plus tard) était un pays économiquement arriéré, sans tradition de pluralisme politique. Le NSDAP recrutait dans la petite et moyenne bourgeoisie déclassée par la crise, alors que le PCUS exploitait les espérances des paysans et ouvriers pauvres.

– Les sources de l'autorité diffèrent : le système nazi reposait sur le culte d'Hitler, force idéologique du régime ; celui-ci était donc irremplaçable et exerçait son autorité par le biais de liens d'allégeance personnelle. Il en allait différemment avec l'URSS stalinienne, où le leader était le produit d'un système qui existait avant lui et qui lui survécut. Pour renforcer son despotisme personnel, Staline sapa le pouvoir du parti et de l'armée, fragilisa les structures étatiques par la peur, les purges et l'insécurité chronique ; mais son culte ne fit que se surimposer au système politique existant, en restant d'ailleurs tributaire de la référence léniniste.

– Les objectifs stratégiques diffèrent : alors que les objectifs du nazisme étaient ambitieux et déraisonnés (domination raciale et suprématie mondiale), ceux du stalinisme restaient apparemment plus limités et rationnels (socialisme dans un seul pays et zone d'influence).

– La nature de la terreur diffère : la terreur stalinienne fut certes d'une ampleur supérieure à celle que connut l'Allemagne hitlérienne ; engendrée par la guerre civile, elle trouva vite sa dynamique dans une logique malsaine de peur et de dénonciation préventive, accentuée par la paranoïa du grand leader. Mais, même effroyable, cette terreur politique n'était pas consubstantielle au pouvoir soviétique, à la différence de la terreur raciale qui se trouvait au cœur du régime nazi. La terreur rouge relevait aussi d'une certaine forme de rationalité, à la différence de la solution finale nazie, absurde dans sa froide bureaucratisation.

En insistant sur la singularité du nazisme, son irrationalité exterminatrice en faisant l'incarnation du mal absolu, Ian Kershaw montre le caractère spécieux de la comparaison entre terreur stalinienne et terreur hitlérienne. Fausse également est la thèse d'Ernst Nolte selon laquelle le communisme aurait engendré le fascisme :

Le fascisme [...] au sens générique du mot [...] avait des racines autonomes dans l'amalgame de nationalisme intégral, de racisme et de darwinisme social.

L'utilisation de la problématique totalitaire dans l'enseignement

Les programmes et les manuels scolaires prennent en compte les débats historiographiques

Face au débat historiographique sur la validité du concept de totalitarisme et sur la pertinence de la comparaison entre les deux totalitarismes hitlérien et stalinien, l'institution scolaire est embarrassée. Refuser d'adopter une catégorie unique et spécifique pour désigner les deux régimes hitlérien et stalinien, n'est-ce pas relativiser la monstruosité des crimes commis par ces deux systèmes en les assimilant à ceux relevant des dictatures classiques ? Les dramatiques témoignages des rescapés des camps nazis et des goulags staliniens obligent à prendre en compte la terrible originalité de l'Allemagne nazie et de l'URSS stalinienne par rapport aux autres États autoritaires du XXᵉ siècle. Les professeurs sont donc tentés de mettre en avant la criminalité exceptionnelle propre à ces régimes ; au risque peut-être de ne pas être assez sensibles aux différences essentielles mises en avant par des historiens comme Ian Kershaw ; au risque, surtout, de ne pas insister assez sur la singularité du génocide nazi.

Cautionner les théories fonctionnalistes (ou structurelles) ne revient-il pas à sous-estimer la part essentielle de l'idéologie dans ces régimes et son lien avec la pratique de la terreur ? En insistant sur la part du contexte dans la naissance de ces régimes, sur la conception utilitaire de la terreur, sur les limites pratiques de son application, ne court-on pas le risque de banaliser des régimes présentés comme nés des circonstances et gouvernant sous la pression des événements ?

L'enseignement du concept de totalitarisme est rendu difficile par la cohabitation tendue entre des enjeux scientifiques et des enjeux moraux. Le professeur doit faire des choix. Est-il aidé ou influencé par les programmes officiels et les manuels ? Certains manuels prennent le parti — peut-être ambitieux par rapport à leur public — d'exposer les deux grilles de lecture intentionnaliste et fonctionnaliste aux élèves.

Le manuel de première Hachette de 1997, dans sa rubrique « Faire le point » située à la fin du chapitre consacré au régime nazi (document 5, p. 286), rappelle l'existence de deux écoles historiques :

> Intentionnalistes et fonctionnalistes : il s'agit de deux écoles historiques qui réfléchissent sur le nazisme et sur la mise en œuvre de « la solution finale » contre les Juifs. Les intentionnalistes pensent qu'Hitler a toujours eu l'intention d'assassiner tous les Juifs européens. Les fonctionnalistes croient que sa politique anti-juive a été fortement infléchie en fonction des circonstances politiques et militaires. Aujourd'hui, les deux écoles ont de plus en plus tendance à se fondre en une seule, intentionnalo-fonctionnaliste : une intention qui a été rendu possible par les circonstances.

Le manuel avait déjà fait preuve de la même honnêteté intellectuelle en présentant le fascisme italien. Dans la rubrique « Faire le point » consacré à la définition des termes « dictature », « fascisme » et « totalitarisme » est écrit :

> [...] le totalitarisme est une pratique politique qui a trouvé dans le national-socialisme et le stalinisme sa forme la plus accomplie [...] L'ambition totalitaire a existé dans la Russie stalinienne et dans le fascisme italien. Les historiens débattent pour l'Italie sur le fait de savoir si le projet totalitaire a abouti. (p. 272)

La lecture fonctionnaliste (« pratique politique ») ainsi que les doutes de Renzo de Felice et de Pierre Milza sont donc pris en compte.

Le manuel de première Nathan de 1997 s'inspire à l'évidence de la lecture fonctionnaliste et des travaux de Ian Kershaw (sur la singularité du nazisme et les limites de la volonté totalitaire du régime). Dans le chapitre consacré au nazisme, est ainsi écrit :

Ce qui distingue, au plan idéologique, le totalitarisme du totalitarisme stalinien, c'est non seulement sa théorie raciale, mais son exaltation de la guerre comme moyen privilégié de faire surgir un homme nouveau. (p. 292)

Plus loin, les auteurs s'interrogent, dans un chapitre intitulé « Vers une Allemagne nazifiée ? », sur la réalité de ce contrôle totalitaire :

La surveillance et la répression policière sont telles que la résistance active (« Widerstand ») menée par quelques militants de l'extrême gauche et par des minorités de l'Église protestante n'a qu'une efficacité limitée. Beaucoup plus répandue est une attitude d'inertie (« Resistenz ») à l'égard du régime. (p. 294)

Widerstand et *Resistenz* sont deux concepts empruntés à l'enquête de Ian Kershaw, « L'opinion allemande sous le nazisme, Bavière 1933-1945 », paru en 1995.

Quant aux programmes officiels et accompagnements, leur lecture attentive révèle là aussi l'influence des débats historiographiques. Le découpage chronologique des programmes peut ainsi être lu dans cette perspective (même s'il obéit en fait à d'autres considérations). En arrêtant par exemple le programme de première en 1939, l'enseignant n'a pas la possibilité d'insister sur la radicalisation meurtrière du régime nazi qui survient dès l'invasion de l'URSS. Placer la solution finale dans le prolongement de la propagande raciste nazie des années 1930, des premières mesures discriminatoires et de la mise en place des premiers camps devient plus difficile, car cela suppose de faire écho à des thèmes abordés l'année précédente, et dont le rappel, bien que nécessaire, est souvent négligé faute de temps. Mais ne peut-on pas y voir de la part des concepteurs des programmes un intérêt pour les thèses fonctionnalistes, qui font de l'Holocauste avant tout une réponse improvisée en temps de guerre ?

Ian Kershaw propose d'employer le concept de totalitarisme dans un sens dynamique pour caractériser une phase transitoire des dictatures modernes. Une dictature deviendrait totalitaire puis cesserait de l'être. Le totalitarisme ne représente plus un système caractérisé par la stabilité, mais devient un moment dans un processus historique. Les rédacteurs des programmes et accompagnements de 1997 n'ont-ils pas pris en compte cette nouvelle approche historiographique en préférant la notion de pratique totalitaire à celle de totalitarisme ?

La dimension morale et civique d'un enseignement du totalitarisme. L'exemple du totalitarisme nazi

Une présentation intentionnaliste ou fonctionnaliste du totalitarisme nazi n'est pas neutre. En insistant sur les intentions des acteurs plutôt que sur le fonctionnement quasi autonome des structures pour rendre compte de la Shoah, le professeur fait un choix scientifique qui a une portée morale et civique.

À l'inverse des intentionnalistes — comme Karl Dietrich Bracher, qui publia en 1995 *Hitler et la dictature allemande* — qui expliquent l'Holocauste en le reliant à un acte intentionnel d'Hitler, découlant lui-même de ses idées politiques (le racisme scientifique) et inscrit dans la stratégie de longue durée (continuité entre les idéaux nazis originels et les atrocités de la guerre) d'un régime monocratique, les fonctionnalistes — comme Martin Broszat et son *État hitlérien. Origine et évolution des structures du IIIe Reich* (1988) — refusent de considérer l'anéantissement physique des Juifs comme un plan constant et programmé, voulu et réalisé par un seul acteur, Hitler. À l'inverse d'historiens intentionnalistes — comme Daniel Goldhagen qui, dans un ouvrage très controversé intitulé *Les Bourreaux volontaires d'Hitler* publié en 1997, mettait en avant « l'antisémitisme éliminationniste » propre à l'ensemble de la société allemande et ancré dans la culture de ce pays —, les chercheurs fonctionnalistes insistent sur le caractère improvisé de ces mesures antisémites, émanant selon eux d'une machine bureaucratique fragmentée et désorganisée. Loin d'avoir été planifié dès l'arrivée au pouvoir des nazis, l'Holocauste, décidé seulement en 1941, apparaît comme une solution opportuniste à des difficultés administratives créées par le régime lui-même. Il découlerait ainsi d'une radicalisation cumulative du régime. La Shoah ne découlerait pas non plus d'un ordre d'Hitler, mais, dans un premier temps, d'initiatives isolées (propres à la polycratie nazie), rassemblées à partir de 1942 dans un cadre plus institutionnel d'extermination de masse. Unique moyen de sortir de l'impasse administrative provoquée par l'expulsion vers l'Est des Juifs, l'Holocauste se transforma ainsi en un « programme d'ensemble ».

Ces approches posent toutes deux des problèmes au professeur dans le cadre de son enseignement. L'approche intentionnaliste présente le risque d'une lecture téléologique du génocide. Cette vue rétrospective où la connaissance de la fin ordonne artificiellement le passé inciterait ainsi à rechercher dans tous les discours d'Hitler des années 1933-1941 ce qui va annoncer les camps d'extermination. De simples menaces antisémites prendraient alors une signification prémonitoire qu'elles n'avaient peut-être pas. L'approche fonctionnaliste présente pour sa part le risque d'une lecture fataliste, celle d'un déterminisme des structures qui minimise la responsabilité des individus dans un processus historique dénué de toute contingence.

La question de la responsabilité se situe au cœur de la question. Les intentionnalistes accusent les fonctionnalistes de banaliser le nazisme en insistant sur les structures aux dépens des responsabilités individuelles. Le génocide, réduit à l'état de mesure circonstancielle prise dans le chaos institutionnel sans plan préétabli, perd de son caractère exceptionnel. À l'inverse, les fonctionnalistes rétorquent qu'en se focalisant sur la volonté hitlérienne, présentée comme la source de toute extermination raciale, on disculpe trop facilement tous les autres acteurs et responsables du génocide. En versant dans une explication psychologisante et biographique, on se priverait des moyens de comprendre les origines profondes et les modalités complexes du système concentrationnaire.

Conclusion

Face à ces débats historiographiques, comment doit réagir le professeur d'histoire ? Il doit tout d'abord prendre connaissance de ces différentes grilles de lecture pour enrichir, préciser et nuancer son enseignement. Celui-ci n'est légitimé que par sa confrontation directe et actualisée avec le savoir savant. Ces lectures lui dévoilent l'intérêt mais aussi les limites d'un enseignement trop conceptualisé. La modélisation force parfois la réalité historique...

Le professeur peut, dans le cadre d'un module, présenter aux élèves ces différentes lectures historiographiques et élaborer avec eux une synthèse des deux positions ; il montrerait ainsi comment les discours antisémites d'Hitler ont contribué à créer un climat général de haine raciale qui a abouti, dans les circonstances favorables créées par la guerre, à une extermination de masse, réalisée avec la complicité active ou passive d'une partie importante des structures de l'État et de la population allemande. Les élèves observeraient comment se construit le discours historique et comment ce dernier peut évoluer à partir de problématiques différentes. Ils comprendraient surtout que ce discours historique, tout en partant de lectures hypothétiques différentes, peut néanmoins permettre d'établir une vérité en traitant de manière rigoureuse des sources authentiques (comme le souligne Antoine Prost, la science historique ne dit pas « le » vrai sur « le » réel, mais plutôt « du » vrai sur « un » réel). Ce rappel est d'autant plus important que le relativisme qui pourrait gagner des élèves confrontés à la multiplicité des lectures historiques risquerait de faire le jeu du négationnisme.

Le professeur doit, enfin, prolonger son enseignement par une réflexion morale et civique : Comment l'horreur du génocide a pu prendre forme dans une société civilisée et coexister avec une certaine normalité sociale ? Comment cette Allemagne démocratique de Weimar a pu sombrer dans la séduction d'une idéologie raciste et faire d'hommes ordinaires des bourreaux volontaires ?

Les relations internationales, dans l'histoire et dans l'enseignement (terminale voie générale L, ES, S)

Dossier :

Document 1 : Pierre Renouvin et Jean-Baptiste Duroselle, *Introduction à l'histoire des relations internationales*, Paris, Armand Colin, 1964, « Introduction », p. 1-4, repris *in* Ch.-O. Carbonell et J. Walch, *Les Sciences historiques de l'Antiquité à nos jours*, Paris, Larousse, 1994, p. 278-280.

Document 2 : Fabienne Gambrelle, « Introduction à l'histoire des relations internationales contemporaines », *in Premières recherches*, 1989, p. 157-159.

Document 3 : Programme de terminale voie générale (L, ES, S) et Documents d'accompagnement du cycle terminal (en particulier « L'étude des relations internationales dans le cycle terminal », « La Seconde guerre mondiale » et « Les grands modèles idéologiques du monde »).

Au cours du XXᵉ siècle, l'histoire des relations internationales s'est progressivement constituée en domaine de recherche, en secteur spécifique de la science historique. Elle a ainsi fondé ses concepts comme les « forces profondes », intégré certains apports des *Annales* et pris son essor grâce à des historiens comme Pierre Renouvin et Jean-Baptiste Duroselle. Son histoire est marquée par des ruptures, historiographiques et épistémologiques, qui témoignent aussi d'évolutions générales de la science historique : la professionnalisation de la recherche, les débats qui ont animé la communauté des historiens (par exemple les critiques des *Annales*, l'influence du marxisme). L'histoire des relations internationales a donc sensiblement enrichi et complexifié l'histoire diplomatique pratiquée au XIXᵉ siècle et au début du XXᵉ siècle. Cette histoire, enfin, occupe une place non négligeable dans les programmes scolaires, notamment en classe de terminale. Cette approche scolaire prend en compte les renouvellements de la discipline et propose une vision relativement riche des relations internationales.

De l'histoire diplomatique…

La diplomatique, au sens étroit du terme, est la science auxiliaire de l'histoire qui a pour objet les diplômes, l'étude de leur âge, de leur authenticité, de leur valeur. Cette science a marqué de son empreinte l'histoire de relations internationales mais aussi l'histoire en général, notamment les méthodes historiques et l'étude critique des documents. L'histoire diplomatique quant à elle désigne l'étude des relations entre États, centrée sur l'étude des politiques extérieures et des documents que fournissent les ministères des Affaires étrangères. Cette histoire ainsi définie fournit des travaux dès le début du XIXe siècle, avec par exemple l'*Histoire générale et raisonnée de la diplomatie française* de Flassan. Mais cette histoire connaît quelques sérieuses limites. En effet, la conception du document est étroite : les documents officiels sont très fortement privilégiés. Il s'agit d'une histoire souvent étroitement événementielle, qui raconte par le menu les négociations diploma-tiques.

Cette histoire connaît une première rupture ou coupure historiographique avec la guerre de 1870. À la suite du conflit, les historiens s'interrogent sur les causes et sur les responsables de la guerre. Témoigne de cette nouvelle orientation Albert Sorel, entré au ministère des Affaires étrangères en 1866, qui est aussi histo-rien et titulaire depuis 1872 de la chaire d'histoire diplomatique à l'École libre de sciences politiques (futur IEP de Paris) fondée par Émile Boutmy à la suite de la défaite de 1870. Il est l'auteur de nombreux ouvrages historiques, dont *L'Histoire diplomatique de la guerre franco-allemande* (1875). Cette histoire est une histoire des grands personnages, une histoire politique et événementielle qui subira les cri-tiques des *Annales*.

Les destinées de l'histoire diplomatique se précisent, s'institutionnalisent, mais, le plus souvent, en marge de l'Université. Que ce soit à l'École libre de sciences politiques ou dans des sociétés savantes comme la Société d'histoire di-plomatique fondée en 1886 et qui publie une *Revue d'Histoire Diplomatique*, l'histoire diplomatique ne constitue pas un domaine de chercheurs, d'historiens professionnels. Les anciens diplomates, les aristocrates représentent l'essentiel de ces historiens « amateurs », notamment au sein de la Société d'histoire diploma-tique présidée par Albert de Broglie, ancien ministre et vice-président du Conseil, qui doit abandonner ses fonctions gouvernementales avec les succès républicains sous la IIIe République. Car l'enjeu de cette histoire diplomatique est aussi poli-tique, et les Républicains au pouvoir n'entendent pas la délaisser. Les postes et les chaires dans l'enseignement offrent au régime les moyens d'occuper le « terrain ». L'historien Émile Bourgeois, auteur d'un *Manuel historique de politique étrangère* (1892), cumule ainsi la chaire d'histoire diplomatique à la Sorbonne avec des postes à l'École normale et à l'École libre de sciences politiques. À l'instar d'Albert Sorel, Émile Bourgeois incarne l'histoire décriée par les *Annales*, une histoire étroi-tement événementielle et politique, une histoire « historisante ». Lucien Febvre écrit par exemple : « Mais elle [sa vocation d'historien] n'avait pu résister à deux années de ressassage du *Manuel de politique étrangère* d'Émile Bourgeois[1]. » La critique est cependant bien plus profonde que le mauvais souvenir de l'étudiant. En effet, pour Lucien Febvre, de tels manuels — non « de mauvais livres, techni-quement parlant » — contribuent à restreindre le champ de l'histoire, « se conten-tant de comprendre et de faire comprendre si possible les motifs réels, profonds et multiples de ces grands mouvements de masse » qui poussent les nations à collaborer ou se combattre :

> Or, ces motifs, il tombe sous le sens qu'il ne faut pas les chercher seulement dans l'humeur, la psychologie et les caprices individuels des « grands », ni dans le jeu contra-

---

1.   Lucien Febvre, « Vivre l'Histoire. Propos d'initiation », conférence aux élèves de l'École normale supérieure, 1941, *in Combats pour l'histoire, op. cit.*, p. 18.

dictoire de diplomaties rivales. Il en est de géographiques ; il en est d'économiques, de sociaux aussi et d'intellectuels, de religieux et de psychologiques[1].

Ces ouvrages sont aussi caractérisés par l'absence de référence bibliographique, de note ou de cote d'archives, autant de témoignages d'un travail de recherche, de préoccupations scientifiques. C'est à l'opposé de la thèse de Raymond Guyot sur *Le Directoire et la paix de l'Europe* (1911) ; cette œuvre est, certes, proche des préoccupations de l'histoire diplomatique traditionnelle, mais, par l'ampleur des archives étudiées en France comme à l'étranger, elle préfigure l'histoire universitaire des relations internationales.

C'est cependant après la première guerre mondiale — nouvelle coupure historiographique — que cette histoire des relations internationales prend véritablement son essor, en particulier grâce à Pierre Renouvin. Cet historien, revenu lui-même mutilé de la Grande Guerre, est nommé à la tête de la Bibliothèque de la Guerre, la future Bibliothèque de documentation internationale contemporaine (BDIC). Elle a pour vocation première la collecte, la conservation et la publication des documents diplomatiques, et elle collabore avec la Société d'histoire de guerre, créée en 1918, qui publie la *Revue d'Histoire de Guerre*. Ces institutions ont des objectifs d'ordre scientifique : l'étude de l'histoire de la première guerre mondiale, la conservation et la publication des documents, le développement de la Bibliothèque et du Musée de la Guerre, inauguré en 1925. Mais ces finalités n'échappent pas à un contexte éminemment politique, voire à un objectif politique : établir la « vérité », démontrer la responsabilité de l'Allemagne dans le déclenchement de la guerre. L'entreprise bénéficie en effet d'importants soutiens institutionnels : l'ouverture des archives du ministère des Affaires étrangères, la création de commissions en 1919 ou en 1928 pour faire toute la lumière possible sur les faits de guerre et la politique de la France. Les textes de Pierre Renouvin portent la marque de ces fortes attentes. Cependant, ils laissent entrevoir autre chose : une méthode historique critique des documents, mais aussi l'idée beaucoup plus novatrice que les hommes d'État sont portés par des « forces » qu'il ne qualifie pas encore de « profondes ».

La création des *Annales* en 1929 entraîne une nouvelle coupure historiographique dans l'histoire des relations internationales. Les historiens des *Annales* comme Lucien Febvre reprochent en effet à l'histoire diplomatique de ne s'intéresser qu'à la surface, de ne faire qu'une histoire événementielle animée par les grands personnages, et de négliger les dimensions économique et sociale de l'histoire. La rupture est liée à Pierre Renouvin, qui non seulement entend ces critiques, mais surtout intègre certains apports des *Annales* pour faire évoluer l'histoire des relations internationales. La notion de « forces profondes » devient centrale et permet de dépasser une histoire de guerres, une histoire qui cherche à désigner coupable et victime, pour faire une histoire plus complète des relations entre États, en temps de paix et dans d'autres domaines que la politique.

---

1. Lucien Febvre, « Contre l'histoire diplomatique en soi. Histoire ou politique ? Deux méditations : 1930, 1945 », *Revue de Synthèse*, I, 1941, repris in *Annales ESC*, I, 1946 et in *Combats pour l'histoire, op. cit.*, p. 63.

... à l'histoire des relations internationales

La deuxième guerre mondiale marque une nouvelle coupure et ouvre une nouvelle époque pour l'histoire des relations internationales. La guerre a mis à mal les espoirs du wilsonisme et d'un système rationnel des relations internationales fondé sur la sécurité collective. Fabienne Gambrelle (document 2) évoque ainsi ce nouveau contexte historique et historiographique. La guerre a tout d'abord bouleversé les relations internationales :

> [...] mondialisation des relations, intervention d'acteurs supranationaux, importance croissante des facteurs économiques et culturels, transformation de la nature des armements, de la guerre et des stratégies militaires, apparition de la notion de *superpuissance*...

Face à ce monde nouveau, plusieurs écoles — d'historiens, de politologues, de sociologues — tentent d'analyser et d'interpréter les relations internationales : une école réaliste qui privilégie une vision conflictuelle des relations internationales, développée notamment par l'Américain Hans Morgenthau ; les néo-réalistes reprennent « à leur compte "l'état de nature" qui règne entre États ou le caractère "anarchique" de la vie internationale, des thèses de Raymond Aron ». Des conceptions diverses voire opposées des relations internationales se développent, privilégiant « les concepts d'*interdépendance* et de *coopération* » ou, au contraire, les notions « d'impérialisme et de dépendance issues de la pensée marxiste ».

Pierre Renouvin, quant à lui, élargit et approfondit son domaine avec la publication d'une *Histoire des relations internationales* (1953-1958) qui témoigne d'une approche renouvelée de cette histoire. Dans ce livre, il met en effet en œuvre le concept nouveau de « relations internationales » et « intègre dans sa méthode d'analyse les apports des *Annales* et du marxisme conjugués » (document 2, p. 158). Dès lors, l'historien dépasse les relations entre les gouvernements pour s'intéresser aux « rapports entre les peuples ». Cette inflexion l'amène à prendre en compte la perspective du temps long et les dimensions économique et sociale, notamment grâce à l'étude des « forces profondes », dont il distingue deux types, deux ordres. En premier lieu, les forces d'ordre matériel sont les rapports des sociétés avec « le milieu géographique, les structures économiques et leurs changements, les caractères des civilisations[1] ». Pierre Renouvin cite au passage le nom de Fernand Braudel, associé à ces facteurs géographiques, économiques, aux civilisations comme à la longue durée. Les forces profondes relèvent aussi des mentalités, « ce sont les sentiments, les passions collectives [...] les manières de penser ». Cette approche est, à la même époque, mise en œuvre en Italie par Federico Chabod notamment, qui « inclut l'histoire des idéologies et des mentalités » (document 2, p. 159) dans l'histoire des relations internationales. Pierre Renouvin n'exclut aucune de ces préoccupations et entend au contraire associer les forces profondes d'ordre géographique et économique et d'ordre mental aux relations diplomatiques, entendues de manière plus « classique ». Car il n'entend pas évacuer l'histoire « événementielle » d'une histoire des relations internationales qui intègre ces nouvelles approches.

---

1. Pierre Renouvin, *Histoire des relations internationales*, Paris, Hachette, 1953, t. 1, p. IX-XI pour cette citation et les suivantes.

Cette approche aboutit à la publication en 1964 de *L'Introduction à l'histoire des relations internationales* par Pierre Renouvin et Jean-Baptiste Duroselle, son élève et futur successeur à la Sorbonne. L'introduction de l'ouvrage expose les fondements, les concepts fondamentaux et les axes de recherche de l'histoire des relations internationales. Cette histoire reste centrée sur l'action des États et des gouvernements, à la suite d'une histoire diplomatique « classique ». Mais, pour la comprendre, il faut faire appel à d'autres réalités :

> Les conditions géographiques, les mouvements démographiques, les intérêts économiques et financiers, les traits de la mentalité collective, les grands courants sentimentaux, voilà quelles forces profondes ont formé le cadre des relations entre les groupes humains. (Document 1, p. 278)

L'histoire des relations internationales prend aussi toujours en compte l'action des individus, des grands personnages. Certes, l'homme d'État ne peut négliger les forces profondes, « il en subit l'influence, il est obligé de constater quelles limites elles imposent à son action ». Cependant, l'homme d'État peut, par son intelligence, sa fermeté, « essayer de modifier le jeu de ces forces et les utiliser à ses propres fins ». Il faut donc, pour Pierre Renouvin et Jean-Baptiste Duroselle, chercher à articuler forces profondes et action des individus :

> [...] chercher à comprendre par quels processus concrets les forces profondes exercent leur impulsion sur l'homme d'État et, réciproquement, comment celui-ci essaie de les modifier.

L'ambition d'écrire une histoire totale, globale n'est donc pas étrangère à l'histoire des relations internationales.

Les auteurs précisent également que leur ouvrage tend à se distinguer des approches de la philosophie politique et de travaux comme ceux de Raymond Aron, pour privilégier une problématique proprement historique. Enfin, ils justifient l'absence de chapitre particulier pour des thèmes (qui vont pourtant par la suite constituer des champs de recherche en histoire des relations internationales) comme l'opinion publique et les armements, qui ne représentent pas pour eux des objets d'étude indépendants des forces profondes et de la politique des États.

Les études en histoire des relations internationales vont s'inscrire dans ce cadre, dans la lignée des axes de recherche indiqués par Pierre Renouvin et Jean-Baptiste Duroselle. La première guerre mondiale est toujours étudiée, au travers des relations franco-américaines notamment, dans les thèses d'André Kaspi, *La France et le concours américain à la France, 1917-1918* (1974) ou encore d'Yves-Henri Nouailhat, *La France et les États-Unis, août 1917-avril 1915* (1975). Raymond Poidevin (*Les Relations économiques et financières entre la France et l'Allemagne de 1896 à 1914*, 1969) et Jacques Bariety (*Les Relations franco-allemandes après la première guerre mondiale*, 1975) s'intéressent aux relations franco-allemandes ; Pierre Milza (*Les Relations franco-italiennes à la fin du XIXe siècle*, 1977), quant à lui, aux relations franco-italiennes. Les colonies africaines de la France sont aussi étudiées, par André Martel avec *Les Confins saharo-tripolitains de la Tunisie, 1881-1911* (1965), ou Marc Michel dans *L'Appel à l'Afrique, contributions et réactions à la première guerre mondiale en AOF, 1914-1919* (1979). L'histoire des relations internationales n'est pas exempte de courants, de débats, en particulier entre les historiens qui privilégient les facteurs matériels, économiques et ceux qui privilégient les mentalités. Parmi ceux-ci, René Rémond ouvre le champ — délaissé par Pierre Renouvin et Jean-Baptiste Duroselle — de l'étude de l'opinion publique avec sa thèse, *Les États-Unis devant l'opinion française 1815-1852* (1962), qui est ensuite parcourue par Françoise Mayeur (*L'Aube. Étude d'un journal d'opinion 1932-1940*, 1968) ou Jean-Jacques Becker (*1914. Comment les Français sont entrés dans la guerre*, 1977).

L'histoire des relations internationales prend aussi place dans les débats qui animent la communauté des historiens dans les années 1950 et 1960. René Renouvin par exemple prend position par rapport aux perspectives nouvelles des *Annales*. Les méthodes quantitatives et statistiques, l'approche structurale et la longue durée ne doivent pas devenir systématiques selon lui, notamment pour éclairer l'histoire des relations internationales. La distance par rapport à une histoire influencée par le marxisme est aussi marquée par des historiens de l'opinion publique, comme René Rémond, qui raisonne en termes d'opinion nationale plutôt qu'en termes de classes sociales.

L'histoire des relations internationales croise également l'histoire économique, elle aussi animée de vifs débats et influencée par Ernest Labrousse. La thèse de René Girault (*Emprunts russes et investissements français en Russie, 1887-1914*, 1970) témoigne de cette rencontre. Les historiens des relations internationales s'opposent souvent aux historiens influencés par le marxisme qui mettent en œuvre par exemple la notion d'impérialisme, en particulier comme facteur du colonialisme. L'histoire coloniale s'ouvre elle aussi, depuis les travaux de Charles Ageron (*Les Algériens musulmans et la France, 1871-1919*, 1968) jusqu'à ceux de Catherine Coquery-Vidrovitch (de *La Découverte de l'Afrique*, 1965, à l'*Histoire des villes africaines*, 1993).

L'historiographie économique et coloniale est influencée dans les années 1970 par l'école marxiste, pour qui les empires coloniaux ont été bâtis parce qu'ils constituaient une affaire rentable. La thèse de Jacques Marseille, *Empire colonial et capitalisme français. Histoire d'un divorce* (1984) a relancé le débat et, surtout, démontré que l'empire colonial français a été rentable au moins pour un *lobby* d'intérêts coloniaux. Mais cet empire a aussi freiné la modernisation du capitalisme français en fournissant un marché protégé à des industries archaïques — sidérurgie, textile —, qui se sont ainsi soustraites à la concurrence internationale. Enfin, pour Jacques Marseille, les forces vives, modernes du capitalisme français ont favorisé le processus de décolonisation en raison du coût de l'empire colonial.

Dans le paysage des courants historiographiques français, l'histoire des relations internationales est très souvent proche de l'histoire politique. Le nom de René Rémond évoqué précédemment témoigne de cette proximité, de préoccupations et d'approches communes, qui transparaissent notamment dans l'ouvrage collectif *Pour une histoire politique* (René Rémond, 1988). Des critiques assez semblables des excès des *Annales* se retrouvent d'ailleurs sous la plume de René Rémond (dans l'introduction de *Pour une histoire politique* par exemple) ou celle de Jean-Baptiste Duroselle :

> Ce que je reproche avant tout aux *Annales*, c'est d'avoir excommunié des historiens [...]
> Ce que je n'aimais pas dans les *Annales*, c'est la distinction faite entre une histoire évé-

nementielle et une histoire qui ne l'est pas... Le mot « événementiel » est laid, il est faux. Il est injurieux contre cette Histoire que vous appelez légitimement classique mais qui a fait des progrès comme les autres disciplines des sciences humaines[1].

Dans l'enseignement (terminale générale) : une approche relativement complète

Le programme de terminale voie générale (séries L, ES, S) offre une large place à l'histoire des relations internationales. Deux grandes parties sur trois s'attachent à des thèmes d'histoire internationale, avec l'étude de « La Seconde guerre mondiale » et « Le monde de 1945 à nos jours ». En termes horaires, d'après les indications des programmes, cette part est plus importante encore : les trois quarts de l'horaire sont consacrés à des sujets liés aux relations internationales. Au-delà de ces indications comptables, l'histoire des relations internationales a une place essentielle dans la finalité d'ensemble des programmes du cycle terminal, notamment de la classe de terminale : la compréhension du monde actuel. En effet, ces programmes doivent fournir aux élèves qui quittent le système éducatif secondaire des « clés d'explication du monde » dans lequel ils vivent et doivent agir, « grâce à la compréhension de son processus d'élaboration et à la prise en compte de sa diversité » (document 3).

Il convient surtout de préciser de quelle manière les relations internationales sont envisagées dans ce programme et si cette histoire enseignée a quelques rapports — en termes d'approches et de problématiques — avec l'histoire universitaire. De manière classique, l'étude des relations internationales porte sur la « compréhension des rapports de force qui opposent les puissance, et des enjeux qui les expliquent ». C'est cette perspective qui doit guider par exemple l'analyse de la deuxième guerre mondiale ou les relations internationales depuis 1945, en particulier les affrontements entre grandes puissances.

Les documents d'accompagnement montrent une approche riche et complète de ces rapports de force. En effet, la période 1939-1945 est l'occasion de mettre en œuvre la notion de « guerre totale », qui touche militaires et civils, et « l'importance des facteurs idéologiques, économiques et psychologiques, phénomènes de collaboration et de résistance, déportation et surtout la politique nazie d'anéantissement racial ». Les facteurs politiques et militaires sont abordés, mais aussi des facteurs d'ordre économique, social et « mental » : idéologies, facteurs psychologiques ; bref, c'est un panorama assez complet des « forces profondes » envisagées par les historiens des relations internationales. De façon analogue, l'étude du « Monde de 1945 à nos jours » offre une approche diversifiée. L'histoire diplomatique, l'histoire des grandes crises, des rapports de puissance entre États, en particulier entre grandes puissances, ont leur place avec « Les affrontements des grandes puissances et la dissolution des blocs » ou avec « L'émancipation des peuples dépendants et l'émergence du Tiers Monde ». Mais les « forces profondes » sont au moins aussi importantes. Le programme propose en effet l'étude des « Transformations économiques et sociales du monde depuis 1945 » : croissance et crise, évolutions de la société et des modes de vie. Ces thèmes s'inscrivent

---

1. « Un entretien avec Jean-Baptiste Duroselle », *Le Monde*, 20 septembre 1994.

dans la longue durée, qui constitue le cadre des phénomènes structurels : mutations économiques et sociales, évolutions des grands modèles idéologiques par exemple. À l'intérieur de cette temporalité longue, intervient aussi le temps plus court de l'événement, choisi « pour son caractère explicatif, en raison de l'accélération, de l'infléchissement ou de la mutation qu'il fait subir à des mouvements qui le dépassent très largement » (« Orientations générales », document 3). Ces événements sont notamment les crises multiples qui marquent la vie internationale depuis 1945, de Berlin à Cuba et de Suez à Kaboul. L'étude des relations internationales doit donc conduire les enseignants, et les élèves, à réfléchir sur la pluralité des temps historiques et sur leur emboîtement.

Dans ce temps long s'insèrent également « Les grands modèles idéologiques du monde (institutions, société, culture) » abordés dans cette histoire du monde depuis 1945 : le modèle soviétique et le modèle américain. Ce thème nouveau s'explique par la nécessité d'évoquer l'évolution des grandes puissances, leur « rayonnement », sans entrer dans le détail des histoires nationales. Le concept de modèle — sans idée d'exemplarité — fait référence à un ensemble fondé sur une idéologie mais aussi sur un « système institutionnel, une organisation de l'économie, une vision de la société, des pratiques culturelles » (« Les grands modèles idéologiques du monde », document 3). L'économique, le social, le culturel et le politique se rejoignent ici. Ces modèles doivent donner des clés d'analyse pour l'étude des relations internationales depuis 1945, et répondre aux finalités générales de ce programme. Les documents d'accompagnement affirment en particulier l'importance d'une finalité civique. Ainsi, le thème de la démocratie — l'histoire de ses progrès et de ses reculs, de ses combats contre les régimes autoritaires et totalitaires — parcourt les programmes du cycle terminal comme un leitmotiv. Cette sorte de fil conducteur doit amener les élèves à prendre conscience de la fragilité de la démocratie, un régime toujours menacé, toujours en mouvement, rendu vivant par ses citoyens.

Le programme de la classe de terminale aborde donc les relations internationales d'une manière riche : temps long et temps court, histoire diplomatique mais aussi histoire de l'économie, de la société, des idéologies, autant de forces profondes à l'œuvre dans l'histoire universitaire des relations internationales. Par ailleurs, cette histoire scientifique s'intéresse à une pluralité d'acteurs des relations internationales. En effet, Pierre Renouvin et Jean-Baptiste Duroselle soulignent le rôle des États, ainsi que des hommes d'État, sur qui pèsent les « forces profondes », lesquelles pouvant aussi influer sur eux. Il faut souligner la place prédominante des États comme acteurs de la vie internationale dans les programmes. Toutefois, un regard sur les manuels de terminale conduit à nuancer cette idée : des personnages comme Churchill, de Gaulle et Pétain sont évoqués par tous les manuels, mais aussi Kennedy, Mao Zedong ou encore Nasser. La plupart de ces manuels comportent d'ailleurs un certain nombre de notices biographiques, réunies en fin d'ouvrage (manuel Belin, 1998[1]) ou placées tout au long des chapitres (manuel Magnard, 1998[2], avec un index des biographies). Les hommes

---

1. *Histoire, terminale, L, ES, S*, Paris, Belin, 1998.
2. Henri Bernard et François Sirel, *Histoire, terminale, L, ES, S. Le monde de 1939 à nos jours*, Paris, Magnard, 1998.

d'État ne sont donc pas négligés, et la mise en œuvre des programmes, dont témoignent en partie les manuels, leur fait une place dans l'étude des relations internationales.

L'histoire des relations internationales démontre que l'histoire scientifique et l'histoire enseignée sont étroitement liées. L'histoire scolaire, en effet, ne saurait rester à l'écart des progrès de la discipline scientifique et ignorer ses renouvellements. Les programmes et les documents d'accompagnement, notamment pour la classe de terminale, témoignent de cette attention portée aux champs de la recherche historique. Ainsi, l'enseignement des relations internationales transpose les « forces profondes » des historiens en faisant une large place aux thèmes économiques, sociaux et politiques. Cet enseignement invite aussi à penser la pluralité des temps historiques, à articuler temps long et temps court. L'approche de la vie internationale en terminale apparaît donc, en définitive, relativement riche, complexe et ambitieuse, car elle vise à donner des clés de compréhension du monde actuel, un monde complexe animé de mutations rapides.

Géographie

Théorie

Histoire de la géographie

Qu'est-ce que l'histoire de la géographie ?

L'histoire de la géographie est l'étude scientifique de l'évolution de la géographie en recherchant et s'interrogeant plus spécifiquement sur les continuités et les ruptures dans cette évolution. Il s'agit d'une mise en perspective indispensable pour tout étudiant de géographie, et ce d'autant plus s'il se destine à devenir professeur de géographie. Il va de soi qu'il en est de même pour tout étudiant d'histoire qui se destine à l'enseignement et qui devra assumer un enseignement de géographie à parité avec celui d'histoire. En effet, un étudiant préparant le CAPES d'histoire-géographie qui n'étudierait de la géographie que l'ensemble de ses concepts, ses méthodes et théories en vigueur au moment de sa formation n'aurait de cette discipline qu'une vision figée, sans épaisseur ; il n'aurait pas conscience non plus de la relativité du savoir ; ce serait d'autant plus grave chez un futur enseignant amené à enseigner une quarantaine d'années un savoir dont il serait persuadé que c'est la vérité, puisque c'est ce qu'il a appris. Cette attitude est assez courante, même si bien des enseignants se sont de tous temps auto-formés pour tenir à jour leurs connaissances ou utilisent aujourd'hui les possibilités offertes par la formation continue. Acquérir la conscience qu'un résultat n'est jamais définitif, et ce sans faire de relativisme excessif, c'est acquérir une vision dynamique de la connaissance géographique comme de toute connaissance scientifique ; c'est se préparer à la nécessaire adaptation de son savoir dans quelques lustres.

Mais existe-t-il des « diseurs de l'espace » comme il existe des historiographes ? Historiographie et histoire de la géographie ne peuvent être comparées que très partiellement. Le seul pendant possible concerne ceux que l'on a appelé les « cartographes du Roy » ou les voyageurs, « découvreurs » des terres inconnues « au service du Roy » : ils disaient l'espace du Roy en le décrivant ou le dessinant, ainsi que l'espace des autres pour les besoins des stratèges. Ils ont existé depuis que les hommes vivent en société ; ils existent toujours : ce sont les géopoliticiens, seuls géographes à fréquenter les plateaux de télévision pour discourir sur le monde. En bref, ils appartiennent à l'histoire de la géographie, mais celle-ci ne leur est pas réductible.

Au moins deux conceptions de l'histoire des sciences se sont succédé. La première considère l'histoire des sciences comme une accumulation progressive des connaissances, chaque chercheur apportant sa pierre plus ou moins grosse ;

certes, un chercheur peut faire avancer plus vite la science, mais le *trend* général est linéaire, le progrès étant continu. Cependant, depuis le début du XXe siècle, à partir des travaux de mathématiciens sur la géométrie non euclidienne et de physiciens sur la théorie de la relativité, la conception admise est celle d'une histoire des sciences faites de discontinuités opposant des moments de ruptures épistémologiques — périodes extrêmement fécondes pendant lesquelles il y a élaboration de principes nouveaux et création d'un système interprétatif aboutissant à la mise en place de nouveaux paradigmes pour intégrer des résultats qui n'entraient pas dans le paradigme précédent — et des moments de phases longues — pendant lesquelles se construisent les connaissances fondées sur ces nouveaux paradigmes. On aura reconnu à travers cette description la théorie des révolutions scientifiques de Th. Kühn[1], pour qui l'histoire des sciences est une succession de paradigmes séparés par des ruptures épistémologiques. Même si les historiens des sciences admettent que leur évolution fonctionne conformément à la pensée de Th. Kühn, tout en déplorant qu'elle soit trop systématique et décontextualisée, ils montrent aussi que la pensée scientifique évolue suivant une structure plus complexe faite de pas en avant et de retours en arrière, d'oublis de piste et de reprises de pistes oubliées très longtemps après leur abandon ; faite encore d'évolution parallèle de deux pistes différentes, ce que l'on pourrait figurer par un schéma arborescent : il n'y aurait pas qu'un seul cheminement possible pour la construction de la connaissance scientifique. Ce schéma est tout à fait valide pour la construction de la science géographique : il n'y a pas eu un point de départ mais plusieurs ; autrement dit, la géographie est héritière de cette complexité ; la géographie aujourd'hui est plurielle, chaque courant ayant ses noyaux durs. Il importe donc qu'un futur professeur de géographie soit capable de repérer derrière l'histoire des sciences, et plus particulièrement l'histoire de la géographie, divers modèles théoriques, diverses conceptions philosophiques de l'évolution humaine ; il peut ainsi comprendre qu'enseigner la géographie, c'est automatiquement adopter telle ou telle conception.

La géographie dès son origine a eu une pluralité de filiations

La géographie fut science appliquée avant d'être science. Deux types de recherches, complémentaires mais différentes, voient leur origine remonter à l'Antiquité et se poursuivre jusqu'à aujourd'hui au service du prince ou de la République...

Les cartographes du Roy

Ceux qui se sont intéressés à la mesure de la terre représentent la première lignée de géographes : géomètres de l'Égypte ancienne qui retraçaient année après année

---

1. Th. Kühn, *La Structure des révolutions scientifiques*, Paris, Flammarion, 1983, coll. « Champs ».

les limites des champs effacées par les limons de la crue du Nil ; cartographes à la suite d'Ératosthène (IIIe siècle avant notre ère) et de Ptolémée (IIe siècle de notre ère) ; grands voyageurs qui, au cours de leurs périples (du XIIIe au XVIe siècle), explorent les contours des terres, découvrent la *terra incognita*, effacent les « blancs de la terre », dessinent, mesurent et nomment les repères du monde qu'ils cherchent à cerner, localiser, situer. Dans ce même esprit, plus près de nous (XVIIe et XVIIIe siècles), la dynastie des Cassini, cartographes-topographes des rois de France, a réalisé la première carte topographique de France, celle dite « de Cassini », entre 1680 et 1793, grâce à un système de triangulation. Le périple d'Hannon le long de l'Afrique (Ve siècle avant notre ère), la route de la soie explorée par Marco Polo (XIIIe siècle), les Grandes Découvertes (XVIe siècle), les voyages d'exploration des XVIIe, XVIIIe et XIXe siècles à travers les mers australes — surtout, les remontées par les grands fleuves vers l'intérieur des continents inconnus essentiellement l'Afrique, l'Amérique et l'Asie — ont permis de découvrir, et parfois de redécouvrir à plusieurs siècles de distance, les solutions à un certain nombre de problèmes : la rotondité de la terre, la connaissance de ses dimensions et la définition des coordonnées d'un lieu. La géographie est donc, dans ce contexte, une science technique liée à la cosmographie et à l'astronomie d'une part, et à la cartographie, science des militaires, d'autre part. Elle se définit comme science des positions et des lieux.

C'est une tradition qui persiste, même si la terre est un espace fini, borné notamment par une cartographie diversifiée dans ses finalités, renouvelée par les images satellitales, et appelée à évoluer encore avec les systèmes d'informations géographiques (SIG ou GIS). Cependant, elle se poursuit quasiment hors du domaine scientifique ; elle est le fait de l'Institut géographique national (IGN) et de ses ingénieurs géographes, dont les épreuves au concours de recrutement montrent à elles seules qu'ils sont plus ingénieurs que géographes, ce divorce entre les techniciens de la carte et les géographes perdurant depuis 1800. Les géographes ne participent guère à la création de l'appareil cartographique : ils s'attachent plutôt à son interprétation et à la réalisation, en utilisant les outils cartographiques créés par d'autres, de simulations d'évolutions possibles de l'espace habité, permettant une aide à la décision pour tous ceux qui s'occupent du territoire. Ainsi, nombre de géographes participent toujours à l'aménagement du territoire mettant en œuvre une « géographie appliquée », pour reprendre le titre du célèbre ouvrage de M. Philipponneau[1] (les actions de ce dernier à Rennes et celles de R. Dugrand à la mairie de Montpellier pour redynamiser cette ville dans les années 1970 sont connues).

---

1. M. Philipponneau, *Géographie et action. Introduction à la géographie appliquée*, Paris, Armand Colin, 1960.

Les « espions du Roy »

La deuxième lignée de géographes est constituée par ceux qui, parmi les grands voyageurs, décrivent et cherchent à expliquer les différences des sociétés humaines, fournissant en masse des données aux stratèges, qui, à la suite d'Hécatée de Millet (VIe siècle avant notre ère), d'Hérodote (Ve siècle avant notre ère), ou de Strabon (Ier siècle avant et de notre ère), forment les diplomates et autres espions du Roy. Dans tous les cas, « la géographie, ça sert, d'abord, à faire la guerre[1] », comme nous le rappelle plus près de nous et avec raison Y. Lacoste ! C'est connaître le monde et les peuples qui l'habitent dans un but intéressé : conquêtes d'empires, exploitations de diverses richesses... En effet, la géographie sous les apparences d'une « discipline bonasse », est un redoutable outil de pouvoir, car elle permet de « savoir penser l'espace pour savoir s'y organiser, pour savoir y combattre »[2]. Y. Lacoste le démontre de manière magistrale à l'aide de son « Enquête sur le bombardement des digues du fleuve Rouge (Viêtnam, été 1972) », dont il faut absolument prendre connaissance[3].

Cette tradition se poursuit donc aujourd'hui, après avoir été en retrait après la deuxième guerre mondiale du fait des excès de la Geopolitik allemande, ayant fait une interprétation abusive des écrits de F. Ratzel, notamment de *Politische Geographie* (1897), son déterminisme strict de la nature sur l'homme ayant servi de fondement au racisme nazi. Y. Lacoste en est tout à fait conscient, preuve en est le titre qu'il a donné à sa revue, *Hérodote* ; à sa suite, les laboratoires qui cherchent à interpréter les évolutions, les révolutions, voire à les anticiper font florès. Les géographes qui les animent sont les seuls à être invités, comme experts, sur les plateaux de télévision lors des crises internationales plus ou moins graves que connaît le monde, tel Michel Foucher, fondateur de l'Observatoire européen de géopolitique à Lyon. Des collections entières sont consacrées aujourd'hui à ce domaine : dans la collection « Géopolitique et Stratégies » (Fayard) ont par exemple été publié récemment les écrits de F. Ratzel ; de nombreux ouvrages de ce champ ont été édités par Économica, avec l'appui de la Fondation pour les études de la défense nationale. Certains politiques tentent de surfer sur cette vague porteuse : l'exemple le plus évident est celui de Christian Pierret, maire de Saint-Dié-des-Vosges, actuel ministre socialiste de l'Industrie, qui a mis en place le Festival international de la géographie en 1991 pour célébrer la réalisation en 1507 dans les ateliers de la ville de la première carte de géographie portant la mention « Amérique » pour désigner le nouveau monde. Depuis, ce FIG est devenu la grand-messe des géographes et son créateur est fêté par ces derniers : il a été distingué par l'Union internationale de la géographie lors de son

---

1. Y. Lacoste, *La Géographie, ça sert, d'abord, à faire la guerre*, Paris, Maspero, 1976.
2. *Ibid.*
3. *Hérodote*, n° 1, janvier-mars 1976.

Congrès à Séoul en 2000. Et chaque politicien de nouer des liens plus ou moins discrets avec tel ou tel géographe...

Ces deux traditions, cartographie et description du monde ainsi que des peuples qui l'habitent, ont toujours fait l'objet d'enseignement dans les écoles militaires, et ce bien avant la création de la géographie, discipline scolaire.

La géographie « fille de l'histoire »

En histoire, quels que soient la période ou le pays étudié, les facteurs géographiques introduisaient traditionnellement toute l'étude historique. La géographie fournissait ainsi les données dites objectives à l'histoire mais aussi à l'économie politique. Les données géographiques étaient donc des facteurs explicatifs des actions des hommes en société : « L'Égypte est un don du Nil » écrivait Hérodote.

Certes, P. Vidal de la Blache (1845-1918) fut historien avant d'être le père de la géographie universitaire française. Agrégé en 1866, pensionnaire de l'école de Rome de 1867 à 1870, il soutint sa thèse en 1872, puis obtint un poste dans l'enseignement supérieur à Nancy. Là, il était aux premières loges pour prendre la mesure de la défaite de 1870, que l'état-major français attribua aux soldats français qui n'auraient connu ni le maniement des cartes si nécessaire en cas de guerre, ni les langues étrangères — notamment l'allemand —, au contraire de leurs homologues allemands, experts dans les deux domaines. Soucieux de donner du grain à moudre aux nouveaux enseignants de géographie dotés de programmes à enseigner pour combler ces lacunes des futurs citoyens français, il se forge en autodidacte une culture géographique et, à partir de 1874, se rend en Allemagne, où existe une géographie universitaire dite scientifique. À son retour, il revendique pour la géographie le statut de science indépendante de l'histoire, d'où les réticences des historiens à son égard — ce qui lui coûtera cher en termes de carrière. Maître de conférences en 1877 à l'École normale supérieure, il ne devient professeur qu'en 1898. Même si ce n'est pas tout à fait l'Université, l'ENS est un lieu privilégié : il y pratique ce que l'on pourrait appeler du « détournement » d'historiens ; ses disciples sont J. Brunhes, E. de Martonne, A. Demangeon, R. Blanchard, J. Sion..., tous historiens à l'origine et qui vont devenir les auteurs des premières thèses de l'École de la géographie française. C'est de là qu'il fonde les *Annales de Géographie* (1891), qu'il fait modifier la question de géographie à l'agrégation d'histoire (1894) et qu'il dirige les grandes thèses de régionale (à partir de 1898). La réconciliation avec les historiens est marquée par la commande que lui fait E. Lavisse (en 1901) du *Tableau géographique de la France*, tome introductif de son *Histoire de France*.

Avec sa propre reconnaissance par les historiens, P. Vidal de la Blache fait reconnaître le statut de la géographie comme science autonome : en créant celle-ci, il met en œuvre d'autres problématiques et d'autres méthodologies. Après sa mort en 1918, L. Gallois en fait la synthèse dans la *Géographie Universelle* qu'il dirige[1]. En tout état de cause, la géographie française retient de l'origine historienne de son fondateur le caractère fortuit de certains faits dans la chaîne des causalités, ce qui l'a préservée des errements de la géographie allemande de l'entre-deux-guerres.

La géographie, héritière de « naturalistes » transfuges

Les premiers géographes — surtout en Allemagne avec A. von Humboldt (1768-1859) et K. Ritter (1779-1859) — furent aussi des transfuges, mais des sciences de la nature. Humboldt et Ritter interrogent la nature pour comprendre l'humanité. Ces naturalistes deviennent en effet géographes dès qu'ils introduisent la relation homme-nature dans leur réflexion, la place de l'homme étant déterminée par les caractères de la nature dans laquelle il vit. Pour eux, la démarche géographique permet d'éclairer le devenir des peuples. Mais en recherchant, à la suite de Ch. Darwin (1809-1882) (*Origine des espèces*, 1859), les lois qui déterminent la répartition et les caractéristiques des sociétés humaines à la surface du globe, la géographie franchit le pas vers une géographie scientifique productrice de lois. Les maîtres mots de cette géographie sont « adaptation » et « évolution ». La géographie se pose ainsi par rapport à l'ensemble des sciences dans la position flatteuse de science charnière entre les sciences naturelles et les sciences humaines et sociales.

De cet héritage, la géographie garde des traces très prégnantes du déterminisme géographique, la nature permettant encore aujourd'hui d'expliquer les positions, les lieux ainsi que l'organisation des sociétés humaines. Plus grave, après avoir été battu en brèche par l'évolution de la géographie, le déterminisme revient en force avec l'étude de l'environnement, qui commence à être dénoncé par des géographes comme A. Berque[2] ou P. Pelletier. Mais cette filiation a décidé du caractère scientifique de la géographie avec la volonté de produire des lois de répartition des phénomènes humains.

De ces quatre filiations, s'est progressivement dégagée la géographie d'aujourd'hui, construite en phases successives opposant des phases de changement séparées par d'autres de relative stabilité, pendant lesquelles les chercheurs ont construit les savoirs géographiques dans les cadres théoriques élaborés lors des périodes de rupture.

Connaître ces grandes étapes, c'est comprendre comment s'est constitué le savoir géographique.

---

1. P. Vidal de la Blache et L. Gallois (dir.), *Géographie Universelle*, Paris, Armand Colin, 1920-1946, 23 vol.
2. A. Berque, *Médiance. De milieux en paysage*, Montpellier, Reclus, 1990.

Les grandes phases de l'histoire de la géographie

Les trois phases de rupture de paradigme sont les suivantes :

– La première phase s'étale de la fin du XVIIIe siècle à 1820 : elle correspond à la naissance de la géographie moderne en Allemagne.

– La deuxième couvre les trente années qui séparent 1870 de 1900 : on assiste alors à la naissance de la géographie classique dans le cadre des écoles nationales.

– La dernière phase, pas encore terminée, a commencé dans les premières années de l'après-guerre : pendant cette période a émergé ce qu'il est convenu d'appeler la Nouvelle Géographie, mais qui renvoie en réalité à un foisonnement de courants différents qui ne se rejoignent que sur l'ambition de la géographie d'être une discipline s'intéressant à l'organisation spatiale de l'homme et de la société.

Entre ces trois phases de changements rapides, les deux phases de stabilité concernent les deuxième et troisième quarts du XIXe siècle (1820-1870) et la première moitié du XXe siècle (1900–1950-1955).

La naissance de la géographie moderne : fin XVIIIe siècle-1820

La fin du XVIIIe siècle est marquée par la création d'outils conceptuels mis à la disposition des voyageurs et découvreurs de l'espace par les scientifiques de l'époque pour décrire ce qu'ils voient pendant leurs périples, ce qui va aider à poser les questions concernant les problèmes sociaux, économiques et biologiques dans tous les domaines et dans tous les pays d'Europe occidentale. Ces outils permettent de mettre en place un langage descriptif précis, condition nécessaire à l'émergence de questionnements de nature scientifique. Ainsi, Ch. de Linné (1707-1778) est à l'origine d'une nomenclature universelle pour classer les espèces animales et végétales favorisant des notations pertinentes sur l'environnement naturel des pays explorés et, surtout, des comparaisons entre des environnements naturels différents. De la même façon, en géologie, il devient possible de différencier les roches sédimentaires des roches éruptives ; l'Écossais J. Hutton (1726-1797) a compris que les roches sédimentaires résultaient de la destruction des roches terrestres et se déposaient au fond des mers, ce qui permettait de s'interroger sur la datation et, donc, sur l'histoire géologique. En agriculture, grâce aux physiocrates qui se penchent sur les problèmes d'exploitation des terres en Angleterre puis en France, tout le vocabulaire technique concernant le monde rural est fixé — il est encore utilisé aujourd'hui — : rotation et modes de cultures, parcellaire, et tous les termes permettant de décrire les paysages ruraux…

Le contexte réformiste de la société favorise aussi l'essor de savoirs techniques spécialisés, utiles au développement de la géographie. L'un des exemples le plus parlant est celui du besoin de descriptions chiffrées ressenti par les États modernes en voie de constitution depuis le XVIIe siècle pour gouverner de manière plus sûre ; il s'agit notamment d'estimer les réserves en hommes afin de satisfaire les besoins militaires, et la richesse disponible des sujets afin d'affiner la pression fiscale. Ainsi, en France, Vauban développe la statistique ; en Angleterre, W. Petty crée dans le même esprit l'arithmétique politique ; en Allemagne, est créée la science caméraliste, utile au Chancelier... Il faut attendre Turgot pour faire progresser le pays : il conçoit une géographie active avant l'heure, permettant d'établir des diagnostics, puis d'élaborer des stratégies pour mettre en œuvre des politiques adéquates. Un autre exemple concerne le découpage administratif nécessaire au gouvernement des États : en France, la multiplicité des découpages sous l'Ancien Régime posait problème et la rationalisation était depuis plusieurs siècles à l'ordre du jour ; l'objectif est atteint avec la Révolution française et le découpage en départements avec une organisation unique.

Si le contexte réformiste est favorable à la création de savoirs techniques spécialisés utiles aux descriptions géographiques, il n'est pas pour autant à l'origine de la géographie moderne. C'est le rationalisme du Siècle des Lumières qui est déterminant en la matière.

La difficulté était d'expliquer l'inégal développement des civilisations. Les philosophes des Lumières, considérant que les aptitudes humaines étaient les mêmes partout, se demandaient pourquoi les civilisations en étaient à des étapes de développement différentes. Pour Montesquieu — reprenant la vieille théorie des climats de J. Bodin[1] —, c'est parce qu'il y a parfois des obstacles au développement des aptitudes, en l'occurrence celui du climat[2] ; pour d'autres, comme Turgot, dans la seconde partie du XVIIIe siècle, c'est l'inégalité des progrès qui entraîne l'inégalité de développement — et non des obstacles aux aptitudes qu'il faudrait connaître pour comprendre. Cependant, la pensée géographique débute réellement grâce à l'essor de la philosophie de la nature allemande, avec E. Kant (1724-1804) et J.G. Herder (1744-1803). Pour Kant, la réflexion sur les choses humaines a comme fil directeur le « dessein de la nature » : il existerait une finalité naturelle ; il y aurait analogie entre le sens de l'histoire de l'humanité et le sens des phénomènes naturels. Herder, quant à lui, à travers l'inventaire de la différenciation régionale, cherche à comprendre comment les peuples construisent leur destin ; le génie d'un peuple vient du milieu dans lequel il vit, celui-ci constituant la base de la civilisation. Ainsi, la géographie est définie comme la connaissance du milieu pour éclairer le tableau de l'humanité. La géographie explique l'histoire des peuples. A. von Humboldt et K. Ritter mettront en œuvre les thèmes de Herder. Pour Humboldt, la géographie constitue une interrogation du monde pour comprendre l'humanité ; l'explication part du milieu, mais celui-

---

1. J. Bodin (1530-1596) s'est interrogé sur l'influence du milieu sur les habitants tout en critiquant la vision simpliste des Grecs concernant les zones climatiques repérées à partir de la fixation vers le début de notre ère des grands repères géographiques (équateur, tropiques, pôles, etc.).

2. Montesquieu, *L'Esprit des Lois*, 3e partie, livres 14 et 15, 1747.

ci reflète des réalités parfois à une autre échelle : par exemple, le courant de Humboldt issu d'un phénomène marin à échelle mondiale explique le désert chilien, un phénomène à échelle régionale. Pour Ritter, la géographie est une introduction à la compréhension de tous les pays et de tous les peuples. Les disciples de ces fondateurs de la géographie allemande ne sont pas allemands, mais suisses (A. Guyot, 1807-1884 et L. Agassiz, 1807-1873) ou français (E. Reclus, 1830-1905). Nous retrouverons les premiers lors de l'étude des programmes de géographie français.

La deuxième phase d'expansion rapide : 1870-1900

Deux faits historiques concourent à la création de la géographie universitaire française : la montée du nationalisme à la suite de la défaite de 1870 face à l'Allemagne et l'expansion coloniale française.

La défaite française de 1870, comme nous l'avons vu, avait été mise sur le compte de la méconnaissance par les soldats français de la géographie, et notamment de la connaissance des cartes et des langues étrangères. Aussi l'une des priorités dès l'après-guerre de l'État français a-t-elle été de mieux former les citoyens français dans ces deux disciplines : P. Vidal de la Blache et E. Levasseur (1828-1912) s'attachent à faire entrer la géographie à l'école. Ce sont les conseils d'A. Guyot, disciple de Humboldt et de Ritter, qui sont sollicités pour mettre en place les programmes de géographie décidés par les hommes politiques. Ailleurs en Europe, la montée du nationalisme est entraînée par les crises des identités nationales (1830, 1848, 1860, 1870).

Quant à l'expansion coloniale, née de l'expansion économique, des besoins en matières premières et en débouchés, elle n'est pas seulement française, mais elle a un écho particulier en France : elle fait triompher les militaires français hors d'Europe, où ils écrivent une épopée qui efface la défaite de 1870 ; en outre, elle sollicite auprès des militaires les géographes, qui fournissent des outils mais qui organisent et diffusent les savoirs géographiques formalisés.

À cette époque, parallèlement à la persistance de l'influence de la philosophie allemande, on assiste au développement du positivisme d'Auguste Comte. Cette doctrine, qui ne se réclame que de la seule connaissance des faits et de l'expérience scientifique, favorise la renonciation à la recherche des causes profondes, de l'essence des choses et des interprétations globales, et lui préfère la découverte par observation et raisonnement des lois effectives qui régissent les faits en question. Cette philosophie a une influence capitale au moment de la mise en place des méthodes de recherche en géographie par P. Vidal de la Blache et ses disciples, qui s'en inspirent directement.

C'est également le temps de l'essor du darwinisme et de l'évolutionnisme, avec des conséquences directes sur la géographie en voie de constitution, qui va se définir comme étude des relations homme-milieu. Avec Ch. Darwin, le changement de position n'est pas que formel : quand celui-ci évoque « l'Homme », cela signifie « l'espèce humaine », au même titre que d'autres espèces animales ;

dans les autres sciences humaines ou sociales, « Homme » renvoie au « peuple », dans son origine comme dans son devenir. Lorsque Ch. Darwin examine le destin d'une espèce, il utilise les concepts de sélection, désignant la concurrence entre les êtres vivants, et de déterminisme, avec l'idée que l'environnement modèle les espèces (*Origine des espèces*, 1859, et *Le Descendant de l'Homme*, 1871). La conséquence en géographie en est le changement de l'objet d'étude : il n'est plus la différenciation régionale des peuples expliquée soit par des obstacles aux potentialités soit par une différence dans les étapes de développement atteintes, mais la relation homme-milieu ou la recherche de lois générales pour saisir ce qui détermine l'évolution des sociétés humaines, point de départ du déterminisme géographique.

Ces influences historiques, philosophiques et scientifiques font que la géographie se veut dès lors interprétation scientifique des relations homme-milieu. La démarche retenue est celle de toutes les sciences — le positivisme — et le modèle choisi est celui des sciences naturelles — description du particulier pour arriver à la généralisation.

C'est en particulier la démarche de F. Ratzel (1844-1904)[1]. Au départ zoologiste, il devient géographe quand il applique les principes de Darwin aux sociétés humaines et place la relation homme-milieu au centre de son travail, une relation où l'homme est conditionné par son environnement géographique. Or Darwin avait mis en garde contre l'application brutale de ses principes de sélection et de déterminisme aux sociétés humaines : avec la culture, l'adaptation au milieu cesse d'être biologique de façon primordiale et interdit toute généralisation hâtive. Pour respecter les limites indiquées par Darwin, F. Ratzel introduit dans son analyse des sociétés humaines le jeu des migrations et le phénomène de diffusion. Il distingue les *Naturvölker*, peuples restés à l'état de nature qui ne peuvent survivre qu'en s'adaptant au milieu, et les *Kulturvölker*, ou peuples évolués qui vivent indépendamment de l'environnement ; ces derniers possèdent une forme d'organisation commune, l'État — d'où sa *Politische Geographie*. Mais de son œuvre, diffusée schématiquement, seules quelques formules tranchantes sont retenues.

Ainsi, une controverse naît à partir de 1890 à propos de la question de savoir jusqu'où va le conditionnement de l'homme par le milieu entre les déterministes stricts ou environnementalistes et les déterministes non stricts ou possibilistes, tel Vidal de la Blache. Ces derniers mettent en doute le principe environnementaliste étroitement appliqué aux sociétés humaines, et c'est le sens de la fameuse formule de P. Vidal de la Blache : « la nature propose, l'homme dispose ». Les possibilistes s'interdisent toute généralisation, comme dans les sciences naturelles par exemple qu'ils reconnaissent pourtant comme modèle. La géographie devient ainsi une discipline d'enquêtes, de travail sur le terrain à partir d'évidences sensibles, tel le paysage, ou reconnaissables sur la carte, et elle produit des monographies prudentes à plus ou moins grande échelle.

---

1. F. Ratzel, *Anthropogéographie*, t. 1, 1882, et t. 2, 1891.

Vers 1900, la géographie a plusieurs définitions parce qu'elle a plusieurs centres d'intérêt suivant les options choisies : la relation homme-milieu, la différenciation régionale, ou encore le paysage, qui apparaît comme un objet clair sans querelles de limites avec les autres disciplines. Dans les trois cas, la démarche est la même : mise en évidence des structures apparentes à partir des données sensibles (paysages ou cartes de répartition) ; opération de tris et de classements de ces données aboutissant à des inventaires et à des généralisations, comme les typologies à l'origine du questionnement ; puis recherche de réponses et d'explications à partir du travail sur le terrain, ce qui aboutit souvent à des explications fonctionnalistes ; à défaut, recherche d'explications génétiques en prenant appui sur le passé pour déterminer l'origine des phénomènes posant question.

Dans la première moitié du XXe siècle, la géographie française s'intéresse plutôt à la différenciation régionale et à la relation homme-milieu en se fondant sur l'étude de cartes de répartition de densités et sur le concept clé de genre de vie. La géographie allemande s'interroge sur la différenciation régionale mais également sur le paysage. En ce qui concerne la géographie américaine, l'école de Berkeley est davantage axée sur l'étude du paysage à l'origine de la géographie culturelle ; l'école du Middle West s'intéresse à la différenciation régionale, tout en s'ouvrant au raisonnement économique, à partir de l'étude fonctionnelle des villes en particulier.

Depuis 1950-1955, émergence et mise en place de la Nouvelle Géographie

P. Gould a publié en 1969 un article intitulé « La Nouvelle Géographie », qui est devenu la bannière de ce mouvement rompant avec la géographie jusque-là admise. Mais la Nouvelle Géographie procède en réalité d'un mouvement qui a commencé dès les années 1950, avec des précurseurs dans l'entre-deux-guerres, et qui ne semble pas terminé aujourd'hui. De plus, cette Nouvelle Géographie est loin d'être monochrome : l'expression recouvre en fait différents courants, chacun privilégiant un ou plusieurs axes, parfois nés simultanément dans des contextes divers, sur une planète où idées et hommes circulent toujours plus et toujours plus vite, à tel point qu'une analyse linéaire, simple, de ce processus est impossible.

Le contexte social de la société d'après-guerre a changé ainsi que les enjeux, et les géographes se sont trouvés démunis devant les interrogations nouvelles suscitées par cette évolution. La géographie les laisse insatisfaits, car elle ne leur permet pas de répondre aux divers changements sociétaux. L'explosion de l'urbanisation et des transports posent des problèmes importants qui touchent tous les continents ; les structures anciennes de la vieille Europe, même renouvelées par les reconstructions de l'après-guerre, supportent difficilement l'évolution engagée sans solutions nouvelles. C'est l'économie spatiale qui se révèle la discipline la plus capable de relever le défi, et c'est à elle que fait appel le planificateur chargé d'aménager le territoire. Les inégalités de développement entre pays riches et pays pauvres s'aggravent, alors que l'on s'attendait à une réduction des écarts. Là encore, c'est l'économie qui se saisit du problème et propose des explications, la géographie se révélant dépourvue d'outils d'analyse adéquats. Enfin — pour ne citer que quelques exemples —, la géographie, qui avait contribué dès le XIXe siècle à mettre en évidence le problème de conservation des ressources, ne s'intéresse plus à la question, aujourd'hui centrale.

Ainsi, la géographie se révèle sans aucun moyen intellectuel pour répondre à la demande sociale de l'époque.

Deux phases intellectuelles ont des répercussions importantes sur l'évolution de la géographie, la césure ayant lieu à la fin des années 1960 et au début des années 1970.

De la fin de la guerre jusqu'à la fin des années 1960, la vie intellectuelle est dominée par une véritable foi néo-positiviste entraînant une confiance aveugle dans les démarches quantitatives. Ces démarches ont été initiées par les techniques de la recherche opérationnelle des années de guerre. Durant celles-ci, toutes les sciences dures et sociales avaient été mobilisées pour répondre aux besoins liés à la guerre : mobilisation économique des puissances alliées, prévisions stratégiques, etc. On fit appel aux techniques de la comptabilité dans le domaine de la gestion prévisionnelle ; à la théorie des jeux pour prendre des décisions de tous ordres ; à la cybernétique pour opérer les régulations sociales nécessaires ; aux mathématiques et aux statistiques pour formaliser les hypothèses ; à l'informatique pour créer et utiliser des ordinateurs permettant de travailler sur de grandes séries statistiques et vérifier les hypothèses émises ; à l'économie spatiale pour élaborer des modèles économétriques et planifier l'économie de guerre... Ce florilège de méthodes, d'outils, de démarches nouvelles suscita la confiance dans les moyens techniques pour satisfaire stratégies et politiques des années de guerre. Les sciences sociales prirent comme modèle de travail les sciences dures : cadres de recherche rigoureux et raisonnement hypothético-déductif.

La géographie se reconnaît comme science sociale vers la fin des années 1960. Elle subit alors des critiques de plusieurs ordres. Les premières visent l'économie spatiale. Elles dénoncent en particulier l'irréalisme des hypothèses implicites par rapport à la réalité du fonctionnement de la société (parfaite information des acteurs de la vie économique, coûts minima et profits maxima) ; le chercheur théorique devient ainsi objet de dérision pour ses concitoyens, aux prises avec les nécessités de la vie quotidienne et qui ne font pas le lien entre théorie et pratique. Parallèlement, la notion de progrès, triomphante au cours des années 1960 et au début des années 1970, est mise en cause. Dans les pays anglo-saxons, le souci de l'environnement se réveille alors, en particulier avec le rapport Meadow *Halte à la croissance !*[1] ; la crise de l'énergie (première crise pétrolière de 1973), et l'aggravation des inégalités de par le monde entre pays riches et pays

---

1. D.H. Meadow *et al.*, *Halte à la croissance !*, Paris, Fayard, 1973.

pauvres d'abord, et à l'intérieur même des pays riches ensuite (naissance du quart-monde avec le développement du chômage et de ses conséquences) sont également des révélateurs pour tout un chacun d'une régression ou d'un arrêt de toute amélioration. Par ailleurs, la philosophie néo-positiviste est critiquée. La critique radicale dénonce dans la science positive son cautionnement implicite de l'ordre établi. À la suite de l'école de Francfort avec H. Marcuse, des penseurs comme L. Althusser ou C. Lévi-Strauss montrent que derrière chacune des lectures faites des sciences sociales, il importe d'explorer l'inconscient humain ; il s'agit de rechercher les valeurs des systèmes sociaux à partir desquelles s'opère un certain conditionnement de la société — par exemple, le langage est porteur de l'inconscient collectif. La critique phénoménologique (à partir des travaux d'E. Husserl, *via* ceux de M. Merleau-Ponty) propose, elle, pour le même type de recherche, des interrogations nouvelles sur la perception et la psychologie des individus. Les sciences sociales, à l'instar des sciences humaines (histoire, philologie), ont pour objet l'interprétation des faits humains et sociaux. Mais avec la phénoménologie — contrairement à la science positive pour qui l'univers est sans finalité —, l'univers des hommes n'a pas d'objectivité et, du coup, la spécificité des faits humains et sociaux est qu'ils sont intentionnels.

Ainsi, dans les années 1970, la crise générale des valeurs de la société moderne se traduit par une inquiétude méthodologique dans le monde scientifique, notamment dans les sciences sociales. Le fait que le modèle vacille est un coup dur pour la géographie, qui venait tout juste de se reconnaître comme science sociale.

La conséquence de cette double évolution sociale et intellectuelle est que la géographie, qui vers 1950 était pensée comme science naturelle et avait pour objet soit l'étude de la différenciation régionale de l'écorce terrestre, soit la relation homme-milieu, soit encore les paysages, se conçoit désormais comme science de l'espace et/ou science de l'homme (accent sur l'individu) vivant en société (accent sur le social). La géographie devient science sociale et change de projet. Cette transformation n'est pas allée sans mal et a connu deux phases qui épousent celles décelées dans le contexte intellectuel.

La première critique du modèle classique a été formulée par F. Schaefer (1904-1953) dans un article de 1953 intitulé « L'Exception en géographie » ; passé inaperçu à l'époque, il prend tout son sens dans les années 1960. Cependant, la plupart du temps les historiens de la géographie font remonter le point de départ à deux origines : en premier lieu, aux travaux de T. Hägerstrand et de l'école suédoise sur les concepts d'innovation et de diffusion ; en second lieu, traduction spatiale des précédents, aux travaux de l'école de Seattle avec E. Ullman (1912-1975). Ce dernier, par exemple, utilise de nouvelles techniques de calcul pour élaborer des cartes faisant émerger le rôle de la distance dans les localisations de divers phénomènes ou activités. Il est aussi le premier à définir la géographie comme une science des interactions sociales[1]. L'éclatement du groupe de Seattle a entraîné un phénomène de diffusion de ces traitements nouveaux des données, notamment à Chicago avec des applications dans les études urbaines (B. Berry) et dans l'écologie urbaine (R.E. Park et E.W. Burgess). Au congrès de Stockholm (1960), Américains et Suédois se rencontrent autour de problématiques qui, finalement, leur semblent converger, et leurs travaux trouvent des échos chez les géographes anglais (P. Haggett), allemands, polonais, mais aussi français et italiens. La diffusion de cette géographie nouvelle vient également du fait que les géographes des années 1960 sont beaucoup plus mobiles que leurs homologues d'avant-guerre : des échanges ont lieu lors de colloques, de séminaires, de programmes d'échanges tant dans le monde anglo-saxon que dans le monde francophone. C'est l'origine, en France, de la géographie théorique et quantitative, qui semble prête vers 1970 à développer une « phase normale de développement », pour reprendre le langage de Th. Kühn sur le nouveau paradigme.

Parallèlement émerge une autre critique de la géographie positiviste, provenant de la géographie radicale. C'est une géographie engagée, sans être marxiste, et qui s'attache avant tout à comprendre le développement inégal à diverses échelles en s'appuyant sur le modèle centre/périphérie et les concepts associés de pouvoir et de domination : à l'échelle planétaire, c'est l'étude du sous-développement (Y. Lacoste[2]) ; à l'échelle régionale, c'est celle des rapports régions dominées/régions dominantes[3]. Cependant, cette voie a déçu les géographes très rapidement, car elle conduisait seulement à illustrer — et par un travail ingrat — les thèses des économistes. Ces travaux ont en commun de s'interroger sur le bien-fondé des systèmes économiques et sociaux. Vers le début des années 1970, cette géographie est remise en cause dans les pays où elle s'était développée jusque-là (France, Italie et Amérique du Sud) du fait de la dénonciation des excès du stalinisme, alors qu'elle se développe dans les pays anglo-saxons (notamment en Angleterre et aux États-Unis) à partir des travaux de sociologues ou d'économistes français (H. Lefèbvre) ou encore sud-américains (M. Castells).

Si le triomphe de ces différents courants de la Nouvelle Géographie semble complet, en fait le succès est moins clair. En France, la majorité des géographes reste classique, tout en s'efforçant de réfléchir sur le sens de la géographie. Par ailleurs, de nouvelles orientations non prises en compte alors apparaissent. Avec la remise

1. *Cf.* P. Claval, « Histoire de la géographie », *in* A. Bailly *et al.*, *Les Concepts de la géographie humaine*, Paris, Armand Colin, 1991 [1ère éd : 1984].
2. Y. Lacoste, *Géographie du sous-développement*, Paris, PUF, 1965.
3. Études de géographie urbaine menées par R. Dugrand (*Villes et campagnes du Bas Languedoc*, Paris, PUF, 1963), R. Brunet (*Les Campagnes toulousaines. Étude géographique,* Toulouse, Boineau, 1965) ou M. Rochefort (*L'Organisation urbaine de l'Alsace*, Paris, Les Belles Lettres, 1960).

en cause du modèle des sciences sociales, de nouveaux courants se dessinent au tournant des années 1970, en se fondant sur des travaux précurseurs antérieurs.

À partir d'options nouvelles ou de transformation des voies proposées par la Nouvelle Géographie avant les années 1970, la géographie des années 1980-1990 se divise en différents courants qui sont soit continuation soit reformulation d'anciens courants.

Ainsi s'affirme la renaissance de la géopolitique — avec Y. Lacoste, mais aussi M. Foucher et bien d'autres — pour comprendre un monde entre fragmentation et unification, entre mondialisation et régionalisation. Elle poursuit la tradition radicale (mais sans l'aspect militant), renouvelée par l'évolution de l'histoire immédiate.

La géographie systémique s'inscrit dans la lignée de la géographie quantitative et modélisante, un système pouvant être défini comme un supermodèle. Ainsi, avec G. Bertrand, qui s'inspire de la théorie des systèmes, la géographie physique retrouve une nouvelle jeunesse ; il la fonde sur la systémique et l'insère dans les sciences sociales pour lui trouver une nouvelle légitimité : en particulier, répondre aux problèmes d'environnement, demande sociale de plus en plus prégnante. L'étude des risques naturels devient un incontournable de la géographie sociale.

Dans la lignée de la géographie structuraliste, apparaît la géographie dont sont porteurs R. Brunet et le groupe Reclus de la Maison de la Géographie à Montpellier, avec des conséquences dans l'aide à la décision des collectivités territoriales à différents niveaux, dans la tradition cette fois-ci de la géographie active. Toute l'analyse spatiale actuelle est dans cette mouvance.

D'une toute autre origine — à partir de la phénoménologie —, un courant dit « humaniste » se formalise à partir du début des années 1970. Il s'agit d'une interrogation sur le rôle des comportements humains, sur le sens que les gens donnent à ce qui constitue leur environnement, et sur la structuration de leur espace de vie. Les premiers géographes qui s'inscrivent dans ce courant sont E. Dardel, dans *L'Homme et la Terre* (1952), et, surtout, J. Gallais dans sa thèse *Le Delta intérieur du Niger* (1967). Cette géographie se développe à partir de 1972-1973 à la suite d'A. Frémont et de son ouvrage *La Géographie, espace vécu* (1976). Cette curiosité envers l'expérience que les gens ont de l'espace, envers le sens des lieux et des pratiques spatiales permettent à la géographie de renouer avec la quête du spécifique, du singulier. C'est un géographe américain d'origine chinoise, Yi Fu Tuan qui, en 1976, qualifie ce courant d'« humaniste[1] ». Sont de la sorte redécouvertes la géographie culturelle et, par certains côtés, la géographie régionale, mais revisitée, l'humain prévalant sur tous autres facteurs. Cette « géographie humaniste » se fonde sur le refus de l'objectivité et, donc, la reconnaissance du caractère subjectif de la géographie, notamment dans l'interprétation du sens à

---

1. Yi Fu Tuan, « Humanistic geography », *Annals, Association of American geographs*, vol. 66, 1976.

donner à l'espace par les sociétés. Elle s'appuie aussi sur le refus de l'exhaustivité et se développe autour de la recherche du singulier. Enfin, elle découvre le rôle de l'implicite, de l'inconscient, le poids des idéologies, des options philosophiques et des conceptions ontologiques dans la production de l'espace, au même titre que les autres facteurs, tels que le relief, les conditions sociales, économiques ou historiques.

Ainsi, l'histoire de la géographie se présente comme une longue mutation qui a permis à la géographie, y compris l'ex-géographie physique, de se structurer en science sociale, et de se séparer des sciences naturelles. Cette mutation s'est faite en deux étapes. Des années 1950 à la fin des années 1960, c'est la géographie quantitative qui devient l'aune de la Nouvelle Géographie, tout en se révélant entachée de positivisme ; elle est voisine de la géographie radicale. Depuis les années 1970, se développe une orientation herméneutique qui permet de travailler sur le sens, sur l'intentionnalité des actions humaines, en se démarquant ainsi du positivisme, et de rechercher la traduction de ce sens et de cette intentionnalité sur l'espace ; s'il existe aujourd'hui une tentation pour le postmodernisme, il n'en reste pas moins que la géographie quantitative continue d'exister, que l'accent soit mis sur la modélisation, la systémique ou l'analyse spatiale. À la plurifiliation des trente dernières années a succédé une multiplicité des courants, que certains considèrent comme un signe de faiblesse de la géographie, mais qui peut aussi être envisagée comme une marque de foisonnement d'idées et de richesse scientifique.

Épistémologie de la géographie

L'épistémologie d'une discipline se définit comme l'étude critique (λόγος = parole → discours → étude, jugement) d'une science (ἐπιστήμη = science) destinée à déterminer son origine logique, sa valeur, sa portée ; elle appartient à la théorie de la connaissance. Pour J. Piaget (*Logique et connaissance scientifique*, 1967), l'épistémologie est « l'étude de la constitution des connaissances valables, le terme de constitution recouvrant à la fois les conditions d'accession et les conditions proprement constitutives ». Ainsi, validité, pluralité, processus de création et structuration des connaissances seraient les critères permettant de reconnaître le caractère scientifique d'une discipline. Ce sont ces critères qui lui ont permis d'exclure les sciences pluridisciplinaires et, donc, la géographie de son classement des sciences. Cependant, décrier la scientificité de la géographie en se fondant sur un système de classement est par trop fragile pour être accepté, tout système étant par essence conventionnel et toute convention réfutable. Le tort des géographes est de s'être posés très tardivement des questions d'ordre épistémologique ; pendant longtemps, ils ne se sont pas préoccupés des conditions de la production du savoir géographique et des procédures de légitimation de ce savoir. En dépit de l'existence d'objectifs de connaissance, de modalités d'acquisition et d'organisation des données observées, d'une problématique, la géographie est apparue comme un domaine éclectique, un fourre-tout sans objet rigoureux et précis d'étude. Il s'agit ici de tenter de définir en quoi la géographie est une science, bien qu'elle repose sur deux paradigmes qui fonctionnent parallèlement. Alors que certains nostalgiques du passé annoncent toujours pour demain une unité retrouvée, nous nous efforcerons de préciser ces deux conceptions antagonistes de la géographie.

La géographie vidalienne ou géographie classique

L'histoire de la géographie nous a montré que la géographie scientifique était née, sous la houlette de P. Vidal de la Blache, essentiellement du modèle de la géographie scientifique allemande, une géographie héritière des naturalistes dont certains deviennent géographes au moment où ils s'intéressent à la relation homme-milieu. Elle se pense comme une science naturelle et se définit soit comme l'étude des relations homme-milieu avec comme concepts centraux milieu, adaptation et genre de vie, soit comme l'étude de la région, soit encore comme l'étude des paysages.

Une démarche double : généralisation et induction

En prenant comme point de départ l'étude du singulier, la géographie s'affirme en tant que discipline idiographique (du grec ἴδις = particulier, spécial, à la recherche de l'unique). Cette discipline, fondée sur l'étude de cas particuliers, se présente comme une science encyclopédique issue de l'accumulation de connaissances, réputation qu'elle a encore très souvent.

L'école de géographie française découle de ce modèle de construction scientifique. La démarche de son fondateur, P. Vidal de la Blache, a été exemplaire : chacun de ses élèves avait été chargé d'étudier une région « naturelle » et, lors de monographies réalisées sur des terrains d'étude de dimension réduite, d'en mettre en évidence les particularités. Ce n'est que dans un second temps, par comparaison entre ces cas particuliers, que la géographie générale se constitue, et, avec elle, des explications sont données concernant la répartition des phénomènes physiques (géographie physique) ou humains (géographie humaine). Ces explications sont génétiques (l'histoire expliquant la répartition) ou fonctionnalistes.

L'exemple de la géographie urbaine aidera à la compréhension de cette construction du savoir. Elle a très tôt été introduite dans la géographie classique. Dans chacune des régions étudiées, les villes s'avèrent rapidement un élément structurant, alors que l'homogénéité de la région était fondée sur des critères naturels. Elles pouvaient tout à fait faire l'objet de comparaison ; étudiées de façon transversale aux régions, elles permirent l'élaboration de la géographie urbaine.

La géographie urbaine était abordée par trois thèmes qui se complètent et se présentent souvent dans l'ordre suivant : les localisations urbaines, la morphologie interne des villes et les fonctions urbaines. La problématique de la localisation des villes est la plupart du temps morphologique : la localisation est expliquée par les particularités du cadre naturel. Il y a donc des sites et des situations déterminés par la nature dans l'implantation des villes. Les géographes en font la liste : ville-pont, ville rupture-de-charge, ville-oppidum, etc. La recherche des liens entre faits observés (un méandre, une île, une colline…) et la localisation du quartier le plus ancien permet par induction de découvrir d'éventuelles structures remarquables qu'il faut expliquer. L'explication est fonctionnaliste, la particularité du cadre physique déterminant l'implantation de la ville à partir d'une fonction rendue possible : pour Grenoble, par exemple, les éléments naturels mis en valeur sont ceux permettant d'expliquer l'implantation du premier pont, le cône de déjection du Drac, bloquant jusque-là contre la Chartreuse l'Isère et ensuite divaguant dans sa large vallée ; c'est donc la fonction de passage qui explique l'implantation de la ville ; pour Besançon, ce sont la colline sur laquelle est construite la citadelle de Vauban et le méandre du Doubs qui enserre la vieille ville ; il s'agit d'une fonction d'oppidum, militaire ; pour Paris, c'est l'île de la Cité qui est mise en exergue ; il y a double fonction de passage par installation plus facile de ponts et militaire, une île permettant de se défendre mieux en période d'insécurité. Cependant — souvent par défaut —, l'explication de l'implantation de la ville et de ses infrastructures de communication est d'ordre historique.

Le deuxième thème, le paysage urbain, résultant de la morphologie interne des villes, est traité suivant la même problématique : l'espace urbain est la projection de l'histoire des sociétés sur un espace naturel, avec la même philosophie déterministe ou possibiliste. Tous les éléments composant la ville sont observés et des typologies sont faites : de maisons, de rues, de plans de ville et, plus générale-ment, des villes, en fonction du critère culturel (villes de l'Europe occidentale, de l'Amérique du Nord et de l'Australie, de l'Islam, de l'Inde, de la Chine, d'Afrique Noire, d'Amérique Latine, de l'Union soviétique et des démocraties populaires[1], etc.). Le lien avec l'histoire est encore fait à cette occasion. L'étude morphologique est complétée par celle du centre-ville, des quartiers et des ban-lieues.

Enfin, le dernier thème est celui des fonctions urbaines, permettant d'expli-quer, toujours par induction, le développement (ou le non-développement) des villes, mais aussi la création des réseaux urbains. La généralisation s'opère comme précédemment par établissement de typologies des fonctions urbaines (re-ligieuse, intellectuelle, militaire, administrative, touristique, commerciale, indus-trielle[2]), de développement urbain et de réseaux urbains.

Ainsi, dans chacun des thèmes, la démarche est la même (*cf.* figure 1). Le géographe part de l'analyse d'un ou de plusieurs cas particuliers qu'il décrit élé-ment par élément. Le choix des éléments d'analyse se fait par intuition ou tradi-tion : par exemple, l'analyse débute toujours par le site et la situation même si ceux-ci n'ont rien de frappant. Par induction, le géographe recherche des liens entre les faits observés pour découvrir d'éventuelles structures remarquables ou l'explication de tel ou tel phénomène. Par comparaison des cas particuliers, il détermine différences et traits communs. À partir des ressemblances, il opère tris et classements qui l'amènent à élaborer des typologies. Ces typologies sont des généralisations ; elles sont à l'origine d'un vocabulaire spécifique qui, dans un deuxième temps, lui sert à décrire d'autres cas particuliers, ramenés à des catégo-ries d'objets. Mais le vocabulaire spécifique ainsi créé — même si les notions et concepts en jeu sont implicites — ne peut tenir lieu de concepts explicités dans le cadre de modèles théoriques explicatifs ; le vocabulaire spécifique est descriptif.

La géographie classique fuit les modèles théoriques car ils sont incapables de représenter la réalité. Il y a dans ce contexte incompréhension du modèle qui cherche à expliciter des processus et non à redonner une image du réel.

Les outils de la géographie classique

Les outils et les méthodes sont au centre de la géographie classique en ce sens qu'ils ont servi à définir la discipline, ce qui est à l'origine de la confusion outil-discipline. Dans cette conception, il y a équivalence entre l'espace vu comme une réalité objective et les outils quels qu'ils soient (paysage, terrain, cartes, photo-graphies, statistiques), considérés comme contenant le savoir géographique. Il en découle que la géographie est une science d'observation qui sert à dévoiler le réel

---

1. Typologie des villes proposée par M. Derrau, *Précis de géographie humaine*, Paris, Armand Colin, 1961, p. 507 *sq.*
2. *Cf.* la typologie des fonctions urbaines, *ibid.*, p. 466 *sq.*

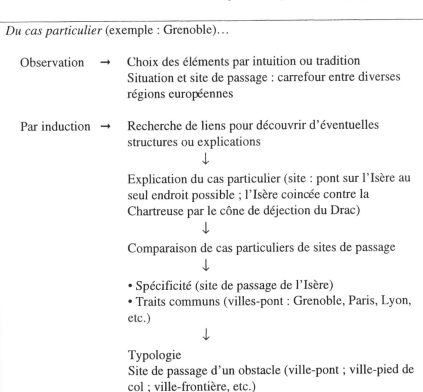

Du cas particulier (exemple : Grenoble)...

Observation → Choix des éléments par intuition ou tradition
Situation et site de passage : carrefour entre diverses régions européennes

Par induction → Recherche de liens pour découvrir d'éventuelles structures ou explications
↓
Explication du cas particulier (site : pont sur l'Isère au seul endroit possible ; l'Isère coincée contre la Chartreuse par le cône de déjection du Drac)
↓
Comparaison de cas particuliers de sites de passage
↓
• Spécificité (site de passage de l'Isère)
• Traits communs (villes-pont : Grenoble, Paris, Lyon, etc.)
↓
Typologie
Site de passage d'un obstacle (ville-pont ; ville-pied de col ; ville-frontière, etc.)

...au cas général
Les villes s'installent et se développent sur des sites favorables au franchissement d'obstacles (cours d'eau, montagnes...) qui canalisent les voies de passage et attirent les échanges

Mais pas de modèle théorique : vocabulaire spécifique pour nommer les éléments

FIGURE 1 La méthode inductive : du cas particulier à la généralisation

ou ses représentations. L'activité du géographe se limite à la perception des objets géographiques et à leur compréhension, l'explication étant contenue dans l'objet lui-même. Il suffit par exemple de « savoir lire le paysage », ce que fait le géographe par une activité spécifique qui consiste à l'observer, le décrire, à en identifier les éléments et à les dénommer, à les classer et à les mettre en relation les uns avec les autres pour les expliquer. Les activités sont donc de deux ordres : reconnaissance dans le paysage de catégories d'objets préformées à partir de typologies antérieures et abstraction par induction. La description de l'outil a valeur d'explication du réel.

La Nouvelle Géographie

Les courants de la Nouvelle Géographie ont tous en commun la transversalité de la démarche : une démarche déductive, à l'instar des sciences sociales et des sciences dures. Même si les outils utilisés par ces courants sont différents, ils servent tous à la confrontation modèle/réel, autorisant une interprétation de l'espace. Il n'y a pas de confusion avec la discipline ; les outils servent au travail géographique, dont l'objectif est la construction de la connaissance.

Une démarche hypothético-déductive (figure 2)

L'objectif général est la recherche de régularités dans l'organisation de l'espace. Le point de départ pour tout problème posé est la formulation d'une théorie explicative fondée sur des postulats ou des axiomes. Les conséquences théoriques sont recherchées par déduction et un modèle explicatif est proposé. Une phase de confrontation/vérification du modèle au réel permet soit de vérifier une bonne concordance modèle/réel et d'énoncer une loi générale qui répondrait au problème, soit de repérer des écarts et de proposer une modification du modèle pour intégrer ces écarts. Mais les résultats peuvent également infirmer le modèle ; dans ce cas, un retour sur les hypothèses est nécessaire et la démarche recommencée.

Reprenons notre exemple de la géographie urbaine ; cette analyse urbaine peut être construite à partir d'au moins trois problématiques différentes : quantitativiste, radicale et comportementale — sans parler d'une approche systémique ou chorématique, pas moins légitime et également fondée sur une démarche déductive. Dans le premier cas, à partir de la théorie des lieux centraux (figure 2), Christaller crée un modèle dans lequel distance et prix pour se procurer un bien jouent un rôle fondamental dans la localisation et la répartition des villes en espace homogène. Avec la géographie radicale, c'est la théorie de l'échange inégal, qui repose sur l'importance des relations de pouvoir entre modes de production inégaux. Elle permet de construire le modèle centre-périphérie, qui se vérifie à diverses échelles : structure interne des villes et des agglomérations, rapport des villes entre elles dans les réseaux urbains et rapports interrégionaux jusqu'aux échelles planétaires. Avec la géographie comportementale, qui s'appuie sur des concepts économiques néoclassiques (Walras, Pareto...), notamment sur le rôle de la préférence et de la satisfaction individuelles, il y a remise en cause du modèle de Christaller : rupture du lien distance-prix d'un bien et décision d'achat sur lequel repose le principe d'optimisation spatiale, qui aboutissait à installer une égalité de principe entre tous les liens centraux de même niveau. Le concept de base est ici une attractivité différenciée des lieux suivant les préférences qui peuvent être autres que le coût du transport ou le prix. Il en résulte qu'il n'y a pas d'égalité entre les lieux sur lesquels s'exercent ces préférences. Dans ce cas, le modèle ne peut plus reposer sur une hiérarchisation de taille des villes et des fonctions, mais plutôt sur un continuum.

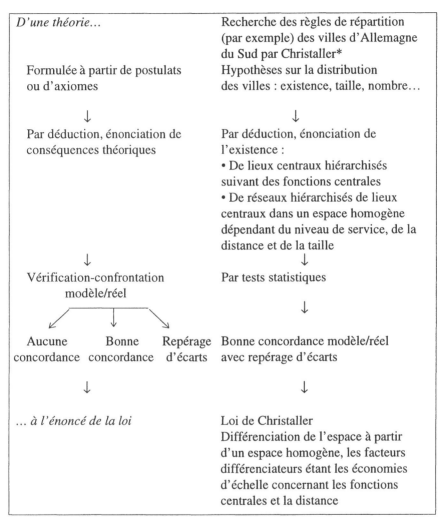

D'une théorie...	Recherche des règles de répartition (par exemple) des villes d'Allemagne du Sud par Christaller*
Formulée à partir de postulats ou d'axiomes	Hypothèses sur la distribution des villes : existence, taille, nombre...
↓	↓
Par déduction, énonciation de conséquences théoriques	Par déduction, énonciation de l'existence : • De lieux centraux hiérarchisés suivant des fonctions centrales • De réseaux hiérarchisés de lieux centraux dans un espace homogène dépendant du niveau de service, de la distance et de la taille
↓	↓
Vérification-confrontation modèle/réel	Par tests statistiques
Aucune concordance — Bonne concordance — Repérage d'écarts	↓ Bonne concordance modèle/réel avec repérage d'écarts
↓	↓
... à l'énoncé de la loi	Loi de Christaller Différenciation de l'espace à partir d'un espace homogène, les facteurs différenciateurs étant les économies d'échelle concernant les fonctions centrales et la distance

FIGURE 2 Nouvelle Géographie et démarche hypothético-déductive

* W. Christaller, *Die zentralen Orte in Süddeutschland*, Iéna, Fischer, présenté *in* A. Bailly et H. Béguin, *Introduction à la géographie humaine*, 2ᵉ éd., Paris, Masson, 1990, p. 114-123.

D'idiographique, la géographie devient nomothétique (du grec voμός = loi). La démarche, d'inductive, devient déductive. La confrontation modèle/réel passe plutôt par l'utilisation de données quantitatives, sauf pour la géographie comportementale qui s'appuie davantage sur des données qualitatives.

Les outils associés

Les outils associés aux travaux des géographes s'inscrivant dans les divers courants de la Nouvelle Géographie ont en commun de servir à la vérification des hypothèses autorisant une interprétation de l'espace. Il n'y a pas de confusion entre outil et discipline. Les outils de la géographie (paysage, terrain, photographies, cartes…) permettent d'interroger l'espace en se fondant sur ce qui fait sens afin de construire une interprétation de cet espace. L'outil n'est pas l'objet du savoir, mais l'objet du travail géographique permettant de construire le savoir.

Dans le cadre d'un modèle théorique, des hypothèses, des questionnements s'enclenchent à partir de ce qui fait sens, ou de ce qui interpelle. Si l'outil permet la production d'explication, ce ne sera pas à partir de lui-même, mais des interrogations qui lui auront été faites. Il en résulte la création d'un schéma interprétatif de l'espace qui confirme le modèle théorique sous-jacent à la production d'hypothèses de départ. Dans le cas contraire, de nouvelles hypothèses sont formulées, de nouveaux outils convoqués, pour vérifier celles-ci…

Concernant la recherche des règles de localisations urbaines d'une région avec comme hypothèse que celles-ci obéissent à la théorie des lieux centraux de Christaller, nous convoquons, pour réaliser la vérification/confrontation, une carte topographique et un état statistique des villes de la région en question, ce qui permet de repérer les ressemblances, les différences et les simples écarts par rapport au modèle, puis de rechercher pour ces deux derniers cas les explications. Les obstacles peuvent être d'ordres divers : l'homogénéité de l'espace peut être gênée par des contraintes physiques, historiques, sociales, économiques, culturelles, etc.

Ainsi, derrière la multiplicité des courants de géographie se profilent diverses démarches et méthodes de construction du savoir géographique, divers concepts, que le candidat devra être capable de repérer. Il devra déterminer s'il est en présence d'un document émanant de la géographie classique ou de la Nouvelle Géographie et, au sein de celle-ci, d'une géographie quantitative, systémique, modélisante, radicale ou comportementale. Au centre, la question fondamentale est : « Où ? » La problématique et l'adoption d'une démarche pour répondre à celle-ci font la différence. Il existe plusieurs géographies ; après le temps des exclusions, et celui du rêve d'une unité perdue, la géographie d'aujourd'hui s'affirme plurielle. Chacune des géographies est porteuse d'idéologie : la géographie classique, toujours à la recherche d'une impossible objectivité, a du mal à l'accepter, tandis que, pour les divers courants de la Nouvelle Géographie, la géographie, comme toute science, est une construction mentale fondée sur des idéologies.

La géographie enseignée : 130 ans de programmes dans l'enseignement secondaire

L'enseignement de la géographie a toujours existé, notamment dans les écoles militaires. Mais l'enseignement de la géographie moderne, qui a été généralisé dans le système éducatif français en raison d'une volonté politique, n'a vraiment débuté qu'après 1870, dans le contexte de la défaite française devant les armées prussiennes. L'objectif est donc idéologique. Il peut servir de fil conducteur à la lecture des programmes sur 130 ans, qu'il soit clairement explicité, ou totalement implicite.

> La géographie parlait d'abord de la patrie, de la carte [...] qui était pour les élèves la représentation la plus évidente de leur pays. (Y. Lacoste)

Ce fil conducteur peut être suivi encore aujourd'hui, puisque, depuis 1945, la géographie enseignée sert toujours à former le citoyen, mais un citoyen dont le champ d'action et de réflexion s'élargit pour devenir progressivement citoyen du monde.

La création de la discipline scolaire géographie a permis — et c'est suffisamment original pour le souligner — l'émergence de la géographie universitaire, avec l'École de géographie française. L'objectif de son fondateur, P. Vidal de la Blache, était de répondre aux besoins de connaissances scientifiques des professeurs de l'enseignement secondaire pour donner aux élèves un enseignement scientifique. La géographie scolaire et la géographie universitaire furent en phase jusqu'au moment où cette dernière connut une véritable rupture épistémologique, dans les années 1960, un décalage entre la pensée universitaire et le discours scolaire s'opérant progressivement. Il en résulta une crise de l'enseignement de la géographie vers la fin des années 1970 : elle provenait de l'insatisfaction et du malaise des enseignants de géographie, qui pouvaient vérifier grandeur nature l'immobilisme des savoirs à enseigner, à côté de la géographie universitaire en pleine évolution.

Après avoir présenté les programmes de l'enseignement secondaire de 1865 à 1985, sera présentée une analyse critique des programmes actuels.

Qu'est-ce qu'un programme, et comment s'élabore-t-il ?

Un programme est l'aboutissement d'une négociation. Il en résulte une série de contenus issus du rapport dialectique entre les exigences de la discipline, la demande de la société et la réponse du terrain. En définissant ainsi le terme de programme, nous nous plaçons d'entrée de jeu dans la tradition latine de conception des programmes scolaires. Dans cette dernière, les programmes sont nationaux, réglementaires et obligatoires pour ce qui est des contenus (le programme lui-même) ; en revanche, la tradition anglo-saxonne privilégie les programmes régionaux, pas forcément obligatoires puisqu'ils sont formulés en termes d'objectifs, de notions, de savoir-faire et de compétences.

La conception des programmes est confiée par la Direction des lycées et des collèges à l'Inspection générale, à des experts universitaires et à des professionnels représentés par l'APHG réunis dans un Conseil national des programmes (CNP). Avec la mise en chantier fin 2000 début 2001 de nouveaux programmes dans toutes les disciplines, une évolution semble s'opérer avec un renforcement des experts.

Lorsqu'un nouveau programme est accepté, il est publié et devient une loi ; c'est une loi d'orientation qui fait l'objet de décrets d'application puis d'arrêtés, ou bien de circulaires et de notes de service. Un programme est donc un texte de loi officiel, une obligation, l'Inspection étant chargée de faire respecter cette loi par les enseignants : leur affirmation, constamment réitérée, qu'un programme est fait pour être terminé, est dans ce contexte tout à fait légitime. Les instructions officielles se composent de plusieurs documents : les orientations (ou objectifs) qui expriment le sens de la réforme, déclinées sous des appellations différentes mais équivalentes dans leurs finalités ; les instructions et les programmes, qui sont distincts des instructions et qui sont propres à chaque discipline (histoire, géographie, éducation civique ou, actuellement, éducation civique, juridique et sociale) ; les compléments, qui sont les explicitations des programmes et présentent leurs limites ainsi que la méthodologie à mettre en œuvre ; et, enfin, les horaires (sauf dans les derniers programmes de 1995, où ceux-ci sont intégrés dans les programmes, donc devenus obligatoires).

Les programmes ont en commun de réaffirmer la liberté pédagogique de tout enseignant pour leur mise en œuvre. Même si dans les derniers programmes (ceux de 1995), cette liberté pédagogique se voit très sérieusement corsetée (horaires obligatoires ; « l'ordre [chronologique] proposé s'impose »…), il est nécessaire qu'un (futur) enseignant comprenne que progressions et programmations ne peuvent être que suggérées, car elles sont du ressort de l'enseignant. Il est également de plus en plus rappelé aux enseignants que le manuel est un outil indispensable ; là encore, il s'avère qu'un manuel n'est qu'une proposition didactique parmi d'autres et ne s'impose pas au professeur.

Quelques dates clés marquent l'évolution de l'histoire et de l'analyse de ces programmes : les programmes de 1872-1874 font passer la géographie enseignée du statut de matière auxiliaire à celui d'une véritable discipline scolaire ; ceux de 1902 inaugurent la mise en place de l'organigramme des contenus qui traverse le siècle, même si, par-delà la permanence des contenus, les programmes qui suivent se différencient par les instructions ; les réformes suivantes, de 1937 à 1965, concernent davantage la réorganisation de l'enseignement en général et les réaménagements des contenus disciplinaires ne sont pas fondamentaux ; 1977-

1978 marque une tentative d'installer en France comme dans les pays anglo-saxons une discipline que l'on pourrait intitulée sciences sociales, dans laquelle s'intègrent l'histoire, la géographie, les sciences économiques et sociales ainsi que l'éducation civique ; en 1985, le marquage de territoire entre les diverses disciplines intervient à nouveau ; la relecture de 1990 donne aux enseignants un espoir de rapprocher la géographie qui s'enseigne de celle qui se fait, mais les programmes de 1995 conduisent à un pas en arrière.

Les programmes anciens

Avant 1870

En prenant pour exemple les enseignements distribués par les écoles militaires, la géographie a été intégrée en 1852 comme discipline scolaire dans les études régulières, de la huitième (classe élémentaire aujourd'hui) à la classe de rhétorique (première aujourd'hui). Ces programmes ont été modifiés par les instructions de 1865, sous la houlette de V. Duruy, alors ministre de l'Éducation (1863-1869), plus connu pour la création des lycées de jeunes filles que par sa volonté de développer les programmes scientifiques dans l'enseignement secondaire. S'est alors posé à V. Duruy l'éternel problème qui se pose à tout initiateur de nouveautés dans les programmes : où trouver l'horaire correspondant à l'entrée d'un enseignement nouveau ou au développement d'un enseignement existant sans trop augmenter les obligations des élèves ? V. Duruy dégage des heures pour développer l'enseignement des sciences en réduisant l'enseignement de la géographie, fraîchement introduite dans les programmes scolaires. Comme, pour V. Duruy, la « géographie est une nomenclature », il suffit de ne l'enseigner que jusqu'en seconde et d'organiser des révisions de cette nomenclature dans les classes suivantes (rhétorique, classe de philosophie et classe de mathématique élémentaire) :

> La géographie est une nomenclature dont la mémoire doit se charger, et qui comme toutes les nomenclatures s'oublie vite. Aussi la faisons-nous apprendre deux fois ; d'abord dans les classes de grammaire, d'une manière élémentaire, ensuite dans les classes d'humanités, d'une façon plus complète. Pour apprendre cette nomenclature, il n'est pas besoin d'une classe régulière ; quelques dessins et des interrogations suffisent. La classe de quinzaine, précédemment consacrée à la géographie, sera donc rendue aux lettres, qui de cette façon se trouveront n'avoir rien perdu par l'accroissement donné à l'enseignement scientifique, et une anomalie, gênante à plus d'un titre, aura disparu. Chaque semaine [...] le professeur d'histoire fera, en échange, durant une heure, une conférence de géographie. (Instructions de 1865)

Après avoir justifié la suppression des horaires — qui permet de gagner en rationalité en éliminant « une anomalie » —, les instructions définissent la géographie comme un « théâtre » du monde. Et c'est au professeur d'histoire, lors de ses cours d'histoire contemporaine — que V. Duruy, lui-même historien, venait d'introduire dans les programmes —, de présenter ce théâtre :

Mais la géographie est [...] encore une science fort belle, très philosophique et qui explique la moitié de la destinée des peuples. Aussi faut-il la mêler sans cesse à l'histoire et montrer le théâtre tout en racontant les événements qui s'y déroulent. C'est pour cette raison qu'on ne donne point un programme spécial de géographie à la classe de philosophie, où l'histoire contemporaine conduira nécessairement les élèves dans toutes les grandes régions du monde. (Instructions de 1865)

Ces programmes de 1865 sont donc l'occasion pour les acteurs du système éducatif de définir la géographie : nomenclature et théâtre des actions des hommes en société, ce n'est pas une discipline autonome.

Le projet de 1872 et sa version définitive de 1874

Pour E. Levasseur, la décision de V. Duruy est une erreur regrettable : supprimer l'horaire, même en conservant les programmes, a abouti de fait à la disparition complète de l'enseignement de la géographie. Auteur du fameux rapport concernant le rôle de la formation des jeunes Français dans la défaite militaire de 1870, E. Levasseur conclut que l'enseignement de la géographie est une nécessité civique. Face à cette exigence, il met les hommes politiques devant leurs responsabilités : il s'agit de faire preuve de volonté politique pour imposer l'enseignement de la géographie et celui des langues étrangères, à commencer par l'allemand, langue de l'ennemi, en s'appuyant sur des programmes et des horaires convenables.

Ainsi, dès 1872-1874, la géographie enseignée est une discipline militante parce qu'elle doit servir — même si le terme n'est pas prononcé — à la revanche militaire et, au-delà, à la réhabilitation nationale. Il en résulte une approche idéologique permanente, même si elle est implicite : la géographie doit faire aimer la France et contribuer au développement du sentiment national. Par ailleurs, la géographie est une science neuve en voie de constitution, notamment en Allemagne : il s'agit donc d'accorder le discours scolaire au développement des connaissances. Ce discours est en phase avec le positivisme ambiant (croyance dans le progrès, efficacité du savoir), pierre d'achoppement de l'enseignement de la IIIᵉ République. Ce thème de nécessité de la modernité des connaissances est particulièrement bien développé par E. Levasseur, économiste empreint de libéralisme. Faire de l'enseignement un moyen de diffusion des connaissances, y compris les plus récentes, est fondamental ; le rôle dans ce projet de l'enseignement de la géographie est de faire connaître le monde aux Français grâce aux découvertes de tous les jours, et c'est donc permettre par contrecoup l'expansion économique, la richesse matérielle de la France et son expansion politique en Europe et dans le monde.

La réforme de 1890

Elle a été préparée depuis 1886 par les Républicains, revenus aux affaires. Rédigée par E. Lavisse, la coloration principale de cette réforme a été la formation civique des citoyens grâce à l'enseignement de l'histoire et de la géographie. Au préalable, il insiste lourdement sur le rôle de la géographie dans l'éducation :

> Personne ne conteste l'utilité des connaissances géographiques, dans un temps où l'accroissement extraordinaire des relations entre les hommes et des échanges entre les peuples a créé pour tous les pays civilisés des conditions nouvelles d'existence.
>
> Mais, pour assurer à la géographie son rang dans l'enseignement secondaire, il ne suffit pas de reconnaître son utilité. Il est nécessaire de prouver qu'elle a aussi une valeur éducative, et qu'elle concourt, comme l'histoire, sinon au même degré, au développement des diverses facultés de l'élève. C'est à ce prix seulement qu'elle aura, dans notre plan d'étude son droit complet de cité. D'ailleurs, définir son rôle dans l'éducation est le meilleur moyen de tracer ses règles et de fixer sa méthode. (Instructions de 1890)

Cinq fonctions éducatives sont assurées par la géographie : les deux premières, l'éducation à l'imagination et au raisonnement, lui sont spécifiques ; en revanche, l'éducation de la mémoire, l'éducation civique et l'éducation morale sont des fonctions transversales à plusieurs disciplines, dont la géographie. Autrement dit, la valeur de la géographie dépend d'impératifs externes : « De ce qu'elle doit produire, on conclura aisément à ce qu'elle doit être. »

Commençons par examiner les trois points qui ne sont pas propres à la géographie et, en premier lieu, l'éducation morale :

> […] la géographie y concourt d'une façon moins active ou plutôt moins directe que l'histoire. Cependant on ne saurait l'exclure de ce domaine. Toute étude qui a l'homme pour objet est une étude morale.

Puis, repoussant tout déterminisme primaire suivant lequel toute :

> […] explication des grandeurs et des décadences politiques par des causes purement physiques n'eût pour effet de décourager notre énergie et de faire des générations trop résignées, la réponse serait facile : la géographie enseigne aussi l'effort et glorifie aussi l'énergie. Quand nous aurons énuméré les nécessités qui pèsent sur l'homme, il nous suffira le plus souvent de tourner la page pour montrer celui-ci triomphant des forces ennemies, « faisant sortir de terre par son infatigable labeur, le bien-être, le savoir, la moralité. Ainsi, au lieu de renfermer nos enfants dans la triste et dégradante histoire des luttes de l'homme contre l'homme, et de leur faire compter sans cesse les morts sur les champs de bataille nous détournerons leurs regards sur le spectacle consolant de l'humanité luttant contre la nature, de l'esprit essayant de dompter la matière… » [Maneuvrier, *L'Éducation de la bourgeoisie sous la République*]. Par là, l'enseignement géographique sera le complément et, dans certains cas, le correctif des leçons de l'histoire : car celles-ci ne sont pas toujours consolantes.

Avec l'éducation morale, il est possible de comprendre que l'homme, par ses efforts, peut agir sur la nature, et pas seulement la subir, ce qui permet un optimisme de bon aloi. Cette position illustre le déterminisme non strict de l'École de géographie française, suivant laquelle l'homme — et non la nature — décide finalement de sa spatialité.

Après la participation à l'éducation morale, l'enseignement de la géographie doit concourir aussi à l'éducation du futur citoyen :

[…] elle nous apprend qu'il n'y a pas de dons naturels qui ne doivent être fécondés par le travail ; que nous n'exerçons pas, qu'aucun peuple ne saurait se flatter d'exercer sur le monde une sorte de royauté héréditaire. Elle nous rend aussi plus tolérant par la comparaison des croyances et des mœurs pour les mérites, les travaux, les conquêtes scientifiques des autres peuples ; elle nous inspire de l'estime pour tous ceux qui contribuent à accroître la somme du bien-être et du bien dans le monde. Un enseignement qui fortifie le patriotisme en éclairant est sans contredit un des éléments essentiels de l'éducation morale.

En conclusion, « la géographie contribuera comme l'histoire […] à former l'homme instruit et le bon Français. » Ainsi, l'utilité civique de la géographie reconnue en 1874 est très fortement réaffirmée en 1890. Dans ce contexte, l'enseignement de la géographie devient également le chantre de la conquête coloniale, de la mise en valeur et de l'exploitation des colonies (« […] il n'y a pas de dons naturels qui ne doivent être fécondés par le travail »).

Ces instructions de 1890 fondent les éléments essentiels de l'enseignement de la géographie, dans ses méthodes et ses objectifs, au moment où P. Vidal de la Blache crée la géographie universitaire.

Le législateur considère à juste titre que l'éducation à la mémoire est transversale aux disciplines, et il dénonce avec raison l'assimilation de la géographie à une discipline de mémoire, comme on le faisait jusqu'alors :

C'est par la mémoire et non pour la mémoire qu'il faut travailler […] Ainsi il est bien entendu que la nomenclature géographique n'est pas la géographie : elle lui fournit les éléments.

En effet, la géographie était jusque-là confondue avec l'apprentissage exclusif d'une nomenclature : plus l'élève connaît de noms de lieux, plus il sait de géographie. Le législateur montre que la nomenclature peut aussi être le moyen de relier entre elles des idées et n'est pas une fin en soi. Plus loin, un retour sur cette méthode est fait :

[…] une méthode générale dont on peut énoncer en deux mots les traits essentiels : ordonner et caractériser. Ordonner, c'est à dire établir un lien logique entre les notions de nature différente, prendre comme point de départ l'état physique du globe pour aboutir graduellement à l'état économique et politique du monde ; caractériser, c'est à dire marquer nettement la diversité des choses, donner autant que possible aux objets leur physionomie et leur individualité.

Le tout est complété par une méthode pratique : « L'enseignement est dans la leçon parlée ». Il n'existe pas de trace écrite dictée longue et fastidieuse :

[…] le cahier de géographie ne gardera que la substance du cours […] le croquis-de-voir renfermera ce que le maître aura dit.

Les auxiliaires du professeur seront : « le précis, l'Atlas […] la carte murale et le croquis au tableau noir ». Ainsi, l'éducation à la mémoire, de transversale, devient spécifique à l'enseignement de la géographie, puisqu'elle finit par faire partie intégrante de la méthode géographique présentée.

L'éducation à l'imagination est davantage spécifique à la géographie. Cette éducation pourrait être considérée comme transversale, si l'on reprend les instructions à la lettre :

> Pour l'imagination, [...] le professeur de géographie peut l'éveiller et l'enrichir [...] s'il prend soin de montrer les objets et de mettre sous les noms des images.

La géographie a comme outil privilégié l'image à sa disposition, favorisant l'évocation des paysages, des villes de toute nature pour en « fixer [...] quelques traits dans l'esprit de l'enfant » ; « [...] il faut nourrir d'images et d'idées les intelligences ». L'objectif est que, derrière l'image, « l'élève perçoive distinctement une réalité ».

À partir de là,

> [...] le maître pourra composer des tableaux plus larges, ceux-là vivants, parce que l'homme y aura sa place [...] Ces sortes de peintures [...] en constituent l'objet essentiel...

Le tout aboutira à « la connaissance des sociétés humaines et des lois du progrès... », ce qui révèle le positivisme inhérent aux auteurs du texte, ainsi que la conception qu'ils ont de la géographie : « la géographie c'est de l'histoire développée en surface » ; « le quaternaire de l'histoire ».

Parmi les démarches plus spécifiques à la géographie, l'éducation au raisonnement est un fort révélateur de la méthode géographique à utiliser avec les élèves, qualifiée de « démonstrative ». Elle est définie de la façon suivante :

> En groupant les connaissances de même ordre,

c'est-à-dire en réalisant une typologie des phénomènes grâce au tri par ressemblance et différence des mêmes phénomènes entre eux,

> en enchaînant les causes et les conséquences, en essayant de s'élever des faits aux lois

et donc par une méthode inductive,

> elle exerce l'esprit à former des idées générales.

Au détour d'une phrase, ces idées générales peuvent permettre de repérer le déterminisme géographique des instructions, même si nous avons relevé précédemment des limites à celui-ci :

> [...] la géographie politique en expliquant par les accidents du sol et par les ressources d'un pays le rôle et la situation actuelle d'un peuple.

Enfin, le concret est au centre de la démarche, avec exclusion de tout recours à la théorie :

> [...] il faudra se garder [...] des théories ambitieuses [...] Former les premières idées générales avec les premières choses vues, c'est faciliter singulièrement le passage du concret à l'abstrait.

Les réformes de 1902 (modifiées en 1905) et de 1925

La réforme de 1902 fut très importante dans l'organisation de l'enseignement secondaire, avec notamment des réformes structurelles : l'enseignement dit spécial fut uniformisé ; il devint moderne et classique pour aboutir au baccalauréat, suivant un organigramme qui perdure aujourd'hui encore. Pour ce qui est de la géographie, se mit en place une organisation des contenus qui résista peu ou prou, en dépit des réformes, avec en particulier un doublé des contenus sixième-seconde/troisième-première qui existe toujours.

TABLEAU 1 Réforme de V. Duruy du 24 mars 1865

Les classes	La géographie enseignée
Divisions élémentaires CP Huitième Septième	Géographie sommaire de la France
Classes de grammaire Sixième	Géographie physique du globe ; Asie : généralités
Cinquième	Europe et Afrique : généralités
Quatrième – Examen	Afrique et Océanie : généralités
Les Humanités Troisième – Examen	Description de l'Europe
Seconde	Description de l'Asie, l'Amérique, l'Afrique et l'Océanie
Rhétorique	Révision de troisième et de seconde
Classe de philosophie	Révision de troisième et de seconde et présentation du « théâtre » du monde contemporain en histoire
Baccalauréat de philosophie Classe de mathématiques élémentaire 1 Classe de mathématiques élémentaire 2	Révisions de sixième, cinquième et quatrième
Baccalauréat de mathématiques élémentaires *Classe de mathématiques spéciales* *Entrée grandes écoles*	

TABLEAU 2 Réforme de 1902

Les classes	La géographie enseignée
Premier cycle/sections A et B	
Sixième	Géographie générale, Pôles, Afrique, Australie
Cinquième	Asie, Insulinde, Afrique
Quatrième	L'Europe
Troisième	La France et les colonies
Deuxième cycle/sections A, B, C, D	
Seconde	Géographie générale
Première	La France
Classe de philosophie ou de mathématiques élémentaires	Les principales puissances économiques du monde (1905)
	1. Découverte de la Terre
Baccalauréat de philosophie ou de mathématiques élémentaires	2. La terre dans l'Univers
	3. L'homme, la place de l'homme dans l'histoire de la terre
	4. Les grands traits de la géographie économique du globe

La réforme de 1925 reprend l'introduction de 1902, notamment concernant la définition de la géographie qualifiée de « complexe » et composée de la géographie physique et de la géographie humaine, dont les savoirs sont issus des activités des scientifiques.

Le programme est identique à celui de 1902, avec des nuances en seconde : disparaît du programme « L'homme préhistorique », ce qui montre que les scientifiques, en pleine phase de définition de leurs champs disciplinaires respectifs, sont suffisamment avancés en géographie pour en tirer les conséquences dans les programmes d'enseignement. La définition qui est donnée de la géographie et de la méthode géographique à cette occasion permet de vérifier leur évolution depuis 1890 ; dans les recommandations faites pour cet enseignement dans le premier cycle, il s'agit :

> […] de faire connaître la physionomie des diverses régions terrestres, les ressources naturelles qu'elles offrent, le parti que les hommes qui y vivent ont su en tirer […] En un mot, il faut que l'élève arrive à se pénétrer de l'idée qu'en géographie tous les faits se commandent et procèdent de lois dont la détermination constitue l'attrait supérieur de cette science. (Recommandations de 1925)

S'affirment la nécessaire interrelation entre les phénomènes physiques et les phénomènes humains, et le recours à des lois dont l'explicitation justifie la scientificité de la discipline. L'origine vidalienne de ces conceptions est manifeste. Cet infléchissement des définitions renvoie à l'évolution scientifique et universitaire

TABLEAU 3 Répartition des thèmes suivant les classes

	Géo. physique	Géo. humaine	Vie écon.	Milieu local	Homme-milieux	France	Europe	Asie	Afrique	Amérique	Océanie	Pôles	Puissances mondiales
Sixième	xxxxxx xxxxxx	xxxx	x	x	xxxxx		x	xx	xxxxx	xxxx	xxx	xxxx	
Cinquième						x	xx	xxxxx xx	xxxxxx	xxxxx	xxxx	xxx	
Quatrième						xxx	xxxxxx xxx		x	xx	x		
Troisième						xxxxxx xx	xxxxx	x	x		x		
Seconde	xxxxxx xx	xxxxxx	x				x	xx	xx		xx	x	
Première						xxxxxx xx							
Terminale			xx										xxx

▓ Classes dans lesquelles se sont fixés — après les programmes de 1902 (*cf.* p. 244) — les thèmes enseignés encore aujourd'hui.

À chaque croix correspond un thème enseigné dans chacun des programmes de 1865 à 1995.

Liste des programmes analysés : 1865, 1871-1874, 1885, 1890, 1902, 1925, 1937-1938, 1945-1947, 1957, 1965, 1970-1971, 1977-1978, 1982-1985-1990, 1995-1999.

de la géographie. Le point fort de cette évolution de l'enseignement de la géographie est l'excursion de géographie, introduite en classe de seconde. Cependant, le découpage des connaissances à enseigner relève d'une interprétation fonctionnelle des cycles. Par exemple, en classe de sixième et de seconde, la géographie étudiée est la géographie générale ; mais en sixième, il s'agit d'une simple présentation et, en seconde, il s'agit d'expliquer les phénomènes décrits précédemment. Ce doublé existait déjà en 1902, mais en 1925, il est motivé par des raisons pédagogico-géographiques ; la démarche géographique comprendrait deux temps majeurs : celui de la description et celui de l'explication ; ils sont disjoints pour permettre de s'adapter aux possibilités des élèves. Or dans la démarche scientifique de Vidal de la Blache, le couple description-explication est indubitablement lié ; cette conception antinomique de la géographie scolaire et de la géographie scientifique peut être considérée comme une amorce de l'écart qui ne fera que se creuser par la suite.

La réforme de J. Zay de 1937-1938

J. Zay est le réformateur du Front populaire. Par conséquent, les réformes proposées alors sont essentiellement structurelles, destinées à démocratiser l'enseignement. En fait, J. Zay rapproche les programmes du primaire supérieur — surtout suivi par les éléments les meilleurs des classes populaires — de ceux du premier cycle des classes des lycées et collèges, de façon à permettre une meilleure réussite des élèves du primaire supérieur au brevet supérieur qui, seul, donnait accès au lycée et, surtout, à l'École normale. La fusion totale des programmes est le fait de Vichy. (*Cf.* tableau 4.)

Pour ce qui est de la géographie enseignée, 1937-1938 est une date charnière, avec la mise en place d'un enseignement de géographie considéré comme classique aujourd'hui : non seulement on retrouve la disjonction du couple description-explication, mais en plus l'étude des contenus de programme montre que la géographie scolaire préfère faire étudier aux élèves la géographie générale en premier, avant d'aborder la géographie régionale — ce qui est contraire aux principes de P. Vidal de la Blache, pour qui la géographie scientifique devait se construire à partir d'une moisson de connaissances acquises lors d'études de géographie régionale, permettant, à partir de la comparaison entre eux des phénomènes étudiés à cette échelle singulière, d'élaborer la géographie générale. Ainsi, la fracture entre géographie scientifique et géographie enseignée amorcée en 1925 est confirmée en 1937-1938.

Une autre initiative dans les contenus est l'étude de l'URSS : elle est introduite dans les programmes qui l'ignoraient depuis vingt ans. Une étrangeté persiste : il n'y a pas d'étude du monde tropical, alors que la géographie tropicale se constitue, notamment en France. L'étude se réduit aux colonies françaises ; la vision donnée par la géographie est européocentriste.

TABLEAU 4 Comparaison des deux systèmes éducatifs fonctionnant en parallèle
en France jusqu'au milieu du XXe siècle

Recrutement des enfants de la bourgeoisie	Le système populaire
CP/Onzième – 6/7 ans	CP/Onzième – 6/7 ans
CE1/Dixième – 7/8 ans	CE1/Dixième – 7/8 ans
CE2/Neuvième – 8/9 ans	CE2/Neuvième – 8/9 ans
CM1/Huitième – 9/10 ans	CM1/Huitième – 9/10 ans
CM2/Septième – 10/11 ans	CM2/Septième – 10/11 ans
Examen d'entrée en sixième	
Sixième de collège ou lycée – 11/12 ans	Classe de certificat d'études primaires – 11/12 ans
Cinquième de collège ou lycée – 12/13 ans Quatrième de collège ou lycée – 13/14 ans Troisième de collège ou lycée – 14/15 ans *Brevet supérieur*	Première année supérieure du primaire – 12/13 ans Deuxième année supérieure du primaire – 13/14 ans Troisième année supérieure du primaire – 14/15 ans Quatrième année supérieure du primaire – 15/16 ans *Brevet élémentaire*
Seconde de collège ou lycée – 15/16 ans Première de collège ou lycée – 16/17 ans Terminale de collège ou lycée – 17/18 ans *Baccalauréat*	Année supplémentaire du supérieur du primaire – 16/17 ans *Brevet supérieur*

Sous Vichy, avec J. Carcopino aux commandes, cette vision offerte aux enfants devient nationalo-centrique :

> La France servira de point de départ afin de rester le terme de comparaison. La France
> au sens large [...] Il est indispensable que dès les débuts, nos enfants soient dressés à
> penser sur le plan mondial. Dans les classes suivantes, la Terre Française et les Terres
> Impériales ne disparaîtront jamais de l'horizon de nos élèves : elles demeureront tou-
> jours présentes comme terme de rappel et de comparaison. (Instructions de 1943)

L'enseignement de la géographie devient un élément d'illustration de sa valeur idéologique. Débute alors une nouvelle période faste pour l'enseignement de
la géographie, comme si les époques de guerre ou de lendemains de guerre étaient
propices au développement de cette discipline. En effet, ce sont les « valeurs éducatives » de celle-ci qui sont sollicitées. La création de l'agrégation de géographie, en 1943, en est la marque tangible, de même que l'introduction dans les
programmes de la démographie (le vide démographique de la France de l'entre-
deux-guerres et le plein démographique des pays à régimes autoritaires comme
l'Allemagne et l'Italie sont considérés comme une des raisons de la défaite).

Les lendemains qui chantent ne furent que la reprise des idées de J. Zay par
H. Wallon. Dans les programmes de 1944-1946, il n'y a pas de faits nouveaux ;

l'enseignement de la géographie est toujours conçu comme vidalien (montrer-expliquer) :

> Localiser, décrire, expliquer, comparer les paysages et les genres de vie humains, à la surface de la terre, tel est le rôle de la géographie. Expliquer, c'est établir les rapports entre les différents facteurs physiques, entre les facteurs physiques et humains, entre les divers facteurs humains [...] (Instructions de 1955)

La géographie se considère également comme une discipline charnière («Située au carrefour des sciences naturelles et des sciences humaines... »), et ce à la veille de la coupure épistémologique évoquée lors de l'analyse de l'histoire de la géographie. Cet enseignement se conçoit aussi comme allant à l'essentiel, se fondant sur l'étude de documents adéquats, ce qui contribue à en faire une science de l'observation, donc une discipline vivante s'appuyant sur le vécu et, de la sorte, éminemment civique :

> Un enseignement simple, précis, bien conduit, utilisant largement le document et les méthodes actives, soucieux d'interpréter l'actualité géographique, contribue naturellement à l'éducation civique de la jeunesse française [...] Le rôle de la géographie apparaît comme essentiel pour la formation de l'homme moderne, qui, pour être un bon citoyen de son pays, doit être aussi un citoyen du monde. L'éducation du civisme national comporte celle de la compréhension et de la coopération internationales. (Instructions de 1955)

Cette vision élargie de la citoyenneté au lendemain de la Libération ne correspond pas aux événements de l'époque, à la veille de l'indépendance de l'Indochine et au début de la guerre d'Algérie.

Enfin, les réformes suivantes sont encore d'ordre plutôt structurel. Elles n'ont que peu de conséquences sur les programmes disciplinaires, sauf sur l'élargissement du public concerné. En effet, avec la réforme Fouchet de 1959, une plus grande démocratisation de l'enseignement est obtenue dans la suite des réformes de J. Zay et du Plan Langevin-Wallon : le primaire supérieur, à l'agonie depuis la Libération, disparaît ; tout élève de fin de CM2 passe en sixième sans examen d'entrée, et la scolarité est prolongée jusqu'à 16 ans. Certes, les programmes sont changés en 1963-1965, mais il ne s'agit que d'un ravalement de façade puisqu'il n'y a aucun changement fondamental : il s'agit toujours de décrire puis d'expliquer en classe de seconde, de façon à définir les mots figurant dans le carnet de vocabulaire et ce à l'aide de croquis et de schémas.

La première grande réforme depuis 1902 pour l'enseignement de la géographie est la réforme Haby.

La réforme Haby au collège (1977-1978)

Cette réforme concerne à la fois la structure et l'enseignement de la géographie. La réforme de structure est importante car elle marque un pas supplémentaire vers la démocratisation : elle instaure ainsi le collège unique, fondé sur la nécessaire hétérogénéité des classes et la suppression des filières. L'orientation a lieu en fin de cinquième et en fin de troisième vers les filières soit professionnelles soit d'enseignement général.

La réforme concernant l'enseignement de l'histoire-géographie est également considérable puisque la spécificité de ces disciplines est supprimée. Un bloc de sciences sociales formé de l'histoire, de la géographie, des sciences économiques et de l'éducation civique fait suite aux disciplines d'éveil mises en place à l'école élémentaire :

> En définitive, histoire, géographie, sciences politiques, économiques et sociales, ne sont que des moyens au service d'une éducation globale, pour une meilleure connaissance de l'héritage culturel de l'humanité et du monde dans lequel vont vivre les élèves. Le nouvel enseignement de ces disciplines doit, sans altérer les apports spécifiques de leurs différentes composantes constituer un ensemble cohérent, destiné à donner aux élèves, tout autant que des connaissances volontairement limitées mais sûres, des moyens de connaissance et des méthodes leur permettant de mieux comprendre le monde dans lequel ils vont vivre et de jouer dans la société un rôle responsable. (Instructions pour le premier cycle des collèges, 1977-1978)

Cette position aboutit-elle à des contenus et à des principes de base fondamentalement différents pour l'enseignement de ces disciplines, et notamment de la géographie ? Les objectifs de cet enseignement sont :

> De répondre à la curiosité des élèves à l'égard du monde [...] permettant le développement d'un sentiment de solidarité [...]
> De leur apprendre à se situer dans un monde en évolution [...] [pour] exercer les droits et [...] respecter les devoirs de l'homme et du citoyen [...]
> De les aider à trouver [...] des possibilités d'enrichissement personnel [...] une éducation à la sensibilité [...]
> Cette éducation apporte ainsi une contribution irremplaçable à la formation de tout citoyen, de tout homme.

Les finalités qui guident l'enseignement de la géographie demeurent identiques dans le fond, en particulier en ce qui concerne la finalité civique — dont dépendent toutes les autres finalités —, soulignée pas moins de quatre fois au cours de ce texte. Cependant, il est à noter que cette dernière est élargie à la formation de l'homme en général.

Par ailleurs, la disjonction du couple description-explication est encore davantage marquée :

> [...] au niveau du cycle d'observation (6e/5e), on abordera des aspects essentiellement concrets, n'établissant pas obligatoirement entre les faits retenus des relations d'interdépendance, celles-ci étant difficiles à concevoir à cet âge [...]
> [...] au niveau du cycle d'orientation (4e/3e) [...] il s'agit de présenter des ensembles plus complexes nécessitant de la part des élèves des aptitudes à l'analyse et à la compréhension des rapports.

La méthode géographique, essentiellement inductive, est explicitement recommandée dans les commentaires de 1979, alors qu'elle n'est plus de mise dans la géographie universitaire :

[L']étude [...] d'un nombre limité d'exemples [...] a pour objectif de faire prendre conscience aux élèves de phénomènes d'ordre général [...]

Enfin, la présence du déterminisme géographique est toujours prégnante ; à propos de l'étude de « l'Homme dans différents milieux géographiques », qui est le programme de sixième, il est écrit :

[...] existence de milieux différenciés liés à des conditions planétaires, adaptation de l'homme à ces milieux, modifications qu'il y apporte.

Il est vrai que ce déterminisme géographique est adouci par un certain nombre d'affirmations à propos par exemple des commentaires concernant la classe de quatrième, où apparaît une mise en garde contre les dangers de généralisation hâtive, notamment du pseudo-déterminisme géographique. Ce discours se retrouve dans les commentaires de la classe de sixième où il est indiqué que l'accès à la notion de milieu géographique est défini comme le lieu d'« appréhender les contraintes naturelles et les activités des hommes dans un ensemble relativement vaste » (commentaires de 1979).

Toujours dans les commentaires de 1979, à propos des « Problèmes rencontrés » lors de la mise en œuvre des programmes de 1977-1978, il est également demandé de faire en sorte que la relation entre phénomènes humains et physiques soit traitée « sans déterminisme excessif ».

Par certains côtés, les programmes Haby contiennent des éléments de renouveau, avec une entrée en termes d'aptitudes à développer — on dirait aujourd'hui en termes de compétences — ; quant à l'entrée disciplinaire, elle se fait en termes de concepts et notions et non en termes factuels (il s'agit de « structurer les notions d'espace et de temps »). Il existe une reconnaissance du caractère opératoire de ce concept d'espace, notamment grâce aux pratiques spatiales des élèves.

Deux axes principaux sont proposés dans cette optique :

[...] rendre l'élève capable d'identifier les trames de l'espace, trames de repérage (système des coordonnées géographiques) et trames liées aux fonctions (réseaux, flux...) ; [...] rendre l'élève capable de différencier les parties de l'espace à partir de la superposition des trames.

Cette insistance sur l'organisation spatiale (locale ou globale), en opposition avec la géographie-catalogue, peut servir de base à une rénovation de la discipline. À l'époque, après cette proposition d'entrée inhabituelle, il a cependant été impossible de passer à l'acte. En effet, l'étude du milieu local, par exemple, doit être enseigné de manière concrète, à partir de la perception directe des élèves, en privilégiant le descriptif par rapport au conceptuel ; décrire des paysages, les comparer, généraliser et passer ainsi du milieu local aux différents milieux géographiques. Avec cette manière concrète de procéder proposée par le programme, les enseignants ne peuvent pas dépasser les conceptions traditionnelles de la géographie et utiliser l'entrée conceptuelle indiquée dans le texte. Il est impossible de mettre en évidence le fonctionnement de l'espace.

Ainsi, ces programmes — d'une certaine manière novateurs, avec l'intégration ici ou là de concepts organisateurs à faire appréhender par les élèves (axe, réseau, développement inégal, fait urbain) pour atteindre à l'un des objectifs spécifiques à la géographie : structurer l'espace ; mais réactionnaires en ce qui concerne la conception même de la géographie, subordonnée de nouveau à l'histoire — ont été mis en cause par le rapport Giraud. De ces critiques sont nés les programmes de 1985, relus en 1990.

La réforme Chevènement (1985) et la relecture de 1990 pour des lendemains prometteurs

C'est le rapport Giraud de 1982 qui a déclenché la polémique sur l'enseignement de l'histoire (éventuellement de la géographie) : les petits Français ne connaissaient plus ni l'histoire, ni leur carte de France... La faute en incombait aux programmes Haby qui insistaient sur une méthode, mais qui manquaient de contenu, puisque ce dernier faisait référence à des concepts et des notions et non à des faits, qui sont des repères pour les enfants et les adolescents. En conséquence, Chevènement met en chantier la refonte des programmes, avec des découpages chronologiques et un accent marqué sur les contenus. Si en géographie l'accueil fut très favorable, en histoire ce ne furent que grincements de dents du fait de ce retour à la chronologie.

Les programmes de 1985 de collège sont distincts des programmes de lycée. Au collège, aucun objet véritable de la géographie n'est affiché : le mot d'espace ou celui de temps n'apparaît pas une fois ; aucune démarche spécifique à la géographie n'est spécifiée ; l'enseignement de la géographie, comme celui de l'histoire, « se propose de répondre à la curiosité des élèves pour le monde qui les entoure ».

Dans l'ensemble, les professeurs d'histoire-géographie ont été rassurés par l'affirmation que leurs disciplines étaient considérées à l'instar des autres comme « fondamentales et concour[ant] à la formation » ; cela n'était pas le cas dans la réforme Haby, et ce davantage pour la géographie, alors redevenue en quelque sorte auxiliaire de l'histoire. En plus de participer aux objectifs généraux de la formation — qui sont « développer la pensée logique, apprendre à maîtriser la trilogie : écrit, oral, image, donner l'habitude du travail personnel » —, la géographie, comme l'histoire, permet de développer des éléments de formation spécifiques, tels que « la remise en question des idées reçues, l'acquisition du sens de la relativité, le développement de l'esprit critique, la reconnaissance de l'universel ». Les instructions permettent de définir plus précisément en quoi consiste la spécificité de ces disciplines dans la formation des élèves. Il s'agit de mettre en œuvre une démarche globale d'éducation :

> [...] l'élève apprend, par l'étude de l'histoire et de la géographie, à éclairer le présent, à distinguer l'essentiel de l'accessoire, ce qui dure de ce qui est éphémère. (Instructions de 1985)

Il s'agit encore de privilégier une démarche pédagogique — il convient d'adopter « une pédagogie différenciée [grâce au] travail individuel ou de groupe » — et de développer une démarche géographique « en faisant largement appel à la méthode inductive [et en exploitant] la faculté encore intacte de mémorisation des élèves ». Ceci intervient en 1985, au bout de près de trente ans d'utilisation des démarches déductives dans la géographie universitaire, et comme en 1865 pour la mémorisation.

Alors que dans les programmes Haby — tant décriés car la géographie redevenait une science auxiliaire de l'histoire — il existait les bases d'un renouvellement géographique, ce n'est pas le cas de ces programmes, présentés en termes de contenus :

> En géographie, le professeur fait acquérir des repères spatiaux qui permettent à l'élève de localiser, d'apprécier la relativité des distances et des superficies. Il lui apprend à établir des relations entre les réalités physiques, les aires de civilisation et les activités des hommes dans des espaces variés ; il l'initie au raisonnement géographique et utilise comme support permanent le planisphère et des cartes à échelles différentes. Il fait dans toute la mesure du possible, référence aux enseignements tirés de l'espace vécu.

Cependant, faire acquérir des repères spatiaux, ce n'est pas faire appréhender l'espace géographique, mais faire établir des liens entre éléments physiques et civilisations ; c'est mettre le doigt dans le déterminisme géographique. Initier au raisonnement géographique sans dire lequel, c'est, par défaut, privilégier la méthode inductive préconisée par ailleurs. Recommander l'utilisation de cartes à échelles différentes constitue un pas, mais il aurait été plus grand si l'on y avait adjoint le mode d'emploi du changement d'échelle dans l'élaboration du raisonnement géographique. Enfin, se référer à l'espace vécu sans faire de différence par rapport à l'utilisation du milieu local — point de départ de la méthode inductive — ne favorise pas un autre mode de raisonnement ; toutes les possibilités de renouvellement de la géographie enseignée grâce à cette référence à l'espace vécu sont alors anéanties.

Cette vision traditionnelle de la géographie se retrouve dans les programmes de toutes les classes, à quelques exceptions près : il est toujours possible pour un enseignant de saisir une opportunité d'ouverture vers une géographie moderne.

Si l'on prend l'exemple du programme de sixième, il s'agit de faire passer auprès des élèves la notion de zone climatique et de répartition des hommes à la surface de la terre :

> Les élèves étudient la diversité des conditions de vie des hommes sur la terre, les efforts d'adaptation des groupes humains ou des sociétés humaines et leur action sur le milieu.

Suit la liste des zones climatiques. Cette présentation du programme fait implicitement référence à la vieille géographie zonale fondée sur des éléments biogéographiques. Cette référence pousse les enseignants à un déterminisme géographique, même si, dans les compléments, il y a l'idée que le déterminisme peut être excessivement dangereux.

> Le « milieu naturel » est à la base du milieu géographique, mais l'homme introduisant des perturbations dans l'ordre de la nature, il faut éviter tout déterminisme brutal [...] Si de nombreuses survivances de « genre de vie » traditionnels se maintiennent, les changements se multiplient, les mutations s'accélèrent et s'accentuent. Le travail des hommes n'en finit pas historiquement de modifier les paysages et les milieux.

Cette mise en garde est marginale, car l'économie du programme s'appuie sur l'existence de milieux différents étroitement liée aux conditions planétaires ; donc, les aménagements des hommes ne sont conçus que comme des accommodements simples ou complexes, locaux ou étendus, traditionnels ou modernes ; en conclusion, la liaison est trop forte entre organisation humaine et contingence physique.

À l'opposé, le programme de cinquième est tout à fait moderne : la notion de développement est centrale et se construit à travers des exemples pris dans le monde entier. Le problème pour les enseignants a été de dépasser la monographie des pays au programme suivant le fameux plan à tiroir — relief, climat, végétation, histoire et démographie des peuples, économie —, au profit des fonctionnements spatiaux dans leurs aspects généraux — mécanismes économiques, formes d'aménagement, occupation de l'espace.

Quant aux programmes de quatrième et de troisième, certaines parties étaient de conception traditionnelle, alors que d'autres étaient d'une facture plus moderne. Par exemple, en quatrième, l'étude de l'Europe était abordée par des thèmes classiques (grands traits physiques, peuplement) auxquels s'opposaient des thèmes plus conceptuels. De même, en troisième, alors que la présentation des États-Unis et de l'URSS est totalement classique (relief, climat, population, économie), l'étude de la France est davantage présentée comme un espace d'hommes, ses régions étant décrites en fonction de leur degré de développement, en relation avec leur positionnement par rapport aux axes et aux réseaux.

Au lycée, une double finalité de la géographie est réaffirmée à la fois dans le programme de 1986 et dans sa relecture de 1990. Il s'agit d'une finalité générale civique et culturelle, sous couvert d'introduire, conjointement avec l'histoire, à une compréhension du monde contemporain (1986), favorisant le comportement du citoyen que l'élève sera demain, un citoyen actif et responsable (1990) :

> Pour être en mesure d'agir en citoyen, les lycéens doivent identifier les acteurs, les enjeux, les lignes de force pour acquérir une vision dynamique et critique du monde ; comprendre l'espace c'est se préparer à son devoir de citoyen car l'espace aménagé est placé sous la responsabilité du citoyen.

À cette finalité transversale s'ajoute une finalité spécifique d'acquisition de savoirs et de savoir-faire, et sur le plan des contenus qui seraient nourris des avances de la recherche universitaire (concepts et notions, problèmes nouveaux...).

Ainsi la définition explicite de la géographie dans le programme passe de : « la géographie étudie les interrelations des données physiques et humaines » (1986), à celle d'une « géographie [qui] est science de l'organisation spatiale des sociétés » (1990). L'utilisation du terme « interrelation » suggère que l'on substitue une causalité réciproque à une causalité linéaire, ce qui limite le déterminisme primaire ou le possibilisme vidalien. En revanche, l'expression « organisation spatiale des sociétés » montre l'affirmation du passage à une géographie sociale mais où les structurations spatiales sont l'objet de la discipline.

Les logiques d'approche de cette géographie se déclinent suivant le triptyque habituel : savoirs, savoir-faire et recommandation pédagogique. La nécessité de combler les écarts entre la géographie qui se fait et la géographie enseignée est en effet marquée. Pour ce qui est des savoir-faire, on assiste à une multiplication des outils à savoir utiliser mais non suivie d'une incitation à une utilisation pédagogique nouvelle pour une évolution disciplinaire en 1986 comme en 1990. Ces savoir-faire sont soit généraux — qualifiés d'« outillage technique » (prise de notes, expression écrite ou orale) —, soit spécifiques à la géographie — représentations graphiques, cartographiques... En ce qui concerne ces derniers, une liaison est opérée en 1986 entre outils et démarche scientifique (ainsi, la carte est le moyen privilégié pour repérer les interrelations) ; mais cette liaison n'est pas faite en 1990, par exemple pour l'utilisation des jeux d'aménagement ou des technologies nouvelles, telles l'informatique et les images satellitales. Qu'est-ce que cela apporte à la géographie, à l'enseignement de la géographie, aux apprentissages ? Il n'existe ni questions ni réponses.

Enfin, le libre choix pédagogique est réaffirmé. Mais la pédagogie doit être fondée sur une acquisition raisonnée des connaissances. Le passage par les représentations sociales des élèves est recommandé ; la conséquence est est le choix implicite du constructivisme parmi les modèles d'apprentissage ; l'élève devient ainsi parti prenante dans la construction de son savoir :

> Il convient [...] d'introduire dans notre enseignement la prise en compte des représentations des élèves. Ces derniers ont en effet sur tous les points du programme des préacquis qui conditionnent largement leurs possibilités d'apprentissage.

Des contenus précis, classe par classe, sont donnés, avec une fourchette horaire pour traiter chaque question. En classe de seconde (tableau 5), le programme s'intitule « La planète habitée ». Alors que le programme de 1986 est présenté de façon déterministe, la relecture de 1990 permet, grâce au retournement, de casser la linéarité du même programme :

> Il convient [...] d'étudier l'espace, non pas de manière énumérative et purement analytique [...] mais en faisant constamment percevoir les multiples relations entre les différents ordres des faits [...] Le domaine de la géographie se situe [...] à l'interface du monde physique, du monde vivant et des sociétés humaines [...] ; il convient aussi d'appréhender les divers sujets d'étude [...] non pas [...] selon une causalité linéaire qui n'est plus de mise scientifiquement, mais comme un système, dont on s'efforcera de faire percevoir le fonctionnement.

Le problème est que la mise en œuvre de cette étude systémique annoncée passe par une démarche inductive inadéquate :

> [...] partir d'exemples bien choisis, pour remonter aux grandes lois ou théories qui permettent d'en rendre compte. Dans toute la mesure du possible, c'est donc une méthode inductive qu'il convient d'adopter.

TABLEAU 5 Programme de 1986 de la classe de seconde, relu en 1990

1986	Relecture de 1990
– Mesure et représentation de la terre – Répartition des hommes sur la terre 1. La terre et ses richesses 2. Les sources de la vie et les grands cycles d'échanges 3. La vie à la surface du globe • Milieux et écosystème • Modifications passées et actuelles 4. Les groupes humains et leur dynamisme 5. Les activités des hommes et leurs relations avec l'espace géographique 6. Villes et campagnes	1. Problématique de l'année + 4* (sans faire de démographie mais étude dynamique en relation avec développement) 1* + 2* + 3* + 5* mais en privilégiant une approche systémique – Contrainte et non milieu – Causalité circulaire et non linéaire – Démarche systémique et non écosystème 5* + 6* Approche spatiale et non économique

* Il s'agit des points de programme figurant dans la colonne de gauche.

En classe de première (tableau 6), le programme de 1986 ne déroge pas à la règle : l'étude de la France est centrale, même si elle n'est plus seule, puisque l'étude de la CEE est intégrée. Mais si, en 1986, la France est analysée entre permanences et dynamisme, la relecture de 1990 recentre sur les lignes de forces essentielles de l'espace français, ce qui favorise une présentation plus spatiale. Cependant, la démarche associée est toujours une démarche inductive : il s'agit de partir d'exemples pour arriver à une vision générale de la France, ce qui démontre encore une fois l'existence d'une discordance entre la conception affichée et la mise en œuvre qui ne permet pas d'atteindre pleinement le but recherché.

Avec la classe de terminale (tableau 7), on passe à l'étude du cadre planétaire. Là encore, l'optique dans laquelle il faut le traiter est différente entre le programme et sa relecture. Dans le programme de 1986, il s'agit d'une étude en termes de centre/périphérie d'un espace mondial différencié. Les « centres d'impulsion de l'économie mondiale » sont plus spécifiquement étudiés : les États-Unis, l'URSS, ainsi que l'aire Pacifique, l'ensemble de ces espaces étant de plus en plus interdépendants avec le développement des transports et des échanges. Ils le sont par opposition aux espaces périphériques que sont les pays sous-développés. Dans la relecture de 1990, un recadrage est fait pour montrer que, dès que l'on aborde les différenciations en termes de centre/périphérie, les analyses classiques sont insuffisantes : il faut passer par l'analyse systémique, en l'occurrence

TABLEAU 6 Programme de 1986 de la classe de première, relu en 1990

1986	Relecture de 1990
1. La France et les Français – L'espace français – Les hommes et les activités – Population – Économie 2. Les grandes divisions – Politique régionale – Les grands ensembles – Les DOM-TOM	À relativiser : atouts et contraintes de l'espace français et leur évolution dans le temps Éviter le tout économique : accents sur les mutations récentes et en cours Partir d'une problématique pour découper la France en ensembles cohérents, dy- namiques et évolutifs S'appuyer sur les grandes lignes de force de l'espace français
3. La France, la CEE et le monde – France dans la CEE – CEE et le monde – Étude d'au moins un pays au choix parmi Benelux, Danemark, Espagne, Portugal, Italie, Grèce	Mettre l'accent sur la connaissance de l'Europe des Douze Relativiser le « déclin de l'Europe » à partir de l'étude du commerce extérieur Ne pas négliger l'approche géostratégique pour apprécier le rôle de la France

TABLEAU 7 Programme de 1986 de la classe de terminale, relu en 1990

1986	Relecture de 1990
Modèle explicatif centre/périphérie 1. Contrastes et mutations dans l'espace mondial – Contrastes de peuplement, de dévelop- pement, Est/Ouest, les grands centres d'impulsion – Les façades maritimes : l'aire pacifique – Les pays en voie de développement	Présentation avec une analyse géogra- phique classique mais insuffisante pour comprendre la maîtrise de l'espace mondial
2. Des espaces interdépendants – Les transports – Les échanges	– Partir d'exemples concrets – Étude cartographique et établissement d'une typologie
3. Les hommes et l'organisation de l'espace – États-Unis – URSS	Bases de découpage : centre/périphérie et interface

le système monde. Il y a là une véritable reconnaissance de l'insuffisance de l'analyse classique pour penser la diversité spatiale, et de la nécessité d'une nouvelle approche.

En conclusion, il est possible d'affirmer que les programmes de 1986, relus en 1990 pour ceux du lycée, constituaient une véritable avancée car ils réduisaient les écarts entre géographie qui se fait et géographie enseignée, et ce même si la démarche préconisée restait inductive. L'espoir était que ces avancées soient concrétisées dans les programmes de 1995, grâce également à un renouvellement de la démarche.

Les programmes de 1995, ou les lendemains qui déchantent

Les nouveaux programmes, dont la publication s'est échelonnée entre 1996 et 1998, ont correspondu en géographie à un retour en arrière. Ce dernier a été d'autant plus inattendu que, en 1990, toutes les bases avaient été posées pour qu'un renouvellement survînt.

Une grande enquête menée en décembre 1994 par le Ministère auprès des professeurs d'histoire-géographie, appelés à donner leur avis sur un projet de nouveau programme, a montré que ces derniers, même s'ils n'étaient pas, dans leur ensemble, totalement prêts à accepter le renouvellement, aspiraient à enseigner une géographie renouvelée dans ses contenus et ses conceptions pour répondre aux demandes de leur public voulant comprendre le monde d'aujourd'hui avec ses problèmes. En effet, après le traitement des enquêtes de l'académie de Grenoble[1], le corps enseignant de cette académie — pas meilleure ou pire qu'une autre — s'est avéré capable d'accepter les changements proposés, qui d'ailleurs étaient un peu en retrait par rapport à la relecture de 1990 (pour le programme de terminale surtout). Si les propositions de nouveaux programmes étaient centrées sur l'homme devenu premier, il leur semblait à juste titre qu'il y avait un retour à une géographie culturelle, descriptive, avec des entrées obsolètes par les milieux et l'évacuation pure et simple d'espaces primordiaux pour le siècle à venir, telle l'aire Pacifique. Les chiffres montrent qu'il n'y avait qu'un cinquième à un quart des enseignants qui soutenaient ouvertement une géographie reconnue comme dépassée et menaient des combats d'arrière-garde. Pour une bonne moitié d'entre eux, les avancées n'étaient pas globales et les regrets non uniformes. Il manquait le temps de la théorisation des renouvellements proposés sans laquelle il était difficile de mettre tous les éléments des contenus en cohérence. Si ces enseignants en évolution masquaient leur trouble en évoquant — tel un leitmotiv récurrent — « des horaires trop courts, des programmes trop longs », la moitié d'entre eux souhaitait cependant une formation continue pour être en contact avec les travaux de la recherche universitaire contemporaine, ce qui démontrait un réel souci d'adaptation. Quant au reste, environ le tiers, ils désiraient que les programmes aillent plus loin et achèvent la transformation commencée.

---

1. Michelle Masson, « Les Nouveaux programmes de géographie au lycée en France : conceptions et réactions des professeurs de géographie », *in Didactique des disciplines scientifiques et formation des enseignants,* Actes du 1er colloque régional des pays francophones du Sud-Est asiatique, Ho Chi Minh-Ville, février 1995, p. 231-239.

Finalement, les programmes de collège et de lycée furent en retrait des propositions de 1994, moins en avance que la relecture de 1990, déjà analysée.

Les finalités de l'enseignement de la géographie aujourd'hui

Les finalités du Projet pour le collège se présentent comme « intellectuelles, civiques, patrimoniales et culturelles ».

– La finalité intellectuelle

La pratique de l'histoire et de la géographie contribue à former l'intelligence active [...] exerce le jugement critique et raisonnable. (Instructions de 1995-1998)

Cette assertion se retrouve dans les finalités pour l'enseignement de l'histoire et de la géographie au lycée. Il s'agit d'

acquérir des méthodes d'analyse pour une formation intellectuelle [qui] placent la dimension critique au centre des pratiques pédagogiques. Elles sont en elles-mêmes éducatives.

Le travail sur documents [...] permet aux élèves de prendre conscience du processus par lequel s'élabore la connaissance historique ou géographique et de confronter des opinions divergentes, afin d'aboutir à un jugement personnel. Il leur procure le sens de l'évolution et du relatif, les habitue à hiérarchiser les faits et à critiquer les relations trop rapides de causalité. [Ils] apprennent le temps de la réflexion. Par l'exercice d'un raisonnement toujours secondé par l'analyse critique, ils sont portés à relativiser une information rapide, conjoncturelle, non hiérarchisée.

D'entrée de jeu, les affirmations sont fortes quant au rôle joué par l'histoire et la géographie dans la construction de l'intelligence. Au lycée, s'y ajoute un objectif qui apparaît pour la première fois de façon tout à fait explicite : faire comprendre que la science est une construction humaine ; comme telle, elle évolue « en intégrant les renouvellements scientifiques [...] la géographie n'enseigne pas l'immuable ; [elle] pose les problèmes du temps présent ».

À côté de cette formation générale, l'objectif de faire acquérir des savoirs disciplinaires est très marqué :

L'objectif éducatif de l'enseignement de l'histoire et de la géographie repose sur une étude précise des contenus scientifiques de ces disciplines : vocabulaire et notions essentielles, nouveaux problèmes et nouvelles approches, langages spécifiques. Il se nourrit des problématiques et des avances de la recherche universitaire.

– La finalité civique

Elle est sans cesse réaffirmée depuis que l'histoire et la géographie sont enseignées. Au collège, le texte des programmes de l'enseignement primaire est cité et celui du lycée est annoncé. Ce dernier est davantage développé :

Comprendre le monde contemporain. Pour être en mesure d'agir en citoyens responsables les lycéens doivent identifier les acteurs, les enjeux, les lignes de force [...] doivent acquérir une vision dynamique et critique du monde afin de dégager l'essentiel [...]

Permettre l'insertion des élèves dans la cité. L'état de droit est au service de la personne. Sa perfection est un objectif de la démocratie. Il doit être reconnu comme un patrimoine à connaître, à respecter et à enrichir. L'espace aménagé est placé sous la responsabilité du citoyen : il est à la fois héritage à préserver et territoire à transformer pour répondre aux besoins sociaux actuels.

Cette finalité civique était soulignée dans les programmes de 1995-1998, car il n'y avait pas d'éducation civique jusque-là au lycée. Depuis, l'éducation civique, juridique et sociale a été mise en place en 1999 ; elle poursuit ces buts civiques de la formation en se fondant sur la loi de départ. Il n'en reste pas moins vrai que cette finalité civique de la discipline reste fondamentale et peut faire en sorte que la géographie puisse redevenir une discipline opératoire, c'est-à-dire qui serve au citoyen que l'élève sera demain.

– Les finalités patrimoniales et culturelles
Si elles sont fondamentales en histoire, elles sont moins évidentes en géographie. Elles sont précisées dans un Projet pour le collège ; l'objectif est de

> chercher à donner aux élèves une vision du monde [...] à constituer un patrimoine (conçu comme le legs des civilisations de l'humanité à l'homme d'aujourd'hui) qui permet à chacun de trouver identité. Cette identité du citoyen éclairé repose sur l'appropriation d'une culture.

L'expression « donner une vision du monde » appelle une remarque : est-ce que le verbe « donner » est compatible avec l'objectif de formation intellectuelle des élèves : faire du citoyen une personne capable de jugement critique ? Par ailleurs, au lycée, les élèves sont appelés à « acquérir une vision dynamique et critique du monde afin de dégager l'essentiel ». Est-ce encore un avatar de la disjonction du couple décrire-expliquer ?

Enfin, il est évident que passer par la « valeur de legs » et l'« identité » interpelle la géographie. Ainsi, il est écrit dans les programmes de lycée :

> Pour être en mesure d'agir en citoyen les lycéens doivent identifier les acteurs, les enjeux, les lignes de force [...] les modalités d'action sur l'espace qui ont construit le monde tel qu'il est [...]

Un paysage, par exemple, peut être considéré comme un patrimoine et a donc une valeur de legs que l'aménagement du territoire intègre aujourd'hui ; le citoyen peut le faire respecter en utilisant ses droits d'avis et de consultation inscrits dans le processus d'élaboration des documents d'urbanisme qui transcrivent spatialement les politiques d'aménagement des communes (plans d'occupation des sols [POS]), des régions urbaines (schéma directeur...) — à condition bien sûr de connaître ses droits.

Ces finalités nous amènent directement sur le terrain de la construction de l'identité française. Toujours dans les programmes de lycée, on peut lire que la géographie et l'histoire permettent la découverte progressive des fondements d'une communauté humaine ; elles apportent à la fois l'absolu des valeurs et le sens du relatif conduisant à la tolérance par la découverte des cultures et des coutumes d'autres civilisations ; elles apprennent ainsi à reconnaître et assimiler les éléments irréductibles de convergence au sein d'une société.

Cette dernière phrase permet de s'interroger sur le rôle de nos disciplines dans les écoles de la Ve République : dans le contexte de la société française actuelle, la République a besoin de son école pour que les Français se réapproprient la citoyenneté française, notamment avec les enfants issus de l'immigration. Dans ce cas, il y a réaffirmation de la tradition française d'intégration, même s'il est fait référence à l'ouverture vers les autres cultures, de façon à répondre aux tenants du modèle anglo-saxon de multiculturalisme, non exempt de dangers maintes fois dénoncés.

Cohérence des programmes, méthodes et approches

Après avoir posé « un premier regard sur le monde » en sixième, l'objectif des programmes de collège, inscrits dans la suite de ceux de l'école primaire, est de

tenter un premier inventaire raisonné du monde [...] [pour que les élèves puissent] comprendre le monde dans lequel ils vivent [...] la géographie permettant d'expliquer l'organisation du monde contemporain [en troisième]. Cette connaissance s'appuie, en cinquième et quatrième sur un parcours des grands ensembles continentaux.

En seconde, les programmes

constituent le socle de la connaissance et de la compréhension du monde contemporain [...] En géographie le champ de l'étude est la planète [...] Cet apprentissage de la lecture géographique du monde [...] prépare la présentation des États en 1ère et terminale.

Les approches et méthodes sont définies expressément dans les programmes de lycées, et implicitement dans ceux des collèges, puisqu'elles ne peuvent être analysées qu'à partir des introductions des programmes de chaque classe.

Au lycée, le premier point concerne « la pratique des langages », qu'il importe de formaliser — mais il n'est pas spécifié pourquoi. Même si le recours aux graphiques, cartes, organigrammes est préconisé, l'accent est mis sur l'écrit, faisant de la géographie une discipline littéraire. Au collège, il en est de même : l'insistance sur le lire-écrire-se documenter vient de l'élémentaire et remonte au collège, avec des exigences croissantes de la sixième à la troisième ; le caractère littéraire de nos disciplines est renforcé par la transformation en discipline d'appui du français. (*Cf.* Tableau 8.)

Au lycée, la capacité d'analyse critique de la géographie passe par l'étude des documents, renouvelés par les technologies nouvelles. Celle-ci permet de prendre conscience du processus de construction de la connaissance, le document favorisant la formulation des questions porteuses de sens, la confrontation d'opinions différentes, la relativisation et la hiérarchisation des informations. Il semblerait que la démarche préconisée soit une démarche hypothético-déductive avec :

– un questionnement initial à partir du document, avec « étape de la construction du discours géographique » ;

TABLEAU 8   Capacités et compétences langagières à développer
au collège en géographie

Sixième	Cinquième et quatrième	Troisième
– Lire – Écrire : rédaction auto- nome des résumés – Se documenter : manier les outils de connaissance (le manuel est-il un outil de connaissance ?)	– Lire – Utilisation des TICE* – Résumé rédigé en auto- nomie en liaison avec le manuel ; pratique auto- nome du manuel	– Différents types de lec- ture – Rédaction d'un para- graphe cohérent de 1 à 20 lignes avec recherche de facteurs d'explication

*TICE = technologie de l'information et de la communication éducative.

– une orientation des données, des classements des mises en relations vers la recherche de la réponse à la question posée ;

– une analyse critique des réponses proposées à la question initiale avant d'en retenir une.

Au collège, la démarche est inductive dans la forme et le fond : observer, classer, mettre en relation (tableau 9).

TABLEAU 9   La démarche géographique

Sixième	Cinquième et quatrième	Troisième
Observer Classer Mettre en relation	Observer Identifier Mettre en relation	Observer Identifier Mettre en relation de façon plus complexe

Les documents, avant d'être des outils, sont des repères à acquérir et des savoirs. La démarche d'étude des documents est analytique et inductive : en sixième, les cartes et les images sont lues ; en cinquième et quatrième, elles sont comparées entre elles ; en troisième, une analyse critique en est faite. La démarche est similaire pour ce qui est de l'élaboration des croquis, d'abord « élémentaires » puis « démonstratifs » (tableau 10).

Les mises en relation évoquées lors de la présentation des démarches ou lors de celle des objectifs spécifiques à la géographie sont-elles suffisantes pour introduire à la compréhension de la multicausalité ?

Il va sans dire que la liberté pédagogique est encore réaffirmée au lycée comme au collège, mais elle est de plus en plus encadrée puisqu'elle s'opère à l'intérieur d'un horaire rigoureux et de repères intégrés dans les programmes euxmêmes, donc obligatoires.

TABLEAU 10 Les savoirs et savoir-faire de la géographie au collège

Classes *Objectifs spécifiques à la géographie*	Sixième	Cinquième et quatrième	Troisième
Les savoir-faire	Lire des cartes repère géographique Élaborer des croquis élémentaires L'image repère géographique	Comparaison de cartes et de croquis permettant la mise en relation et la compréhension de la multicausalité Croquis-démonstratif	Image et esprit critique
Les savoirs	Acquérir des repères spatiaux en évitant l'encyclopédisme	Observation d'un même phénomène à différentes échelles Mémoriser des repères	

Les programmes

Une étude critique des programmes sera ici tentée classe par classe.

La sixième. Le programme de sixième s'intitule « Cartes et paysages du monde ». Il se décompose en deux parties distinctes : « Les grands repères géographiques du monde » (entre 15 et 18 heures) et « Les grands types de paysages du monde » (entre 18 et 21 heures). Les paysages de la seconde partie peuvent illustrer les cartes de la première. L'idée est que cartes et images sont les fondements d'une culture géographique. Dans la première partie, sont rappelées les données du planisphère et les coordonnées géographiques ; les repères dont il est question sont démographiques, climatiques, biogéographiques et morphologiques. La liste des cartes et repères géographiques à retenir sont cités nommément, ils font donc partie du programme.

Les commentaires orientent la démarche du professeur. La répartition de la population mondiale est abordée par le repérage des zones fortement et faiblement peuplées, et par celui des zones de fort et faible accroissement de population. Le rapprochement entre densité et niveau de vie des populations pose problème. Il est bien indiqué que ces rapports sont complexes ; mais en privilégiant cette liaison, on prend le risque d'un raccourci explicatif qui pousse quasi automatiquement au déterminisme démographique. Cette liaison est confirmée dans les accompagnements[1] :

---

1. Les accompagnements suivent les programmes et peuvent donc éventuellement les réorienter en donnant des indications pratiques pour leur mise en œuvre, notamment en ce qui concerne l'esprit dans lequel ils devraient être traités. Présentant des recommandations et des exemples de cheminements pédagogiques aux enseignants, ils n'ont pas de caractère obligatoire, contrairement aux programmes.

Les élèves découvrent la complexité des rapports entre la densité et la richesse de la population par le croisement d'informations simples de nature différente.

Pour ce qui est des grands domaines climatiques et biogéographiques ainsi que des grands ensembles de relief, l'objectif est de décrire cartes et images avec des mots. La seule activité demandée est donc une description simple : il s'agit toujours d'une activité littéraire, sans aucune ambition géographique. Cependant, les propos suivants : « à l'aide de deux brefs exemples […] on montre les relations des sociétés au climat […] au relief » peuvent encore une fois conduire l'enseignant vers le déterminisme géographique le plus simpliste ; en lieu et place de la multicausalité annoncée nous retrouvons la classique causalité linéaire.

En ce qui concerne la seconde partie, l'ambition était, à partir des images de paysage, d'enraciner chez l'élève l'idée qu'un paysage est un système dont tous les éléments sont en interaction, et qui évolue. Mais les programmes sont issus de consensus et, à l'arrivée, la démarche aboutit parfoisà des résultats différents. En effet, dans ce cas précis, nous avons dans l'ordre les activités suivantes :

> […] faire localiser, donner des mots qui permettent de décrire, expliquer la présence (plus ou moins forte) des hommes, analyser le rôle des sociétés dans l'organisation des territoires. La réflexion […] implique l'identification de quelques grands facteurs d'ordre économique, culturel ou naturel de cette organisation […] pour permettre d'apprendre à conduire un raisonnement géographique.

La référence au « rôle des sociétés » humaines dans « l'organisation des territoires » est intéressante : la géographie se définit ainsi comme une science sociale, les facteurs explicatifs, économiques et culturels semblant prendre le pas sur les facteurs naturels, relégués en dernière position. Mais est-ce suffisant pour faire du raisonnement géographique un raisonnement systémique ? Certaines assertions s'y réfèrent ; il s'agit en l'occurrence, à travers l'exemple de l'environnement, de « mettre en évidence les mécanismes de l'action des hommes sur leur espace ». Mais les démarches ne sont pas suffisamment explicites pour espérer aboutir à la compréhension de la systémique à travers l'étude des paysages. Cet objectif est bien souligné, mais toujours de manière implicite dans les accompagnements. En effet, l'accent est mis sur un ensemble de notions inhérentes à la systémique, mais sans préciser que tous les éléments sont en interaction et que les contraintes, dans ce contexte, sont positives ou négatives, ou peuvent alternativement être l'une ou l'autre à des moments différents, introduisant par là même la notion de temps, de processus, de dynamique :

> L'étude des paysages […] permet d'approcher la complexité des relations entre nature et sociétés […] ; les images choisies […] font percevoir la complexité : contraintes, diversité des aménagements ; la notion centrale est celle de contrainte ; c'est la présence humaine qui relève la contrainte : le projet social d'aménagement se place donc au premier plan de l'analyse. Il est le reflet de valeurs, d'une maîtrise technique, d'un héritage historique, de l'acceptation ou du refus du risque.

Cette notion d'interaction apparaît cependant, toujours dans les accompagnements, à propos des exemples d'itinéraires possibles proposés aux enseignants :

L'étude des paysages doit [...] faire comprendre aux élèves l'interaction qui s'opère entre un milieu physique, son exploitation biologique et l'action des hommes qui se manifeste dans les traces historiques laissées par les sociétés du passé [et] par les préoccupations économiques et les valeurs sociales du présent.

Au détour d'une phrase, à quelques lignes d'intervalle, réapparaît un vocabulaire indiquant que la vieille géographie classique n'a pas disparu ; en ce qui concerne les grands domaines climatiques et biogéographiques, il est possible de lire :

L'objet de ce thème est de montrer comment les hommes s'adaptent aux divers climats, parfois fort contraignants qui règnent à la surface du globe [...] ; aborder avec les élèves la notion de contrainte climatique et [...] montrer comment les hommes s'adaptent et surmontent cette contrainte (sécheresse, froid...).

Les esquimaux et les touaregs ne sont pas loin...

La cinquième. Le programme de la classe de cinquième commence par rappeler au professeur que c'est à lui « de déterminer [...] la ou les problématiques qui orientent l'étude des différents éléments du programme ». Il s'agit de l'Afrique (10 à 12 heures), de l'Asie (13 à 15 heures) et de l'Amérique (10 à 12 heures). Un fil conducteur est suggéré : « la diversité des cultures et des rythmes de développement ».

Pour présenter l'Afrique, les auteurs osent écrire :

Les discontinuités du peuplement et sa diversité ethnique et culturelle liées ici plus qu'ailleurs à la zonalité bioclimatique sont présentées à partir de cartes.

Nous retrouvons sous une forme non déguisée la fameuse théorie des climats expliquant le développement des sociétés : le déterminisme géographique pouvant être à l'origine d'attitudes racistes que nous traquions au détour d'une phrase est ici tranquillement étalé sans état d'âme. À elle toute seule, elle vaut condamnation de ce programme, et ce même si la phrase suivante vise à limiter le rôle prédominant des caractères naturels : « Le poids de l'histoire ancienne et récente est mis en évidence. »

Curieusement, les accompagnements n'ont donné aucune interprétation de cette phrase litigieuse, qui fit scandale lors de la parution des programmes de cinquième ; c'était pourtant l'occasion de réfuter l'accusation de racisme formulée alors. Peut-être est-il possible d'interpréter en ce sens l'appel au respect de l'autre — même s'il n'est pas inclus dans le paragraphe concernant l'Afrique :

D'autres itinéraires sont possibles pourvu qu'ils soient dans le sens des grandes finalités de notre enseignement : apprendre à [...] comprendre le monde [...] ; apprendre aussi à comprendre et respecter l'autre.

Un horaire est réservé à l'étude plus spécifique du Maghreb (4 à 5 heures) ; il s'agit notamment d'insister sur les éléments de contact avec l'Europe (avec la France, disent les accompagnements), sur son appartenance au monde méditerranéen, le Sud du Nord ou le Nord du Sud, dans sa partie musulmane. Ce sont les problèmes démographiques (de développement, disent toujours les accompagnements) qui sont ciblés, ce qui permet de faire le lien, là aussi, avec la rive Nord de la Méditerranée, et d'aborder au collège les problèmes de l'immigration et de ses conséquences sur la société actuelle. Une relation peut être établie avec l'éducation civique à cette occasion.

La classe de cinquième forme avec celle de quatrième le cycle central du collège. Dans les accompagnements présentant les différentes manières d'aborder l'étude d'un continent dans ces classes, la démarche analytique est récusée. Cette étude

> ne doit pas être abordée de manière analytique [...] le premier moment de l'analyse est global ; il tente de mettre en évidence l'identité du continent, ses caractères spécifiques. Le deuxième temps est sous le signe de la différenciation [...] On peut enfin conclure sur les problèmes actuels des continents [...] en les situant dans l'espace mondial.

Pour comprendre le monde, il suffit de croiser les données historiques et géographiques, et de mettre en relation cartes et images, comme en sixième ; mais si on en reste là, il est difficile de déterminer la place des continents dans l'espace mondial.

La quatrième. La classe de quatrième est consacrée depuis 1902 à l'étude de l'Europe. Le dernier programme tente d'innover avec, en plus de l'étude de l'Europe, l'étude régionale de la France, son étude générale restant en troisième.

L'approche de ce programme est en contradiction avec le projet européen : l'accent est mis sur la « diversité de l'Europe ». Le commentaire pousse les enseignants à être analytiques et très classiques, dans une étude qui, du coup, ne peut être que déterministe :

> On localise les grands ensembles du relief, les grands fleuves, les principaux domaines bioclimatiques et on les met en rapport avec l'urbanisation et les réseaux de communication pour expliquer les paysages et la structuration de l'espace européen.

Autrement dit, la causalité est encore une fois linéaire, les éléments naturels déterminant les éléments humains.

Puis, le professeur doit étudier trois États au choix parmi une liste comprenant l'Allemagne, la Russie, le Royaume-Uni et un État de l'Europe méditerranéenne. Mais il est affirmé que l'accent doit être mis sur les spécificités de chacun des États ; « dans cette perspective sont soulignés le poids de l'histoire et les aspects culturels ». C'est une lecture historienne de l'enseignement d'une géographie insistant plus sur les permanences que sur les processus et les dynamiques.

La moitié du programme est consacrée à l'étude de la France. On retrouve la même insistance sur les aspects « originaux » des éléments de la géographie française. L'étude générale des facteurs naturels puis humains débouche sur une étude de l'aménagement du territoire et des déséquilibres régionaux, introduction à celle des régions, la France étant découpée en six grands ensembles régionaux dont il faudra mettre en évidence encore les caractères spécifiques. Concernant cette partie du programme, il est remarquable que les accompagnements présentent davantage une démarche nouvelle, ainsi que le montrent le vocabulaire utilisé mais aussi la conception de la géographie sous-jacente. À propos de l'étude des équilibres régionaux, il est écrit que « la situation d'une région peut être diversement appréciée, des contraintes peuvent devenir des atouts et inversement ».

Les classes de cinquième et de quatrième ont encore en commun une étude des états des continents. Les accompagnements récusent pour celle-ci le « plan à tiroirs » :

> [...] le plan « à tiroirs » qui présenterait successivement et invariablement, selon un rituel trop rebattu, le relief, le climat, la population les activités etc., quel que soit l'État étudié doit être banni parce qu'il fournit une approche désarticulée. L'étude géographique doit toujours croiser les données humaines, culturelles, économiques, historiques et physiques utiles pour faire comprendre les caractères de l'organisation d'un État.

Cependant, comme nous l'avons déjà signalé, il ne suffit pas de croiser diverses données pour « comprendre les caractères de l'organisation d'un État » et passer à « l'explication des organisations spatiales produites par les sociétés ». Cette démarche croisant les lieux avec les paysages est inopérante pour comprendre l'espace. L'explication n'est pas dans la localisation ni dans le paysage : nous sommes alors en présence d'une démarche de géographie classique fondée sur la confusion entre outils et discipline.

La troisième. Ce programme ne fait pas l'objet d'une spécification des deux disciplines : il s'intitule « Le monde d'aujourd'hui ». Il en est demandé une étude géopolitique, qui démarre par celle des fondements de l'histoire du temps présent avec la période 1914-1945. Les trois autres parties s'intitulent « Élaboration et organisation du monde d'aujourd'hui » (19 à 23 heures), « Les puissances économiques majeures » (15 à 19 heures) et « La France » (15 à 19 heures).

Le commentaire précise d'ailleurs :

> La liaison étroite entre le programme d'histoire et celui de géographie constitue la spécificité de cette seconde partie.

Cette liaison est soulignée dans les accompagnements ; en troisième, il s'agit d'

> Affirmer la cohérence d'un enseignement conjoint de l'histoire et de la géographie. Pour la première fois, un seul programme réunit les deux disciplines. Ce doit être l'occasion non seulement d'affirmer la similitude des démarches et des finalités mais encore de montrer rigoureusement comment le croisement de l'approche historique et de l'approche géographique permet une compréhension plus approfondie du monde dans lequel nous vivons.

Cette approche du monde d'aujourd'hui est présentée dans les commentaires : l'accroissement de la mobilité des hommes et des biens, l'inégale répartition de la richesse et de la pauvreté, et l'accélération de l'urbanisation sont les conséquences géographiques de la croissance économique et démographique depuis 1945. Quant aux conséquences géopolitiques, elles résultent des relations internationales depuis 1945 :

> La notion de frontière (politique ou culturelle) sert de fil conducteur : [de la] multiplication des frontières [...] [à la] tendance à l'effacement des frontières [...]

L'ensemble permet d'aborder la géopolitique du monde et l'étude des trois États, compris comme les « puissances économiques majeures ». Ainsi, la notion de puissance s'inscrit au centre de ce programme. L'accent est à chaque fois mis sur ce qui paraît essentiel : immensité, poids démographique et métropolisation pour les États-Unis ; insularité, exiguïté, concentration des hommes et des activités, faiblesses des ressources naturelles pour le Japon ; originalité d'un pôle économique et commercial majeur constitué d'États indépendants pour l'Union européenne. L'esprit dans lequel il serait nécessaire de traiter cette dernière est indiqué dans les accompagnements :

> L'Europe a presque tous les éléments de la puissance (économique, monétaire, culturelle...), il lui manque l'élément stratégique.

Cette étude s'appuie également à chaque fois « sur les éléments historiques indispensables à la situation actuelle ».

Quant à l'étude de la France, elle est présentée de la même façon, en commençant par les mutations économiques. Cette façon de faire conduit à privilégier les facteurs historiques, la spatialisation des phénomènes n'en étant que la conséquence. Les accompagnements nuancent en fait cette démarche et présentent une indécision du caractère de la lecture à opérer : historienne ou géographique ?

> On peut commencer par l'étude géographique de ce monde puis passer à l'étude historique pour l'expliquer ou, inversement, partir de cette étude historique pour aboutir au tableau géographique du monde actuel.

> La démarche peut être historique dans un premier temps, pour déboucher ensuite sur une étude géographique ou au contraire s'attacher d'abord au présent, c'est-à-dire à la géographie, avant d'aborder la perspective historique explicative.

Ces deux démarches ne sont pas équivalentes. L'angle d'attaque et la conception du cours sur la France sont également clairement présentés :

> Il faut donc aborder l'étude géographique de la France sous un angle global, en éclairant sa position de puissance européenne et mondiale [...] Il faut là aussi dégager les points essentiels en termes d'atouts (et de limites) de puissance et d'originalité de cette puissance.

La problématique d'ensemble est bien géopolitique, ce qui est confirmé par les accompagnements. Mais ensuite, suivant la démarche utilisée, on peut rester sur cette problématique géographique où l'histoire est l'un des facteurs explicatifs du temps présent (alors que les textes montrent une nette préférence pour en faire le seul élément explicatif), ou la transformer en problématique d'historiens. Gageons que, vu la composition du corps des professeurs d'histoire-géographie en fonction de leur valence de formation (9 historiens pour 1 géographe), ce sera la seconde alternative qui sera privilégiée.

La seconde. Le programme de cette classe constitue

le socle de la connaissance et de la compréhension du monde contemporain [...] Le champ de l'étude est la planète mais le programme repose sur un choix d'exemples à différentes échelles. L'objet [du programme est] l'occupation différenciée de la Terre par les sociétés humaines.

Un certain nombre d'indications sont données : les changements d'échelle seront privilégiés ; les exemples seront pris autant que faire se peut dans l'actualité pour démontrer que la géographie constitue l'une des clés de compréhension du monde contemporain ; enfin, le thème de l'environnement est transversal. L'approche reste classique malgré l'utilisation d'expressions à la mode :

Il concerne aussi bien les relations homme-milieu [concept classique] que l'étude des risques naturels, des changements climatiques ou de l'aménagement des territoires.

Le programme est divisé en trois parties : la Terre, planète des hommes (8 à 10 heures), dont l'objet est « l'analyse de la répartition spatiale des populations » ; « les sociétés humaines face aux ressources et aux contraintes de la terre » (12 à 14 heures).
Son objet

est de faire comprendre la différence entre le temps de la géologie, des climats et des milieux et le temps de l'intervention humaine, entre les rythmes d'évolution naturels et ceux de la société.

Cette manière de poser les problèmes est encore une fois typiquement historienne puisqu'il s'agit d'une problématique concernant l'impact du temps à diverses échelles sur l'espace. La troisième partie concerne les sociétés humaines qui organisent et aménagent leur territoire, dont trois types sont à étudier : les villes, les mondes ruraux et l'aménagement du territoire en général (16 à 18 heures).
La première partie est divisée en deux thèmes : la population mondiale et ses dynamiques d'une part, et le fait urbain d'autre part. Pour l'étude de la population, on retrouve en seconde le même problème qu'en sixième : une liaison entre population et développement est de nouveau faite, ce qui laisse à penser que le déterminisme démographique est bien ancré dans la tête des concepteurs de programmes. En revanche, la méthode utilisée pour aborder le thème est renouvelée par rapport au collège : la carte sert à poser des questions et à formuler des hypothèses qui seront vérifiées tout au long de l'année. Avec le fait urbain, il s'agit d'étudier l'explosion urbaine à l'échelle planétaire.
La deuxième partie comprend trois thèmes : l'homme et les reliefs ; l'homme et les grands ensembles climatiques et biogéographiques ; et enfin les transformations des milieux (concept classique) par les hommes. La démarche revient au

classicisme avec la confusion déjà repérée entre outil et objet de la géographie. Quant à la transformation des milieux, elle est traitée par étude de cas.

La dernière partie a les mêmes défauts de conception, présentant trois thèmes de manière analytique. Pour étudier les deux premiers, les villes à grande échelle et les mondes ruraux, le parti pris est très classique, puisqu'il s'agit d'élaborer une typologie des uns et des autres à partir d'énoncés de faits. L'étude du dernier thème, l'aménagement des territoires, peut être l'occasion de traiter de manière globale les trois thèmes ensemble, surtout qu'il s'agit, comme le spécifient les commentaires, de prendre en compte « les enjeux, les débats et les politiques » à propos de problèmes situés à diverses échelles.

La conclusion du programme est qu'il conviendrait de faire « une synthèse de l'ensemble des éléments étudiés concernant l'environnement ». Cette conclusion justifie à elle seule les critiques de ce programme : son traitement est bel et bien analytique et se termine par une synthèse, les problèmes de l'environnement permettant de la faire. Cependant, tous les éléments sont réunis dans le programme pour que l'enseignant, en réorganisant l'itinéraire, puisse partir du complexe, du global et, par une étude systémique des cas, amener les élèves à comprendre les problèmes spatiaux. Ainsi, il éviterait les écueils repérés : une problématique fondée sur le temps et non sur l'espace ; un classicisme récurrent ; une utilisation de thèmes à la mode, tel l'environnement, en lieu et place d'un renouvellement des démarches et de la conception de la géographie enseignée.

La première. Le programme de première présente les mêmes inconvénients : prétendant renouveler les approches, il est de fait passéiste, par le vocabulaire utilisé, par les découpages réalisés en fonction de critères obsolètes (relief, climat, biogéographie) et par l'esprit :

> L'idée directrice sera la différenciation du territoire français dans l'espace européen. Dans ses aspects naturels comme dans ses aspects culturels, la France participe à la fois de l'Europe du Nord et de l'Europe méditerranéenne, de l'Europe atlantique et de l'Europe rhénane et alpine.

La France ainsi présentée correspond à une vision vidalienne — pays de synthèse entre le Nord et le Sud, l'Est et l'Ouest, pays du juste milieu, de tous les équilibres —, doublée d'une vision historique centrée sur les aspects culturels essentiellement.

Par ailleurs, la démarche commune revendiquée pour rendre cohérent le programme — « le changement d'échelle qui permet une meilleure compréhension des espaces emboîtés » — est-elle en fait une démarche ? Le programme lui-même est intitulé « La France en Europe et dans le monde ». Il est divisée en trois parties : « La France en perspective » (8 à 10 heures) ; « Le territoire français et son organisation » (12 à 15 heures) ; « États et régions en France et en Europe » (16 à 18 heures).

La première partie démarre par une définition de l'Europe au caractère périmé : l'Europe est « occidentale, centrale, orientale » ; il en est de même de celle de la place de la France en Europe. Il importe cependant de voir que, dans la lignée des programmes de quatrième, et contrairement à l'annonce de départ suivant laquelle la France est européenne, l'approche se fait en fonction de ce qui différencie et non en fonction de ce qui rassemble : « L'idée directrice sera la différenciation du territoire français dans l'espace européen. » Cette première partie se termine par la situation de la France dans le monde, vue sous l'aspect culturel et géopolitique, avec, au centre, le rôle des DOM-TOM dans l'espace français.

La deuxième partie débute par la confirmation de la nécessité de « singulariser la France dans l'ensemble européen ». Elle commence par l'étude de la population, se poursuit par celle des activités, en faisant porter l'accent sur leur rôle dans la structuration de l'espace français ; enfin, elle se termine comme en seconde par les problèmes d'aménagement du territoire en présentant les processus de décision à divers niveaux des collectivités territoriales, et ce à partir d'exemples locaux.

La troisième et dernière partie concerne la régionalisation. Elle démarre par la définition de la notion de région ainsi que des différents facteurs et acteurs jouant sur les politiques régionales. Il est à noter que le rôle des acteurs est envisagé en prenant comme angle d'attaque leurs « représentations » ; s'agit-il d'une concession à la mode ou d'un véritable renouvellement pédagogique dans les démarches et dans la conception de la géographie ? Des régions doivent ensuite être étudiées, en commençant par celle des élèves et, dans ce cas, il est possible d'intégrer leurs représentations sur leur région dans la démarche pédagogique ; autre nécessité : le professeur doit s'attacher à faire étudier des régions transnationales, les eurorégions. Enfin, deux États sont étudiés : le Royaume-Uni et un pays méditerranéen. À cet effet, il est à nouveau indiqué qu'il est nécessaire d'insister sur leurs spécificités.

En conclusion, ce programme, malgré quelques avancées (les régions transfrontalières), est en retard sur les faits et les réalités. L'insistance par exemple sur les spécificités des États est préjudiciable à une étude de l'Union européenne avec un objectif civique, comme affiché au départ. Les découpages proposés le sont en fonction de vieux critères abandonnés depuis longtemps, ce qui va à l'encontre d'un autre objectif : tenir compte des avancées de la recherche universitaire. Par bien des côtés, en dépit des concessions à la mode sur le plan du vocabulaire, ce programme est rétrograde dans sa conception et dans sa présentation.

La terminale. L'objet du programme est « de donner quelques clés d'explication du monde en mouvement ». Comme en première, la démarche proposée repose sur les changements d'échelle, ce qui entraîne les mêmes réflexions. La problématique est centrée sur le développement. Le programme lui-même est intitulé « L'espace mondial ». Il est divisé en trois parties : « L'organisation géographique du monde » (6 à 8 heures) ; « Trois puissances économiques mondiales »

(17 à 19 heures) ; « Quelques problèmes géographiques mondiaux à l'échelle continentale » (14 à 16 heures).

L'étude de l'organisation du monde est fondée sur les grands découpages du monde grâce à des lectures de cartes politiques et d'aires culturelles. Elle s'intéresse d'abord aux inégalités de développement mises en relation avec « les centres d'impulsion de l'espace mondial », qualifiés dans le commentaire de « principaux pôles de développement et de grands réseaux d'échanges » associés. La liaison opérée entre les deux points du thème, les héritages culturels et le développement, peut entraîner des explications simplistes, faisant du culturel l'élément déterminant des différences de développement. Il est à noter que la formalisation de cette question à l'aide de termes et d'expressions tels que « centres d'impulsion », « pôles de développement » et « réseaux » fait implicitement référence au « système monde » théorisé par O. Dollfuss[1]. Le problème est de voir comment cela se traduit dans la suite du programme — notamment avec l'étude des États-Unis, du Japon et de l'Allemagne —, qui est « organisée autour de l'idée de puissance ». Cette « idée de puissance » est déjà un indicateur : alors que le « système monde » entraîne obligatoirement une approche spatiale, étudier cette question avec au centre l'idée de puissance revient à adopter une approche géopolitique, pas forcément spatialisée. De plus, à la lecture du commentaire, il est évident que c'est une vision très classique de la géographie qui est recommandée : population, activités — même si c'est « en relation avec le territoire » —, puis « puissance régionale et mondiale ». En fait, le choix de ces trois États n'est pas innocent : il s'agit des pôles des centres d'impulsion, et une étude en termes de système spatial est tout à fait possible, bien que les commentaires orientent vers une façon classique de traiter ces États.

Enfin, l'étude des problèmes géographiques mondiaux, qui commence par des études de cas à l'échelle continentale, est réduite avec les allégements récents des programmes (1999) : il ne reste plus que deux questions au choix du professeur. Cependant, quel que soit le sujet, l'accent demeure placé sur les héritages historiques (l'agriculture et le développement en Amérique Latine ; le peuplement et la maîtrise du territoire en Russie), les évolutions (les grandes villes d'Afrique), et non sur des problèmes spatiaux. Enfin, on retrouve la même tendance à lier problèmes démographiques et développement, ce qui entraîne ce déterminisme que nous avons déjà dénoncé pour la sixième et la seconde :

> Population et développement en Chine et en Union Indienne […] On étudiera les liens entre les problèmes de population et le développement.

Cette étude des programmes actuels montre donc qu'ils sont en retrait par rapport aux avancées de la relecture de 1990 des anciens programmes de 1985, alors que les professeurs pouvaient espérer une avancée significative, avec un renouvelle-

---

1. *La Géographie universelle*, 1 : *Mondes nouveaux*, Paris, Belin, 1990.

ment à la fois pédagogique et disciplinaire de l'enseignement de la géographie. Ces programmes privilégient une conception historienne de la géographie ; ils sont justement signés par deux historiens, D. Borne, inspecteur général, et S. Bernstein, professeur d'histoire contemporaine et enseignant à l'Institut d'études politiques, ce qui expliquerait la vision géopolitique de l'ensemble du programme. De plus, les programmes des disciplines histoire et géographie sont porteurs d'enjeux civiques, et ont été élaborés dans un contexte socio-politique spécifique. Cependant, devant les critiques, un nouveau groupe d'experts vient d'être réuni (2001) pour analyser et critiquer ces programmes et en proposer d'autres.

En dehors des grandes ruptures et retours en arrière qui ont marqué cette étude de 130 années de programmes de géographie pour l'enseignement secondaire, il importe de s'interroger sur leurs permanences. Elles sont au nombre de trois.

Les trois cercles ou les principes pédagogiques sous-jacents. Le principe de triple répétition — à l'école élémentaire, au collège et au lycée — des mêmes savoirs, avec l'idée d'un enrichissement progressif des connaissances, est l'une de ces permanences. Au départ, la géographie est conçue comme une science des lieux et une nomenclature ou — dans la version récente des programmes — une description du monde à l'aide d'un vocabulaire approprié. Cette manière de voir révèle une conception cumulative de la connaissance ; la géographie est toujours une discipline de la mémoire : la connaissance de la nomenclature ou, aujourd'hui, des repères spatiaux reste fondamentale. De plus, l'ordre des connaissances est souvent donné : on part des éléments naturels pour arriver aux éléments politiques et économiques, les premiers expliquant les seconds. Lors de la relecture de 1990 et dans les programmes actuels, l'ordre est inversé systématiquement, comme si cette précaution empêchait le déterminisme de la nature sur les faits humains ; au fond, il ne s'agit que d'un accommodement de surface.

Le document au cœur des programmes de géographie. Le document est le point de départ (étude de cartes) ainsi que d'arrivée (croquis de synthèse). Le premier des documents est la carte. L'étude de la carte d'état-major est à l'origine de l'enseignement de la géographie en France, calquant le modèle allemand :

la lecture de la carte d'état-major [...] complétée si possible par des excursions sur le terrain [...] Je [J. Simon, ministre de l'Éducation Nationale] désire que, conformément à ce qui se fait en Allemagne [...] on commence par la description de la commune [...] pour n'arriver qu'en dernier lieu à la carte de l'Europe et à la mappemonde. (Décembre 1871, programme classe de quatrième)

Cette volonté est de nouveau affirmée quatre-vingts ans plus tard :

L'étude des documents y est fondamentale, et tout d'abord celle de la carte. Le géographe part de la carte pour y revenir sans cesse. Son mode d'expression le plus normal est la carte. On peut même dire qu'un fait est géographique dans la mesure où il peut se cartographier. Les élèves apprendront à lire la carte d'état-major. Aucun cours de géographie n'aura lieu sans que la carte murale ne soit présente. (Programme de 1955)

L'étude de la carte est prolongée par la réalisation de schémas à main levée, d'excursions sur le terrain : à partir du local, les élèves observent, transcrivent sous forme de schémas et/ou de croquis qui contiennent « ce que le maître aura dit, ni plus, ni moins » (1890).

Dès les premiers programmes, il est souligné que la carte bien léchée, faite à la maison, est un exercice à proscrire. Le postulat est que, à partir de la réalisation de cartes, les élèves soient capables de les lire toutes. Petit à petit, la prégnance de cette utilisation de la carte a rendu ce substitut du réel incontournable. Cartes et croquis deviennent en quelque sorte des objets fétiches : plus que simples outils de connaissance des lieux, ils représentent le savoir géographique lui-même. D'ailleurs, logiques avec eux-mêmes, les concepteurs de programmes font voter les crédits nécessaires pour l'achat à prix privilégiés de cartes d'état-major (1880), organisant des liens privilégiés entre le ministère de la Défense ; ces liens ont perduré au moins jusqu'à la fin des années 1980, avec les établissements ayant jusque-là le monopole de la réalisation des cartes, le dernier en date étant l'IGN. Depuis une dizaine d'années, l'IGN devenant un établissement autonome financièrement, les liens sont totalement rompus et les temps sont durs pour les équipes pédagogiques qui veulent acheter du matériel cartographique (cartes, mais aussi photos aériennes, données numériques, etc.). En 1880, toujours dans cette logique, furent créés des laboratoires d'histoire-géographie dans chaque établissement scolaire du secondaire, avec des crédits pédagogiques pour acheter et remplacer le matériel.

À côté des cartes et croquis, il importe de faire une place à l'image :

> L'enseignement doit cesser d'être livresque pour devenir de plus en plus concret ; il doit apprendre non des mots, mais des réalités ; il doit montrer la vie, et par là, préparer à la vie. (1890)

Le meilleur des documents reste le terrain, le paysage, étudié au cours d'excursions de géographie ou, à défaut, grâce à des reproductions : photographies à projeter par épiscope, plaques de verre puis diapositives, images « fixes » à montrer, voire films (ils ont été utilisés très tôt à des fins pédagogiques : fin XIXe-début XXe siècle). Jean Bruhnes s'est particulièrement illustré en produisant d'innombrables photos sur plaque de verre. De nombreuses photographies en noir et blanc de format A3 produites à des fins pédagogiques au début du XXe siècle par le ministère montrent les principales formes de relief et d'occupation humaines ; certaines se trouvent encore dans les fonds des placards des vieux établissements et des écoles primaires. Des atlas de formes géographiques ont été créés.

Toute la panoplie des documents est présente dans les programmes ; dans les derniers, sont ajoutés simplement ce qu'il est convenu d'appeler les nouveaux outils : cartes satellitales, logiciels et autres TICE…, mais sans penser à changer la démarche pédagogique.

Le concret et le local. Toutes ces pratiques pédagogiques — mise en avant du vocabulaire, de la nomenclature, des documents — convergent vers un point : rendre effectif l'aspect concret de la discipline, son caractère « expérimental », qui, dans sa conception classique, faisait de la géographie une science de la nature. Ainsi, la religion du concret et du local amène les professeurs à commencer leur enseignement en s'appuyant sur des exemples singuliers, la plupart du temps situés à proximité de l'établissement, dans son environnement immédiat ou accessible à pied. À partir de là, par une démarche inductive, le professeur pourra généraliser et donner des typologies (de lieux, de formes, de villes, de champs…). De plus, le concret et le local, par le biais des paysages étudiés *de visu*, sont le réel donné par la nature, et leurs représentations, images ou croquis, deviennent plus réelles que le réel lui-même.

Ces pesanteurs des programmes jouent encore aujourd'hui. C'est d'autant plus regrettable que la géographie enseignée n'est pas la géographie qui se fait. La réduction des écarts est difficile à opérer. Mais il est vrai qu'il y a aussi des lourdeurs dues aux représentations de la géographie que se fait la société : un professeur de géographie se doit par exemple de savoir immédiatement localiser tous les lieux, de connaître les noms de tous les fleuves et montagnes, de tous les pays avec leur capitale — heureusement qu'il n'existe plus beaucoup de personnes pour exiger le nom des préfectures et sous-préfectures ! Et la demande sociale étant primordiale, notamment dans des disciplines aussi idéologiques que l'histoire et la géographie, il n'est pas étonnant de voir des retours de programmes vers de vieilles lunes rassurantes.

Sujets corrigés

Enseigner le paysage
en classe de sixième

Dossier :

Document 1 : R. d'Angio, « Au secours le paysage revient ! », *Information Géographique*, 1997.

Document 2 : P. Vidal de la Blache, *Tableau de la géographie de la France*, 1903 (L'Argonne ; le Pays meusien).

Document 3 : M. Ivernel, *Histoire-géographie 6ᵉ*, Paris, Hatier, 2000, p. 278-279.

Document 4 : Programmes et compléments classe de sixième, CNDP, 1996.

« La carte et l'image sont les deux outils pédagogiques du programme de géographie de sixième ». « L'image est première, elle présente le paysage étudié, elle permet de faire découvrir ses composantes naturelles et humaines, et d'approcher son organisation ». Dans les contenus de programme, le mot « image » disparaît au profit de « paysage » : « cartes et paysages du monde » ; « les paysages seront étudiés à partir d'une ou plusieurs images » ; « étude des paysages grâce à des images retenues pour leur représentativité ». Images donc, mais images de paysages.

Le paysage est ainsi au cœur du programme de géographie de la classe de sixième. Le sujet proposé porte sur le paysage en géographie. Les documents proposés sont une description géographique de paysage de Paul Vidal de la Blache et un extrait de manuel de sixième récent. Nous pouvons privilégier plusieurs axes de réflexion afin de mieux cerner la place et l'usage du paysage dans l'enseignement de la géographie en classe de sixième :

– le paysage, notion de la géographie française : approche épistémologique ;
– le paysage, outil dans la géographie enseignée : approche didactique ;
– le paysage, valeur civique et patrimoniale : dimension civique et culturelle.

Le paysage, une notion de la géographie traditionnelle

Définition

Le terme même de paysage entre dans la langue française à la Renaissance ; Montaigne l'emploie. « Représentation peinte du monde réel », il s'applique d'abord à la peinture puis à la littérature ; il a d'emblée une valeur esthétique (Robert Ferras, *99 réponses sur la géographie*, 1994). Le mot « paysage » a pour longtemps un sens artistique. C'est sans doute pourquoi, dans les représentations mentales des élèves, il conserve cette valeur esthétique (« un beau paysage »).

Bien des définitions de ce terme ont été proposées et elles sont souvent citées : « Vue d'ensemble d'une région, d'un site » (*Petit Larousse*) ; « L'aspect d'un pays qui s'étend jusqu'où la vue peut porter » (*Dictionnaire universel* de Furetière, 1690) ; « Il faut qu'il soit vu d'un lieu assez élevé où tous les objets auparavant dispersés se sont rassemblés sous un seul coup d'œil » (*Dictionnaire de la langue française* de Littré, 1863-1873). Une définition classique, intéressante, est donnée par Julliard dans les *Annales de Géographie* en 1962 : « Combinaison de traits physiques et humains, qui donnent à un territoire une physionomie propre et qui en fait un ensemble, caractérisé par la répétition de certains faits. » Une approche plus systémique est proposée par G. Bertrand, depuis quelques années : « le paysage est un système qui chevauche le naturel et le social » (*Revue Géographique*, 1978) ; « dans une certaine portion de l'espace, la résultante de l'interaction entre le milieu physique originel, l'exploitation biologique et l'action de l'homme » (*Annales de Géographie*, 1984). Le paysage est une image perçue d'un ensemble, vu d'un point haut, mais qui exprime une réalité complexe, une combinaison de faits.

La place du paysage dans la géographie savante

C'est chez P. Vidal de la Blache que la notion de paysage prend toute son importance en géographie. Pour fonder la cohérence de la géographie française, en construction, ce dernier centre l'objet de la discipline sur l'étude des paysages, qu'il considère comme « un complexe d'images que le géographe doit rendre intelligible » (Michel Périgord). Le paysage c'est, d'abord sur le terrain, dominer, voir et décrire :

> La Meuse coule, ou plutôt se traîne, à travers ses prairies, où pendant les sécheresses d'été on la cherche presque. Elle laisse se détacher d'elle les bras sinueux qui languissent, s'endorment en petits bassins envahis par les herbes, se séparent du chenal principal. L'hiver, pourtant, la vallée de prairies est parfois sous l'eau. Aussi est-ce au pied des côtes, sur les versants enrichis par les éboulis calcaires que courent les routes, naissent les sources, s'échelonnent les villages. Des gués assez nombreux relient les deux rives, de sorte que le même village a parfois ses prairies d'un côté et de l'autre. (Document 2)

L'approche naturaliste prime. Mais l'approche humaniste, historique, n'est pas absente :

> Parfois, à un détour de vallée, un éperon rocheux s'avance et barre presque l'issue. C'est une position dominante. Comme tout est concentré dans la vallée (appelée ici Rivière), routes, villages, champs, la possession du barrage permet de maîtriser tout le pays : c'est le site de Saint-Mihiel, celui surtout de Verdun, où depuis les temps préhistoriques n'ont pas cessé de se succéder les citadelles.
> [...] Au-dessus, autour, on peut dire partout, la forêt règne en effet ; seule végétation que permette l'aridité de ces roches calcaires. Pour l'habitant de la Rivière c'est la Montagne, pauvre, solitaire, sauf quand il lui arrive d'être traversée par quelque vallée argileuse. Mais sur le versant oriental le nom de Montagne fait place à celui de Côtes. Avec les sources reparaissent les riches cultures, les noyers, mirabelliers, la vigne ; et les villages se pressent au pied des côtes, à moins d'un kilomètre parfois l'un de l'autre. On a à ses pieds ce spectacle, quand on monte sur un de ces promontoires au profil busqué par lesquels la montagne fait saillie du côté de la Woëvre. Et celle-ci, avec sa plaine où miroitent les étangs et ondulent les champs de blé, ne se termine que bien loin vers l'Est ; elle va jusqu'à la sombre ligne boisée qui accompagne la Moselle. (Document 2)

La qualité de cette description fait songer à un « tableau », brossé de main de maître depuis un point d'observation élevé.

Le paysage, chez Vidal de la Blache, c'est ainsi une remarquable description, mais c'est aussi le commentaire de la carte. Analysant des cartes, le géographe (« un seul coup d'œil sur la carte ») décrit des paysages de manière théorique, se plaçant dans la troisième dimension, afin de tenter de dégager de grands types paysagers. Il s'agit d'un décor mais construit. L'œil ne peut voir ces paysages « vidaliens » ; ils sont construits à partir de la carte géologique au 320 000ᵉ d'Élie de Beaumont. D'ailleurs Vidal de la Blache ne choisit pas le croquis comme moyen d'illustration mais la carte (toutefois, il ne néglige pas la photographie). Ses qualités littéraires ont longtemps masqué le fait qu'il s'agissait de paysages construits, abstraits, des « paysages de géographe ». Il est vrai que Vidal de la Blache décrit le train de côtes du Bassin Parisien comme s'il le voyait d'avion :

> Lorsque, venant de l'Est, on s'approche de Nancy, des formes nouvelles attirent le regard : en avant d'un rideau dont les lignes uniformes se prolongent à perte de vue, des coteaux isolés, des monts se projettent, comme des piliers détachés d'une masse.

Mais ce commentaire de la carte laisse place à des remarques historiques et à des descriptions à toutes les échelles :

> Une ligne presque ininterrompue de villages et de villes commence dès l'apparition de la source. La plupart des villages s'étendent en longueur, parallèlement à la rivière. Leurs maisons rapprochées mais non contiguës, s'égrènent en chapelet, de telle façon qu'on passe parfois sans s'en apercevoir d'un village à l'autre. Autrefois toutes rustiques sous le chaume qui les enveloppait presque, elles se transforment aujourd'hui en maisons de briques, entre les prairies qui tapissent le lit largement plat de la vallée et les champs qui se déroulent en minces bandes perpendiculaires. (Cité par Béatrice Giblin, « Le paysage, le terrain et le géographe », *Hérodote*, 1978)

Cet « effet de zoom » se retrouve dans le texte exemplaire, devenu « patrimonial » et intégré dans *Les Lieux de mémoire* (Pierre Nora, 1997), sur l'Argonne :

> Les versants, boisés comme les sommets, s'élèvent d'un jet [...] On y chemine entre un double rideau de forêts sur des sentiers gluants et blanchâtres. Des maisons en torchis et poutres croisées, dont les toits en saillie ne sont que trop justifiés par le ciel pluvieux, font penser aux loges qu'élevaient autrefois ces « compagnons des bois ». (Document 2)

Bref, ce paysage ne serait pas visible sur le terrain.

Le paysage est devenu l'objet central de la géographie de la première moitié du XXᵉ siècle. En 1913, Max Sorre écrit : « Nous dirions volontiers que toute la géographie est dans l'analyse des paysages » (*Les Pyrénées méditerranéennes*), et encore, en 1933, « il [le paysage] est le point de départ de nos travaux, sa reconstitution rationnelle est l'objet de nos synthèses » (*L'Enseignement de la géographie*). Cette approche paradigmatique est confirmée par Jules Sion en 1934 (*L'Art de la description chez Vidal de la Blache*) :

> Vidal de la Blache fut le véritable créateur de la géographie française qui vit encore de sa pensée. Il dut cette influence non seulement à la valeur de ses idées, mais aussi à la façon dont il savait décrire les aspects de la nature et l'empreinte qu'y grave le travail de l'homme [...] Ce paysage, il le disséquait, pour ainsi dire, mettait en lumière ses lignes maîtresses, cherchait leur origine dans la géologie ; puis l'ossature de la contrée se recouvrait de sa chair : la terre où vivent et peinent les hommes, la végétation des forêts et

des champs, les villages blottis dans un vallon ou les fermes dispersées dans un bocage. Et l'on sortait avec l'impression que l'on avait compris ce qu'il y a d'essentiel dans la physionomie d'un pays.

Le paysage est l'un des fondements paradigmatiques de l'école de géographie française. Les mérites du paysage se sont révélés importants : le paysage apportait un objet à la géographie ; c'était un concept intégrateur, global, répondant à l'attrait du géographe pour le concret, le visible, le terrain. « La tradition littéraire des géographes [...] leur permettait de brosser des descriptions, de faire revivre aux lecteurs les paysages qu'ils ne voyaient pas » (P. et G. Pinchemel, *La Face de la terre*, 1994).

Le paysage en géographie aujourd'hui

Pourtant, le thème du paysage n'a pas unanimement rassemblé les géographes. Ils n'ont pas toujours accepté cette réduction dans laquelle les auraient facilement enfermé les historiens, notamment Lucien Febvre :

[...] les géographes, ces analystes du paysage, et qui des sociétés humaines n'ont à étudier, si l'on peut dire, que le « paysagique » (*La Terre et l'évolution humaine*, 1925).

En 1941, André Cholley (cité par P. et G. Pinchemel) écrivait : « le paysage n'est pas un but, il n'est qu'un moyen ». Longtemps privilégiée, la notion de paysage pose problème aux géographes, comme le montrent P. et G. Pinchemel dans *La Face de la terre* :

Le paysage a occupé et occupe une place toute particulière dans le champ de la géographie. Aux côtés du milieu, de la région puis de l'espace, c'est un des concepts spécifiques de la géographie. Mais c'est aussi un concept qui a divisé et qui divise les géographes. Il oppose les tenants d'une géographie science du paysage et ceux pour qui le paysage est une notion vide, voire négative.

Plus sévèrement, Roger Brunet a pu affirmer : « Le géographe n'est pas l'inspecteur des décors » ; « il n'y a pas de regard objectif » sur un objet aussi complexe que le paysage le plus simple ». Le paysage n'existe pas ; il a la signification que l'on veut bien lui donner ; c'était ouvrir une nouvelle porte à l'analyse du paysage..

En effet, le concept de paysage est revisité depuis quelques années. La « loi paysage », les aménagements « paysagés » sont des préoccupations nouvelles des hommes politiques, des urbanistes, des architectes. Il est possible d'évoquer quelques approches actuelles. Pour un géographe physicien comme G. Bertrand, la notion de paysage est au cœur d'une géographie physique renouvelée, avec « géosystème » et « territoire » :

Le paysage, notion plus que concept, permet d'introduire la dimension socio-culturelle dans l'analyse de l'espace géographique par le biais des représentations, des symboles et des mythes…

Paul Claval a écrit :

Le paysage qu'analysent les géographes n'est pas un cadre neutre et qui puisse être traité sans émotion. [...] C'est peut-être dans le domaine de l'analyse des paysages que l'évolution contemporaine de la curiosité géographique est la plus forte : les géographes s'attachent au sens que les hommes donnent à leur expérience de l'espace. C'est à travers les paysages qu'il est le plus facile de le mettre en évidence. (J.-F. Siaszack, dir., *Discours du géographe*, 1977)

On peut faire référence ici aux conceptions développées par Jean-Robert Pitte (*Histoire du paysage français*, 1983). Ce renversement de tendance met au cœur de la géographie le territoire, étendue plus ou moins aménagée à laquelle les hommes confèrent du sens ; et elle fait du paysage son champ préféré d'analyse.

Nous pouvons conclure avec Jean Maréchal que la notion de paysage a pu évoluer et dépend donc de la conception de la géographie et des questions que se pose l'enseignant : est-ce la marque de la nature avant tout ; un pur produit social ; la réalité visible d'une réalité plus complexe ? Il a une valeur géographique, aujourd'hui renouvelée dans l'optique humaniste de la géographie contemporaine, mais aussi une valeur esthétique et patrimoniale.

Usage du paysage dans la géographie enseignée

La place du paysage dans l'enseignement géographique au collège

Malgré les débats passionnés sur la pertinence du paysage dans la géographie savante, le recours à ce dernier est depuis longtemps un élément de continuité dans la géographie enseignée. Les programmes et les commentaires donnent au paysage un double statut. Il est à la fois notion et outil, les élèves apprenant en quelque sorte le paysage et par le paysage.

Cette approche didactique du paysage comme document essentiel s'inscrit dans la continuité de l'école élémentaire. Les objectifs de la classe de sixième s'appuient en effet sur les acquis de l'école élémentaire (« première lecture de paysage et comparaison avec d'autres "cadres de vie" », « première lecture de paysages ruraux et urbains »...). À l'entrée au collège, l'élève possède des connaissances sur la France ; il change alors radicalement d'échelle avec l'étude des paysages du monde.

C'est surtout en tant qu'outil, dans l'intérêt qu'il présente sur le plan des compétences à mettre en œuvre, qu'il s'impose (*Bulletin Officiel, Quelle géographie enseigner ?*, 1994).

La reproduction de paysages sous différents angles de vue à plusieurs échelles et sous diverses formes (images fixes, vues aériennes obliques et verticales, images vidéo) sert de document pour mettre l'élève en activité. Le paysage peut être étudié en soi ; la première étape est descriptive. Il doit ensuite être mis en relation avec d'autres images, d'autres documents (pour établir des corrélations, poser des questions). Après l'observation plan par plan, il faut se poser les questions : qui ; pourquoi ; où et pourquoi là ? Cette étude du concret, lorsqu'il s'agit de passer du fait à l'analyse, n'est pas nécessairement incompatible avec une première approche systémique. Il est possible d'analyser les interrelations entre les différents éléments qui composent un système et d'en étudier le fonctionnement — l'accent pouvant être mis davantage sur les relations que sur les éléments. C'est dans un usage restrictif de l'outil que réside le danger :

L'outil dans la géographie classique est au centre de la discipline, parce que méthode et outil ont servi à la définir [...] Il y a équivalence entre l'espace vu comme une réalité objective et les outils quels qu'ils soient [...] considérés comme contenant le savoir géographique. Il en découle que la géographie est une science d'observation... (Michelle Masson, *Vous avez dit géographies ?*, 1994)

Le risque serait de privilégier exclusivement une démarche systématique (premier plan, second plan, arrière-plan) et un plan à tiroirs (relief, végétation, habitat, activités, circulation). C'est une démarche de la géographie classique toujours utilisée à l'école (lire les principaux paysages français et décrire les activités des hommes qui les occupent) ou au collège : il s'agit d'entraîner les élèves à repérer et classer les éléments naturels (relief, hydrographie, végétation) et les éléments sociaux (habitat, utilisation du sol, nature de l'activité, communications...), à décrire et schématiser les différentes unités paysagères observables... Mais les outils, d'après Michelle Masson (*Vous avez dit géographies ?*),

dans la nouvelle géographie, tiennent la place d'un intermédiaire, d'un auxiliaire qui permet à partir des interrogations qu'ils suscitent de construire une interprétation de l'espace. L'outil n'est pas l'objet du savoir lui-même mais l'objet du travail géographique.

Ce à quoi nous invitent d'ailleurs les instructions officielles : il est proposé d'expliquer le paysage à l'aide d'éléments extérieurs et de passer de l'image à sa schématisation... Enfin, pour mieux analyser et expliquer le paysage, un corpus complémentaire de documents (autres images, textes, graphiques) peut être utilisé, ce dont ne se privent pas les manuels. L'objectif est bien, d'abord, méthodologique. L'analyse de paysage peut développer un certain nombre de compétences qui sont des objectifs d'enseignement de la géographie au collège : sens de l'observation, éducation du regard ; capacité de trier, classer, analyser ; capacité de décrire. Observer et décrire sont insuffisants pour une démarche scientifique, mais ont une finalité pédagogique :

Il est donc nécessaire de localiser les paysages choisis, d'entraîner les élèves à repérer et classer les éléments naturels et sociaux, à décrire et schématiser les différentes unités paysagères [...] puis d'expliquer et de passer de l'image à sa schématisation. Cette capacité à faire émerger des questions, à associer indices et hypothèses est stimulante pour l'élève et le professeur. Le programme nous invite à enseigner le paysage comme la résultante de l'action conjuguée des hommes et de la nature, comme « l'expression visible de l'humanisation de la terre ». (Programme).

Cette approche du paysage en fait un objet d'étude en tant que composante essentielle de l'espace géographique.

En classe, le plus souvent, le paysage s'inscrit dans une démarche inductive qui consiste à l'observer, le décrire, l'expliquer et à en dégager l'originalité afin de l'intégrer dans une typologie. Ce n'est qu'une étape dans la construction du savoir géographique, car est fréquemment laissé dans l'ombre tout ce qui concerne les lieux, les flux, les acteurs et l'aménagement, qui agissent dans un cadre territorial plus vaste, à toutes les échelles, du milieu local à l'espace-monde.

Il n'est pas question de confondre géographie et étude des paysages (*cf.* document 1). Il s'agit tout simplement de proposer aux élèves des activités concrètes pour aborder l'étude géographique du monde. L'image de paysage vient compléter l'étude de la carte. Le danger, dans ce retour du paysage, n'est donc pas pour l'élève mais pour le professeur. Il y a beaucoup de bonnes raisons d'enseigner les paysages sans se cantonner dans une géographie du paysage : les élèves prennent contact avec le monde par leurs sens ; l'environnement appréhendé par les sens est à la base de la notion de paysage. La limite dans cette étude d'images de paysages réside plutôt dans l'absence de la dimension vécue (un authentique paysage, le terrain), ou de l'émotion procurée par exemple par un tableau (de paysage). Mais l'élève devenu touriste ou voyageur continuera de rencontrer le monde par les paysages. De plus, pour les jeunes élèves, il est difficile d'entrer en géographie par les statistiques ou les modèles spatiaux. « Le professeur doit simplement garder à l'esprit le fait que le paysage ne peut pas tout, que la géographie des paysages n'est pas toute la géographie » (document 1). Mais le paysage est — avec la carte — un outil essentiel à l'apprentissage géographique, ce que souligne le programme de sixième. Cette approche didactique, voire pédagogique, est la justification de la place du paysage (de ses images) tant au cycle des approfondissements de l'école élémentaire qu'au cycle d'adaptation du collège.

« *Zellenberg, un village d'Europe* » : *un choix exemplaire*

Le document proposé (document 3) présente un paysage à la fois symbolique et exemplaire. Il est symbolique, car il est le fruit du travail des hommes, de leur histoire, que les monuments racontent encore aujourd'hui : tour médiévale, vestige d'un ancien rempart, église du XVIIIe siècle. Il est exemplaire par l'étagement des plans : au premier plan, les rangs de vigne sur les sols caillouteux ; au second plan, le village massé autour de son église, perché sur une colline, au cœur de son terroir ; en arrière-plan, les collines de piémont sous-vosgiennes couvertes de forêts et hérissées de châteaux.

C'est un paysage choisi pour sa valeur esthétique, historique : le paysage est loin de n'avoir qu'un sens géographique. Le site — au sommet d'une colline que soulignent les rangs de vigne — et l'habitat — maisons aux toits en forte pente, alignées le long de la rue entre l'église et la tour médiévale — sont beaux. Les limites du terroir exploité peuvent être dégagées, en auréoles concentriques autour du village : courtils ou jardins jouxtant les maisons, vignobles, prairies ou friches, ligne bleue de la forêt vosgienne enfin et, sur les versants, semblent apparaître les vestiges d'un de ces châteaux qui contrôlaient la région. Puis, vers la droite, sur le même site, avec les même fonctions, il y a un autre village. Tout près de là se trouve le village-musée de Riquewihr.

Cette photographie de village a été choisie pour son intérêt pédagogique, une double analyse pouvant être faite : plan par plan — vignoble, village et route (des vins), collines et montagne des Vosges —, ou éléments créés par les hommes et éléments naturels. La coupe de la région proposée dans le manuel permet de compléter l'ensemble (situation) avec la plaine d'Alsace et la vallée du Rhin. Le village peut être situé sur la carte de la région. On peut souligner la hiérarchie des voies de circulation, la route des vins qui relie le chapelet de villages sur les collines sous-vosgiennes, l'autoroute N83 de direction méridienne qui relie les villes d'Alsace (Mulhouse, Colmar, Strasbourg) et ouvre la région sur l'extérieur, vers la Suisse, l'Allemagne et le Luxembourg.

Cette double page semble répondre aux attentes du programme. L'image qui occupe l'essentiel de l'espace de ces deux pages peut être facilement décrite. Les documents qui la complètent (reprise photo, coupe simplifiée, texte explicatif et la carte à la page précédente) permettent d'établir l'interaction entre les différents éléments : le milieu, le relief, les activités agricoles et sylvestres, les traces historiques, l'habitat (vieux village et lotissement), les axes de circulation. Par ailleurs, diverses échelles peuvent être utilisées, de la photo à la coupe topographique et à la carte. Enfin, un questionnaire aide à observer, décrire, situer et comprendre la spécificité de ce village et de son environnement.

Les paysages, dimension civique et patrimoniale

Le paysage est chargé de valeurs

Ce « retour du paysage » dans le programme de géographie du collège se justifie également par l'importance accordée à l'approche culturelle, identitaire, patrimoniale. Il s'agit de construire un répertoire d'images du monde, comme un répertoire d'images de la France a été construit à l'école élémentaire. En effet, une finalité de l'enseignement tant en histoire qu'en géographie est de « produire un répertoire d'images » pour construire des représentations mentales, sociales avec les élèves (Annie Leroux, *Historiens & Géographes*) comme on constitue un répertoire de mots.

Dans la continuité des « personnages historiques » et des « événements historiques » de l'histoire de Lavisse, des « monuments historiques » inventés au XIXe siècle et renouvelés par les « lieux de mémoire », on a pris conscience de l'existence de ces lieux, de ces paysages qui peuvent être qualifiés de patrimoniaux. Les démarches de reconnaissance du monument historique et du « monument naturel » sont similaires ; elles relèvent l'une et l'autre de l'intérêt porté aux choses du passé, de ce qui fait mémoire et identité (Y. Veyret et Anne Le Maître, « Réflexion sur le paysage : paysage et patrimoine », *L'Information Géographique*, n° 5, 1996). Il s'agit d'une tentative de fixer le temps, de préserver la mémoire. Le paysage a, depuis « la ligne bleue des Vosges », une valeur patriotique :

> C'est dans la contemplation de certains horizons familiers que l'on trouvera [...] les sources mêmes du patriotisme. Le paysage est le visage aimé de la mère patrie. (Loi de 1906, citée par Patrick Fifre, *L'Idéologie de la protection du paysage*, Académie de Mâcon, 1992).

Le passéisme voire le nationalisme apparaissent clairement. Il est intéressant d'observer que, dans un pays où 80 % de la population est urbaine, ces paysages sont avant tout ruraux, agraires. Même si, aujourd'hui, avec le développement du tourisme de masse, on se contente de « faire » le mont Saint-Michel, les falaises d'Étretat ou le cirque de Gavarnie, comme on « fait » les châteaux de la Loire. Mais le plus étonnant n'est-il pas de voir les descriptions paysagères de Paul Vidal de la Blache (l'Argonne) retenues et étudiées comme « lieux de mémoire » dans l'ouvrage dirigé par Pierre Nora ? Des paysages de géographe sont devenus lieux de mémoire pour l'historien.

De même qu'il existe des tableaux ou des monuments « patrimoniaux », il existerait donc des paysages « patrimoniaux » : le mont Saint-Michel, l'île de la Cité, l'aiguille du Midi, le mont Blanc... pour la France, à l'école élémentaire (cités par Dominique Borne, conférence sur l'histoire et la géographie à l'école, 1996) ;

New York, Kobé ou Rio, un village d'Alsace, un village d'Afrique Noire, des rizières d'Asie du Sud-Est, une zone de défrichement en Amazonie pour le monde.
Monuments historiques et naturels, patrimoine bâti ou paysager procèdent des rapports de l'homme au temps et à l'espace.

> Depuis le Quatrocento, ils ont sédimenté sens, symbole et représentations ; rien d'étonnant alors à ce que la crise spatiale et sociétale actuelle leur redonne une place dans les préoccupations et les discours (Y. Veyret et A. le Maître, « Réflexion sur le paysage… », art. cité).

Deux écueils sont à éviter : le ruralisme et le nationalisme. Mais ce risque n'existe pas ici, l'étude patrimoniale du paysage s'ouvrant sur les diverses activités humaines, paysages industriels et urbains, et, surtout, sur le monde.

Ces paysages patrimoniaux deviennent donc objet d'étude et d'intégration, qui sont justement les objectifs de l'enseignement au collège. Ils permettent de construire un ensemble de repères spatiaux et de constituer une culture commune, « la mémorisation des images les plus remarquables devenant alors indispensable à la construction d'une culture ».

Le village alsacien de Zellenberg est pittoresque ; il s'inscrit dans une géographie idiographique ; mais il est aussi caractéristique d'un type exemplaire. Les deux éléments dominants de l'activité — la vigne (activité ancestrale) et le tourisme (activité nouvelle) — sont développés à partir de gravures et de textes. Ce site a été choisi notamment pour sa valeur esthétique, culturelle et patrimoniale et parce qu'il peut être représentatif d'un village d'Europe. Par son architecture, son organisation, sa position près de deux frontières, il peut en effet être qualifié de village d'Europe. Ces critères font que la plupart des manuels de sixième ont choisi un village d'Alsace. À cause du pittoresque de son architecture et de l'intérêt de sa situation au carrefour de trois États, le village d'Alsace devient ainsi l'un de ces paysages patrimoniaux proposés à l'attention des élèves, avec la forêt amazonienne, les rizières du Viêtnam, le village d'Afrique Noire, le littoral touristique d'Espagne ou industrialisé du Japon, la grande ville développée d'Amérique et la ville contrastée du tiers-monde. Se constitue de la sorte une collection de repères spatiaux représentatifs de lieux et de civilisations.

Avec les cartes, les paysages sont au cœur du programme de sixième. Sans revenir sur la place du paysage dans la géographie et, notamment, dans la géographie française traditionnelle, et pour comprendre le statut de ces images de paysages, pour les situer par rapport à la géographie, il faut rappeler quelques évidences. Le savoir à enseigner n'est pas un résumé du savoir savant universitaire appartenant à l'une ou l'autre école scientifique, mais une recomposition (didactique) tenant compte de l'évolution de la discipline, des objectifs méthodologiques, mais aussi des finalités civiques et sociales dont est porteur l'enseignement au collège. Dès lors, la place à donner aux images en géographie est claire, leur finalité étant le repérage (enseigner des repères spatiaux et leurs images), méthodologique et critique (apprendre à lire des images), et, enfin, patrimoniale et civique (se constituer un répertoire d'images du monde).

Ainsi, la carte et le paysage, qui sont des outils ou des documents, sont désormais au cœur du programme de 1995, alors que c'était un concept (le milieu) qui était le pivot du programme de 1987.

La notion de développement
en classe de cinquième

Dossier :
Document 1 : *Histoire-géographie 5ᵉ*, Afrique, Asie, Amérique Latine, Paris, Hatier, 1994, p. 170-171.
Document 2 : Michel Casta *et al.* (éd.), *Histoire-géographie 5ᵉ*, « Une Amérique riche, des Amériques plus pauvres », Paris, Magnard, 1997, p. 266-267.
Document 3 : *Histoire-géographie 5ᵉ*, Table des matières, Paris, Hatier, 1994 (Programme 1985).
Document 4 : *Histoire-géographie 5ᵉ*, Table des matières, Paris, Magnard, 1997.
Document 5 : Programmes de 1985.
Document 6 : Programmes et compléments de 1995.

La notion de développement a occupé une grande place dans la géographie, plus précisément dans la géopolitique et dans les programmes d'enseignement. C'est une notion relativement récente et évolutive, liée à l'évolution historique de la deuxième moitié du XXᵉ siècle. Cette notion apparaît dans le programme de cinquième en 1977 ; elle y occupe une place majeure en 1985. Mais elle semble aujourd'hui négligée.

Le but de cette analyse est de définir cette notion et sa genèse et, enfin, de comprendre comment elle a pu apparaître et s'imposer dans un contexte donné, puis décliner voire disparaître des programmes, des manuels et, sans doute, des pratiques, sinon des préoccupations.

Une notion relativement récente et évolutive

Le concept de développement marque la transformation récente du monde. Il implique la notion de sous-développement, longtemps aussi employée. Cette notion vient des sciences sociales et prend force à travers l'approche de la géographie économique et de la géographie politique. Déjà en 1970, Pierre George soulignait la grande imprécision du terme, qu'il convenait de rapporter à la croissance, sans négliger les aspects qualitatifs.

Le concept de développement naît, dans son sens actuel, au cours du congrès d'ethnologie de Chicago en 1939. Celui de sous-développement apparaît en 1948 ; il est utilisé par Harry Truman à propos des pays pauvres. L'expression « tiers-monde » a été inventée par l'économiste Alfred Sauvy, dans un article du *Nouvel Observateur* (« Trois Mondes, une planète », 1952), en référence à Sieyes parlant du tiers-état ; l'expression connaît un franc succès. À côté des deux blocs (monde capitaliste et monde socialiste), il désigne un ensemble de pays dont les conditions matérielles de pauvreté ou de dégradation des structures sociales sont telles qu'ils restent en-dessous d'un seuil donné.

Toutes ces notions sont plus ou moins ambiguës et clairement datées. En 1952, il est question de « pays sous-développés » ; en 1960, année de la création de l'OPEP, de « pays en voie de développement » (PED). La CNUCED (conférence des Nations Unies sur le commerce et le développement) impose, elle, l'expression « pays les moins avancés » (PMA) en 1964. Les PMA ont un PNB inférieur à 500 $, une industrie manufacturière inférieure à 10 % du PIB, et un taux d'alphabétisation des adultes inférieur à 20 %. Enfin, en 1970, on parle de plus en plus de relations Nord-Sud), l'expression « quart-monde » est introduite (les plus pauvres des pays riches). Enfin, l'IDH (indicateur de la Banque Mondiale pour évaluer le développement humain) est calculé par la Banque Mondiale. En 1981, un article du *Matin* titre : « Le Tiers Monde n'existe plus ». Ces concepts, que traduisent parfois de nouveaux sigles ou expressions, apparaissent et disparaissent selon les aléas de la conjoncture politique internationale.

Le concept de développement a donné naissance à des projets de l'ONU. Plusieurs « décennies du développement », sous l'impulsion de John F. Kennedy en 1961, sont programmées, avec un succès mitigé. C'est l'occasion d'une aide aux pays concernés ; malgré une certaine réussite quantitative, les inégalités persistent en 1970. Le bilan de la deuxième décennie est contrasté : de nouveaux pays industriels (NPI) émergent, mais le surendettement des PED est toujours excessif. Durant la troisième décennie, l'effort porte sur l'emploi, l'éducation, la santé ; l'aspect qualitatif est pris en compte. Le bilan, en 1990, n'est pas brillant : le continent africain recule, l'écart se creuse entre le Nord et le Sud, la dette s'accroît et les migrations deviennent massives. La place de cette notion, déjà difficile à introduire dans sa dimension géographique — bien que l'on puisse étudier les aspects spatiaux du développement —, a donc connu bien des vicissitudes dans les programmes d'enseignement.

La notion de développement s'est imposée peu à peu. Complexe, elle n'a cessé de se préciser et d'évoluer. De 1965 à 1988, cette expression fut l'idée force d'une puissante représentation géopolitique d'origine marxiste mais aussi chrétienne. Son histoire retrace un bilan permanent des inégalités et des dysfonctionnements, des progrès et des échecs, des dominations et des libérations. Toutefois, il convient d'en préciser la définition.

En géographie, comme en économie, le développement, par métaphore biologique, a pris le sens de stade supérieur de la croissance, atteint quand tout le programme s'est déroulé, quand l'équilibre stable et harmonieux a été atteint. Le terme s'est substitué à celui de progrès, aussi bien philosophique que scientifique, quand l'écart croissant qui séparait les pays riches (Europe, États-Unis) des pays d'Afrique, d'Asie et d'Amérique Latine est devenu patent. Cet écart, qui remonte clairement à la révolution industrielle, est apparu insupportable après la deuxième guerre mondiale. Les théories du développement et du sous-développement sont sorties de cette réflexion, des analyses de l'économiste anglais W.W. Rostow sur les stades du développement (*The Stages of economic growth*, 1960). À considérer le degré de développement de l'économie,

> tous les pays passeraient par une même série de cinq étapes nécessaires (société traditionnelle, conditions préalables au démarrage, démarrage, progrès vers la maturité et ère de la consommation de masse) le développement serait le fruit d'une longue maturation historique.

D'autres mettaient en avant la responsabilité des pays développés dans la pauvreté du tiers-monde (théorie des rapports inégaux entre « centre » et « périphérie »). Les géographes ont largement participé à ces controverses, les « tropicalistes » comme Pierre Gourou et « tiers-mondistes » comme Yves Lacoste. Pour les tropicalistes, les contraintes et les handicaps du milieu naturel, des sols et des climats expliquent un certain nombre de difficultés que les civilisations traditionnelles ont plus ou moins surmontées. Pour les tiers-mondistes, les causes sont a rechercher du côté de la domination impérialiste qui a bouleversé les équilibres locaux. Mais les géographes ont surtout contribué à préciser les éléments du sous-développement : bas niveau de vie, analphabétisme, faible espérance de vie, prédominance du secteur primaire, et leur traduction spatiale (caractères des pays en voie de développement par Yves Lacoste en 1976). Toutefois, il s'agit là de données essentiellement géo-économiques et géopolitiques.

Les problèmes de développement peuvent donc être abordés dans une perspective sociale et économique, politique ou géopolitique, historique et culturelle. La spécificité de l'approche géographique est d'inclure toutes ces perspectives dans une dynamique spatiale : prise en compte des inégalités spatiales de développement, recherche des facteurs dans le domaine spatial, conséquence dans l'espace national et régional des processus économique en cours. Dès lors, cette notion peut être étudiée géographiquement.

La notion de développement dans les programmes et les manuels

La rupture dans les programmes du collège s'effectue avec la réforme de 1977. En sixième, l'intitulé est : « L'homme dans les différents milieux géographiques » ; en cinquième : « Questions caractéristiques du monde contemporain en Afrique, Asie, Amérique ». Il s'agit alors d'initier les élèves du premier cycle aux données économiques, sociales et politiques pour les sensibiliser aux problèmes du monde contemporain. Les équipes de l'INRP (Institut national de la recherche pédagogique) ont mené une réflexion didactique sur ce thème en 1978-1979, qui a donné lieu à une publication remarquée de la *Documentation Photographique* en 1983 : *Éducation au développement*. Deux finalités à cette étude sont proposées : comprendre les problèmes de développement et le fait que l'on peut agir contre les inégalités de développement. Cette démarche inspire les programmes de 1985.

À partir de 1985, la notion de développement est au cœur du programme de cinquième (celle de milieu étant au cœur du programme de sixième). Le programme de géographie de la classe de cinquième se propose deux objectifs : d'une part « compléter l'investigation raisonnée du globe commencée en sixième », d'autre part « attirer l'attention des élèves sur un des aspects du monde actuel, le sous-développement et les inégalités du développement ». En fait, l'espace géographique étudié depuis 1977 — Afrique, Asie, Amérique — est conservé (depuis 1963, l'Afrique était étudiée en sixième).

La géographie en classe de cinquième se trouve donc très largement centrée sur des continents et des États qui s'apparentent davantage au monde du sous-développement qu'à celui des pays développés (le Japon faisant évidemment exception). Trois continents ou parties de continent serviront de cadre géographique : l'Afrique, l'Asie, l'Amérique Latine.

Le programme de cinquième invite ainsi à préciser et à nuancer en dégageant les traits spécifiques, physiques et humains, des différents continents, la trame spatiale, essentiellement zonale acquise en classe de sixième ; il ajoute la composante dynamique de l'étude des problèmes de développement qui servira de fil directeur tout au long de l'année.

Le programme de sixième risquait d'entraîner une interprétation par trop déterministe ; en cinquième, les facteurs d'explication sont multipliés.

Le manuel Belin de 1991 est très explicite ; l'objectif du programme de géographie de cinquième est double : étudier trois continents et réfléchir à la notion de développement. À une notion physique en sixième (milieu ou zone climatique), succède une notion humaine, car économique, en cinquième (le développement). Mais le monde sous-développé correspond pour l'essentiel à la zone intertropicale (même s'il existe des exceptions). La notion de développement est privilégiée : « L'Afrique, le plus pauvre des continents, un continent dans l'impasse » ; il s'agit d'en rechercher et d'en recenser les causes diverses : la forêt dense ou l'aridité, la traite des Noirs et la colonisation, l'explosion démographique, l'inefficacité des politiques, la permanence des conflits. En contrepoint, sont soulignés le développement ivoirien (« un modèle »), et les problèmes du développement en Algérie (« la crise », « une priorité industrielle contestée », « les erreurs de la politique économique algérienne »…). Sont également analysées les fortes inégalités sociales et spatiales en Amérique Latine (« un continent sous influence », « gaspillage économique et injustice sociale »). Enfin, en Asie, les niveaux de développement sont très variés, entre pays pauvres, pays exportateurs de pétrole (« atermoiements de la voie socialiste », « percée des NPI »), tandis que la croissance à la mode japonaise fait de ce pays une exception et un « modèle ». Ainsi on répond à la question : qu'est-ce que le sous-développement ?

Le manuel Hatier de 1994 établit la relation entre pays chauds et pays pauvres mais souligne, en introduction, l'inéluctable développement des pays d'Afrique, d'Asie et d'Amérique Latine : « Leur agriculture se modernise, une industrie apparaît, l'analphabétisme diminue alors que l'espérance de vie s'élève ; l'augmentation de la population se ralentit » — vision optimiste.

L'éducation au développement, dans sa définition civique, apparaît alors comme un thème transversal fondamental. C'est un choix avéré, une volonté affirmée : dans le programme de géographie, le mot « développement » est cité vingt fois en deux pages.

Recul ou disparition de la notion dans les programmes, les manuels et les pratiques

Place de cette notion dans les nouveaux programmes

Le programme de 1995 maintient le choix des espaces géographiques étudiés : Afrique, Asie, Amérique. Mais, prudemment, il est mentionné :

Les changements rapides du monde conduisent à rappeler que c'est au professeur de déterminer, année après année, la ou les problématiques qui orientent l'étude des différents éléments du programme. La diversité des cultures et des rythmes de développement peut être un des fils conducteurs de l'étude tout au long de l'année.

Le temps des certitudes semble loin. Le programme de cinquième conduit à décrire et expliquer les caractères essentiels des continents ; le croisement des données historiques, naturelles, culturelles, démographiques et économiques observées évite de s'en tenir à la démarche analytique, qui ne peut rendre compte de la complexité des territoires. Cette étude des continents est complétée par une présentation de quelques grands États ou groupes d'États. Ainsi, l'entrée par le développement est abandonnée. Dans les programmes, il est question de zones bioclimatiques, du poids de l'histoire, de la diversité culturelle, de la différenciation des espaces ; mais le terme de développement a disparu. Dans les compléments, il semble que la notion soit totalement absente. Au total, le mot n'est cité que deux fois. On s'oriente vers une géographie culturelle où civilisation, religion, histoire tiennent toute leur place. Par ailleurs, les vicissitudes du développement et la diversité des réponses relèguent cette notion à l'arrière-plan de l'actualité.

Place dans les nouveaux manuels

Pourtant, le développement demeure un des fils conducteurs dans les manuels (« faible développement », « développement contrasté », « voie de développement », « Amérique en développement »). L'IDH (indice de développement humain) est même devenu un critère privilégié. Pour éviter tout déterminisme linéaire, les facteurs du développement/sous-développement sont multipliés. La place de la nature est mesurée (« une nature hostile ? ») ; les liens avec l'Europe sont mis en évidence (immigrés, aide financière). En Asie, les aspects culturels, religieux ou sociaux sont soulignés (berceau des plus grandes religions, une grande maîtrise de l'eau, le travail des enfants). Sont opposées « une Amérique riche (non sans problèmes) » et « une Amérique en développement ». Dans le manuel Magnard de 1997, il s'agit de mesurer le développement en analysant l'indice de développement humain, natalité, santé, agriculture, pour distinguer diverses Amériques, les plus riches au Nord et au Sud, les plus pauvres dans la zone intertropicale. Subsiste donc dans les manuels une notion pourtant abandonnée par le programme. Est-ce dû à la pertinence de celle-ci ; à son intérêt pédagogique ou, en tout cas, à l'intérêt qu'y attachaient les enseignants ; aux pesanteurs de l'édition ou plutôt aux choix des rédacteurs ? La lecture de manuels plus récents ne permettrait probablement pas de corroborer cette observation.

Place dans les représentations et dans les pratiques

Le développement est-il une notion obsolète ? Il faut s'interroger sur le revirement spectaculaire de son usage. Le développement apparaît comme une notion liée à un moment de notre histoire. Elle a été une grande préoccupation politique, économique et civique dans le monde polarisé de l'après-guerre et au lendemain de la colonisation. Aujourd'hui, après l'ère des certitudes, le temps des classements semble passé. Il s'agit davantage de caractériser et de différencier les espaces, de souligner les contrastes, de tenir compte des aspects historiques, religieux et culturels, que de juger des rythmes ou des voies de développement. Le mot même n'apparaît en effet pratiquement plus dans l'ensemble du programme et les compléments de 1995. La notion n'est pas forcément devenue obsolète, mais elle n'est plus au cœur du programme.

Cependant, elle répondait parfaitement aux exigences d'une formation critique et de la dimension civique d'un enseignement géographique. Il resterait à analyser la place désormais dévolue au développement dans les représentations et les pratiques des enseignants. Comme si, en même temps que la notion, on abandonnait les pays mal développés à leur triste sort. N'y a-t-il pas en effet, aujourd'hui, un certain fatalisme face aux drames considérables qui assaillent notamment le continent africain (guerres fratricides, génocides, famines, illettrisme, montée en puissance exponentielle de l'épidémie du sida et aggravation continuelle de la pauvreté) ? Après le temps de la mauvaise conscience, au lendemain de la décolonisation, serait venu celui de l'abandon et du désintérêt.

La construction de repères géographiques se poursuit au cycle central mais les problématiques ne sont plus imposées, comme l'expriment explicitement les rédacteurs. Il est vrai que « les changements rapides du monde conduisent à rappeler que c'est au professeur de déterminer année après année, la ou les problématiques qui orientent l'étude des différents éléments du programme ». Les analyses à différentes échelles (continent, États) sont désormais privilégiées ; il faut croiser les données humaines, économiques, historiques et physiques pour faire comprendre l'organisation d'un territoire, sans déterminisme.

Les espaces étudiés demeurent stables (Afrique, Asie, Amérique) en classe de cinquième ; la notion de développement apparaît en 1977 et devient même hégémonique en 1985 ; en 1995, elle disparaît presque totalement des programmes et des compléments, puis, peu à peu, des manuels. Si les espaces étudiés restent les mêmes, la notion, longtemps centrale, disparaît complètement, comme trop datée.

L'objectif est désormais — tout en respectant la liberté de l'enseignant — de construire des repères spatiaux pour l'élève, tout en privilégiant les convergences avec les autres disciplines, surtout l'histoire et l'éducation civique. Ainsi, le thème de la solidarité peut s'appuyer en géographie sur l'étude de l'Afrique ou de l'Asie. Il peut être efficacement lié à celui du développement ; mais aucune notion centrale ni aucune problématique ne s'imposent plus.

Représenter la carte au collège : quelles cartes et pour quoi faire ?

Dossier :

Document 1 : M. Ivernel, *Histoire-géographie 6ᵉ*, Paris, Hatier, 2000, p. 242 et 256.

Document 2 : B. Klein et G. Hugonie, *Histoire-géographie 3ᵉ*, Paris, Bordas, 1999, p. 260-261.

Document 3 : R. Brunet, *La Carte, mode d'emploi* (conclusion), Paris-Montpellier, Fayard-Reclus, 1987.

Document 4 : Programmes et accompagnement. Collèges, CNDP, 1999.

> Un fait dont certains maîtres ne se doutent pas, c'est qu'il faut apprendre à lire une carte, et que c'est un exercice auquel on ne saurait trop tôt ni trop méthodiquement accoutumer les élèves

recommandait déjà Ferdinand Buisson en 1882. La mauvaise lecture des cartes d'état-major ayant été présentée comme l'une des causes de la faiblesse des soldats français devant les Prussiens, Jules Simon, ministre de l'Instruction publique en 1870, rappelait en 1874 :

> Nos soldats ne savaient ni la géographie, ni l'allemand... Les contrastes avec les officiers allemands, tous munis d'excellentes cartes, un grand nombre parlant français, était navrant. Je ne fis qu'obéir au sentiment général en renouvelant l'enseignement de la géographie et des langues vivantes.

La réforme de 1872 introduisait durablement l'enseignement de la géographie — et de la carte — de la sixième à la rhétorique (première). Le problème de l'usage de la carte dans l'enseignement de la géographie n'est donc pas nouveau. Les cartes murales, signées Vidal de la Blache, n'ont-elles pas accompagné l'enseignement de la géographie pendant de nombreuses décennies ?

Aujourd'hui, dans le cadre d'une géographie renouvelée, centrée sur l'analyse de l'espace et la compréhension des territoires, et dans la perspective d'un enseignement plus actif, la carte demeure naturellement au cœur des préoccupations et des pratiques pédagogiques des enseignants. Mais le monde et les cartes ont changé ; ces dernières sont des images, parmi beaucoup d'autres. Elles sont multiples, omniprésentes, et pas seulement dans l'enseignement. Divers médias, presse écrite ou télévisuelle, les utilisent régulièrement. La carte tient une place essentielle dans la connaissance et la compréhension du monde actuel.

Après une rapide réflexion théorique sur la définition et l'usage de la carte en géographie, l'importance qui lui est effectivement accordée dans les programmes et les manuels sera analysée ; enfin, seront présentés les types de cartes, la progression et les pratiques possibles de l'usage de la carte dans l'enseignement au collège.

Définition et usage de la carte

Histoire des cartes

Il existe une grande diversité de cartes et une multitude d'usages de celles-ci. L'histoire des cartes, des visions du monde qu'elles traduisent et des usages qu'elles induisent, accompagne l'histoire de la géographie. Ainsi, les portulans des navigateurs de la Renaissance donnaient une certaine vision, limitée mais indispensable, aux pilotes des navires — à la fois résultat et outil de la découverte du monde. D'emblée, l'ambiguïté de la carte est soulignée. La carte dite de « Cassini » est la connaissance des lieux de la France, établie par les Géographes du Roy ; mais elle se veut aussi outil de pouvoir : elle dit « l'espace du Roy ». Les cartes d'état-major, élaborées au cours du XIXᵉ siècle, ont naturellement pour ambition d'être utiles, de servir à faire la guerre, même si... c'est à l'officier prussien qu'elles servent en 1870. Les cartes servent au minimum à se repérer ou à situer un lieu déterminé. Mais elles permettent surtout d'agir (en paraphrasant Y. Lacoste, on peut dire : « la cartographie ça sert, d'abord, à faire la guerre »), voire de rêver, car la carte est une image, une représentation du monde ; elle est l'« expression d'une géographie dont nous avons oublié que nous sommes les auteurs » (G. Perec, *Espèces d'espaces*, 1992).

Définitions possibles de la carte

Les géographes ont donné de multiples définitions de la carte. Celle de Philippe Pinchemel, formulée en 1986, peut être retenue, étant donné qu'elle est synthétique et opératoire :

> La carte produit, permet une représentation simplifiée, sélective, de tout ce que porte la surface de la terre, une représentation finalisée qui saisit aussi bien le visible que l'invisible, fait mieux comprendre l'articulation de tout ce qui organise et différencie la surface de la terre.

Les cartes sont d'abord une représentation graphique :

> un mode de représentation avec des propriétés tout à fait étonnantes, qui témoigne de l'intelligence humaine et de la capacité des hommes à se doter d'une représentation opératoire.

Alain Reynaud, dans une interprétation plus nuancée, précisait en 1987 :

> [...] mais elle n'est qu'une représentation conventionnelle de la réalité, à la fois coupée de celle-ci dans la mesure où il s'agit d'un langage, et étroitement liée à elle puisque cherchant à la refléter à l'aide d'un code clairement défini.

Représentation graphique, la carte procède également du monde des représentations mentales, des représentations spatiales. « Grâce à la carte, un morceau d'espace surgit brusquement à nos yeux avec ses particularités, nous entraînant dans un autre monde », estime A. Reynaud. Les définitions de la carte pourraient être multipliées. La carte est à la fois objet, outil ou document ; expression d'un savoir, d'un pouvoir, d'un besoin ou d'un rêve.

La carte, outil « des géographies »

La carte est au cœur de la géographie classique. C'est en s'appuyant sur la nouvelle carte géologique au 1/320 000ᵉ d'Élie de Beaumont que Vidal de la Blache,

« d'un seul coup d'œil sur la carte », trace le tableau des paysages de la France. Ce dernier propose la mise en relation de cartes topographiques, géologiques et économiques dans son atlas pour expliquer les paysages des régions naturelles. Dans cette conception, il y a pratiquement confusion entre l'outil et la discipline. Il y a équivalence entre l'espace vu comme une réalité objective et les outils quels qu'ils soient (paysage, carte, données statistiques). La géographie est considérée comme une science d'observation (« géographie science des yeux », a écrit P. Vidal de la Blache) qui sert à dévoiler le réel ou ses représentations. L'outil, en l'occurrence la carte, est observé, décrit, identifié ; ses éléments sont nommés, classés, reliés. La description de la carte a alors valeur d'explication du réel (M. Masson, *Vous avez dit géographies ?*, 1994). Mais en géographie classique, des outils mis en relation peuvent aussi sécréter des mécanismes explicatifs.

Les outils, les cartes, tiennent une autre place dans la Nouvelle Géographie ; ils servent d'intermédiaire et, à partir des interrogations qu'ils suscitent, permettent de construire une interprétation de l'espace. La carte n'est pas l'objet du savoir mais l'objet du travail géographique. Dans cette perspective, la carte, les outils, favorisent la confrontation-construction des notions permettant d'interpréter l'espace (M. Masson). La géographie renouvelée recherche plutôt la création de modèles, les lois générales de l'organisation de l'espace.

On peut alors se poser la question de la finalité de la carte dans l'enseignement, de la place que lui donnent les programmes et les manuels.

Place et usage de la carte dans les programmes et les manuels

La carte est-elle au cœur des programmes ?

Dans les programmes actuels, l'enseignement de la géographie en classe de sixième est explicitement placé sous le signe de la carte ; le programme s'intitule : « Cartes et paysages du monde ». La carte occupe ainsi toute la première partie du programme : « Grands repères géographiques du monde : répartition de la population mondiale » ; « Grands domaines climatiques et biogéographiques » ; « Grands ensembles de relief ». Systématiquement, la place de la carte est rappelée : « Cartes (planisphères) de la répartition de la population du monde, des États du monde, de la richesse et de la pauvreté dans l'espace mondial » ; « Cartes des zones thermiques et pluviométriques, des grands domaines bioclimatiques, cartes à différentes échelles (repérage, localisation) » ; « Cartes du relief de la Terre, cartes à différentes échelles (repères géographiques) ». La géographie générale, comme une propédeutique aux études régionales qui suivront, a été abandonnée dans le programme de sixième des collèges en 1977 ; elle semble revenir subrepticement dans ces libellés, avec l'étude des hommes d'abord, des zones bio-climatiques ensuite, des reliefs enfin (la relation société/climat, société/relief étant sans cesse réitérée). Mais la priorité est donnée à des outils : la carte et les images de paysages. Les grands types de paysage (du monde) sont abordés « en référence constante aux planisphères et cartes à différentes échelles étudiés dans la première partie du programme ». On retiendra la priorité donnée à la carte — il en va de même en histoire —, « une carte outil de repérage, de localisation des principaux repères spatiaux ».

Le programme du cycle central poursuit — timidement — cet objectif :
Les programmes indiquent un certain nombre de cartes à partir desquelles seront mémorisés les principaux repères spatiaux. L'étude croisée des cartes et des paysages permet de reconnaître et de connaître le monde. Langage privilégié du géographe, le croquis et ses techniques élémentaires doivent être abordés par les élèves. Comme en 6ᵉ, on évitera la simple reproduction et on s'efforcera de passer de la simple localisation au croquis démonstratif, en simplifiant, en hiérarchisant et en mettant en relation les phénomènes.

Quatre temps pédagogiques, à la base de toute approche et de toute méthode, sont soulignés dans l'accompagnement des programmes : « lire, observer, identifier (s'informer, mettre en relation, rédiger et cartographier) et mémoriser ». La description de la carte a valeur d'explication du réel et la production de carte permettrait de mémoriser la connaissance du réel. Outre la simple reproduction, la localisation, la carte doit favoriser la mise en relation des phénomènes. La carte doit permettre d'apprendre la géographie, mais aussi de faire de la géographie.

Les programmes de la classe de troisième, applicables à partir de 1999, rappellent les grandes finalités de l'enseignement de l'histoire et de la géographie (intellectuelles, civiques, patrimoniales et culturelles) ; continuité et cohérence entre collège et lycée sont soulignées. Mais les ambitions dans le domaine cartographique semblent revues à la baisse : « en géographie [les élèves] apprennent à construire, à partir d'un fond de carte, un croquis explicatif et sa légende ». La perspective de l'évaluation normative — diplôme national du brevet — à la fin du collège en est sans doute la cause. Les cartes historiques et géographiques sont évoquées dans le programme : « La population, les échanges, l'organisation spatiale des États-Unis et du Japon » ; « La carte politique de l'Union européenne » ; « Les activités économiques de la France » ; « La France en Europe et dans le monde ». Enfin, en annexe, à propos des repères spatiaux, il est bien précisé que « les élèves doivent être capables d'identifier en les nommant ou en complétant une légende, ou de localiser sur un fond de carte les repères spatiaux ». Quels sont alors le statut de la carte et ses emplois ?

La lecture des programmes montre la permanence de la carte dans l'enseignement de la géographie. Cependant, son exploitation se limite à un simple exercice de lecture/repérage ou de mémorisation (en complétant un fond de carte donné). Les ambitions par rapport aux instructions précédentes sont en recul. L'usage de la carte se veut plus restrictif. Une constatation vient corroborer cette affirmation : dans le programme précédent, la référence explicite et appuyée au GIP Reclus et à la modélisation était soulignée ; bien des manuels se sont engouffrés dans cette brèche, et la modélisation a fait son entrée au collège comme au lycée, et, parfois, dans les classes. Cette référence explicite à une géographie des modèles a totalement disparu dans le nouveau texte, tant dans le domaine explicatif que dans son application cartographique. Même la production/reproduction et la lecture de cartes semblent répondre à une vision minimaliste (nommer, compléter, localiser sur un fond de carte). Il faut vérifier ce qu'il en est dans l'interprétation des programmes que donnent les manuels.

La carte est au centre des manuels

Les ambitions des manuels semblent aller au-delà des exigences des programmes — sans doute parce qu'ils ne sont pas les programmes : ils en donnent une vision, une interprétation. Les manuels ne se confondent pas non plus avec le cours : ils fournissent un ensemble de références, textes et documents, pour faire ou illustrer le cours. Les manuels résultent enfin d'un travail approfondi et réfléchi d'une équipe d'enseignants, parfois nombreux, à la fois praticiens et théoriciens de leur discipline. Ainsi, en ce qui concerne les deux ouvrages cités dans les documents, onze professeurs (université, lycée et collège) ont rédigé le manuel de sixième, chez Hatier (document 1), tandis que treize auteurs (inspection, université, lycée, collège) ont collaboré au manuel de troisième chez Bordas (document 2). Comme c'est une gageure que de traduire les ambitions scientifiques et didactiques d'un programme à travers un ouvrage attractif de 300 pages, il s'agit donc d'une réflexion pour traduire le programme : il faut bien mesurer l'écart entre le programme et les manuels. Qu'en est-il dans le domaine de l'enseignement de la carte au collège ? C'est ce que nous pouvons observer à partir des deux extraits de manuels proposés.

Le premier document consiste en deux pages d'un manuel de sixième récent. Il s'agit d'exercices classiques mais différents : se repérer et localiser sur une carte ; se repérer et utiliser une carte pour résoudre des problèmes. Dans le premier cas, nous sommes en présence de deux planisphères qui, à travers la technique des points et des plages de couleurs, permettent de visualiser avec précision les densités de population (zones peuplées ou vides), ou la richesse des pays (pays riches, pays intermédiaires, pays pauvres) — il est difficile de visualiser et de comprendre les hiérarchies, les États-Unis et le Groenland étant presque identiques dans cette projection et cette plage de couleur. L'usage du planisphère est explicitement proposé dans le programme : il doit permettre de « localiser les paysages » étudiés par les élèves. Cependant, à cette échelle, la localisation de Zellenberg, village alsacien — présenté il est vrai dans le manuel comme « village européen » —, est approximative. Cette carte répond clairement aux objectifs du programme : elle est outil de localisation. L'autre page du même manuel favorise une attitude plus active de l'élève ; il s'agit d'un extrait de carte IGN au 1/100 000e accompagné d'un questionnaire proposant des activités aux élèves. Des questions judicieuses permettent d'utiliser cette carte pour connaître, se repérer, localiser, mesurer, s'informer (recherche d'indices) et même agir (se déplacer). Ces cartes à différentes échelles sont présentées comme des reproductions du réel et sont utilisées comme des outils d'explication du réel. Il s'agit ici de lire des cartes qui représentent le monde.

Le second document est une double page extraite d'un manuel de troisième. Cet extrait est un dossier visant à entraîner l'élève à un exercice du brevet. L'objectif est de réaliser une carte pour faire apparaître — donc comprendre — l'organisation d'un territoire, en l'occurrence le Japon ; c'est un objectif méthodologique (réaliser une carte) et cognitif (connaître et comprendre l'organisation d'un espace donné). Cet exercice prépare les élèves à une évaluation sommative (l'examen). Des informations, deux cartes, une méthode et des activités sont proposées sur cette double page. Cet exercice, intéressant, permet de juger la progression par rapport à la simple lecture de carte en sixième. Il s'agit de faire une carte mais l'activité cartographique demandée semble aller au-delà des exigences du programme (localiser, nommer, mettre en relation) ; en tout cas, c'en est une interprétation maximaliste : il s'agit ici de concevoir et réaliser une carte à partir de données. C'est sans doute un exercice difficile, mais auquel l'élève doit être préparé au cours de sa scolarité.

Pratiques pédagogiques liées à la carte

Lire une carte

Tout d'abord, il faut savoir aborder une carte. Cet objectif de l'école élémentaire existe encore au collège : il faut connaître les « habits de la carte ». Les cartes apparaissent dans les livres de sixième, au même titre que les paysages et autres documents, comme des images, c'est-à-dire avec des couleurs, des signes, des formes, une légende et un titre. Il faut savoir lire cette image codée. L'apprentissage de la carte se fait en plusieurs étapes : orienter (même si ce n'est plus vers l'Orient), prendre la mesure de l'échelle (graphique, numérique) retenue, décoder la carte à l'aide de la légende (le mot « key » des Anglo-Saxons étant plus pertinent). Il faut également apprendre à lire la légende (« son mésusage suffit à brouiller tout le message » [R. Brunet, *La Carte, mode d'emploi*, 1987]). Lire ou construire une carte suppose ainsi le respect de certaines règles : orientation, échelle, légende, titre, symboles. Il faut apprendre à lire une carte comme on apprend à lire un livre.

Après cet apprentissage instrumental, il s'agit de comprendre la partition et de la jouer. La carte est un contenu, c'est une interprétation de la réalité. Les élèves n'en ont pas conscience : « La carte est une image puissante ; elle convainc volontiers : "c'est sur la carte" », c'est présumé vrai. Par là, elle peut être un redoutable instrument de manipulation. Elle a déjà servi l'image de plus d'une ville « bien placée », et servira de plus en plus la publicité pour ne pas dire la propagande » (R. Brunet).

La carte est le résultat d'un double choix, il y a deux personnes dans le cartographe, le concepteur et l'exécutant. Le concepteur peut beaucoup pour « faire parler » la carte, ou pour en obscurcir le message. Le rôle du cartographe est de le transmettre avec clarté.

Mais le rôle du citoyen est de ne pas se laisser manipuler et de porter un regard critique sur la carte — « la puissance de la carte doit aller avec la raison ». Enfin, la carte dit le monde. Le meilleur moyen de comprendre comment la carte peut traduire ou trahir le monde, c'est de faire des cartes. Après un nécessaire apprentissage des signes (points, lignes et plages), des variables visuelles (forme, couleur, taille, orientation) et de leur efficacité, des symboles qui en sont l'alphabet, de la légende qui en est la clé, il faut apprendre à concevoir et réaliser une carte comme on apprend à composer et à rédiger un texte. Alors, on peut comprendre que l'on choisit et que l'on dit ce que l'on veut bien dire. Mais

lire et produire des cartes ne sont pas des pratiques courantes, si l'on excepte les travaux de recopie et la mémorisation « par cœur » des cartes des manuels pour répondre aux exigences de l'examen (*Enseigner la géographie du collège au lycée*, 1991).

Quelles cartes ?

Certaines cartes sont faites pour être vues. Les cartes murales, type Vidal de la Blache, sont l'exemple même de la carte à voir. Devant être vues par tous à la fois, elles simplifient, insistent sur l'essentiel et exagèrent le graphisme. Quelques-unes ont acquis une valeur patrimoniale pour avoir bercé l'enfance de générations d'élèves, telles les cartes du relief de la France (en couverture de la réédition du *Tableau de la géographie de la France*), ou les cartes des taches roses de l'empire colonial français. Le genre se renouvelle difficilement ; les données changent mais le graphisme s'impose ; ces cartes sont toujours indispensables pour accompagner et illustrer le cours devant un public d'élèves. Elles induisent une utilisation passive, même si on a pu tenter de les compléter par des cartes muettes, conçues pour donner un minimum d'informations et servir de support au cours. Les planisphères, les globes terrestres, les cartes des manuels ont souvent la même fonction : localiser, nommer. Localiser les paysages sur le planisphère est un objectif majeur du programme de sixième.

D'autres cartes sont faites pour être lues. Elles sont des sources documentaires. L'élève imagine difficilement toute l'information qu'une carte au 1/25 000ᵉ peut apporter ! Les cartes topographiques de l'IGN demandent un sérieux décodage ; mais, bien guidé, l'élève peut, dès le cycle des approfondissements à l'école, et *a fortiori* au collège, exploiter une telle carte. L'exemple fourni par le manuel de sixième proposé en document (document 1) illustre bien cet usage de la carte. Donnée comme une reproduction de la réalité, elle est utilisée comme telle. Elle permet de se repérer, de s'orienter, de se déplacer, d'agir dans l'espace. Elle informe : noms de lieux, population, axes de circulation, courbes de niveau, occupation des sols. Il convient donc de prendre des précautions sur la date de la carte pour apprécier la fraîcheur de certaines informations. Il en va de même de toutes les cartes thématiques ou synthétiques présentées en abondance et à toutes les échelles dans les manuels. La carte est l'instrument privilégié du géographe ; c'est une autre façon de lire, de décrire, de comprendre l'espace. Mais elle n'est pas une fin en soi : ce n'est qu'un outil. La meilleure façon d'en prendre conscience, encore une fois, est de faire soi-même des cartes.

Il existe aussi les cartes « à faire » (P. Desplanques, dir., *La Géographie au collège et au lycée*, 1994). Après acquisition de la technique, du langage graphique, ces cartes peuvent être réalisées par les élèves. À l'issue du collège,

> l'élève devrait savoir construire une carte simple, utiliser à bon escient différentes échelles et construire une légende simple avec un codage raisonné. Au lycée on devrait être en mesure de dégager la problématique de la carte, de saisir la dynamique de l'espace. [Pourtant] la réalisation de croquis plus complexes, le croquis de synthèse par exemple, se heurte à de nombreux obstacles qui montrent, en fait, que la démarche géographique n'est pas assimilée. La carte demandée aux examens est en retrait par rapport à la cartographie enseignée. (*Enseigner la géographie du collège au lycée*)

soulignait-on déjà aux journées d'Amiens en 1991. Est-ce pour en tirer la leçon que les exigences cartographiques sont revues à la baisse dans les nouveaux programmes de collège ?

Schéma, croquis, modélisation ; jusqu'où peut-on aller au collège ?

La carte est un outil fondamental, incontournable, pour l'appréhension des processus spatiaux, car elle montre aussi bien le visible que l'invisible. De ce fait, une « éducation à la carte » (expression de la conclusion de *La Carte, mode d'emploi* reprise par M. Clary et R. Brunet en 1988, à la rencontre nationale de didactique de l'INRP), à son langage, à ses qualités et à ses limites est indispensable. La carte est certes un élément de repérage spatial, mais elle est aussi un moyen de compréhension des répartitions des sociétés et des activités dans l'espace.

La modélisation est apparue comme une réponse pédagogique à cette préoccupation. Les cartes modèles « expriment avec la plus grande économie de moyens possibles la structure et l'organisation d'une distribution, d'un territoire, d'un réseau » (R. Brunet, R. Ferras et H. Théry, *Les Mots de la géographie*, 1993). La référence aux cartes-modèles données aux élèves a montré les limites de l'exercice, surtout quant à la faculté d'abstraction des élèves. Sans rivaliser avec les modèles, comme ceux issus du tome 1 de la *Géographie universelle* (*Mondes nouveaux*, 1990), il était toutefois possible d'approcher la construction de modèles en produisant des schémas et en permettant de réfléchir aux modes d'organisation de l'espace. Produire à partir d'un dossier (plans, photos, cartes) des schémas modélisants permettait de sélectionner ce qui est pertinent pour avancer un modèle d'explication (celui d'un estuaire industrialo-portuaire).

La carte-modèle, fruit de la réflexion, est un point de départ ; un modèle est conçu pour être confronté aux réalités qui confirment, ou infirment, le modèle, et pour mesurer les écarts. Le schéma est un aboutissement, le résultat d'un travail de simplification sur un cas particulier pour en tirer l'essentiel. Mais la confrontation de schémas permet de souligner les permanences, de dire finalement les lois générales. À défaut de proposer des modélisations graphiques aux élèves, il est possible de leur faire construire des schémas à partir d'exemples étudiés. Un espace analogique surgit alors : de l'estuaire de la Seine à sa schématisation ; du plan de Bordeaux à sa schématisation… Pour aboutir à un schéma modélisant, conçu et compris par les élèves. C'est à ce moment-là seulement que des cartes-modèles plus abstraites, plus théoriques, peuvent être introduites. Sans faire appel aux chorèmes, sans utiliser le mot, les élèves peuvent être initiés à la conception et, donc, à l'usage des cartes-modèles. À partir de l'analyse de cartes IGN au 1/25 000ᵉ et de plans de villes (M. Fabries-Verfaillie et P. Stragiotti, *La France des villes*, 2000), on peut produire des schémas qui présentent beaucoup de points communs, qui expriment beaucoup de lois générales, et, finalement, un schéma modélisant.

Cela va peut-être au-delà des ambitions du programme, mais il est ainsi possible de faire comprendre les logiques et les dynamiques spatiales. La carte, ici, n'est pas la reproduction prétendue du réel, mais l'interprétation de phénomènes spatiaux. La carte, en l'occurrence le schéma, favorise non seulement l'illustration et la localisation, mais, surtout, la compréhension de l'organisation de l'espace, des territoires — c'est tout de même l'objectif essentiel de l'enseignement géographique dès le collège.

Progression dans l'apprentissage de la carte au collège

Ces réflexions sur l'usage des cartes incitent à concevoir une progression possible d'activités pour enseigner la carte au collège. Comme pour tous les outils de la géographie, on peut envisager de passer par deux étapes en parallèle, lire et faire : lire une carte et faire une carte.

Orienter (sur un plan, la carte murale)		*Faire* (compléter/colorier un croquis)
Situer/Localiser (sur un plan, une carte)		(connaître les « habits de la carte »)
Lire (une légende) *Lire* (une échelle graphique)	Plan CARTE murale, du manuel, planisphère, routière IGN au 1/25 000ᵉ au 1/100 000ᵉ	*Faire* (une légende claire/ hiérarchisée) Choisir une échelle
Lire (une carte routière, une carte IGN)		*Faire* (un schéma, un croquis) (compléter un fond de carte)
Lire (un modèle graphique simple)		*Faire* (une modélisation simple)

Lire ou faire des cartes traditionnelles, des cartes dynamiques et des schémas modélisants sont des approches complémentaires. Le danger serait de se contenter d'une activité trop simple (mais qui est un préalable nécessaire) et, finalement, sans grand intérêt : localiser des lieux sur un fond de carte et les mémoriser (c'est le minimum attendu et évalué) ; ou de se lancer dans une activité trop abstraite ou complexe : élaborer une carte-modèle, qui pourrait rebuter l'élève. Les diverses étapes pour lire et faire des cartes favorisent la progression nécessaire dans l'apprentissage, la carte étant elle-même nécessaire pour la compréhension et l'expression graphique des logiques de l'organisation d'un territoire.

Il faut concevoir une éducation à la carte. La carte est au cœur d'une géographie renouvelée. L'apprentissage cartographique s'appuie sur les capacités générales qu'il faut développer chez l'élève. Il s'inscrit dans une progression spiralaire de l'école au lycée et, surtout, dans une vision dynamique et optimiste. Par la carte, l'élève s'approprie les concepts de base de l'espace, se familiarise avec un raisonnement géographique scientifique ; lire puis concevoir et réaliser des cartes permettent d'apprendre mais aussi de comprendre en géographie.

Roger Brunet écrit ainsi :

dans le domaine des libertés et des solidarités, l'étalon serait moins la carte que le savoir de la carte : savoir la lire, savoir la faire. Le savoir de la carte suppose une éducation, que nos systèmes d'enseignement et de formation n'ont pas encore véritablement pris en compte. Il faut promouvoir une éducation à la carte.

Et c'est possible dès le collège.

La géographie générale
enseignée en classe de seconde

Dossier :
Document 1 : Gallouedec, Maurette, Manuel de seconde, Paris, Hachette 1918.
Document 2 : A. Gibert et G. Turlot, Manuel de seconde, Paris, Delagrave, 1938.
Document 3 : P. Gourou et L. Papy, Manuel de seconde, Paris, Hachette, 1961.
Document 4 : M. Derruau, Manuel de seconde, Paris, Masson, 1970.
Document 5 : J. Pernet, Manuel de seconde, Paris, Hachette, 1974.
Document 6 : R. Knafou, Manuel de seconde, Paris, Belin, 1987.
Document 7 : C. Bouvet et J. Martin, Manuel de seconde, Paris, Hachette, 1996.
Document 8 : Programme de seconde, année 2000-2001, CNDP, 1996.
Document 9 : Programme de seconde, Rentrée 2001, *Bulletin Officiel*, n° 6, 31 août 2000.

Le *Bulletin Officiel* (document 9) présente le nouveau programme de géographie de la classe de seconde applicable en 2001. C'est une occasion de situer cette ultime évolution dans une perspective dynamique de l'enseignement géographique depuis un siècle. Les documents proposés étant des tables de matières de manuels depuis le début du XXe siècle et les programmes actuels, la réflexion portera donc sur l'évolution de l'enseignement de la géographie générale en classe de seconde au lycée. Il s'agit d'observer et d'analyser une évolution presque centenaire des programmes (à travers leur interprétation par les manuels), des permanences et des ruptures, pour mieux comprendre les interrogations actuelles, la place et les finalités de cet enseignement aujourd'hui.

Après avoir défini la géographie générale et observé les temps forts de l'évolution de son enseignement, nous nous efforcerons de définir la géographie générale aujourd'hui et de préciser, au sein de celle-ci, les rapports entre la géographie physique et humaine. L'objectif du nouveau programme est de dépasser les clivages : géographie physique/géographie humaine et, même, géographie générale/géographie régionale, dans une ultime remise en cause des cadres séculaires.

Définition de la géographie générale et sa place dans l'enseignement

« Les divisions de la géographie se ramènent à deux entrées essentielles, du domaine du général et du régional[1] » ont écrit Antoine Bailly et Robert Ferras. « Dans la catégorie géographie générale se trouvent les volets physique et humain,

---

1. Antoine Bailly et Robert Ferras, *Éléments d'épistémologie*, Paris, Armand Colin, 1996.

ainsi que la morphologie et la climatologie » : la définition est claire pour ces auteurs. Il existe une géographie générale (qui se distingue de la géographie régionale) et, au sein de celle-ci, il existe un volet physique et un volet humain. C'est en tout cas la vision traditionnellement admise.

La place de la géographie générale dans l'enseignement a longtemps été celle d'une propédeutique. Deux grands géographes, réunis pour la rédaction d'un manuel, Pierre Gourou et Louis Papy, écrivaient en 1963 :

> La géographie générale est une préparation indispensable à la géographie régionale qui sera abordée dans les classes préparatoires au baccalauréat. Mais surtout la géographie générale a une valeur propre. Elle doit nous donner une meilleure connaissance des paysages de notre terre, nous apprendre à démêler les facteurs qui les régissent, nous convaincre qu'ils sont dans la dépendance de multiples conditions dont les unes tiennent à la Nature et les autres à l'Homme et à la civilisation. (Document 3)

La géographie générale en guise d'introduction : voilà une permanence séculaire, aujourd'hui contestée. Un regard sur les intitulés des programmes de géographie depuis 1874 montre la place systématique accordée à la géographie générale dans les classes de sixième et de seconde, soit au début de chaque cycle du collège et du lycée. Si l'on fait abstraction de la parenthèse de Vichy (programmes de 1943 à 1945), la géographie générale se retrouve en sixième de 1874 à 1969 ; en seconde, elle apparaît en 1874, puis — sans interruption — de 1902 à nos jours. La réforme de 1902 installe durablement l'enseignement de la géographie générale en seconde.

La classe de seconde tient donc une place bien particulière : c'est le niveau consacré à la géographie générale, voire à la conceptualisation de la géographie. Mais l'organisation de l'enseignement de celle-ci a changé. De 1902 jusqu'à 1981, le programme de la classe de seconde est divisé en deux ou trois grandes parties : une première partie consacrée à la géographie physique, l'autre à la géographie humaine et économique. La présentation est étonnamment stable. La consultation des tables de matières de manuels anciens est édifiante : la première partie du siècle met en évidence des permanences fortes. Les mêmes titres de chapitres se succèdent au fil des décennies. Observons le poids et la place respectifs de la géographie physique, humaine et économique dans deux manuels de la première moitié du XXᵉ siècle : l'ouvrage de 1918 de Gallouedec et Maurette (document 1) et celui de 1938, de Gibert et Turlot (document 2). Dans le manuel de 1918, 230 pages sont consacrées à la géographie physique, 266 à la géographie humaine et économique ; dans le manuel de 1938 : 213 pages pour la géographie physique, 191 pour la géographie humaine et économique. Un certain équilibre est respecté et l'ordre est établi : la géographie physique d'abord, la géographie humaine et économique ensuite. L'influence épistémologique d'Emmanuel de Martonne — gendre de P. Vidal de la Blache, interprète du maître et géomorphologue éminent (*Traité de géographie physique*, 1909) —, plaçant la géographie physique et notamment la géomorphologie comme préalable, est évidente.

La géographie physique suit elle-même une présentation académique immuable. La comparaison des tables de matières est éloquente :

1918	1938
– Terres et mers (localisations)	– Répartition des terres et des mers
– Matériaux de l'écorce terrestre (géologie)	– Les époques géologiques
– Relief du sol (morphologie)	– L'élément solide (roches, reliefs)
– La mer (océanographie)	– L'élément liquide (océans et mers)
– Le climat (climatologie)	– L'élément gazeux (climats)
– Volcans et tremblements de terre	– Tremblements de terre et volcans
– Les eaux (hydrologie)	– L'action des eaux, des glaciers
– L'érosion continentale	– Actions éoliennes
– L'érosion marine (les littoraux)	– La mer et les côtes
– La flore et la faune (botanique et zoologie)	– Vie végétale, vie animale

La géographie humaine est tout aussi stable dans sa présentation :

1918	1938
– L'homme sur la terre.	– L'homme dans l'histoire de la terre
Races, langues et religions	
– La population du globe	– L'homme et la nature
– L'homme sur la terre : la production	– La vie civilisée
– *Idem* : l'habitation (villes)	– Races, langues et religions
– *Idem* : la circulation, les communications	– Les phénomènes de la population

La géographie économique, enfin, se décline suivant un catalogue de productions bien formalisé :

1918	1938
– Les céréales	– Les céréales
– Légumes, fruits, sucre	– Autres végétaux
– L'élevage. La pêche.	– L'élevage. La pêche et la chasse
– Les textiles	– Les textiles
– Les produits des forêts. Le caoutchouc	– Les produits forestiers. Caoutchouc…
– Les minéraux précieux et utiles	– Les minéraux et les métaux
– Les combustibles et les forces motrices	– Les sources d'énergie

La réforme de Jean Zay, le ministre du Front populaire, ne change rien quant au fond : la géographie générale demeure un préalable à la géographie régionale, ce qui confirme une tendance somme toute contraire à l'approche vidalienne. Pour Vidal de la Blache, la méthode inductive est privilégiée ; c'est de l'étude des cas particuliers (monographies régionales) que doivent naître les explications générales.

Après Vichy, la conception pédagogique reprend le schéma instauré au début du siècle : une géographie générale conçue en deux temps essentiels, géographie physique et géographie humaine. Prenons l'exemple des sommaires des manuels de Gourou et Papy (document 3, 1961), de Derruau (document 4, 1970) et de Pernet (document 5, 1974) : on trouve 149 pages de géographie physique contre 125 pour la géographie humaine et économique, désormais unifiées, dans le document 3 ; 137 pages contre 177 dans le document 4. Le manuel de Pernet tente d'établir une relation entre « le cadre de la vie des hommes » et « la vie des hommes » ; 87 pages sont consacrées à la géographie physique, 124 à la géographie humaine et économique. Imperceptiblement, un nouveau rapport de force s'impose et une relation apparaît entre les deux domaines géographiques : la place de la géographie physique se réduit, la géographie humaine et économique forme un tout et, finalement, une relation est établie entre les deux volets de la géographie générale.

Les prémices d'une évolution peuvent être soulignées. La séparation entre les deux volets se maintient, mais la géographie humaine (désormais unifiée) domine quantitativement. Enfin, en 1974, l'unité se fait autour de « la vie des hommes » ; la place des hommes devient première dans la géographie enseignée. La longévité de conception de la géographie générale en deux temps distincts rend encore plus évidente la rapidité des évolutions récentes.

La véritable rupture épistémologique apparaît à travers les programmes de lycée de 1981. Une nouvelle approche de la géographie générale en seconde, dans la poursuite des réformes entreprises en 1977 pour les collèges, apparaît en effet à compter de 1981. Alors que la géographie générale n'est plus enseignée au cycle des collèges depuis 1977, c'est en seconde désormais qu'il faut s'efforcer de conceptualiser et formaliser les notions et connaissances du premier cycle. Cette évolution, nourrie d'une géographie renouvelée, opère un recentrage paradigmatique autour de la socialisation des espaces. Cette modification de la géographie générale scolaire s'est opérée par un allégement de la géographie physique. De plus, la géographie générale ne constitue plus un savoir clos à mémoriser mais favorise des études de cas et une approche problématique. Il s'agit d'un changement sur le fond ainsi que dans les approches.

Le programme de la classe de seconde, traditionnellement consacré à la géographie générale depuis 1902, subit ainsi des transformations sensibles en 1981. Plutôt dans la déclinaison des thèmes que dans les contenus, a toutefois noté l'inspecteur général Pierre Desplanques. Explicitement et officiellement, la géographie générale se fonde sur une logique des relations entre milieux et sociétés. La géographie est une science sociale. Pour casser l'organisation duale traditionnelle, le programme est fragmenté en une succession de huit thèmes. Ces thèmes sont articulés autour d'une présentation de la population de la terre :
– La planète Terre et sa population
– La Terre et ses richesses
– Les sources de la vie et les grands cycles d'échange
– La vie à la surface du globe
– Les groupes humains et leurs dynamiques démographiques
– Villes et campagnes
– Production et échanges
– Problèmes de l'environnement
Cette réforme est confirmée par celle de 1987. Le manuel de Rémy Knafou (document 6) nous en propose une lecture. Le chapitre « L'homme sur la terre (habiter la terre) » n'est plus qu'une brève introduction : il s'agit d'un recul par rapport à 1981. En outre, avec la construction en six chapitres — trois pour des éléments de géographie physique, trois pour des éléments de géographie humaine —, ne retrouve-t-on pas l'ancienne dichotomie (*L'Information Géographique*,

n° 4, 1996) ? Cent pages sont consacrées à la géographie physique (le soleil, l'eau, le relief, le climat..., dans le désordre), 138 à la géographie humaine : 28 sur les hommes (« Les Hommes vivent en groupe ») et 110 sur l'économie (« Aménager l'espace »). Toutefois, la lecture des compléments souligne les nécessaires « relations entre données physiques et données humaines ». Pour cela, la référence à la systémique est recommandée. S'agit-il de la pesanteur de l'ancienne approche duale ou de la confirmation d'une évolution ? La force d'inertie devant ces changements de la part de certains professeurs — et pas forcément les géographes — a parfois été soulignée.

En 1992, le programme est aménagé dans le contexte et sous le prétexte de la réduction de l'horaire et de l'introduction de l'enseignement modulaire en classe de seconde. Après un rapide passage sur « La Terre planète des hommes », les premiers points du programme sont regroupés sous le titre « Les sociétés humaines face aux ressources et aux contraintes de leur espace » ; enfin, la dernière partie, « Les sociétés humaines aménagent leurs espaces », regroupe les derniers thèmes du programme et doit retenir la moitié du temps d'enseignement. Ces aménagements confirment la nouvelle orientation de la géographie générale : il faut donner une orientation sociale à une discipline qui met l'espace, ses contraintes, ses ressources et ses aménagements au cœur de la problématique. Mais dans les programmes de 1981 comme dans ceux de 1987 et 1992, la volonté de mettre en relation est-elle passée dans les actes ? La séparation ne demeure-t-elle pas, parfois, encore dans les pratiques ?

En résumé, on est passé d'une géographie générale tendant à l'exhaustivité, organisée par la partition physique/humain, se présentant comme un catalogue, à une géographie générale définie comme une science sociale, au sein de laquelle les éléments naturels sont insérés dans une problématique des relations des sociétés à leurs espaces. Cette logique dépasse les anciennes distinctions. C'est par rapport à ce référent, ce nouveau paradigme, qu'il convient d'étudier les derniers programmes de la classe de seconde.

Quelle place désormais pour la géographie physique ?

En seconde, le champ d'étude est la planète, mais le programme repose sur un choix d'exemples à différentes échelles. Répartitions des populations, analyse des aménagements, organisation de l'espace terrestre s'appuient sur la connaissance des grands mécanismes naturels. Toutefois, dans le cadre de ce programme de géographie, l'étude de ces mécanismes ne trouve pas sa justification en elle-même. En revanche, l'étude des problèmes d'environnement doit être envisagée à propos de chacun des thèmes du programme. Géographie physique, oui, mais dans la mesure où elle est utile à la compréhension des exemples géographiques abordés.

La rédaction des programmes reprend largement les nouvelles conceptions de certains géographes (physiciens) comme Georges Bertrand. Celui-ci, à l'occasion des journées d'études d'Amiens en 1991 (*Enseigner la géographie du collège au lycée*), s'interrogeait, à la demande de Pierre Desplanques : « Quelle place a la géographie physique non seulement dans la géographie mais aussi dans la société actuelle ? » Il s'appuyait sur quelques postulats :

La géographie est une science sociale ; mais il n'y a pas de géographie sans nature (dans « territoire », il y a terre) ; la nature n'est pas la géographie physique (la nature, c'est l'objet étudié) ; la géographie n'est pas toute la nature (il y a d'autres disciplines, et notamment l'écologie) ; la géographie physique se situe à l'interface entre la société et la nature.

G. Bertrand écrivait par ailleurs : « il faut construire un paradigme d'interface ». Pour lui, le bilan est clair : la géographie physique traditionnelle est disqualifiée ; « elle est devenue une connaissance encyclopédique par accumulation d'éléments non conceptualisés ». Le modèle de l'écologie scientifique est réducteur ; l'écosystème est strictement biologique, et, surtout, il n'est pas spatialisé (« or nous, géographes, nous devons travailler sur l'espace ») ; G. Bertrand propose donc un système conceptuel tripolaire : géosystème, territoire et paysage. Le géosystème est un concept naturaliste, il relève de la géographie physique (il n'est plus évoqué dans le programme de 1996). Le territoire est un concept socioéconomique ; il est central par rapport à la science géographique ; c'est l'étude des ressources et des contraintes (au cœur du programme actuel). Le paysage, notion plus que concept, permet d'introduire la dimension socio-culturelle dans l'analyse de l'espace géographique, par le biais des représentations (un retour du paysage dans les programmes peut être noté). G. Bertrand conclut :

> Il faut revenir au globe terrestre, à son unité, à sa représentation [...] globale. Beaucoup de grands problèmes trouvent leur explication à l'échelle planétaire (trou d'ozone) mais leurs fonctionnements et leurs effets se manifestent à différentes échelles de temps et d'espace.

Ces recommandations ont bien été suivi d'effet. Prenons l'exemple du dernier manuel de R. Knafou de seconde (document 6) ; le chapitre 1 porte sur les « approches progressives de la terre » : du système solaire à la Terre, l'échelle du globe échelle des grands ensembles physiques, l'échelle d'un État de taille moyenne où la présence de l'homme se perçoit nettement ; l'échelle régionale ou des grandes agglomérations où se perçoivent les aménagements humains ; l'échelle locale qui est celle de l'espace vécu… La préoccupation est, ici, de revenir au globe terrestre et de recourir aux différentes échelles.

La géographie est « la science sociale du territoire » ; elle doit partir du social. C'est renverser la problématique traditionnelle, remonter de la ressource vers la source. Étudier la pollution par les nitrates signifie reconstruire un modèle territorial incluant les paramètres naturels (sol, pente, climat) et les paramètres sociaux (parcellaire, pratiques culturales, fertilisation…). Il ne sert à rien de parler de l'érosion des sols en pédologue si l'on n'est pas aussi agronome (*Enseigner la géographie du collège au lycée*).

Aujourd'hui, il faut introduire une didactique de l'environnement ; même si la géographie doit faire usage d'un concept aux limites du scientifique et du politique. Car, alors que le naturel s'installe au cœur du social, une géographie sans nature serait scientifiquement et pédagogiquement impensable. La géographie physique traditionnelle a vécu, mais l'explosion de la question environnementale a bouleversé les données scientifiques et pédagogiques qui ont jusqu'ici fondé la discipline géographique. « Le thème de l'environnement doit être envisagé comme transversal » (Programme de seconde).

Le programme de géographie générale aujourd'hui

La prise de conscience de ces permanences et de ces évolutions permet de mieux situer et comprendre le nouveau programme à enseigner. Le programme de 1996 sera remplacé à la rentrée 2001 par un programme renouvelé. L'un et l'autre seront analysés tour à tour.

Programme de 1996

Le texte. Tout d'abord, sa brièveté (moins de deux pages) est surprenante. Dans une analyse des programmes de l'école élémentaire, Monique Benoît a écrit :

> La brièveté traduit soit l'embarras du législateur qui introduit une nouveauté à laquelle manquent de solides fondements théoriques [...] soit le désir de faire simple[1].

En l'occurrence, traduit-elle des hésitations paradigmatiques, voire des querelles d'écoles au sein du groupe technique disciplinaire (GTD) ? C'est probable A-t-elle pour but de laisser la liberté aux enseignants pour la mise en œuvre problématique ? C'est possible. Cette liberté des choix, des approches problématiques a été plusieurs fois exprimée, notamment au collège. Des choix doivent être faits sur le fond et sur les moyens : libre choix des méthodes pédagogiques, diversité des problématiques, choix des études de cas, multiplicité des supports et des langages, place des technologies actuelles de la connaissance et de l'information.

Le contexte. Dès les premières lignes de l'introduction, le texte de présentation souligne clairement que les finalités sont communes à l'histoire et à la géographie. Affirmer que la géographie a pour objet de connaissance l'étude des modes de construction du territoire par la société inscrite dans la longue durée de l'histoire, c'est conforter le couple histoire-géographie dans l'enseignement au collège et au lycée. Surtout, au-delà des connaissances, ces finalités sont intellectuelles (apprentissage de la réflexion, exercice de la raison critique) et civiques (éducation à la citoyenneté) :
– Comprendre le monde contemporain
– Permettre l'insertion des élèves dans la cité (enseigner, éduquer, insérer)
– Acquérir des méthodes d'analyse (en insistant sur la dimension critique)
On peut ici faire référence aux compétences attendues du professeur : enseigner, éduquer, insérer dans la société.

Le contenu. Il existe trois grands chapitres :
– La Terre, planète des hommes (population et villes)
– Les sociétés humaines face aux ressources et aux contraintes (relief, grands ensembles bio-climatiques et milieux) de la Terre
– Les sociétés humaines organisent et aménagent leur territoire
Les hommes, les sociétés humaines, sont au cœur de cette géographie. Le programme actuel s'inscrit dans la continuité du renversement paradigmatique de 1981. Toutefois, la première partie, consacrée à la répartition spatiale des populations, peut être opposée au deuxième thème : « Les sociétés humaines face aux ressources et aux contraintes de la Terre » (12 à 14 heures) et au dernier : « Les

---

1. Cité dans *L'Information Géographique*, n° 4, 1996.

sociétés humaines organisent et aménagent leur territoire » (16 à 18 heures). Il est possible d'en faire une lecture axée sur les ressources et les contraintes (géographie physique) ainsi que sur l'organisation et l'aménagement des territoires (géographie humaine) — la géographie humaine étant privilégiée avec un horaire plus conséquent. Néanmoins, la mise en relation des éléments physiques et humains est sans cesse réaffirmée. Les mécanismes naturels ne sont plus étudiés pour eux-mêmes mais en lien avec les adaptations et les interventions humaines. Les titres sont pratiquement identiques à ceux de la relecture de 1992. Mais le concept de territoire remplace celui d'espace. Faut-il y voir un changement majeur : à l'espace organisé, ses lois et son fonctionnement, est substitué le « territoire », avec la dimension culturelle et politique ? Cette approche est organisée autour de la société, de ses moyens et de ses besoins (*Information Géographique*, n° 4, 1996).

En fait — comme toujours, mais plus que jamais —, ce programme (allégé) peut être interprété, décliné, mais la mise en relation société/espace, société/milieu, société/territoire est omniprésente. Elle se retrouve clairement dans le manuel Bouvet et Martin (document 7) :

– La terre, planète des hommes (65 pages).
– Les sociétés humaines face aux ressources et aux contraintes de la terre (93 pages).
– Les sociétés humaines organisent et aménagent leur territoire (83 pages).

Nouveau programme 2000

Changer de programme est une nécessité. Il convient de tenir compte régulièrement des évolutions du monde, des avancées de la discipline, des besoins des élèves et, parfois, de clarifier le programme précédent. Le nouveau programme publié au *Bulletin Officiel* du 31 août 2000 (document 9) confirme une évolution de plusieurs décennies. Les rédacteurs du programme précisent qu'il n'y a plus de géographie physique, et même de géographie générale ou, plutôt, qu'il faut dépasser « ces distinctions entre géographie physique et géographie humaine, entre géographie générale et géographie régionale ». Voilà une affirmation nouvelle qui répond aux vœux de Roger Brunet qui, en 1991, aux journées d'Amiens (*Enseigner la géographie du collège au lycée*), avait contesté cette classification :

> Je ne comprends pas la distinction entre géographie générale et géographie régionale, surtout en successions alternées dans l'enseignement secondaire : il faut abandonner ces catégories désuètes, et débarrasser la géographie de toute la gangue d'adjectifs qualificatifs dans laquelle elle a failli s'engluer et disparaître.

La géographie est présentée comme globale dans son approche, conceptualisée et problématisée. Les grands concepts sont précisés : organisation de l'espace, aménagement et environnement. C'est une véritable définition de la géographie qui est proposée avec la problématique de l'organisation de l'espace par les hommes. Ce nouveau programme répond clairement à une longue évolution lisible à travers les programmes et les manuels. La géographie est globale, elle est science de l'organisation et de l'aménagement de l'espace par les sociétés humaines qui façonnent leurs territoires. Les vieilles classifications et les conflits qu'elles engendraient entre les géographes ou « chez le géographe » n'ont plus de sens.

Cinq thèmes sont obligatoires, un sixième étant au choix ; l'objectif est toujours de réduire les ambitions et d'alléger le programme :
– Plus de 6 milliards d'hommes sur la terre
– Nourrir les hommes
– L'eau, entre abondance et rareté
– Dynamiques urbaines et environnement urbain
– Les sociétés face aux risques
– Les littoraux, espaces attractifs
– Les montagnes, entre traditions et nouveaux usages

Plus que jamais, c'est autour d'études de cas que les principales notions doivent être construites. L'objectif précisé dans la mise en œuvre est de rendre peu à peu les élèves capables d'étudier n'importe quel cas (« des études de cas contextualisées »), à toutes les échelles (« une approche multiscalaire »), en maîtrisant les outils géographiques (« cartes, croquis, images et autres sources documentaires »).

La notion d'organisation de l'espace est au cœur des programmes, à travers deux entrées qui sont présentes dans chaque thème (pour éviter de voir dans l'environnement les données naturelles et dans l'aménagement les sociétés humaines). La liste des concepts cités et soulignés est tout un programme notionnel : organisation de l'espace, discontinuités, pôles, réseaux, flux, aménagement, territoires, acteurs, paysages, environnement, développement, contraintes, ressources et risques. La géographie est bien une science sociale.

L'histoire de l'enseignement de la géographie souligne la permanence de la géographie générale en classe de seconde pendant un siècle. Depuis 1981, toutefois, une nouvelle approche est proposée, cassant l'organisation duale traditionnelle : une géographie générale définie comme une science sociale où les éléments naturels sont insérés dans une problématique des relations des sociétés à leur espace.

Le but de la géographie est toujours l'étude des territoires dans lesquels s'inscrivent les choix d'aménagement des sociétés, les contraintes, les coûts et les risques qu'ils supposent, mais « cette démarche impose une connaissance des grands mécanismes naturels qui permet d'intégrer la notion d'environnement désormais très présente dans les leçons de géographie en classe de seconde » (Inspection Générale, *Bulletin Officiel* du 14 avril 1994). Les notions d'organisation de l'espace, d'aménagement et d'environnement sont donc explicitement au cœur du programme de géographie de la classe de seconde rédigé en 2000 pour la rentrée 2001.

Cette classe a perdu sa fonction traditionnelle de propédeutique, qui, « sur les bases d'une culture acquise au collège », était de « préparer la présentation des régions, États ou ensembles d'États en première et en terminale ». La classe de seconde, en géographie, s'inscrit plus que jamais dans une cohérence verticale entre les approches du collège et celles du lycée (il s'agit de prolonger les acquis du collège et d'initier les démarches problématiques propres au lycée), ainsi que dans une cohérence horizontale en liaison avec l'histoire (la compréhension du monde contemporain) et l'éducation civique juridique et sociale (de la vie en société à la citoyenneté), dans une perspective qui dépasse la dimension disciplinaire.

Événement spatial :
enseigner un concept géographique nouveau au lycée

Dossier :
Document 1 : « Événement spatial », *Espace Géographique*, n° 3, 2000.
Document 2 : Rémy Knafou, *Géographie 2e*, Paris, Belin, 1996, p. 10-11.
Document 3 : Michel Hagnerelle (dir.), *La France en Europe et dans le monde, géographie 1ère L, ES, S*, Paris, Magnard, 1997, p. 44-45.
Document 4 : Programmes et accompagnement des lycées, 2000.
Document 5 : Programmes des lycées (nouveaux), *Bulletin Officiel*, n° 6, 2000.

Un numéro récent de la revue *L'Espace Géographique* (document 1) propose l'association du mot « événement » et du mot « spatial ». L'association entre événement et espace peut surprendre, mais aussi ouvrir la voie à un concept nouveau : l'événement spatial. Après avoir mis en évidence la spécificité et la pertinence de la notion, il sera intéressant de mesurer son efficacité didactique et pédagogique dans l'enseignement de la géographie au lycée. Après une réflexion théorique, seront évoquées deux études de cas possibles à partir de documents proposées par des manuels récents.

L'objectif est d'apprécier l'impact et l'intérêt de l'introduction d'une nouvelle notion scientifique sur un contenu et des modalités d'enseignement à travers la nouvelle approche des derniers programmes.

Une notion nouvelle

Il convient, tout d'abord, de préciser ce concept d'événement spatial. L'association entre temps et espace — deux (sinon *les* deux) concepts fédérateurs de l'histoire et de la géographie — a déjà été tentée, ne serait-ce qu'à travers le titre de la revue *Espaces-Temps*. Mais cette dernière s'est ouverte dès l'origine à l'ensemble des sciences sociales, et non à la seule géographie.

L'événement est une notion majeure dans le domaine du temps. Le mot vient du latin *evenire*, qui signifie « ce qui se produit, arrive, apparaît ». Il recouvre des périodes relativement courtes par rapport à la période totale à prendre en compte. L'usage le plus courant du terme est celui du fait suffisamment exceptionnel pour qu'un être humain le remarque. Il existe une catégorie particulière d'événement, l'événement historique ; c'est un fait imprévisible, qui a par ailleurs des conséquences sur le déroulement de l'histoire. L'événement historique est le fait pointé par les historiens comme étant le moment où les choses ont basculé (Marie-Vic Ozouf-Marignier et Nicolas Verdier, *Espace géographique*, n° 3, 2000). Il s'agit de la cristallisation — généralement dans un temps court — d'une action des hommes, un bouleversement ou une réalisation, clairement inscrite chronologiquement ; l'événement est daté.

Présenter l'événement dans une perspective spatiale est plus nouveau. Cette idée peut même surprendre, tant les deux champs conceptuels sont différents. Il ne s'agit pas de la dimension spatiale de l'événement mais du poids de l'événement dans l'espace. Un événement spatial se manifeste dans un espace délimité ; ses caractères et ses conséquences sont liés au contexte spatial dans lequel il se produit. Événement « localisé » et événement « localisant » (François Durand-Dastes) car la portion de l'espace où l'événement a lieu devient un élément important de l'explication. L'objet n'est pas tant l'événement que l'espace, l'espace géographique.

L'espace géographique est, pour beaucoup, le concept le plus important et le plus fédérateur de la géographie actuelle, Roger Brunet estimant : « L'espace géographique est l'étendue terrestre utilisée et aménagée par les sociétés. Il comprend l'ensemble des lieux et leurs relations. C'est l'espace des géographes. » Il est lié à divers types d'usage ou d'actions : appropriation, exploitation, habitation, circulation et gestion. Cet espace social est l'objet que se donne le géographe. Il est fédérateur des autres concepts utilisés en géographie, comme paysage, milieu et environnement, région ou territoire. Il relaie ou complète le milieu, « cadre dans lequel se déroule l'existence des hommes » d'après Paul Claval ; il est espace organisé par toutes les marques que les sociétés impriment sur la terre. Il est par ailleurs concret, visible ou non, et associé au temps. Et s'il n'est pas toute la géographie, il est une des clés de l'analyse géographique.

La notion d'événement spatial met en exergue l'association au temps, en l'occurrence le temps bref. C'est un événement de l'espace, bouleversant l'organisation spatiale à un moment donné. Il s'agit, par exemple — dans une problématique de la mise en concurrence des ressources, des contraintes et des risques —, de l'impact d'une catastrophe naturelle ; de la problématique des aménagements plus ou moins mal maîtrisés et de leurs conséquences imprévues (assèchement de la mer d'Aral, construction du barrage d'Assouan, aménagements de sites touristiques), dans lesquels la dimension écologique et environnementale est omniprésente.

Cette problématique éminemment géographique est privilégiée par le nouveau programme de seconde :

> Il faut prendre en compte les ressources — renouvelables ou non —, les contraintes — relatives dans le temps et dans l'espace — et les risques, d'origine naturelle ou aggravé, voire déclenchés par les activités humaines.

La notion d'espace géographique peut cependant sembler peu explicite (« un espace ne peut être à la fois "constitutif de l'organisation" d'un "événement" et son "support" »), et peu nouvelle (« ce que je vois […] ce sont des faits d'ordre historique, lesquels ont des conséquences d'ordre géographique ; autrement dit, rien qui change la perspective dans laquelle travaillent habituellement les géographes » (Augustin Berque, *Espace Géographique*, 2000, n° 3).

Qu'apporte-t-elle de nouveau, sinon l'association explicite et formalisée de l'événement dans un espace donné ? En admettant que l'espace soit l'organisation des lieux les uns par rapport aux autres — organisation engendrée par la participation de l'espace au fonctionnement des systèmes socio-économiques —, un événement spatial peut être défini comme une perturbation inopinée de cette organisation, liée à une perturbation du système.

Cette notion est pertinente, mais il reste à la soumettre à l'épreuve de l'enseignement.

La notion d'événement spatial dans un enseignement géographique au lycée

Conditions et efficacité de la mise en œuvre

La notion d'événement spatial permet-elle une approche didactique et pédagogique intéressante ? Répond-elle à la fois aux finalités de la géographie et aux nécessités de son enseignement ? En quoi cette notion permet-elle d'atteindre ces deux séries d'objectifs ?

> Les finalités de la géographie sont multiples : une finalité de « production » sociale et une finalité de « reproduction » sociale [...] La première relève de la géographie savante, celle qui cherche à expliquer les structures et le fonctionnement du territoire... Une autre finalité sociale de la géographie est d'être une matière d'enseignement et de contribuer à la formation des jeunes. (J. Scheibling, *Qu'est-ce que la géographie ?*, 1995)

Les attentes des programmes d'enseignement sont clairement posées en classe de seconde :

> L'enseignement géographique se fonde sur les problématiques de la science géographique actuelle en privilégiant les changements d'échelle. À partir de cas choisis sur tous les continents, à partir de l'actualité, en privilégiant aussi bien les relations homme-milieu, que les risques naturels, les changements climatiques que l'aménagement des territoires. (Introduction au programme, 1996)

Les deux concepts transversaux majeurs sont définis :

> L'aménagement désigne à la fois un ensemble d'actions d'une société et le résultat de cette action sur son territoire. L'aménagement est donc le fruit d'acteurs qui, dotés de leur stratégies, de leurs représentations spatiales, sont producteurs d'espace. Il est l'occasion de différentes compétitions entre différentes activités, de conflits entre différents acteurs et différents pouvoirs. (Programme de seconde, 2000)

L'approche multiscalaire est à nouveau vivement exigée (« les études de cas exigent de travailler à plusieurs échelles »). Le programme de première confirme ces orientations :

> [...] une démarche commune, le changement d'échelle, des problématiques spécifiques et — surtout — une attitude active des élèves dans la construction du savoir et dans la maîtrise des apprentissages. (Introduction au programme de première, 1996).

En quoi et comment cette notion permet-elle de répondre à ces préoccupations ?

Ce qui caractérise précisément l'événement spatial, c'est qu'il s'inscrit dans un emboîtement d'échelles, dans le temps et dans l'espace. L'échelle dans le temps doit être brève, nous l'avons vu : un événement est par définition un fait qui survient et qui surprend le plus souvent ; il est imprévisible ou au moins mal maîtrisé, et marque par sa brutalité. Autrement, il s'agirait d'un fait de culture ou de civilisation s'inscrivant dans le temps long. Il ne s'agit pas de constater comment la disparition des terrasses et leur boisement ont bouleversé les paysages des hautes vallées pyrénéennes depuis un siècle... L'événement a une dimension irréversible mais aussi, et surtout, brutale. Il est concentré dans le temps (par exemple les inondations de l'Aude ou la tempête du 26 décembre 1999). Il est rupture, accident, bouleversement ; il a un début mais aussi une fin. Un événement n'en est plus un dès lors que le processus qu'il a engendré devient un processus de fonctionnement d'un nouveau système spatial.

L'événement peut-il s'appliquer à toutes les échelles de l'espace, y compris à la plus petite ? Il est possible de parler d'un « événement planétaire », mais le sens sera alors probablement altéré. Un événement spatial se manifeste dans un espace délimité (F. Durand-Dastes, 1990). Le tracé et la construction de l'autoroute qui relie le pont de Normandie au tunnel sous la Manche peuvent être un événement spatial radical sur la petite surface d'une exploitation agricole ; des surfaces agricoles changent de destination, les bâtiments qui demeurent risquent de changer également de vocation ; une ferme cauchoise devient une résidence secondaire. Les processus de mise en valeur de l'espace ne se déroulent plus selon la même organisation. Il s'agit d'un événement à l'échelle locale. Sur une plus grande surface, l'événement paraît moins brutal, car le système est plus vaste et plus complexe et fait preuve d'inertie. Le tracé de l'autoroute des estuaires (qui relie les ports de la Manche et du littoral atlantique) a posé des problèmes, suscité des réactions et des contestations ; comme celui du TGV méridional. L'un et l'autre ont finalement engendré une modification spatiale durable. L'événement a ici une certaine épaisseur temporelle, la construction ne s'est pas faite en un jour et ses conséquences ne sont pas toutes instantanées. L'événement spatial de cette construction d'une autoroute ou d'une ligne de train à grande vitesse, bouleversant les paysages et les structures d'un système spatial donné, a lieu sur un territoire de dimension au moins régionale, et s'inscrit dans un jeu d'échelles, de l'échelle nationale à l'échelle européenne. L'événement spatial engendre des conséquences brutales et contrastées aux échelles locales. Mais si l'autoroute ou le TGV suscitent des nuisances au niveau local tout au long de leur parcours, ils amènent également un potentiel de développement important au niveau d'un centre urbain ou d'un port dont il élargit l'hinterland. La Rochelle-Pallice est ainsi un port dynamique, favorisé par d'excellentes conditions nautiques, mais actuellement limité dans son développement par la relative médiocrité de ses liaisons autoroutières et ferroviaires. Il y a alors conflit entre les intérêts des communes rurales menacées par le tracé et des centres portuaires et industriels susceptibles d'être désenclavés grâce à ces grands axes. C'est un problème d'aménagement à l'échelle locale ou régionale ; cet événement bouleverse tout un système spatial. L'événement spatial est un phénomène brutal qui bouleverse un espace limité et à grande échelle ; mais il s'inscrit dans un jeu d'échelles et de problématiques plus vaste.

On optera donc pour une vision limitée dans l'espace, notamment pour permettre une approche plus concrète, en retenant la grande échelle : de l'échelle locale (la ville, la zone urbaine ou le « pays ») à l'échelle régionale. Mais, incontestablement, la notion d'événement spatial répond efficacement à la préoccupation du changement d'échelle.

Un réel intérêt didactique et pédagogique

Les exemples proposés, issus de deux manuels récents des classes de seconde et de première, méritent d'être analysés pour en apprécier l'intérêt didactique et pédagogique. Certes, la notion d'événement spatial n'y est pas explicite ; toutefois, les exemples peuvent servir de support à des études de cas et à la mise en œuvre de ce nouveau concept d'événement-spatial.

Le drame de Vaison-la-Romaine a marqué les esprits ; il a été ravivé dans les mémoires par les inondations de l'Aude. Il a été retenu dans divers manuels récents, comme dans celui dirigé par Michel Hagnerelle (document 3, p. 44-45). Il s'agit, en l'occurrence, d'un dossier destiné à présenter l'étude de documents au baccalauréat ; sept documents sont mis en perspective afin d'être présentés et analysés. Au-delà de l'aspect méthodologique important (dans certaines séries, l'enseignement de l'histoire et de la géographie a pour priorité l'apprentissage et la mise en œuvre de savoir-faire), ils posent la problématique de la catastrophe liée aux aménagements : « la catastrophe est-elle naturelle ? » L'étude des risques — à l'origine naturels ou aggravés — est toujours proposée par le programme. Ce dossier présente une multitude de facteurs naturels et d'acteurs humains expliquant la catastrophe. Cette multiplicité permet d'éviter de tomber dans un déterminisme sommaire : une cause —> une conséquence. Il ne s'agit pas d'apprendre une nomenclature ou une succession, mais de comprendre comment les sociétés humaines organisent et aménagent leurs espaces, et ce sans négliger les apports de la géographie physique (site topographique, données hydrologiques et conditions climatologiques), sans privilégier les responsabilités des sociétés humaines (aménagement et localisation, gestion de l'espace et prévision), mais en mettant en relation ces différents termes. Ce travail sur les producteurs de l'espace, les interactions, l'appropriation de l'espace et sa gestion favorise une approche géographique authentique. En ce sens, la notion d'événement spatial s'inscrit parfaitement dans les finalités d'une géographie renouvelée. Par les documents retenus, elle ouvre également la voie à une approche multiscalaire, explicitement privilégiée dans les programmes. Sur une petite surface, l'événement peut être brutal, radical, mais il ne peut être compris que dans un emboîtement d'échelles. Il faut qu'il y ait une conjonction particulière entre des événements et des processus de différents niveaux spatiaux qui modifient l'organisation spatiale (document 1). L'emboîtement d'échelle s'impose ici : de la photo du quartier au plan de la ville, à la carte de la région et à l'image satellitale — différents niveaux d'analyse qui font la particularité du raisonnement géographique.

L'élève est, tout naturellement, sollicité et placé en situation de recherche à partir d'interrogations nées du dossier documentaire, même si, au bout du compte, le professeur doit aider à faire la synthèse et compléter les connaissances acquises au cours de la recherche :

> Il s'agit là d'une approche didactique qui implique des remises en cause de la géographie traditionnelle : il ne s'agit plus seulement de voir, de décrire, mais de répondre à des questions, donc d'expliquer (Michelle Masson, *Vous avez dit géographies ?*, 1994).

Il s'agit bien d'une démarche didactique renouvelée et d'une approche pédagogique judicieuse où l'actualité et le questionnement sauront motiver les élèves. Sur le même thème, le professeur peut être amené à concevoir un dossier de presse constitué de documents divers à partir d'un événement spatial d'actualité, répondant à la fois au souci de problématisation et d'actualisation des études géographiques voulu par les auteurs des programmes. Enfin, un tel débat s'inscrit dans la perspective souhaitée d'une éducation à la citoyenneté (programme de l'ECJS) : qui décide ; qui agit ; qui peut réagir ; quels sont les acteurs, les pouvoirs, les enjeux, les stratégies ?

L'actualité peut être ainsi sollicitée. Motivation, richesse de l'information fournie par les différents médias, mise en situation de recherche d'information et d'explication : voilà une belle occasion de faire de la géographie. Au cours des années 1999-2000, nombre de cataclysmes divers ont marqué l'actualité : séismes, phénomènes volcaniques, inondations ou cyclones. Ces catastrophes naturelles ont pu prendre la dimension d'un événement spatial. Pierre Pech (entretien avec Monique Flanneau, *Journal des Instituteurs*, n° 9, mai 2000) souligne combien la notion de catastrophe naturelle est ambiguë : il s'agit d'une chaîne de causalités physiques dont les effets sont amplifiés par la société. L'aspect négatif n'existe que par rapport aux risques encourus par les hommes. L'éruption de l'Erebus dans l'Antarctique n'est pas une catastrophe naturelle : c'est un phénomène géophysique ; il ne bouleverse pas un système spatial, n'a aucun impact sur les sociétés humaines, ce n'est pas un événement spatial. En revanche, le risque d'éruption du volcan de la Soufrière, en Guadeloupe, est considéré comme une catastrophe potentielle et serait — même prévisible — un événement spatial.

Un second exemple, d'une autre nature, nous est proposé : l'étude d'un milieu touristique aux Maldives. Ce thème d'étude, la naissance de lieux touristiques, est une spécialité de Rémy Knafou (document 2). Il permet d'aborder plusieurs problématiques évoquées dans le manuel : interaction entre les hommes et la nature dans un ensemble insulaire situé à fleur d'eau ; relation et dépendance touristique d'un petit État au reste du monde ; organisation d'un territoire archipélagique à l'activité centrée sur sa capitale et son aéroport. En quoi, pourquoi et comment peut-on étudier ce cas à partir de la notion d'événement spatial ?

Il s'agit d'analyser comment un lieu est devenu fréquenté par les touristes. La durée et la prévisibilité enlèvent beaucoup, il est vrai, de spontanéité à l'événement. Pour avoir des conséquences sur l'organisation spatiale, un événement doit soit être engendré par une contrainte au fonctionnement normal du système spatial, soit perturber les processus de fonctionnement du système spatial au niveau de celui-ci. L'attention est attirée sur la naissance de processus, ici la naissance de lieux touristiques. Certains espaces sont plus appropriés à déclencher des événements spatiaux que d'autres. Un événement spatial concerne ce qui apparaît dans l'organisation spatiale et qui n'y était pas précédemment ; cette apparition est nécessairement brusque à l'échelle temporelle du système spatial dans lequel il se produit. L'événement spatial peut néanmoins avoir une certaine épaisseur temporelle tout en demeurant dans un laps de temps limité relativement à la durée de vie du système (document 1). De plus, le cadre spatial de l'impact est, en l'occurrence, bien précisé et limité : un système insulaire. Mais la référence à toutes les échelles s'impose : de l'échelle du monde, pour la menace de submersion des îles basses (réchauffement dû à l'effet de serre) et pour les flux touristiques, à la grande échelle des aménagements locaux, à celle d'une île, d'une île-hôtel (présentée par une photographie du manuel), paradis touristique fait de nature tropicale et d'isolement, loin de tout mais facilement accessible. Sur le plan de l'échelle temporelle, il s'agit d'un temps relativement court : une ou deux décennies ; sur le plan spatial, d'un espace limité et précisé ; on peut donc opportunément utiliser la notion d'événement spatial. L'événement correspond ici à l'avènement d'un tourisme de masse (voire irruption), et à son impact sur un territoire et une société longtemps préservés, dans un temps bref et sur un espace restreint. La virulence des causes et des effets sur un système d'organisation spatiale peut être analysée à l'aide de la notion d'événement spatial.

L'intérêt de l'exemple des Maldives — également évoqué et illustré par J.-C. Gay dans la revue *Mappemonde*, 2000 — est multiple. Il s'agit d'un micro-État de 298 km^2, émietté en 1 192 îles et 26 atolls, comptant 240 000 habitants, dont le quart est concentré dans la capitale. La densité théorique est de plus de 800 h/km^2. Ces chiffres disent toute la fragilité des Maldives. La population vit essentiellement de la pêche, mais le tourisme occupe une place croissante dans l'économie : le chiffre de 200 000 touristes est important à l'échelle de ce pays. L'analyse des données socio-économiques et de leur répartition spatiale permettrait de mesurer les bouleversements engendrés par l'irruption du tourisme sur ces îles et leurs habitants. De surcroît, le modèle de développement des Maldives n'est pas isolé : les Seychelles ou l'île de Guam, en Micronésie (avec l'ouverture d'une base militaire, puis une mutation touristique) s'en approchent. Dans une certaine mesure, certaines îles polynésiennes ont connu pareil développement. Ces dernières, toutefois, ne subissent pas la même surcharge touristique sur un espace donné, mais elles sont également menacées — les atolls particulièrement — par la remontée des eaux des océans d'une part (« motu-hôtel » de Bora Bora, atolls de Rangiroa ou de Tikehau) et par la pénurie en eau potable d'autre part (naturellement crucial sur les atolls, mais aussi aujourd'hui sur les îles hautes touristiques Moorea et Bora Bora). D'autres cas pourraient être étudiés, ainsi que d'autres causes, effets, facteurs et problèmes. L'avènement du CEP (Centre d'expérimentation du Pacifique) et la construction de l'aéroport de Faaa ont, par exemple, provoqué des événements spatiaux qui ont radicalement, et définitivement, modifié des systèmes spatiaux et socio-économiques en Polynésie française. Les mêmes justifications épistémologiques, didactiques et pédagogiques que pour les exemples précédents peuvent ici être mises en avant. La pertinence et l'efficacité de la notion sont évidentes.

L'intérêt de telles études de cas dans un enseignement géographique au lycée est incontestable. Mais cette notion apporte-t-elle véritablement quelque chose de nouveau ? L'étude des risques climatiques (cyclone, inondation) ou géophysiques (séisme, volcanisme) a déjà été largement introduite dans les manuels et dans les classes. Il en est de même des exemples liés à l'aménagement (risques humains), comme la dégradation du géosystème de la mer d'Aral ; un plan d'aménagement a en quelques décennies détruit une mer, la faune, la flore, les activités liées à celle-ci, gigantesque catastrophe humaine que les hommes n'ont pas su prévenir ; il s'agit d'une perturbation inopinée et même de la destruction d'un système spatial socio-économique. Catastrophe naturelle ou risques liés à un aménagement mal maîtrisé sont des cas déjà abordés en classe. La dimension nouvelle, c'est la maîtrise des échelles spatiale et temporelle, permettant de mieux observer, analyser, cadrer et mesurer, comprendre les interrelations, les facteurs et les acteurs, dans une vision dynamique, de tel ou tel événement spatial, et de mieux apprécier les contraintes et les risques, les choix politiques ou d'aménagement, les responsabilités. Cela renforce la dimension civique de l'étude géographique.

Une dimension citoyenne

L'enseignant est chargé de préparer les adolescents à vivre dans une société démocratique ; sa vocation est non seulement d'enseigner mais aussi d'éduquer et d'insérer dans la société. La géographie enseignée se doit donc d'être à la fois culture de l'espace terrestre, dont l'élève apprend à connaître les grands repères, et outil de citoyenneté aidant chacun à trouver sa place comme personne responsable. La géographie doit, comme l'histoire, contribuer à former un citoyen responsable et actif. Au service du pouvoir politique, la géographie s'appelle aménagement ; au service de l'homme, elle devient outil de formation ; au service de l'élève, passerelle identitaire favorisant l'intégration (cette intégration, recouvrant toutes formes de participations à la vie collective, est un thème majeur de l'éducation civique en seconde). La nature seule ne peut plus être considérée comme responsable de la répartition des hommes et des richesses, ni même des catastrophes qui n'ont de naturel que notre aveuglement. L'explication géographique met en jeu un faisceau de causes qui contribuent à éclairer la complexité du monde (Monique Flonneau, « Une nouvelle définition de la géographie scolaire », *Journal des Instituteurs*, n° 9, mai 2000) et ajouterons-nous, à souligner les responsabilités humaines. Elle répond parfaitement en cela aux préoccupations exprimées dans les programmes, celles de la classe de sixième (« comprendre le monde contemporain et agir sur lui en personne libre et responsable ») étant réitérées en classe de troisième (« offrir des clés de lecture et compréhension critique, est, avec l'éducation civique, un outil de formation du futur citoyen »). Au lycée, ces préoccupations demeurent et s'affirment :

> Pour être capables d'agir en citoyens, les lycéens doivent identifier les acteurs, les enjeux, les lignes de force. Les élèves doivent acquérir une vision dynamique et critique du monde afin de dégager l'essentiel dans la masse de faits nouveaux que l'actualité livre quotidiennement ; [...] par l'exercice d'un raisonnement toujours secondé par l'analyse critique, ils sont portés à relativiser une information rapide, conjoncturelle, non hiérarchisée.

Étudier un événement spatial, c'est apprendre à lire et comprendre le monde : c'est avoir envie d'agir dans le monde.

Dans le cas d'un événement spatial, en effet, la brutalité des transformations fait que celui qui reste au niveau de la description ressent un sentiment d'impuissance face à une fatalité implacable. C'est la première réaction des témoins d'un fait divers. Mais n'est-ce pas précisément la responsabilité du géographe, du citoyen — le professeur ou l'élève — que d'essayer de comprendre et mesurer les interactions des causes et des effets ? L'explication géographique, comme tout système, est susceptible de se transformer dès qu'il y a du nouveau (suppression d'une frontière, ouverture d'un axe autoroutier ou ferroviaire, création d'un site touristique ou irruption d'un cataclysme) ; le système demeurant toujours ouvert, des facteurs imprévisibles peuvent toujours se manifester et déclencher des évolutions imprévisibles. Et si c'est la brutalité de son impact, dans un espace et dans un temps limité, qui en fait un événement spatial, une rupture dans l'équilibre d'un système spatial, l'étude de cet événement peut aussi permettre une prise de conscience citoyenne.

Ce concept nouveau semble pertinent et opérationnel. Sans renouveler radicalement l'étude des phénomènes géographiques, il donne la possibilité d'insister sur leurs dimensions spatiale et temporelle. Des études de cas, à partir des exemples proposés, choisis dans le monde en classe de seconde ou en France en classe de première, montrent à l'évidence que cette approche fondée sur la notion d'événement spatial permet d'aborder activement sur le plan pédagogique et efficacement sur le plan didactique une géographie renouvelée.

Sans donner une importance excessive à l'introduction de cette notion, celle-ci favorise le renouvellement et l'actualisation de l'enseignement géographique. Elle permet en effet de répondre aux justes préoccupations du moment, qu'elles soient scientifiques, didactiques ou civiques.

Géographie et représentations : l'exemple des TOM

Dossier :
Document 1 : photo extrait de *Grands Reportages,* novembre 2000.
Document 2 : Michel Hagnerelle (dir.), *La France en Europe et dans le monde, géographie 1ère L, ES, S,* Paris, Magnard, 1997, p. 290-291.
Document 3 : Florence Klein, « La Conception de la terre dans la culture canaque », *in Chroniques kanak,* Nouméa, 2000, p. 98-100.
Document 4 : Programmes et documents d'accompagnement des lycées, CNDP, 1996.

Dans le film de Claude Lelouch *Itinéraire d'un enfant gâté,* le héros arrive un jour par avion à Tahiti. L'hôtesse annonce alors : « Mesdames et messieurs, nous arrivons à Papeete [prononcé "Papette"], la température au sol est de 34° », tandis que défilent des images de lagon bleu et de plage de sable blanc qu'accompagne la musique des « Marquises » de Jacques Brel. Tout est parfait… Tout est parfait mais tout est faux : Papeete se prononce localement Papé-été (la cuvette de l'eau) ; la température n'atteint pratiquement jamais 34°, mais 24-31° quotidiennement pendant la saison chaude ; le paysage montré dans le film est celui d'un atoll des Tuamotu, archipel situé à 800 km au nord-est, et certainement pas l'île haute, verdoyante, urbanisée et dépourvue de plages de sable blanc de Tahiti ; la musique évoque les Marquises, archipel montagneux, sauvage et sans lagon, lointain, à 1 500 km au nord, où le chanteur Jacques Brel s'était réfugié à la fin de sa vie. Tout est faux mais tout est parfait, car cela correspond à l'attente du spectateur, à l'image qu'il a de Tahiti, à ses représentations.

Nous ne percevons la réalité qu'à travers des images, des constructions mentales, des représentations, et ce d'autant plus pour la perception de lieux lointains, mal connus voire inconnus. La géographie, « science sociale », peut-elle ignorer cette dimension de la réalité ? Quelle place tiennent ces représentations dans la connaissance géographique, dans les images produites pour accrocher et pour convaincre (dans les publicités ou les brochures touristiques), mais aussi dans les images que les peuples ont de leur terre (discours des ethnologues) et la présentation qui est faite de ces lieux (pour informer et pour former) dans les manuels scolaires ? Autant de questions que nous rapporterons à quelques exemples de la géographie du tourisme des territoires d'outre-mer, pour souligner en quoi et comment la prise en compte de ces représentations peut permettre une meilleure analyse et un enseignement plus efficace de l'espace géographique. Après avoir précisé ce que sont les représentations en géographie, nous analyserons donc les images et les textes qui nous sont proposés, avant de nous poser des questions sur l'usage des représentations dans l'enseignement de la géographie. L'objectif est de mieux connaître ces « représentations mentales » pour les utiliser dans l'analyse géographique du monde et dans son enseignement.

Représentations et géographie

La réalité géographique se compose de données objectives, populations exprimées en millions d'habitants, superficies mesurées en millions de kilomètres carrés, productions mesurées en millions de tonnes. Mais la réalité géographique, c'est aussi l'idée que nous nous faisons des choses, des opinions et des images, des « constructions mentales » que nous avons des lieux géographiques connus ou inconnus. Cette prise en compte du regard de l'individu est soulignée par Antoine Bailly quand il écrit : « l'espace n'existe qu'à travers les perceptions que l'individu peut en avoir, qui conditionnent naturellement toutes ses réactions ultérieures ». Cette prise en compte de l'individu, de son regard, de sa culture, se retrouve dans la définition du paysage proposée par Roger Brunet : « le paysage est donc une apparence et une représentation : un arrangement d'objets visibles perçus par un sujet à travers ses propres filtres, ses propres humeurs, ses propres fins » (R. Brunet, R. Ferras et H. Théry, *Les Mots de la géographie*, 1993). Ainsi, chacun construit, à partir d'une même réalité, une interprétation qui lui est propre, faite d'une sélection empruntée à la réalité perçue, sélection effectuée à partir du bagage culturel et des centres d'intérêt de chacun — chacun construit sa réalité. Les géographes sont ainsi passés du terme de perception (percevoir par les sens et par l'esprit) au concept, issu de la psychologie, de représentation mentale (représentation consciente à partir de sensations). Selon notre âge, notre expérience ou notre savoir, notre perception du paysage sera différente (Rémy Knafou). La valeur que l'on accorde aux lieux et aux choses varie selon les individus et selon les cultures. Cette perception peut aussi évoluer selon les époques ; toute représentation spatiale est à envisager sous l'angle dynamique. Ce qui aujourd'hui nous paraît beau et intéressant n'a pas toujours été perçu comme tel par nos prédécesseurs. Jean-Christophe Gay, dans un article sur « Le Tourisme en Polynésie française » (*Annales de Géographie,* 1994), cite ces impressions d'un voyageur aux îles Tuamotu :

> [...] un paysage monotone, le sable blanc qui éblouit autant que le miroitement de la mer, les risques de perpétuelles descentes sur les récifs, les tempêtes, les cyclones... (H. Bodin, *Quelques souvenirs des Tuamotu,* 1931)

> Du Paradis à l'Enfer il n'y a qu'un pas.

Ce n'est pas, *a priori*, du côté de la géographie classique qu'une place est ménagée aux représentations mentales. L'école de géographie française, à l'image du *Tableau...* de Vidal de la Blache, fut plutôt attachée à décrire des réalités intangibles ancrées dans le sol qui porte les hommes et leur destin. Cependant, elle aurait eu cette prudence implicite que souligne Jules Sion, en 1934 :

> L'art de Vidal de la Blache consiste moins à peindre qu'à évoquer, à nous donner une représentation complète d'un paysage qu'à nous permettre de nous le rappeler, si nous l'avons vu, et sinon, de l'imaginer d'après notre connaissance de paysages analogues.

La qualité littéraire de certains textes pouvait sembler constituer un apport positif à la connaissance, mais elle signifiait en même temps que l'auteur, sans passer par un discours épistémologique sur la connaissance géographique, mesurait et maîtrisait l'écart qui le séparait de la réalité.

En France, Armand Frémont, à travers *La Région, espace vécu* (1976), propose que le géographe parte des individus, de leurs itinéraires, de leurs choix, pour expliquer l'organisation de l'espace, y compris ses régularités. C'est le courant béhavioriste, la géographie comportementale, qui accorde une place à la subjectivité, aux représentations que les individus se font de leur espace. On prend conscience du fait que la perception varie d'un individu à l'autre, d'un groupe social à l'autre. L'espace est vécu et perçu différemment, et l'analyse de ces représentations fait partie intégrante de la géographie. Cette approche géographique privilégie l'étude des représentations et de l'imagination pour expliquer l'influence des processus cognitifs sur la connaissance et les pratiques spatiales. Cette problématique part de l'idée que l'on se fait des objets, des lieux vécus, connus, mais aussi inconnus. La géographie ne puise-t-elle pas aussi ses sources dans les récits de voyages, les cartes anciennes, les images, les films — la référence à des ouvrages littéraires ou à des films illustrant l'attrait des représentations et le souci humaniste des géographes contemporains (comme Antoine Bailly ou Robert Ferras) ?

La géographie des représentations qui fait de l'espace subjectif l'objet de ses recherches est, en quelque sorte, le volet de la Nouvelle Géographie qui compense le positivisme de la géographie des modèles. Ce sont souvent les mêmes géographes, d'ailleurs, qui manient les approches différentes, dans une volonté de rechercher les complémentarités, a pu noter Jacques Schiebling (*Qu'est-ce que la géographie ?*, 1994).

Les représentations de groupes sociaux différents peuvent effectivement expliquer certains mécanismes dans la construction de l'espace. Or la géographie doit pouvoir faire comprendre (et apprendre) comment les hommes produisent et consomment l'espace, comment les relations culturelles, économiques, structurelles qu'ils entretiennent avec celui-ci influent sur les transformations des paysages. Le cas du tourisme en Polynésie ou en Nouvelle-Calédonie est, à cet égard, exemplaire. Le tourisme est à la fois un système d'images, d'acteurs et de territoires. Et si beaucoup de géographes s'intéressent aux processus de production d'espace, pourquoi ne s'intéresseraient-ils pas aussi, désormais, aux représentations qui y sont liées ? Celles-ci acquièrent, par le biais des catalogues de vacances, des guides touristiques ou des films publicitaires, une telle force symbolique que, au bout du compte, les aménagements tendent à s'y conformer, au risque d'une uniformité lassante. L'image que l'on a détermine les lieux que l'on crée. À Tahiti, faute de plage de sable blanc digne d'intérêt, tel hôtel d'une chaîne prestigieuse construit une vaste piscine de sable blanc, des cocotiers sont transplantés, les bungalows sur pilotis donnant l'illusion de l'authenticité polynésienne (habitat inexistant dans la tradition polynésienne). Ainsi, le milieu attendu est recréé ; « il ne vous restera plus qu'à choisir entre farniente dans un hamac au milieu d'une cocoteraie et les joies de la baignade sur l'une des plus belles plages de sable blanc de l'île » dit la publicité. À une autre échelle, celle d'un site, l'invention du lieu touristique[1] consiste en une nouvelle lecture d'un territoire donné qui aboutit à un détournement d'utilisation dominante du lieu. C'est le cas de ces motus (îlots) de Bora Bora ou, dans une moindre mesure, des atolls des

---

1. *Cf.* Rémy Knafou, « L'Invention du tourisme », *in* Antoine Bailly, Robert Ferras et Denise Pumain (dir.), *Encyclopédie de la géographie*, Paris, Économica, 1993.

Tuamotu, sans vocation ni utilité depuis l'abandon partiel de l'exploitation du coprah, devenus « motu-hôtel » ou sites d'hôtels particulièrement recherchés aujourd'hui. Il s'agit de la nouvelle image d'un même lieu.

Images et représentations dans les brochures, les discours et les manuels

La consommation touristique est une consommation esthétique reposant sur une vision d'un territoire, d'où l'importance accordée aux images, au processus de formation des images. L'invention d'un lieu touristique se traduit par l'incorporation de nouveaux territoires précédemment ignorés ou peu utilisés, peu intégrés dans la vie quotidienne et les enjeux de la population locale. C'était le cas des espaces désertiques ou montagnards, c'est le cas des atolls des Tuamotu. Il a fallu que les citadins viennent de très loin admirer certains lieux pour leur conférer une valeur extraordinaire.

N'est-ce pas significatif que la première image, photographie en couleur, de la *Géographie universelle* dirigée par R. Brunet (*Mondes nouveaux*, 1990) soit le motu Tapu dans le lagon de Bora Bora ? Un îlot de sable blanc vierge de toute installation humaine au milieu du lagon — c'est le site le plus photographié de la Polynésie française — ; la photographie est accompagnée de cette légende :

> Parmi les images familières et lointaines, Motu (en fait il s'agit d'un motu ou îlot), dépendance de Bora Bora en Polynésie française : les palmiers, le lagon, les bleus et les turquoises de « l'île » exotique par excellence.

La photo extraite de la revue *Grands Reportages* (document 1), en couleur, est aussi un parfait exemple de nos représentations. Trois couleurs dominent : les bleus du ciel et du lagon — « ces bleus qui font mal aux yeux », pour paraphraser le titre d'un petit livre d'Alexis Duprel — ; le liseré de sable blanc de la plage ; le vert sombre des cocoteraies. C'est une image paradisiaque : il n'y a ni habitat, ni habitant, ni activité. Cette vacuité, ici, n'est pas absence de valeur, au contraire. Le magazine nous indique le chemin du Paradis (mais ce paradis n'a pas de route, ne connaît pas les embouteillages de la capitale de la Polynésie française !). Paradis qu'évoque explicitement le texte d'accompagnement de Pierre Bigorgne :

> [...] les archipels de la Polynésie française persistent à inspirer nos imaginaires, visions idéales d'un éden océanien perdu quelque part entre les Marquises et les Tuamotu, noms magiques dont l'évocation nous renvoie d'abord à un catalogue de fantasmes et moins à un lieu géographique. (Document 1)

Cette revue grand public ne cherche pas à nuancer le propos, l'éditorialiste ne recule pas devant les poncifs, mais n'est-ce pas ce que le lecteur attend ? L'éditorialiste de *Grands Reportages* reprend le mythe du Paradis, évoque les auteurs, souvent cités, qui l'ont créé ou entretenu, de James Cook ou Bougainville à Victor Segalen, Pierre Loti, Albert T'Stertevens ou Jack London. C'est la vocation de ces îles, puisque c'est la représentation qu'on en a. Il en va de même — *a fortiori* — pour les brochures des tour-opérateurs. C'est bien là, en effet, qu'il est possible de faire la plus belle moisson d'images stéréotypées et des représentations qu'elles induisent.

Les îles tropicales n'ont donc rien perdu de leur valeur onirique, malgré l'extension et la banalisation du tourisme international, les récits désabusés de beaucoup de voyageurs, les multiples ombres (sociales, militaires, politiques, économiques) jetées sur l'image primitive (Georges Cazes, « L'Île tropicale, figure emblématique du tourisme international », 1987). Le facteur d'explication de cette permanence d'attractivité peut-il n'être que le seul conditionnement publicitaire, l'habile mise en scène commerciale réalisée par les catalogues de vacances, répercutée par les différents médias ? Sans nier l'impact de ce matraquage publicitaire, il faut reconnaître que, ici, l'image est transcendée par le mythe. Devenu dans l'inconscient collectif tout à la fois le lieu et le symbole du paradis terrestre, l'île heureuse et lointaine est bien cette « image initiale » dont parle Bachelard. Mircea Eliade a remarquablement décrit ce processus de mythification :

> C'est ainsi que le mythe du Paradis terrestre a survécu jusqu'à nos jours, sous la forme adaptée du « paradis océanien » ; depuis cent cinquante ans, toutes les grandes littératures européennes ont célébré à l'envi les îles paradisiaques du Grand Océan, refuges de toutes les félicités alors que la réalité était très différente : « paysage plat et monotone, climat insalubre, femmes laides et obèses [...] » Aussi bien l'image de ce paradis océanien est à l'épreuve de n'importe quelle « réalité » géographique ou autre... Là-bas, dans l'« île », dans le « Paradis », l'existence se déroulait en dehors du Temps et de l'Histoire ; l'homme était heureux, libre, non conditionné ; il n'avait pas à travailler pour vivre ; les femmes étaient belles, éternellement jeunes ; aucune « loi » ne pesait sur leurs amours [...] La réalité géographique pouvait démentir ce paysage paradisiaque, des femmes laides et obèses pouvaient défiler devant les voyageurs : on ne les voyait pas ; chacun ne voyait que l'image apportée avec soi. (*Images et symboles. Essais sur le symbolisme magico-religieux*, 1952)

Ce thème est repris, avec circonspection il est vrai, en quelques lignes dans un manuel récent (document 2, p. 291) :

> Les îles font aussi rêver. Pour le touriste comme pour l'îlien, l'île est d'abord rupture, quelque part pureté ; elle est « naturellement » paradisiaque.

Le thème est repris et complété ; le manuel va au-delà du mythe qu'il évoque. À la page précédant la citation, un tableau des DOM-TOM est dressé, avec une analyse des répartitions, des développements (« mal-développement ») et de l'économie de transferts (on a pu parler, ailleurs, d'économie « sous perfusion »). Ici, sont retenus le critère d'insularité, l'exotisme de la tropicalité générateur de tourisme, avant de conclure sur un modèle d'organisation spatiale. La géographie se doit de faire comprendre comment les hommes produisent et consomment l'espace, comment les relations culturelles, économiques, structurelles qu'ils entretiennent avec celui-ci influent sur les transformations des paysages ; il s'agit donc de comprendre la part des représentations dans la production d'espace ; comment les choses sont, pourquoi elles se font et pourquoi là. Cela ne signifie pas qu'il faille refuser les apports d'une géographie qui étudie avant tout des données, des résultats ; la modélisation sert à montrer que la géographie cherche aussi, dans une approche nomothétique, à dire les lois de l'organisation de l'espace. Mais cela signifie qu'il n'est plus possible de faire l'économie d'un enseignement sur les facteurs de la production d'espace ; c'est l'objectif de cette page de manuel, les élèves devant porter un regard pertinent et critique sur le monde.

L'instrument clé de ce regard nouveau est le concept de représentation, qui, depuis plus d'une décennie, fait une entrée en force dans les travaux didactiques[1], mais également dans les recherches universitaires[2]. Antoine Bailly est l'un de ceux qui ont initié cette véritable révolution épistémologique, en postulant que la vérité géographique n'est « qu'une connaissance (représentation élaborée par les géographes) de la connaissance (des façons dont les sociétés et les personnes transcrivent en image leurs expériences du milieu) ». La question est posée de l'usage des représentations dans la géographie, mais aussi, à l'heure où la notion de représentation spatiale apparaît pour la première fois dans les programmes (seconde, 2000), de sa place dans l'enseignement géographique au lycée.

Représentations et enseignement géographique

L'appel aux représentations ouvre deux champs de travail pour la didactique : partir des représentations des élèves pour fonder un apprentissage, et enseigner la géographie à travers la recherche et l'analyse des représentations que les hommes et les sociétés se construisent.

Dans la première approche, les représentations sont utilisées en tant que processus : nous parlerons de représentations mentales (Michelle Masson, *Vous avez dit géographies ?*, 1994). Cette première attitude vient de Piaget, ces représentations mentales permettant de comprendre et d'ordonner le réel. Pour l'enseignant, cela se traduit par la nécessité de faire émerger les représentations initiales, faire exprimer les représentations individuelles et collectives avant son enseignement. Les élèves ont des représentations des espaces lointains, même — surtout ? — chargées de valeur mythique ou onirique. Il faut alors s'appuyer sur elles, les modifier éventuellement, les faire évoluer. Enseigner, n'est-ce pas changer les représentations ? Pour le professeur, il s'agira de faire émerger, en classe de seconde, à propos de l'étude des aménagements touristiques — ou autres — outre-mer, les représentations qu'ont les élèves de ces lieux — Tahiti, la Polynésie ou la Nouvelle-Calédonie par exemple —, les images qu'ils en ont. Ils peuvent être amenés à choisir dans une palette de couleurs, de sons, de mots, de références culturelles, même si cela conduit à exprimer des clichés. Ces dernières sont un levier sur lequel l'enseignant pourra alors s'appuyer ; partir de ces données permettra de les préciser, les vérifier, les contester, les enrichir, les compléter. Après s'être interrogé sur la Nouvelle-Calédonie ou la Polynésie — quels paysages, climats, civilisation, usage et organisation de l'espace ? —, une véritable « reconstruction » pourra être entreprise. Cette démarche implique les élèves et les met naturellement en situation d'activité. C'est une situation qui favorise la mise en relation des hommes et de leur environnement, objectif de la classe de seconde. La classe de seconde est le moment privilégié pour développer cette approche ; loin des soucis normatifs, de la préparation du baccalauréat, elle permet de prendre le temps de cette liberté. En classe de première, cette démarche, s'appuyant sur les représentations mentales,

---

1. *Cf.* la thèse de Michelle Masson sur les représentations des enfants scolarisés sur la montagne, 1990.
2. *Cf.* J.-P. Guérin, *Représentations spatiales en géographie. Approches théoriques*, 1989.

peut encore être employée lors de quelques séquences courtes (Y. André, *Enseigner les représentations*, 1998). L'étude des DOM-TOM pour des élèves métropolitains peut en fournir l'occasion : quelle image en ont-ils ; quelles images leur en donnent les manuels ; qu'en est-il précisément ?

Dans une autre approche, les représentations sont utilisées en tant que contenu ; il s'agit des représentations spatiales (J.-P. Guérin, 1987 ; M. Masson, 1990) — ce concept est repris dans le programme de seconde, applicable en 2001. Il s'agit de montrer que les représentations de groupes sociaux différents peuvent expliquer certains mécanismes dans la construction de l'espace. Ces représentations diffèrent, notamment dans la société mélanésienne. Comment comprendre la Nouvelle-Calédonie si l'on ignore la conception de la terre dans la culture canaque, celle d'une terre-mère, nourricière, d'où jaillit la vie, où se cachent les esprits et où reposent les ancêtres ? Tandis que, pour le kanak, la terre est sacrée, terre des ancêtres, terre identitaire, pour la société caldoche, dans une approche moderne, la terre est un bien à exploiter, d'une façon ou d'une autre (*ranching* de la côte Ouest, exploitation des mines de nickel sur les flancs de la montagne, ou projets touristiques dans les îles Loyauté). Bien des incompréhensions, voire des conflits, ont pu naître de la confrontation de représentations différentes de l'espace à l'époque de la colonisation. Jean-Marie Tjibaou, cité par Florence Klein (document 3), a pu écrire :

> Nos terres ne sont pas à vendre
> Elles sont l'unité de notre peuple
> Elles sont l'univers que nous partageons avec nos dieux
> Elles sont l'élément spatial de nos alliances avec les clans frères
> Elles font partie de notre existence.

Cette revendication a donné lieu à une reconnaissance politique, inscrite dans le texte des Accords de Matignon. Nombre de négociations avec les chefs coutumiers ont été nécessaires pour développer des projets touristiques dans l'île des Pins, par exemple, impliquant la population locale. Hors de Nouméa, le niveau du développement touristique est relativement modeste. L'image, émise et perçue — en dépit de la présence du plus grand lagon du monde —, de plages et d'îlots multiples n'est pas celle d'un paradis océanien. Ici, l'espace n'est pas à vendre, ni même à louer ; le site de Hienghène, sur la côte Est, a ainsi été abandonné par le Club Med. La société canaque n'est pas prête à accepter un afflux de touristes. Des adaptations ont été tentées ; le tourisme intégré en est une : c'est ici l'accueil d'un nombre limité d'invités payants dans un milieu donné, dans le respect du mode de vie et du milieu, en adoptant les usages et les traditions (« faire la coutume »). Ce mode de tourisme cherche à respecter les écosystèmes, dont l'homme fait partie. Milieu plutôt introverti, la société canaque cherche plutôt à se protéger. Cela se comprend mieux si l'on pense au désenchantement que certains Espagnols ont pu connaître (« *estranos en su proprio pueblo* ») à l'époque du développement d'un tourisme de masse sur les costas ibériques. Il y a donc les représentations en aval — celles des visiteurs —, mais aussi en amont — celles des peuples d'accueil. Ici, les représentations sont traitées en tant que contenu. Elles sont mises en évidence par enquêtes ou analyses de discours. Les représentations sont recherchées et analysées par les élèves. La lecture d'un texte comme celui de Florence Klein (document 3) est formatrice pour l'élève : pour le kanak, vendre sa terre, c'est perdre son âme. Le but est de servir de révélateur au fonctionnement social et de comprendre sa transcription dans l'espace. Que font les kanaks de la terre ? Faire intervenir les représentations spatiales en géographie permet de mieux comprendre l'espace des sociétés. Tout espace n'est pas un donné, mais un construit réalisé à partir du réel par les sociétés humaines (*cf.* M. Masson, *Vous avez dit géographies ?*). Ce sens peut changer en fonction de l'évolution de la société elle-même, car toute représentation spatiale est à envisager sous l'angle dynamique. Ici, la question reste posée : comment considérer l'évolution de la société canaque sans remettre en cause toute sa base identitaire ? Peut-on concilier le respect du cadastre coutumier avec un développement économique lié au principe de la propriété privée (document 3) ? À telle époque et en tel lieu, de la Polynésie ou de la Nouvelle-Calédonie, on a pu faire et on fera des choix différents d'aménagement de l'espace car les représentations spatiales évoluent. En tout cas, les représentations spatiales sont effectivement créatrices d'espace.

Utiliser les représentations spatiales dans l'enseignement de la géographie est plus qu'un outil pédagogique. Cela permet aux élèves — de métropole comme des territoires d'outre-mer — de voir et comprendre en quoi ils sont eux-mêmes consommateurs et producteurs d'espace. C'est les aider à s'approprier les problèmes spatiaux et les enjeux qui les concernent aujourd'hui et les concerneront demain. C'est faire de la géographie, une géographie redevenue formatrice au sein du système éducatif, car la compréhension est quelque chose qui ne peut s'opérer que moyennant la participation centrale de l'apprenant. Sans compréhension, il n'y a pas de géographie citoyenne ; et pour « être en mesure d'agir en citoyens les lycéens doivent identifier les acteurs et les enjeux ». Utiliser les représentations spatiales au lycée, ce n'est pas créer une autre géographie mais procéder à une reconstruction et à un enrichissement du savoir géographique (Y. André, *Enseigner les représentations*).

Antoine Bailly a écrit en 1990 :

Toute connaissance géographique circule dans un contexte de représentations sociales et son intérêt didactique et sa diffusion dépendent autant de ce contexte que de sa pertinence scientifique ; les enseignants sont porteurs de ces représentations sociales [...] et la pédagogie doit éviter de projeter des contenus issus de « savoirs savants » constitutifs d'une géographie « d'en haut » qui refuserait de s'interroger sur leur transposition didactique ; l'imaginaire, loin d'être ennemi de la science, est partie intégrante de la création scientifique et de la formation des représentations sociales, la géographie enseignée doit être définie afin d'utiliser cet imaginaire en liaison avec les connaissances scientifiques.

À l'évidence, la prise en compte des représentations mentales dans la démarche didactique et des représentations spatiales dans la connaissance géographique est une source inépuisable d'enrichissement scientifique et de transformation conceptuelle. Les seules limites, selon Y. André, sont le temps, le programme et les dangers de la répétition.

En quoi la géographie contribue-t-elle à la formation de citoyens responsables ?

Dossier :

Document 1 : Jacques Scheibling, *Qu'est-ce que la géographie ?*, Paris, Hachette, 1995, p. 179-180, coll. « Carré » (de « rendre le monde intelligible » à « conscience mondiale des problèmes »).

Document 2 : Philippe et Geneviève Pinchemel, *La Face de la Terre*, Paris, Armand Colin, 1991, p. 111 (de « Ne convient pas de proclamer » à « entre les choses et les êtres »).

La géographie apprend à connaître le monde

Par son souci de représenter « grands espaces et petits territoires » (Yves Lacoste), par son exigence multiscalaire, la géographie (« science des lieux avant d'être une science des hommes »), pour P. Pinchemel, rend compte de la singularité et de la diversité des lieux. Localiser et repérer constituent deux objectifs fondamentaux de la discipline par l'identification des ensembles géographiques sur lesquels l'homme organise son territoire.

Si « l'oubli des lieux est irréparable » (Pierre Desplanques), les concepts de localisation de base et les outils cartographiques participent à la mémorisation, et ils ne s'adressent d'ailleurs plus seulement aux militaires mais à l'ensemble des acteurs économiques, institutionnels et individuels. Aussi la géographie scolaire, qui privilégie l'approche spatiale, accorde-t-elle une place essentielle aux représentations, à la pratique du langage cartographique ainsi qu'à la réalisation de croquis et schémas. L'exercice de la citoyenneté est d'abord rendu possible par l'acquisition des principaux repères spatiaux, par la prise de conscience d'une identité territorialisée (repérer, se repérer, se situer par rapport aux autres et à un espace connu ou inconnu), comme la carte d'un pays « décline son identité collective » (R. Pourtier, *L'État et les stratégies du territoire*).

La géographie ne se limite pas à se repérer, à observer et à décrire. Elle offre des moyens d'analyse et développe aussi la capacité d'argumenter en privilégiant le raisonnement géographique. L'enseignant fonde sa démarche (hypothético-déductive ?) sur la réalisation de situations-problèmes ancrées dans la vie quotidienne. Pratiquer l'espace terrestre, agir sur cet espace et déchiffrer « les écritures géographiques des sociétés » (P. Gourou, cité par P. Pinchemel dans *Historiens & Géographes*, n° 367, p. 61) nécessitent l'appui des autres sciences : sociales (sociologie, histoire), économiques, naturelles.

Le paradigme global de la géographie, qui introduit la pluralité des systèmes sociaux, des représentations et des idéologies, intègre les données physiques qui ne sont « rien de plus qu'un élément, rien de moins » (O. Dollfus, *Géographie uni-*

verselle, 1 : *Mondes nouveaux*, 1990) — comme les éléments politiques, culturels ou économiques.

L'approche systémique met en relation l'espace géographique avec la société qui le façonne, l'aménage ; elle condamne ainsi la vision déterministe « linéaire et simpliste » (Yvette Veyret) de la géographie pratiquée et enseignée à partir de la fin du XIXe siècle.

Analyser deux sociétés aux données naturelles communes (par exemple tropicalité et aridité) produisant chacune une organisation socio-spatiale très diversifiée et un degré de développement disparate, c'est convaincre l'élève et le citoyen de la pluralité et des interactions des causes et des systèmes. « Le dernier mot revient à l'homme » (Levasseur).

Le programme de géographie en classe de seconde aborde les risques naturels et la vulnérabilité des sociétés, y compris des sociétés développées (le tragique bilan du séisme de Kobé au Japon interroge la collectivité sur ses capacités de prévention). Sans éluder les causes d'origine naturelle, la démarche géographique valorise la diversité des sources de compréhension des phénomènes. À grande échelle, parfois, les actions humaines aggravent les risques naturels (avalanches, inondations) ou créent des risques technologiques (centrale nucléaire, transport). Les actions anthropiques d'aménagement parfois excessives (urbanisation, bétonisation et canalisation), l'indigence des préventions et l'inégale capacité (technologique et financière) d'affrontement des aléas naturels selon les États accroissent la vulnérabilité des sociétés et exigent le renforcement d'une réflexion et d'une solidarité citoyenne replaçant l'homme au centre des préoccupations environnementales.

La lecture du monde est rendue possible par des outils géographiques qui permettent d'appréhender la part des hommes et celle de la nature dans les processus de transformations du milieu (document 1). Une manière de mieux comprendre le monde est le jeu d'échelles qui associe des espaces emboîtés et, donc, révèle les mécanismes complexes de l'organisation spatiale. Un centre, à l'échelle régionale, s'efface à plus petite échelle, englobé dans une dynamique qui marginalise, « périphérise », ses pouvoirs. Inversement, un îlot isolé dans son échelle régionale est intégré à l'échelle mondiale par la combinaison des dynamiques fiscales et des flux financiers. La réalité varie ainsi selon l'échelle d'observation. Révélant les interdépendances entre les espaces et les groupes humains qui les occupent, la géographie donne une « clé d'explication à un monde en mouvement » (*Bulletin Officiel de l'Éducation Nationale*, juin 1995).

S'intéresser à la répartition des hommes, à la gestion de l'aménagement et de l'environnement, « au monde en tant que territoire de l'humanité » (R. Brunet, *Mondes nouveaux*), c'est aussi identifier les enjeux, les acteurs, leurs rapports de force et de rivalités de pouvoir sur les territoires. Le paradigme géopolitique de la géographie s'est développé dans les années 1970. Or le citoyen usager est aussi un consommateur qui doit savoir dans quelles conditions s'élaborent les transformations géographiques qui ont des répercussions sur sa vie quotidienne.

La dimension géographique des faits politiques (par l'approche spatiale) et la dimension politique de la géographie (de ses conflits et stratégies territoriales) ouvrent un champ d'analyse civique centré sur le mode d'utilisation de l'espace.

La lecture de sa dimension sociale aboutit à une mise en relation des processus d'évolution et de transformation dont le citoyen ne maîtrise pas toutes les données.

La géographie apprend à respecter le monde et à agir sur lui

De la connaissance à la tolérance

Étudier la diversité des cultures (« un cadeau du monde », pour E. Orsenna) et des civilisations, « apprendre aux jeunes à s'étonner devant le monde » (P. Claval), c'est contribuer à la formation intellectuelle et humaniste, à l'apprentissage de la tolérance, de la complémentarité des individus et des groupes sociaux. Le champ d'étude planétaire choisi par la géographie scolaire révèle le monde dans ses différences. Par la confrontation de différentes opinions (des acteurs et des enjeux de la mise en valeur de l'Amazonie par exemple), le citoyen aiguise son esprit critique et se forge une personnalité. Par l'étude du sous-développement associé en collège au thème de l'aide humanitaire, il découvre une vision solidaire du système monde.

Faire comprendre la différence entre les temps, les rythmes d'évolution naturels et ceux des sociétés donne un sens à l'évolution et au relatif, aux permanences et aux mutations ; la montagne fournit l'exemple d'un milieu dont l'intérêt a été modifié par les évolutions socio-culturelles. Le paradigme environnemental de la géographie ouvre une approche plus large (plus objective ?) du milieu aménagé, où l'homme ne peut plus être perçu seulement comme élément prédateur, perturbateur et destructeur (vision écologiste).

L'homme aménage le milieu en le rendant plus accessible — parfois, plus fragile ; or, il a la lourde tâche de transmettre aux générations futures un cadre de vie préservé. L'aménagement est à la fois réalisation de la transformation du paysage et conceptualisation de cette réalisation ; il implique donc stratégies, enjeux et conflits. Le citoyen qui participe à la gestion de sa commune, de son pays, est alors directement impliqué.

Penser l'espace, c'est être attentif à son évolution et à son organisation, à la combinaison de tous les éléments du milieu géographique (habitat, réseaux de communication, utilisation du sol…), dont le paysage est la partie visible. Or les référents, les conceptions et modèles spatiaux de l'aménageur, du décideur et du citoyen (habitant et usager), diffèrent à l'intérieur d'un même lieu d'exercice de pouvoir : le territoire, ce qui suscite débats et conflits — car penser l'espace, c'est aussi accepter de le partager.

À l'intérieur d'un territoire national, se mêlent diversité des traditions culturelles et culture commune. Cette problématique est abordée dans le programme d'éducation civique juridique et sociale de la classe de seconde par le thème « citoyenneté et intégration ». Les processus de marginalisation — le SDF constituant l'archétype de « l'exclu spatial » — aboutissent à la constitution d'une aire de non-citoyenneté qu'occupent à degré variable les sans-diplômes, les sans-emploi, les sans-ressources, les sans-famille. L'intégration est assurée par le respect des principes républicains, garantis par la constitution et les textes de loi. Sur les bases d'une société démocratique, nationaux et immigrés disposent des mêmes droits économiques, sociaux, civils, mais pas politiques. Le droit de voter et d'être élu n'est accordé en France qu'aux ressortissants de l'Union Européenne lors des élections municipales (sans toutefois pouvoir occuper le poste de maire ou d'adjoint) et européennes. L'acquisition de la nationalité française, qui assemble droit du sol et droit du sang et implique une conception originale de la citoyenneté doit faire l'objet de débats avec les lycéens, en puisant dans d'autres pays des conceptions différentes de la nationalité et de son acquisition.

Cette problématique d'unité et du respect des différences peut être également rattachée en classe de première, dans le cadre de l'exercice de la citoyenneté, au thème « république et particularismes ». Ces derniers peuvent-ils s'exprimer dans la sphère de l'espace public, domaine de l'appartenance et de la reconnaissance citoyennes ? Quelles sont les limites à fixer aux revendications identitaires minoritaires (ethniques, religieuses, spatialement polarisées), sans compromettre l'unité politique de la société et le principe de l'universalisme républicain ? Faut-il, par exemple, favoriser l'usage des langues régionales en péril en France ?

Oui, répondent ceux qui, fiers de leurs spécificités, ont appuyé la Charte européenne des langues régionales et minoritaires, d'inspiration fédéraliste, adoptée en 1992. Ils considèrent cette sauvegarde comme indispensable à leur reconnaissance identitaire, au maintien de la biodiversité culturelle de l'humanité, et rappellent (en s'appuyant sur les thèses de linguistes reconnus comme Claude Hagège) que l'acquisition précoce d'une langue facilite l'apprentissage ultérieur des autres.

Non, affirment ceux pour qui la Charte est en contradiction avec la tradition républicaine, car elle remet en cause l'unité du peuple et le principe d'égalité des citoyens. Se référant à l'article un de la constitution française (« La France est une république indivisible »), le Conseil constitutionnel a déclaré en 1999 le texte de la Charte non conforme à la constitution.

L'action citoyenne vise d'abord à proposer

La session 2001 du concours « Avenir et territoires », sous la responsabilité du ministère de l'Éducation nationale, invite les lycéens à imaginer la place de l'Europe dans leur région au XXIe siècle et, donc, à réfléchir sur l'avenir des territoires. Pour Robert Marconis, il s'agit d'« une étape essentielle pour la formation du citoyen » (documents d'accompagnement du concours « Avenirs et territoires » diffusés dans les lycées), qui doit appréhender à toutes les échelles le rôle majeur des hommes sur l'espace, identifier les besoins et les acteurs aux convictions parfois conflictuelles, et finaliser les moyens pour un développement durable. L'appel à la détermination citoyenne dans le but de prospecter l'avenir est, d'après Jean-Louis Guigou de la DATAR, la meilleure façon de « mieux le maîtriser » (concours « Avenir et territoires »).

La géographie appliquée propose des solutions aux problèmes de l'utilisation de l'espace, étudie des plans d'occupation des sols, des schémas directeurs d'aménagement et d'urbanisme, prend en compte les enjeux territoriaux, objets d'intervention directe des citoyens. Enseigner une géographie applicable, une géographie utile, c'est former le jeune citoyen à la prise de décision, le préparer à la confrontation des différents acteurs et à la complexité des stratégies parfois antagonistes. Étudier par exemple les conséquences d'une implantation (entreprises, services, voies de communication) à l'échelle locale et les enjeux sociaux et spatiaux inhérents à sa réalisation revient aussi à appréhender la modestie du pouvoir citoyen local face aux forces décisionnelles exogènes. Le citoyen acteur du développement, gestionnaire du territoire, réclame débats et référendums, études d'impact, déclarations d'utilité publique et davantage de transparence.

Les logiques de l'aménagement obéissent à des dynamiques économiques et culturelles différentes. Entre la volonté d'obtenir davantage de services mais moins de nuisances, de lutter contre le désenclavement tout en respectant l'environnement, partisans et adversaires de projets s'affrontent. La construction de nouvelles voies de communication (par exemple le TGV Est ou le projet d'autoroute Grenoble-Sisteron) provoque parfois la protestation d'élus, d'associations (« TGV sans casse ») qui contestent les choix techniques (tracés, implantation des gares, des échangeurs…).

La mobilisation citoyenne qui aboutit à l'annulation de projets est considérée par les uns comme une garantie de préservation du cadre environnemental et paysager et par les autres comme un handicap à la modernisation et au développement.

Citoyenneté et politiques d'aménagement du territoire

L'aménagement du territoire se fixe un objectif majeur : corriger les déséquilibres spatiaux en garantissant l'équité citoyenne. La politique menée depuis les années 1950 devait modifier l'organisation spatiale de la France et atténuer l'influence parisienne. La région devient collectivité territoriale en 1982, quand les citoyens élisent au suffrage universel direct les membres du conseil régional.

Le conseil régional dispose de pouvoirs dans le domaine de l'aménagement du territoire (réalisation d'équipements de transport, de loisirs…) mais aussi dans les domaines de l'action économique (aide aux entreprises…) et de la formation (construction et entretien des lycées, formation professionnelle et apprentissage).

Le découpage territorial des régions, conçues sur la base d'une relative cohérence économique, suscite des débats et des questionnements récurrents : la taille et la puissance des régions sont-elles adaptées à leurs responsabilités ? Les nouvelles formes de coopérations interrégionales ne préfigurent-elles pas une nouvelle redistribution harmonisée des niveaux d'administration en Europe ? Entre centralisme et fédéralisme, la réalité du pouvoir citoyen s'exerce-t-elle selon les mêmes modalités et efficacités ?

Les politiques de la ville engagées depuis une décennie définissent des actions citoyennes pour lutter contre les incivilités urbaines ; mais il ne faut pas faire d'amalgame : les incivilités ne sont pas toutes urbaines, elles ne s'expriment pas toutes dans les grands ensembles ; ceux-ci génèrent, notamment dans le cadre de la participation associative des quartiers, des espaces d'expression démocratique et des démarches citoyennes. Une géographie prioritaire a par ailleurs ciblé des zones franches (une quarantaine, y compris dans les départements d'outre-mer), attractives pour les entreprises. Quatre critères ont permis de sélectionner ces zones franches : le taux de chômage, le pourcentage de jeunes, le pourcentage de sans-diplômes et le potentiel fiscal de la commune ; le quartier des grands ensembles des Minguettes fut ainsi écarté en raison d'un fort potentiel fiscal sur la commune de Vénissieux. Ces mesures ont des limites puisqu'une politique de la ville à caractère exclusivement économique, sans appendice socio-culturel, n'assure pas le développement durable. Le fonctionnalisme urbanistique dissociant les fonctions de résidence, de travail et de loisirs a produit une ville éclatée, simple juxtaposition de bâtiments. Les « quartiers sensibles » des grands ensembles cumulent les inconvénients d'un cadre dégradé, d'une médiocre accessibilité en périphérie et aussi d'une couverture médiatique partielle (partiale ?) associant très souvent leurs représentations à une identité négative.

Le choix des décideurs politiques de restructurer les dynamiques territoriales autour des villes obéit à des logiques « dont la détermination demeure mystérieuse » (C. Rosenblat, *Mappemonde*, 1995). Des conventions entre État et collectivités territoriales ont abouti à la mise en œuvre de projets globaux de développement, de procédures de développement social des quartiers (DSQ) et de contrats de villes plus favorables à une intégration des quartiers prioritaires dans la ville par l'amélioration de l'accessibilité des services au public ; ces mesures accompagnent la rénovation ou la réhabilitation de l'habitat et l'insertion par l'économie.

En 1995, la loi d'aménagement et de développement du territoire rappelait l'objectif d'unité et de solidarité nationales afin de compenser les handicaps territoriaux et de corriger les inégalités de conditions de vie, liées à la situation géographique et à ses conséquences en matière démographique, économique et sociale (aides au maintien des services publics en milieu rural par exemple). Depuis plus dix ans, les contrats emploi-solidarité visent à faciliter la réinsertion des chômeurs, à l'instar de l'allocation de solidarité spécifique. En 1999, le système de couverture maladie universelle garantit le droit à la santé pour les plus démunis. Enfin, pour lutter contre les ségrégations urbaines, l'article 25 du projet de loi SRU (solidarité et renouvellement urbain) obligera dès 2001, si le projet est adopté, chaque commune à posséder au moins 20 % de logements sociaux.

La géographie, science sociale, apprend à connaître l'homme, elle apprend aussi à aimer sa terre.

La notion de frontière dans
les programmes du lycée

Dossier :

Document 1 : image satellitale SPOT, 1991, « La frontière entre les États-Unis et le Mexique », *in* Michel Hagnerelle (dir.), *Géographie 2ᵉ. Les hommes et la terre,* Paris, Magnard, 1996, p. 197.

Document 2 : extrait de l'éditorial de Jean-Pierre Renard et Patrick Picouet, « Frontières et territoires », *Documentation Photographique,* n° 7016, avril 1993.

Document 3 : photographie de la ligne de démarcation entre la Corée du Nord et la Corée du Sud, *in* Jean-Robert Pitte (dir.), *Géographie 2ᵉ,* Paris, Nathan, 1996, p. 251.

Document 4 : Jean-Robert Henry, *Sciences Humaines,* hors-série, décembre 1996-janvier 1997, de « La Méditerranée est à la fois frontière identitaire » » à « une Europe plus blanche et chrétienne qu'elle n'a jamais été ».

L'abondance des publications récentes sur le thème de la frontière, l'intérêt qu'elle véhicule dans l'imaginaire collectif et les représentations mentales qu'elle dévoile révèlent une évolution sensible du concept. Résultant d'une construction par l'homme, la frontière en subit ses directives, ses mutations, parfois ses excès. Sans aller jusqu'à évoquer une inversion sémantique du concept — longtemps associé à une barrière —, la frontière s'ouvre sous l'effet de la mondialisation. S'efface-t-elle pour autant ? La dimension globale de la géographie n'offre-t-elle pas de nouvelles pistes à l'étude de la frontière que celles précisées par la géopolitique ? Quelles traductions didactiques héritent de ces évolutions ?

La frontière : une création humaine
à forte connotation géopolitique

> Les frontières sont des lignes. Des millions d'hommes sont morts à cause de ces lignes.
> (G. Perec, *Espèces d'espaces,* 1992)

D'après la définition fournie dans *Les Mots de la géographie* (1993), la frontière constitue « une limite du territoire d'un État et de sa compétence territoriale ». La frontière est donc associée à un espace approprié : le territoire. Le mur d'Hadrien, construit au IIᵉ siècle de notre ère, isolait sur plus de cent kilomètres les populations barbares des populations romanisées et prévenait toute attaque en provenance du Nord.

Mais la frontière qui traduit la réalité physique de la souveraineté nationale naît avec les États modernes, qui ont dessiné, matérialisé sa linéarité. En 1494, par le traité de Tordesillas, le Portugal et l'Espagne se répartissent ainsi des aires d'influence que les cartographes visualisent.

La frontière naturelle, qui détermine la moitié des frontières internationales, entérine le désir d'appropriation et justifie les velléités expansionnistes. Le tracé des frontières s'appuie sur des éléments physiques : lignes de rivage (plus de 2 700 km de frontières maritimes françaises), lignes de crêtes (sur plus de 1 000 km en France métropolitaine). Cours d'eau et lacs représentent encore un tiers des frontières internationales. La nouvelle frontière entre la République tchèque et la Slovaquie a reconstitué l'ancienne division formée par le massif des Carpates blanches au Nord et par la rivière Morava au Sud. Sans matérialisation moderne (au sens politico-juridique), la frontière naturelle isole : les falaises du Bandiagara au Mali tracent la limite du pays dogon. Inversement, les cols ont assuré dans l'histoire des liaisons transfrontalières sur la base d'échanges commerciaux (les colporteurs alpins). Les limites bioclimatiques constituent aussi des frontières qui génèrent des formes d'occupation de l'espace très diversifiées.

La définition de la frontière s'élargit au XIXe siècle avec Frederic Jackson Turner qui soutient en 1893 l'argumentation de la frontière comme élément fondateur de la jeune nation américaine et élément moteur de son idéologie. Daniel Boorstein réaffirme le caractère historique et culturel de la frontière et du mythe du pionnier dans *L'Histoire des Américains*. J.F. Kennedy a même utilisé l'expression « Nouvelle Frontière » pour traduire la volonté de lutter contre les injustices sociales et ethniques.

Dans le cadre d'une géographie globale, la sémantique de la frontière s'est diversifiée ; elle porte autant aujourd'hui sur les considérations idéologiques, religieuses, ethniques ou sociales que sur la dimension géopolitique qui dissociait arbitrairement frontière naturelle de frontière artificielle. En fait, les obstacles naturels furent choisis en raison de leur commode représentation cartographique mais selon des critères indéfinis (ligne de partage des eaux ou ligne de crête en montagne), car la frontière est d'abord « une ligne imaginaire séparant des droits imaginaires » (A. Bierce, cité dans *Les Mots de la géographie*, p. 228). La frontière du Nord de la France ne s'appuie sur aucun élément naturel. Est-elle plus ou moins légitime que la frontière pyrénéenne ? « Il n'y a rien de plus artificiel qu'une frontière naturelle » affirme P. Pinchemel.

En Afrique, les deux tiers des frontières sont tracées selon des critères astronomiques (méridiens parallèles) et mathématiques (la frontière équerre égyptienne). Les réalités humaines ont été ignorées, les peuples séparés (Kongo, Haoussa) par « les producteurs de frontières » (M. Foucher dans « Fronts et frontières », 1991). Le nationalisme de puissance et l'expansionnisme colonial du XIXe siècle ont abouti à une répartition des territoires lors de la conférence de Berlin en 1885. La Grande-Bretagne et la France ont été à l'origine de près de 40 % des tracés des frontières internationales actuelles. Le choix des tracés résulte de considérations stratégiques (s'allier le terrain) et administratives (rendre efficace l'exécution du pouvoir métropolitain).

L'artificialité de la frontière rend le contenant modifiable, car « elle n'est pas intangible » (M. Foucher, « Fronts et frontières »). Au lendemain de la décolonisation, les revendications territoriales furent nombreuses et sources de conflits, qu'il s'agisse d'une volonté d'annexion ou de sécession (Afrique Noire, Afrique du Nord).

L'éclatement de l'ex-URSS est lié au caractère artificiel des Républiques autonomes créées (mosaïques ethniques du Caucase). Avec la disparition des empires coloniaux et la fin de la Guerre froide, le nombre des États et la longueur de leurs frontières ont doublé en cinquante ans. Le bornage ou démarquage des frontières est encore imparfait en raison de la longueur et du coût des opérations de matérialisation terrestre et maritime.

La normalisation récente des relations internationales stabilise les frontières sans leur attribuer une pertinence immuable. Par ailleurs, elles s'effacent dans le cadre d'un processus de coopération ou d'intégration supranational (Union Européenne ou Alena). Même dans le cas d'une gestion commune du territoire, « l'appropriation à l'amiable » résulte toujours « d'un rapport de forces » (J.-P. Renard et P. Picouet). Le partage du plateau continental de la mer du Nord selon le principe d'équité fut ainsi plutôt favorable à la puissante Allemagne selon Yves Lacoste.

La frontière : ligne de rupture étanche à différentes échelles

La frontière traduit encore aujourd'hui un rapport de forces aux dimensions multifonctionnelles et qui ne répond pas seulement à des affrontements idéologiques interétatiques.

L'exemple de la frontière entre les Corées s'inscrit dans la typologie des frontières militaires. Frontière composée par deux lignes de fer barbelé distantes de quelques mètres, cette ligne de démarcation le long du 38e parallèle rompt avec l'ancienne tradition unitaire de l'État coréen. Derrière le rideau de fer ayant mis fin dès 1953 à une histoire commune, s'enracinent deux systèmes politiques et économiques nourris aux sources idéologiques de la Guerre froide.

La frontière constitue alors une périphérie marginalisée, *no man's land* et glacis protecteur consensuel sévèrement contrôlés par les militaires. L'effet frontière répulsif déplace les populations autochtones, impose l'isolement et réduit donc les possibilités d'intégration, de mise en valeur et de développement régional de l'espace transfrontalier ; la délocalisation vers le Sud-Ouest de la France des industries aéronautiques permettait ainsi de réduire les risques de l'effet frontière dans un contexte franco-allemand belliqueux.

Le Proche-Orient présente aussi les caractéristiques de frontières militarisées ; les frontières israélo-libanaise et israélo-palestinienne témoignent des antagonismes religieux et territoriaux : barrages renforcés, points de passage contrôlés, déplacements limités. Si la frontière est la conscience visible de l'appropriation et de l'appartenance territoriales, les rivalités israélo-palestiniennes révèlent les difficultés de deux peuples à partager la même terre. La dimension géopolitique du concept de frontière est renforcée par l'enjeu vital que constituent la présence et la possession de l'eau douce dans l'élaboration du processus de paix au Proche-Orient ; ce sont « les eaux de la discorde » (Jacques Béthemont). Enjeux frontaliers et stratégiques sont à l'origine de nombreuses tensions interétatiques (Chatt el Arab, Javari)

Parfois, deux pays se disputent une terre désertique (les conflits entre le Tchad et la Libye au sujet du Nord du Tibesti), s'embrasent pour des îles périphériques (les tensions entre la Russie et le Japon au sujet des îles Kouriles) ou des îles plus stratégiques (les îles Spratly sont revendiquées par la Chine, le Viêtnam ou l'Indonésie car elles sont proches d'une voie maritime majeure et d'importants gisements sous-marins d'hydrocarbures s'y trouvent).

Ces rivalités sont l'expression, à un moment donné, de l'impossibilité de tolérer le caractère intangible de la frontière ; celle-ci est donc modifiable quand l'équilibre qui l'a fixée est rompu. La partition de l'île chypriote en 1974 par l'armée turque a rompu le compromis né de l'indépendance en 1960 : d'importants transferts de population au profit du Sud de l'île ont eu lieu et la partition de la capitale Nicosie a été décidée. La frontière chypriote limite deux zones économiquement contrastées. Le Sud reçoit des aides de l'Union Européenne, de la Grèce et l'apport de capitaux libanais. Grâce aux activités manufacturières et à l'essor du tourisme, la zone grecque bénéficie d'un niveau de vie plus de cinq fois supérieur à celui de la zone turque.

L'efficacité de la frontière barrière se lit aussi dans le cas des relations normalisées entre deux États voisins. Les réseaux de transport sont alors inégalement raccordés, les principaux axes parallèles à la frontière et les voies méridiennes ainsi que les noyaux urbains rares (par exemple le long de la frontière entre le Canada et les États-Unis).

Par ailleurs, les rivalités économiques et commerciales attisent les tensions frontalières. Jusqu'en 1995, l'extension du port d'Anvers fut en partie entravée par le refus des Néerlandais d'approfondir le chenal de navigation de l'Escaut occidental au risque d'affaiblir la vitalité du port de Rotterdam.

Des discontinuités socio-spatiales sont visibles, par exemple grâce à des images satellitales, de part et d'autre de la frontière. Elles révèlent les contrastes des structures foncières. Autour de Mexicali, les grandes exploitations américaines au Nord tranchent avec le parcellaire exigu des petites exploitations familiales mexicaines au Sud. Les données naturelles sont identiques de chaque côté de la frontière ; son tracé géométrique et artificiel différencie en fait la première puissance mondiale d'un pays en voie de développement. D'autres discontinuités socio-spatiales sont identifiables entre pays ayant des structures sociales et économiques proches. Elles expriment alors des héritages culturels et comportementaux distincts. Par exemple, aux marges de la frontière franco-belge, l'indice synthétique de fécondité est supérieur côté français.

À l'échelle nationale, des frontières intérieures peuvent morceler l'unité de l'État, et ce principalement dans les États fédéraux avec la multiplicité des législations et des réglementations imposées par les subdivisions territoriales. En Belgique, la limite ethnolinguistique réduit considérablement les flux migratoires entre la Flandre et la Wallonie. Ailleurs, ce sont des critères religieux qui isolent les communautés — Irlande du Nord, Russie, Chine, mais aussi, à plus petite échelle, Jérusalem —, ou encore des antagonismes historiques ravivés par des velléités sécessionnistes — comme en Yougoslavie ou en Chine.

Les particularismes spatiaux héritent de phénomènes explicatifs variés. Les frontières disparues, révolues, celles qui ont effacé les fronts d'hier disposent d'une mémoire qui fracturent également les mentalités (Wessis et Ossis en Allemagne, Viêtnam). L'Alsace est analysée en termes de mémoire frontière dans *Les Lieux de Mémoire* (1997) de Pierre Nora.

À plus grande échelle, l'impact des frontières mentales ou sociologiques s'inscrit également dans l'espace. Les structures et contrastes sociaux fixent des limites géographiques vécues, matérialisent sur un territoire les disparités ; il en est ainsi de la ségrégation socio-spatiale dans les agglomérations (villes des États-Unis, de l'Afrique du Sud, cas particulier de Jérusalem). Naissent alors de nouvelles frontières hermétiques à la périphérie de la ville : les enclaves résidentielles surveillées (*gated community* ou *common interest development* aux États-Unis).

À l'intérieur des États, les fronts pionniers se singularisent par leur indice de mobilité. Ces espaces en cours d'intégration à l'œkoumène (en Amazonie, Indonésie, Chine, dans le grand Nord canadien), ces espaces de colonisation, manifestent l'expression du pouvoir d'un État et de sa volonté de contrôler le territoire. L'importance des objectifs fixés, démographiques, économiques et stratégiques, témoigne de l'acuité des enjeux spatiaux (la stratégie de colonisation de Sumatra et le recul de la forêt). Le front pionnier reconstitue de nouvelles frontières, parfois à l'intérieur de la zone d'exploitation par le jeu des concessions foncières (villages de colons séparés des habitations des autochtones).

Vers la frontière-ouverture : les atouts de l'interface

En dépit de la fragmentation territoriale du XXe siècle, avec la disparition des empires et la multiplication des États, la frontière est de moins en moins assimilée à un espace de fermeture ou de répulsion, à une enveloppe frontalière contenant l'État. L'existence de nombreuses diasporas au cours des siècles démontre la faculté de certains peuples (la diaspora chinoise par exemple) d'« oser la frontière » et d'en révéler l'ambivalence.

Franchir la frontière représente toujours pour un réfugié quittant son pays en guerre un objectif sécuritaire vital. Pour un touriste, franchir la frontière signifie encore « oser l'exotisme ».

L'affaiblissement de la frontière-barrière résulte de la combinaison de plusieurs facteurs : la réduction des distances par les progrès des modes de transport et la densification performante des infrastructures (« le village planétaire ») ; la réduction des freins juridiques et réglementaires (GATT, OMC) ; la mondialisation de l'économie et des échanges (rôle des firmes multinationales) ; et la normalisation des relations internationales (fin de la Guerre froide).

Sous l'impulsion des États et des firmes multinationales « qui nient les limites et les réglementations » (O. Dollfus, *Géographie universelle*, 1 : *Mondes nouveaux*, 1990), se dessine une nouvelle territorialisation des activités (délocalisations) et se constituent des espaces « hors frontières » d'attractivité mondiale. Les zones de finance *off shore*, enclaves protégées, échappent ainsi au contrôle international et alimentent les paradis fiscaux de leurs avantages comparatifs attractifs (îles Caïman au secret bancaire absolu ou Bahamas).

Par ailleurs, la multiplication des zones franches, héritières des ports francs, ouvertes sur l'extérieur du pays mais aussi sur l'intérieur, est l'expression spatiale de la mondialisation de l'économie et de la banalisation de la frontière (de la frontière-handicap à la frontière-atout), « le court-circuit planétaire ».

La Chine présente une panoplie diversifiée des outils permettant l'ouverture. Les zones côtières, les bassins fluviaux et les zones frontières doivent soutenir la croissance et entraîner le développement de l'intérieur. Les zones économiques spéciales (ZES), « laboratoires de nouvelles formes de coopération internationale » (F. Lemoine, *La Chine et les Chinois de la diaspora*, 1999), encouragent les investisseurs, surtout étrangers, par des avantages fiscaux et fonciers, des franchises douanières ou des assouplissements de la législation du travail. Les villes côtières, ouvertes en 1984 et dotées de zones économiques d'expansion technique (ZEET), accaparent les investissements étrangers (principalement Shanghai, Canton et Tianjin). ZES et villes côtières ouvertes s'imbriquent dans des zones économiques ouvertes plus vastes comprenant les deltas et les presqu'îles. La normalisation des relations entre la Chine et ses voisins s'est traduite par le renouveau des dynamiques frontalières : ouverture de ports fluviaux (Heihe) ou d'espaces plus vastes (delta de Tumen), et intensification des flux entre le Heilangjiang et la Russie. L'ouverture de la Sibérie orientale en 1991 a autorisé l'immigration de millions de paysans chinois et suscité l'irritation des autorités russes, condamnant l'expansionnisme chinois.

Le gradient économique, monétaire et socio-culturel, en cas de relations normalisées, stimule les flux transfrontaliers.

Les usines de montage, les maquiladoras, installées en territoire mexicain soulignent « l'expression du déséquilibre du pouvoir » (J. Bonnamour, *Le Continent nord-américain*, 1994). La collusion de deux mondes contrastés active une nouvelle frontière entre la première puissance mondiale, qui offre capitaux, technologies et savoir-faire (en cherchant à réduire ses coûts de production et l'immigration clandestine), et un pays en voie de développement dont la main-d'œuvre bon marché et les contraintes écologiques moindres se révèlent attractives pour les États-Unis. Le revenu annuel par habitant et le salaire horaire sont cinq à sept fois plus élevés au Nord de la frontière.

Ce différentiel économique alimente un réseau de villes jumelles (*twin-cities*) aux activités complémentaires. Sur plus de 3 000 km du Nord-Ouest (San Diego-Tijuana) au Sud-Est (Brownsville-Matamoros) se tissent une trentaine de réseaux bicéphales transfrontaliers. À Tijuana se concentrent des usines de l'industrie automobile (pièces détachées), aéronautique (assemblage), ou électronique (électroménager, téléviseurs) ; au Nord, à San Diego, laboratoires, bureaux et entrepôts se multiplient. Ces maquiladoras emploient aujourd'hui près d'un million de personnes, réalisent un sixième des exportations américaines et procurent la deuxième source de devises pour le Mexique après le pétrole. Les échanges s'intensifient sur une bande large de 200 km et l'importance des flux humains (*commuters* ou *fronterizos*) témoigne de la vigueur de l'intégration en marche.

La mobilité humaine transfrontalière participe aussi aux nouvelles dynamiques de l'organisation de l'espace européen. Cent cinquante mille Français travaillent dans un pays voisin (Allemagne, Suisse, Luxembourg ou Belgique). Le faible rayon d'action des « navetteurs », polarisés par un centre urbain ou industriel, est animé par un différentiel économique et salarial.

Quand la fonction frontière recule, se mue en « frontière rencontre » (G. Wackermann, *L'Aménagement du territoire, hier et demain*, 1996), les formes de coopération s'intensifient, avec réalisations économiques (pôle européen de développement, PED), financières (consortium bancaire) ou culturelles (formations universitaires jumelées). L'effet frontière, soutenu par la construction européenne (programmes Interreg I et II) et les initiatives locales, a recomposé l'espace européen. Depuis 1967, la Regio Basiliensis associe ainsi les départements du Haut-Rhin, du territoire de Belfort, le Sud du Land de Bade-Wurtemberg et des cantons suisses. De cette volonté de coopération est né l'aéroport tri-national Mulhouse-Bâle-Fribourg-en-Brisgau.

L'espace transfrontalier Sarlorlux, créé en 1985, se définit comme un organe de réflexion et de coopération animé par un conseil parlementaire interrégional qui a soutenu le projet du PED. Celui-ci a pour but de construire, sur les ruines du bassin sidérurgique Longwy, Rodange, Athus, un parc international d'activités de 500 hectares associant une vingtaine de communes et plus de 100 000 habitants, afin de finaliser « une communauté de problèmes, une communauté de destin ». De nouvelles zones industrielles — avec des implantations de firmes étrangères — et commerciales, des infrastructures de transports modernes — téléport, plate-forme routière, aéroport de fret — participent au développement global de cet espace — 6 000 emplois créés en dix ans. Cet espace a été prévu dans un schéma commun de restructuration et d'aménagement du territoire, avec le traitement des friches industrielles. L'approfondissement de l'intégration aboutit à la réalisation d'une véritable communauté urbaine qui définit une charte commune d'agglomé-ration et met en place une structure de gestion commune.

D'autres espaces transfrontaliers, régions en devenir, sont encore en gestation, telles l'eurorégion franco-catalane (coopération politico-économique, axe transpy-rénéen, projet TGV), l'eurorégion transmanche (métropole lilloise transfrontalière, nouvelles opportunités offertes par le tunnel sous la Manche) ou l'arc atlantique. Bernard Dezert (*La France face à l'ouverture européenne*, 1993) propose d'ailleurs pour la France une typologie régionale fondée sur le degré d'ouverture et d'inté-gration à l'Europe. Cette marche vers l'européanité, qui gomme les frontières internes, annonce une intégration plus large de l'Est du continent. La zone de libre-échange euroméditerranéenne envisagée par la Commission Européenne en 1994 présage-t-elle d'une extension méridionale par-delà la mer Méditerranée aujourd'hui encore « vaste glacis frontalier et espace de transition » (document 4) ?

Longtemps répulsifs, les espaces transfrontaliers, polarisés par leur métropole, s'activent inégalement selon le degré d'implication des populations. L'émergence d'une appropriation identitaire commune renforce la volonté « d'oser la fron-tière ».

Aborder la frontière au lycée

La frontière est l'objet d'études transdisciplinaires. Dans le cadre des travaux personnalisés encadrés, elle figure parmi les thèmes proposés aux classes de pre-mière de l'année scolaire 2000-2001. Les élèves sont invités à diversifier la nature de leurs productions ; la réalisation de maquettes ou d'enquêtes sur le terrain (par exemple sur la problématique de l'identité d'un quartier) sont tout à fait envisa-geables.

En éducation civique, juridique et sociale, la classe de seconde peut mettre l'accent sur l'intégration ou l'exclusion et les processus d'identification (des fron-tières mentales aux frontières spatiales). En classe de première, le thème de la

République et des particularismes conduit l'élève à parcourir les frontières éthiques et juridiques du possible et de l'interdit.

Le concept géopolitique de la frontière abonde dans les programmes d'histoire au lycée. En classe de seconde, les thèmes de « la Méditerranée au XIIe siècle » et de « Humanisme et Renaissance » rappellent que la frontière est une ligne davantage étanche dans le domaine religieux que dans les domaines économiques et culturels ; les frontières de l'œkoumène et de la connaissance, elles, se déplacent. La problématique sur le temps long est donc celle d'une frontière mobile que corrobore l'étude de l'expansion européenne en classe de première. En classe de terminale, l'étude de la Guerre froide, notamment dans la phase bipolaire de 1947 à 1962, s'appuie sur une variété de produits documentaires qui attribuent à la frontière une identité répulsive : photographies (de la frontière coréenne ou du Mur de Berlin), extraits de textes patrimoniaux (discours de Fulton), et une multitude de cartes qui isolent de deux couleurs bien distinctes le bloc occidental (souvent en bleu) du bloc oriental (en rouge ou en mauve), un trait plus épais matérialisant la rupture.

En géographie, étudier la frontière sensibilise les élèves à la lecture et à la compréhension du monde que les sociétés humaines occupent et aménagent différemment. Dans la dernière partie du programme de seconde en vigueur encore pendant l'année scolaire 2000-2001, la frontière est abordée sous l'angle d'espaces inégalement transformés par des acteurs dont les stratégies ont évolué dans le temps. La cartographie rend compte des dynamiques de ces espaces. Le CRDP Nord-Pas-de-Calais a présenté en 1997, dans *États-Unis d'Amérique : frontières et régions*, une modélisation de l'attractive frontière américano-mexicaine. Également sous la forme de schématisation, J.-P. Renard et P. Picouet élaborent (*cf.* document 2) six exemples d'effet frontière, que les élèves peuvent être amenés à réaliser à partir de cartes, de photographies ou de textes.

Dans le nouveau programme de seconde en vigueur dès septembre 2001, l'étude des frontières, « discontinuités majeures de l'espace », accompagne celles des formes spécifiques d'aménagement, de gestion de l'environnement (la pollution ignore les frontières) et d'organisation d'un espace (en construction).

C'est encore en privilégiant l'outil cartographique que doivent être abordés les thèmes de « L'eau dans le monde » en classe de terminale STT, de « L'eau entre abondance et rareté » du nouveau programme de seconde et de « L'organisation géographique du monde », première partie du programme de terminale qui regroupe les grandes divisions du monde et les inégalités de développement.

Pour l'ensemble des thèmes relatifs à la frontière, les émissions du CNDP et de la Cinquième « Paysages à lire » constituent un soutien documentaire précieux.

Enseigner une puissance
en classe de terminale

Dossier :

Document 1 : Programme de géographie, deuxième partie : « Trois puissances économiques mondiales », *Bulletin Officiel,* n° 12, numéro spécial, 29 juin 1995.

Document 2 : documents d'accompagnement de programme rédigés par les membres du groupe technique disciplinaire (GTD) de « Le terme de puissance » à « dans la première partie du programme ».

Document 3 : Carte de l'organisation du territoire japonais, *in* Michel Hagnerelle (dir.), *L'Espace mondial, terminales L, ES, S,* Paris, Magnard, 1998, p. 189.

Document 4 : Tableau de la hiérarchie des puissances, essai de classement, Gérard Dorel, « La Puissance des États », *Documentation Photographique,* n° 8006, décembre 1998, p. 19.

À l'heure de la mondialisation-globalisation qui efface les frontières et uniformise les modes de vie, enseigner la puissance — concept généralement associé à un État (fédéral ou centralisé) — peut paraître dépassé. Nombre de décisions (des organisations régionales) et de flux (des transferts monétaires et financiers) sont réalisés hors de la compétence nationale et échappent aux pouvoirs et aux contrôles des institutions étatiques. De puissants groupes privés (comme Exxon-Mobil ou General Motors) dégagent un chiffre d'affaires supérieur au produit intérieur brut du Danemark ou du Portugal.

Cependant, d'après G. Dorel, qui propose une définition plus large de la puissance, « les puissances n'ont pas disparu dans un vague village planétaire » malgré « l'unification globalisante » (document 4). La Suisse ne constitue-t-elle pas une puissance financière, les Pays-Bas une puissance agricole et commerciale à forte capacité d'anthropisation du milieu ?

Le programme de géographie, dans sa deuxième partie (document 1), propose l'analyse de la puissance économique et du rayonnement des États-Unis, du Japon et de l'Allemagne, « aujourd'hui trois États représentatifs des pôles dominants du monde (La Triade) ».

Sur quels critères se définit le concept de puissance qui ne peut plus être interprété aujourd'hui comme il l'était pendant la colonisation ou la Guerre froide ? Quelles traductions spatiales de la puissance le programme invite-t-il à relever ? La puissance est l'expression de la souveraineté d'un État. Cette expression se traduit par des indicateurs multiples, « une masse critique » dont l'importance varie selon le contexte international mais aussi selon les « courants d'impulsion » qui traversent la recherche et l'enseignement de la géographie.

Des critères classiques d'évaluation de la puissance à repréciser

L'atout démographique

Le poids du nombre, évalué en simples termes quantitatifs, constitue selon le niveau de développement du pays un atout ou un handicap. Les fluctuations des politiques démographiques, natalistes ou malthusiennes, en Chine, dans la deuxième partie du XXe siècle, traduisent l'ambivalence du critère économique.

Les attributs qualitatifs de la population priment désormais : importance de la tertiarisation dans les secteurs d'activités, niveau de qualification de la main-d'œuvre (part des diplômés dans les actifs), niveau de vie (PNB ou PIB par habitant, IDH) et, donc, vitalité du pouvoir d'achat et du marché intérieur, stabilité et cohésion sociale. Les puissances qui présentent ces caractéristiques (sauf le Japon qui, néanmoins, reçoit depuis une décennie davantage d'immigrés d'origine asiatique) demeurent des foyers majeurs d'immigration ; les États-Unis et l'Allemagne, par exemple, drainent à la fois une population à faible niveau de qualification et une main-d'œuvre très qualifiée. Les transferts financiers des immigrés du pays d'accueil vers leur pays d'origine renforcent en fait les liens d'interdépendance et profitent à la puissance attractive. Ainsi se dessine une « zone mark dans les Balkans » (document 4).

La dimension territoriale

Elle offre bien sûr des potentialités — réserves et ressources naturelles, aires stratégiques de communication (terrestres ou maritimes) —, mais ces données brutes servent la puissance uniquement par la capacité qu'elle a de les utiliser. La Russie, qui reste depuis l'éclatement de l'URSS le pays le plus vaste du monde, ne possède plus le statut de super-grand. L'espace maritime des zones économiques exclusives s'ajoute aux superficies continentales ; ce cumul des potentiels permet à Philippe Pelletier (conférence de l'APHG à Lyon, 2000) d'évoquer « la surinsularité de la Japonésie », même si le développement du Japon repose d'abord sur une logique de densification polarisée délaissant les trois quarts de l'espace national. C'est bien aujourd'hui la faculté d'intégrer le territoire, de le maîtriser, « condition première et singulier génie » (document 2), qui anime les flux humains, matériels et immatériels par des réseaux de communication modernes, diversifiés et adaptés à toutes les échelles. Gérard Dorel (document 4) rappelle que les États-Unis demeurent le seul exemple d'État dont l'expansion territoriale et le mythe de la frontière ont nourri « un projet national fondateur ».

Le poids économique

La lecture de la puissance économique d'un État (c'est le critère retenu dans l'intitulé du programme) ne se limite plus seulement à son PNB, à l'accumulation des productions brutes ou transformées (dont l'importance, surtout pour les produits à haute valeur ajoutée, est toutefois révélatrice) ni même à l'aire d'influence d'un État et à son économie-monde, dont Fernand Braudel (*Civilisation matérielle, économie et capitalisme*, 1979) définissait l'organisation spatiale polarisée et qui convenait encore à la période de l'affrontement des deux grandes puissances de la Guerre froide. La base industrielle qui a servi de référence à cette lecture s'est diluée dans une sphère globale intégrant l'ensemble des sec-teurs productifs et obéissant aux lois de l'économie capitaliste, de l'économie mondiale.

La capacité d'innovation, « élément clé de la puissance » (document 4) tra-duit également l'hégémonie de l'oligopole mondial constitué par la Triade. États-Unis, Japon et Allemagne rassemblent « les trois quarts du potentiel de recherche de l'OCDE » (document 4). La capacité d'innovation, valorisée pendant la Guerre froide, et la course à la sophistication des armements exigent la syner-gie d'indispensables partenaires bancaires — de considérables moyens finan-ciers sont nécessaires —, humains — des savants et chercheurs doivent s'associer, en liaison avec le vivier universitaire — et technologiques — emploi des procé-dés de conceptualisation et de fabrication modernes. Les technopôles ou parcs d'activités concentrent spatialement ces foyers d'intenses gestations intellec-tuelles.

La puissance économique d'un État est liée à une monnaie forte (d'échanges et de réserves) et au dynamisme des marchés financiers. Les grandes entreprises ou firmes multinationales disposent d'une panoplie d'instruments pour dominer les marchés et influencer les décisions des responsables politiques, notamment par leur capacité d'investissement à l'étranger (investissements directs, gestion des stocks, diversification des placements financiers, délocalisations). Si les États-Unis et le Japon concentrent les trois cinquièmes des 500 plus grandes firmes mon-diales, la tendance aux « méga-fusions-absorptions » transnationales rend ce clas-sement national aléatoire, mais il accroît la puissance de la Triade, puisqu'il s'agit essentiellement de mariages internes.

La force militaire

Dans son ouvrage *La France est-elle encore une grande puissance ?* (1998), Pascal Boni-face considère que la puissance se définit sur le plan des relations internationales par la capacité de dominer un conflit, de vaincre grâce aux attributs militaires. La puissance d'une armée dépend moins des effectifs mobilisés que de la force de frappe des équipements militaires conventionnels ou stratégiques (bombes A et H, nombre de têtes et de vecteurs nucléaires, nombre de sous-marins lanceurs d'engins). Dans les années 1960-1970, la course aux armements, qui a ruiné et épuisé l'URSS, a obligé à forger de nouvelles expressions : fusées à moyenne por-tée, fusées lancées à partir de sous-marins, fusées intercontinentales, fusées à têtes nucléaires multiples. La mesure de la puissance militaire prend également en compte le rôle des industries d'armement (le lobby militaro-industriel) et leurs performances à l'exportation ; les capacités de contrôle de stockage et de diffusion de l'information (les réseaux de communications par satellites) ; la faculté d'inter-venir rapidement et de déployer des forces militaires, surtout si la puissance dispose à l'étranger de bases permanentes. De nouvelles problématiques animent aujourd'hui les débats journalistiques sur une grande puissance militaire : elle n'interviendrait que pour la défense de « causes justes », sans arrière-pensées énergiques, économiques, stratégiques ou mercantiles ; en cas de conflit, elle mènerait une guerre « homéopathique » et « propre », épargnant les populations civiles, ne causant que des « dégâts collatéraux » et ramenant tous les « *boys* » à la maison.

De nouveaux critères permettant d'établir une hiérarchie des puissances

La capacité de diffuser un modèle culturel

Les grandes puissances coloniales ont imposé leur langue, devenue impériale, dans les territoires conquis. Les universités, les centres publics et privés de formation essaimés dans le monde entier (Institut Goethe ou Alliance Française), ainsi que l'accueil des étudiants étrangers participent à l'apprentissage et au perfectionnement de la langue. Aujourd'hui, malgré les efforts de ses « concurrents », les Anglo-Américains monopolisent les échanges internationaux au niveau scientifique, diplomatique et commercial.

Pascal Boniface souligne que la France demeure le seul pays avec les États-Unis qui se reconnaît l'autorité (historique ?) de transmettre valeurs et messages universels, de « prétendre l'universel » (document 4). La francophonie organise ce dessein, désireuse d'exister « face au rouleau compresseur des industries culturelles américaines » (Youssef Chahine) qui uniformisent, « cocacolonisent » et « macdonalisent » les modes de vie et de pensée de la culture populaire (modes vestimentaires, alimentaires, musicales). La puissance culturelle d'un État se mesure alors à son pouvoir de séduction et à sa capacité d'attraction et de diffusion de masse. Les réseaux de communication (chaînes de télévision, presse, Internet) servent à l'exportation de ces projets mais aussi à informer sur des manifestations à caractère culturel artistique et sportif que le pays organise : production cinématographique, expositions, compétitions sportives.

La définition de la puissance a donc évolué ; associée d'abord aux conquêtes territoriales et aux capacités militaires, elle s'est étendue aujourd'hui au contrôle déterminant des réseaux et des flux.

Vers une typologie des puissances

Cette capacité de « s'assurer une influence durable sur toute la planète » (document 4), de peser sur les décisions internationales (Atlanta ville olympique en 1996 plutôt qu'Athènes ; l'Allemagne organisatrice de la coupe du monde de football plutôt que l'Afrique du Sud en 2006) caractérise la puissance (la grande puissance) qui dispose des moyens de « contrôler les règles du jeu dans plusieurs domaines clés de la compétition internationale » (Bertrand Badie et Marie-Claude Smouts, *Le Retournement du monde*, 1992). La grande puissance dispose à la fois « du soft power et du hard power », selon le politologue américain Joseph Nye, et elle peut ainsi tantôt séduire tantôt contraindre, rarement plier.

Dans la hiérarchie des puissances, les États-Unis, « superpuissance, puissance globale, hégémonique ou complète », occupent le sommet, le centre d'impulsion du système monde. Ils cumulent tous les attributs de la puissance et distancent nettement d'autres géants territoriaux ou démographiques comme la Russie ou la Chine (étudiées dans la troisième partie du programme) qui, malgré leurs atouts militaires et diplomatiques, sont trop pénalisées par les défaillances ou les limites économiques et financières.

La France et le Royaume-Uni (au programme de la classe de première) continuent de bénéficier de leur statut de puissances gagnantes de la deuxième guerre mondiale (les deux pays sont membres permanents du Conseil de Sécurité de l'ONU) et d'une présence internationale, diversifiée et constante, héritée de la colonisation. Ces États sont aujourd'hui dépassés sur le plan économique par le Japon et l'Allemagne, qui aspirent à davantage de reconnaissance dans les instances internationales, « multiplicatrices de puissance » (Philippe Pelletier, conférence de Lyon). D'après ce dernier, le Japon « entretient la quatrième armée mondiale » et, comme l'Allemagne, revendique un siège de membre permanent au Conseil de Sécurité de l'ONU.

La place et l'enseignement de la puissance en classe de terminale

Le nouveau programme et les documents d'accompagnement de terminale insistent, dans la continuité des programmes de seconde et de première, sur l'analyse géographique et sur la nécessité de « privilégier des approches à différentes échelles ». Trois axes orientent la progression de la démarche sur le thème des « Trois puissances économiques mondiales » : la définition des attributs de la puissance, l'expression spatiale et son organisation sur le territoire national et, enfin, le rôle et la place de cette puissance aux échelles continentale et mondiale. Pour chacun des axes, la carte constitue un support documentaire de base, comme dans la première partie du programme intitulé « L'organisation géographique du monde ».

Dix-sept à dix-neuf heures sont consacrées à l'étude des trois grandes puissances économiques mondiales en série S, vingt à vingt-trois heures dans les séries L et ES ; soit de six à huit heures par puissance.

Le premier axe fixe les facteurs et atouts de la puissance, principalement les « rapports entre la population et le territoire ». L'élève doit distinguer des facteurs de puissance communs aux trois États et des facteurs plus originaux (traits de civilisation, poids de l'histoire, stratégies de développement, maîtrise de l'espace). Les problématiques, comme le suggère le programme, sont « construites en fonction des caractères spécifiques de chaque État ».

Le prolongement de l'étude renforce l'inscription de la puissance dans l'espace. Les relations entre « la distribution des activités et l'organisation du territoire » invitent à une perspective chronologique. La réalisation de croquis et de schémas contribue à visualiser les héritages et les mutations nées des dynamiques récentes. L'échelle nationale et le découpage régional révèlent la répartition de la puissance et les disparités spatiales à petite échelle (centres, périphérie plus ou moins intégrée). Mais l'élève doit aussi être confronté à l'expression spatiale de la puissance à très grande échelle ; il peut être amené, à partir d'une photographie ou d'un plan d'une grande ville, à repérer les symboles de la puissance et à en schématiser l'expression et la diversité.

Le dernier axe de l'étude transpose à l'échelle continentale et à l'échelle mondiale les manifestations de la puissance de l'État et ses relations avec le monde (principalement avec les autres membres de la Triade). L'établissement d'une hiérarchie est alors envisageable en fin de partie : elle s'appuie autant sur les attributs thématiques de la puissance que sur sa traduction spatiale et fournit les éléments d'identification d'une puissance complète ou incomplète, de ses limites et de ses faiblesses.

Enseigner une puissance en classe de terminale participe à la formation intellectuelle et civique et, en liaison avec la première partie du programme, contribue à la compréhension d'un monde dont l'organisation dépend de réseaux complexes qui dépassent le cadre territorial des puissances étatiques.

L O U I S - J E A N
avenue d'Embrun, 05003 GAP cedex
Tél. : 04.92.53.17.00
Dépôt légal : 397 — Mai 2002
Imprimé en France